「週刊だえん問答」第2集

はりぼて王国年代記

(2020年11月15日〜2021年6月20日)

目次

表紙イラスト＝宮崎夏次系　写真＝濵本奏　AD・デザイン＝藤田裕美
印刷＝中央精版印刷株式会社

週刊だえん問答

第2集

はりぼて王国年代記

序文

そしてみんなはりぼてになった

若林恵

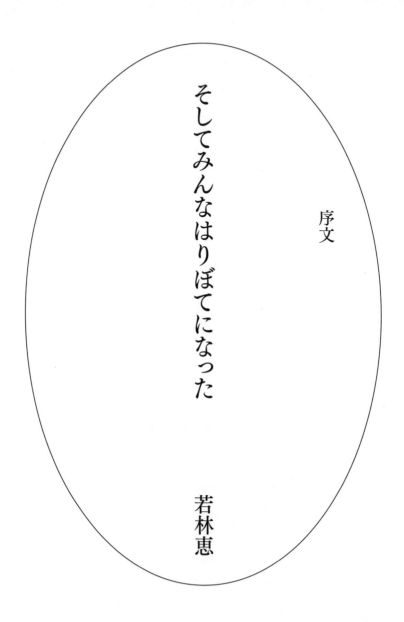

アメリカの独立系ニュースメディアQuartzの日本版「Quartz Japan」で「週刊だえん問答」と題する連載が始まったのは、2020年5月のこと。年始に一週お休みをいただいた以外は、毎週日曜日に配信を続けてきた。2020年末には連載開始から約半年分のテキストを「週刊だえん問答 コロナの迷宮」というタイトルで1冊にまとめた。本誌はその第2集となる。

基本的な記事の建て付けとして、アメリカ本国の「Quartz」が週ごとに公開している〈Field Guides〉というミニ特集を解説することになっているが、それはあくまでもキッカケであって、US版が提供してくれたお題を肴に、遠い極東の地の状況とひき比べながら、あれやこれや考えてみることにも焦点がある。海外と日本。ふたつの焦点をもつ与太話であり、かつ、対話形式が用いられていることから「だえん問答」と名付けられている。

2020年のうちは海外で次から次へとドラマチックなニュースが報じられ、それにキャッチアップすることに大きな関心もあったので、特集の中身にそれなりにフォーカスすることができたが、いよいよワクチンも完成し、トランプ氏が表舞台から退き、欧米が一定の落ち着きを取り戻したように見えてくるにしたがって、本国の〈Field Guides〉の特集自体からも2020年の怒涛の熱気は消えていった。ニューノーマルがノーマルとなれば、語られることが減っていくのも当然か。結果この連載も、海外ニュースの解説という側面は徐々にトーンダウンしていく。一方、ここ日本ではそれとはまったく異なる事態が進行し、その奇怪な成り行きが、海外メディアが見ている世界の姿とあまりにかけ離れているため、海外と日本のふたつの焦点をもってだえんを成すはずの「問答」は、かたちを成さぬほど要領を得ないものとなっていった。

ここに収録したテキストは２０２０年11月から21年6月の間に書かれたものだ。その間の日本の状況を概観するなら、こうなろうか。

明確な基準が存在しないコロナ対策のおかげで、効果も判然としない「緊急事態宣言」やら「まんぼう」が繰り返され、事態が悪化しているのか好転しているのかコンセンサスがつくられることも、「現状」が定位されることもなく、宙吊りにされた茫漠の日々。ゴールの位置を動かし続けたら、やがてゴールの意味が失われるのは必然だが、パンデミック下においてそれは、「これをもって収束」と見なす瞬間が訪れないことを意味している。ニュージーランドあたりでは、歓喜とともに音楽フェスなどが再開されつつあるというが、かつて先進国として呼ばれた東の涯の島国は、目指すべき「出口」が存在しないゆえ誰ひとり出口を出ることができないという哀れな煉獄に囚われのままになっている。

さらに厄介なのは「オリンピック」の開幕が7月23日に固定されてしまっていたことで、その日取りが、さも「ゴール」であるかのように取り違えられたことだ。本来「コロナ収束」というゴールは、オリンピックと分けて考えるべきもののはずだが、国や都や、スポーツ利権の上層部の人たちの混濁した意識のなかでは、いつからかそれがパンデミックを抜けでるためのゴールであるかのように錯覚され始め、気づけば「オリンピックを迎えさえすればコロナに打ち勝ったことになる」という倒錯した論理、もしくは呪術的思考が、国家運営の原理となる。まじないとして繰り返される「安心安全」を聞かされ続けるのは、ただでさえ煉獄に置かれている身には、正直かなり堪える。

それと比べれば、ＩＯＣのぼったくりやはったりどもは、はるかに合理性が高く、猛暑対策をろくに打ち出せない都や組織委員会に愛想をつかしてマラソンの会場を札幌に移してみたり、どこぞからワクチンを入手してきて選手に配布することを提案してみたりと、腕力自慢の「対策」を打ってみせる点で、まだ実体性がある。対策が何であれ、そこに少なくとも何らかの合理的な意志があって、それが邪なものであればなお、嫌悪のしがいや、憎悪のしがいもある。１９６４年の追憶を後生大事に抱えた爺さまたちが、自分の人生のタイムリミットにオリンピックの開催日を重ね合わせて、それを自らの墓碑銘にしようとしている、膝から力の抜けるような薄気味悪さに比べれば、所詮金儲けのためのスポーツ興行であることを隠し立てもせず、その上に権力とゲンナマをしこたま積み上げることに専心するぼったくりのほうが、生卵でも投げつける対象としては、存在の輪郭がはるかにしゃっきりしている。

もっと言えば、ぼったくりどもがアルマゲドンなんて語をもち出して恫喝するにいたったのは、国民に対してというよりむしろ、「安心安全」と唱えればそれが実現すると本気で思っている薄気味悪い人たちに対する脅しだったように思えなくもない。もしそうであるなら、その点においてのみ、ぼったくりに同情するのもやぶさかではない。

いずれにせよ海外の状況が落ち着いてくればくるほど、日本で起きていることの異様さは際立ってくる。当然、この連載においても、それに触れることも多くなる。オリンピック関連の話題も途中から目に見えて増えていった。目の前の鬱陶しいニュースについて何かしら語ることに費やされたすべての土曜日は、振り返ってみれば、気味の悪いまじないを振り払うための週ごとの儀式だったと思えてくる。振り払っても振り払っても翌週にはまた振り出し。タイムループは本誌の隠れたモチーフでもある。

収録した31篇は対話形式をとっているが、聞き手のセリフ、答え手のセリフ、ともに自分で書いたものであり、言うなれば本誌は５５０ページ分の長い長いひとりごとだ。土曜日の夕方から夜にかけての数時間で一気に書き上げ、ろくに推敲もせぬまま編集担当のトシヨシ氏に送りつけた無責任な代物でもある。これ自体が、現状に対抗するためのおまじない、思いつきの念仏のようなものだと言われれば、たしかにそうかもしれない。

「そんな代物を読むことに何の価値があるのか」と訝しむ方もおられようが、コロナとオリンピックに板挟みとなった、それなりに時代を画すことになるだろう異常な時間のなかで、その時々に感じた混乱ややりきれなさを活字として定着しておくことは、後々の人がこの時間のとりとめのなさを感覚的に知る手がかりのひとつくらいにはなるかもしれない。そう期待して、意味や目的や価値を問うことなく、まずは出版しておくことに意味がある、ということにしておきたい。

第1集に続いて本誌も、表紙イラストは漫画家の宮崎夏次系さんにお願いした。イラストを描いていただくにあたってお伝えしたのは、本誌がまずもってオリンピックをめぐるもやもや、いらいらを基調としたものになるであろうこと、自分ですら何を書いているのかよくわからない混乱したものになるであろうこと、さらにタイムループ映画さながらに何度も何度も同じ朝に戻ってくる感覚をずっと感じながら書かれたものであること、などだった。タイトルは、当初「消えたオリンピック」とするつもりでいたが、どうも消えそうにない雲行きとなり、イラストの発注時点で「伝説のオリンピック」にしようと思っていることを宮崎さんにはお伝えした。

6月の半ばすぎに送られてきたラフスケッチは、表紙として採用した絵のほか、計7–8点あった。そこには、表紙裏で使わせていただいたぼったくり男爵をモチーフにしたものも含まれていた。その面白さのあまり一瞬、「ぼったくり男爵の大冒険」というタイトルが思い浮かんだが、そう考えたあたりから、この一連の狂騒がとんでもなくバカげた寓話であるかのように感じられるようになったのはありがたい啓示だった。

表紙に採用した絵の背景には、廃墟と化した新国立競技場が描かれている。その前でパラソルを開いて寛いでいる人物はいったいいつの時代に属しているのだろうか。彼女は廃墟となったスタジアムについて何を知っているのだろうか。いまわたしたちがそのなかで七転八倒している時間もやがて虚無の淵へと消え去るのだろうか。宮崎さんの絵に宿る摩訶不思議な無時間性は、煉獄のなかで膠着しきった視野に意表をつくパースペクティブを与えてくれる。まるで消え去った王国のあとに残された広大な虚無。まるでガルシア・マルケスの小説みたいじゃないか。そう思いつくにいたって、本誌のタイトルは、現状のものに落ち着いた。

「はりぼて王国」は、直接的には「やってる感」だけで物事を回そうとしている日本のありよう全体を揶揄してはいるが、もう少し広い射程をもちうる。はりぼては必ずしも日本のものとは限らないし、国家や組織の中枢にだけ見いだされるものでもない。

大きな制度やシステムがそれなりに完成してしまうと、それ自体が自律性を発動する。すると、そのなかにいる人の行動は、その人自身のものなのか、あるいはシステムの自律性によるものなのか、次第に境目がわからなくなっていく。自分が自分でやっていると思っていることは、システムと同化してしまった自分がシステムにやらされているだけのことかもしれない。そして、それが進行していけば、やがて、システムがうまく設定されれば自分は何もしなくても自動的に何かが実現されるという錯覚も生じてくる。

世界を支えてきた大きなシステムが軋み始めると、「自分がやっている」と思っていたことが、実はシステムの慣性や惰性のなかで「やっている感」を出しているに過ぎないものであったことがよく見えてくる。そして、それが見えてしまえば、すべてがただのはりぼてにしか見えなくなる。

はりぼてはいたるところにある。やっているつもりのことすべてが、ただのはりぼてに成り果てていることが、いよいよ明らかになっていく。自分だって例外ではない。この読み物自体が「やってる感」の最たるものではないかと言われれば、残念ながら返すことばもない。

（2021年7月1日）

#28

Welcome to the splinternet

November 15, 2020

テクノナショナリズムの逆襲

「インターネットは情報を民主化したというけれど、そうじゃない。インターネットが民主化したのは『英語の情報』だ」

――こんにちは。2週間ぶりですが、お元気ですか？

いいえ。まったく。

――どうしたんですか？

この連載の単行本化の作業がまだ続いておりまして、死にそうです。

――大変ですか。

ページ数が膨大にありまして。

――何ページあるんですか？

400ページ近いですね。

――え、そんなに？

あるんです。

――わずか半年で、よく書きましたね。

ほんとですよ。張り切りすぎました。

――これからも張り切ってくださいよ。

そうですね。

――本のタイトルは決まっているんですよね？

はい。『週刊だえん問答 コロナの迷宮[※1]』というタイトルです。

――は。なんですか、それ。

連載自体はずっと「〈Guides〉のガイド」でしたが、友人と駄話をしていたときに、ここで用いている「仮想対談」という形式を「だえん問答」と呼んではどうかとなりまして、そのまま採用しました。個人的にはかなり気に入っています。

――だえん、ですか。

焦点がふたつある、という含意です。ふたりによる対話になっているという構成において、まず視点がふたつありますし、米国版「Quartz」の〈Field Guides〉に対する書き手である若林の応答になっているという企画の建て付けの点でも焦点がふたつあると言えるのではないかと。

――なるほど。それで連載のタイトルも今回から、「週刊だえん問答」に変更されたということですね。

はい。そういうことです。では、改めて「週刊だえん問答」としての第1回、通算で数えますと28回目ですが、今回のお題は「テクノナショナリズム」です。

原題は「Welcome to the splinternet」となっていまして、「スプリンター」は「破片」「裂片」を意味する英語ですから、今回の特集は、当初麗しき「グローバルビレッジ」をつくりだしてくれるはずだったインターネットが、国家の管理下におかれ、ナショナリズムと結託しながら断片化していっている流れを追ったものとなります。

トランプ大統領が中国産のアプリ「WeChat」や「TikTok」をアメリカで禁止しようとしている※2ことが、特集の底流にある直近の問題ですが、こうした断片化は、起こるべくして起きているとも言えます。

――そうですか。

中国がTwitterやFacebookを筆頭に国外のサービスを排除し、デジタル空間を明確に「国家の領土」と見なしたのが、いまにしてみれば、やはりひとつの重大な転換点だったように思います。これは、2009年の出来事です。

――はい。

当時のインターネットは、基本シリコンバレー由来のアメリカのテック巨人の独壇場でしたし、中国のテック企業が世界化するなんていうことはまったく想定されていませんでしたから、〝アメリカ寄り〟の立場からすると、「あらあら、中国がまた自分の殻に閉じこもっちゃったよ」「まあ、いずれ外に出てくるから気にしないでおこう」といった対応だったように感じます。少なくとも自分は、そんな印象でした。

「グローバル」といえばもっぱら

※1　※2

「アメリカ」のことを指すと思い込んでいる日本から見ると、アメリカのグローバル覇権はデフォルトの環境ですから、デジタル空間においてもその盤石性を疑うことがなかったのだと思います。ところが、中国に限らず、世界の多くは必ずしもそう思っていたわけではないんですね。

——そうなんですね。

アメリカ産の巨大テック企業によって、ただでさえ強大なアメリカのパワーがさらに強化されることを嫌ったのは中国だけでなく、欧州もそうです。彼らは、2000年代の初頭からデジタル空間においてアメリカ企業が独占的な地位を占めることをことさら警戒しており、ベルリンなどの都市を中心に、アンチ・グーグル、アンチ・フェイスブックのキャンペーンを長らく展開してきました。それが制度として結実したのが2018年に施行された「一般データ保護規則」（GDPR）というもので、これは明確にアメリカのテック巨人をターゲットにしたものでした。

——はい。

そうやって、デジタル空間におけるアメリカの影響力を相対化しようとする動きは、目立つところでは中国と欧州で起こっていたわけですが、事が複雑になるのは、国家としてのアメリカと、アメリカ産のテック巨人が、必ずしも一枚岩ではなくなり、むしろ時を経るにしたがって敵対的になっていったことでした。

——なぜでしょう？

いくつか契機があったとは思いますが、スノーデン事件（2013年）によって、まず政府と市民の間に決定的な溝が生まれ、その後、ソーシャルメディアの力を最大化することによりトランプさんが大統領になってしまったことで（2016年）、「デジタルテクノロジーは社会を破壊している」といった言説がアメリカでも広く流布されるようになりました。「WIRED」のようなテックメディアからも、こうした声が上がってくるほどでしたから、これは大きな潮目でした。さらに大統領選挙がFacebookを通じて操作されていたという「ケンブリッジ・アナリティカ」のスキャンダル※3が出てきたことで（2018年）、政府もいよいよ本腰で規制に動かざるを得なくなりました。

――2020年7月の独禁法問題の際※4にも、下院の公聴会にGAFAのお歴々が呼び出されていましたね。

そして、ここからさらにややこしくなるのは、デジタル空間における覇権は安泰だろうと思っていたアメリカで、ミレニアルズ・Z世代を中心に、あろうことか中国産のアプリが知らぬ間に大人気になってしまっていたからです。これはアメリカに限らずどの国もそうだと思いますが、要は中国をナメていたんですね。アメリカもここにきて慌てて使用禁止を打ち出してはいますが、これが意味するのは、アメリカが、インターネットのグローバル性を否定するということですから、その影響は甚大です。

――中国がアメリカ企業を禁止したのと同じことをやろうとしているわけですもんね。

そうなんです。これは、中国の戦略のほうが結果的には当たっていたということを、暗に認めてしまうことになりかねません。おそらく世界中には、インターネットをより強固に国民を監視・管理する装置として利用したいと考える指導者や官僚はいたはずですが、アメリカが一応体現していた民主主義や個人主義といった理念が歯止めになって、あからさまな監視や管理は表向きには進行していなかったはずです。あくまでも「表向き」には、ですが。アメリカ自身がその建前を外してしまいますと「なら、うちも」となる国は出てくるのではないかと予想されます。

――なるほど……。

今回の〈Field Guides〉にある「インターネットの未来を勝ち取るべく戦う最も重要な企業・政治家・アクティビスト※5」(The most powerful companies, politicians, and activists fighting for the future of your internet)という記事では、「人権」を主題に「サイバーピース」を謳うヨーロッパの政治家や団体が紹介されている一方で、そうした勢力と真っ向から対立する「強権派」として、インドのモディ首相のソーシャルメディア部隊や、ウガンダのムセベニ大統領が紹介されています。

※3　※4　※5

――ヤバい人たちなんですか？

ムセベニ大統領は、Twitter、WhatsApp、Facebookなどのソーシャルメディアを何度も遮断しており、「ソーシャメディア税」なる政策も打ち出しているそうです。彼の強硬な態度は、アフリカ諸国のリーダーたちからは賞賛され、レソトやジンバブエといったアフリカ諸国でのソーシャルメディアの利用は徐々に厳しく規制されるようになってきていることが、10月に「Quartz」に掲載された、「アフリカ諸国政府はソーシャルメディア規制を静かに強めている※6」(More African governments are quietly tightening rules and laws on social media) という記事でも明かされています。

――ふむ。

これによって、ソーシャルメディアで政府批判をした人が逮捕される事態が生み出されています。ソーシャルメディア規制の大きな目的は、何よりも市民が自由に声を上げることを恣意的に封殺することになっているわけです。

――怖いですね。

一方インドのモディ首相は、世界のなかでも最もテックサヴィなリーダーとして知られており、InstagramとTwitterに約6000万人ものフォロワーを抱えていまして、これはトランプ大統領の約2倍だそうですが、これを主導してきたのがモディ首相の所属政党BJPのソーシャルメディア部隊※7です。通称「IT部屋」(IT Cell) は、元々は若い有権者を獲得するために組織された部門ですが、手っ取り早くフォロワーを獲得するために、イスラム教徒に対するヘイトを撒き散らしており、それがインドのネット空間を汚染していると記事は指摘しています。「インドはオンラインナショナリズムを煽ることで、自分たちが中国を羨ましく思っていることを明かしている」とも語っています。

――うーん。お話を聞きながら日本のことを思うにつけ、「デジタル庁」なんていう話も、いよいよきな臭く聞こえてきますね。

「テクノナショナリズムが形づくるインターネットの未来※8」(Techno-nationalism is shaping the future of

※13 ※14 ※15 ※16

your internet）という記事は、こうした現状を、こうまとめています。

「中国が提唱する『サイバー主権』という理念は絶大なる影響力をもつにいたっている。よその国の政府も、その理念をもってインターネットを、指導者が考えるところの国益に従って規制すべきだと考えるようになっている」

「資金力のあるいくつかのプラットフォームに権力が集中する一方で、全体主義的な政府が次々と、そのテクノロジーを、自国民を管理するために利用するようになってきている」

――なんとも暗黒な未来ですね。

先述の「インターネットの未来を勝ち取るべく戦う最も重要な企業・政治家・アクティビスト」には、「人権」という盾をもってこうした状況と戦っているグローバルノンプロフィット組織などが紹介されています。羅列しておきますので、興味ある方にはぜひ見ていただきたいと思います。

ICANN ※9
Mozilla Foundation ※10
Public Citizen ※11
Fight for the Future ※12
Internet Society ※13
Access Now ※14
Free Press ※15

――心強いですね。ところで、アメリカの大統領選は、終わったのか終わっていないのか、もはやよくわかりませんが、大統領がトランプからバイデンに変わることで、今後のインターネットの行方が多少でも変わるんでしょうか。

ちょうど今週の月曜日の11月9日に、「バイデンのホワイトハウスはテック政策どう変えるか？ 知っておくべきこと※16」（How Will Tech Policy Change In The Biden White House? Here's What You Need To Know）という記事が「NPR」に出ていましたが、とにかく話題が多岐にわたります。

――そうですか。

まず、言及されているのが、トランプが投票日間際に、独禁法でGoogleを訴えた件です。記事は、この裁判がここ数十年におけるテック企業に対する裁判で最も重要

※12 ※11 ※10 ※9 ※8 ※7 ※6

なもので長期化は必至としながらも、バイデン政権は、この裁判を継続はしないだろうと見ています。

――なぜでしょう?

この裁判自体が選挙戦を睨んだアドバルーンだったという見方から、この裁判自体を継続しないということですが、といって民主党がGoogleを見過ごすかといえばそうではなく、むしろ新たな裁判をスタートさせるのではないかという見方が有力です。ですから、アメリカ政府とGoogleの戦いが始まるのは、おそらく間違いなさそうです。「もし、この裁判に政府が勝つと、Googleはその帝国の分割を余儀なくされるだろう」と記事は書いています。

――ふむ。

次に問題となっているのは、ユーザー投稿型のプラットフォームの規制です。これらのプラットフォームは、ミスインフォメーションやディスインフォメーションの温床になっていることから、どの国でも政府が頭を悩ませている問題ではありますが、アメリカで争点になるのは、テック企業をこれまで守ってきた「通信品位法」(Communications Decency Act)の「Section 230」という条項[※17]でして、この法律が認めた「legal liability shield」というものがあることで、テック企業はユーザーが投稿したコンテンツに対する責任を負わずに済んできました。

これを見直すことについて、バイデンは、副大統領時代に「至急やる」と語っていたそうですから、特にTwitterやFacebookなどのソーシャルメディア企業に対して、誤情報や偽情報の取り扱いをめぐって規制をかけていくのではないかと見られています。

――それは、いい話ですよね。

テック企業がここで一番恐れているのは前記の「legal liability shield」を失うことで、それが温存される限りにおいては、規制はむしろウェルカムなのではないかというのが記事の見立てです。

――そうなんですね。

ユーザーが投稿したコンテンツをめぐって裁判地獄に陥るよりは、政府が言う通りにユーザー投稿に規制をかけていくほうが、彼ら的にははるかに楽ですから、Facebookあたりは、それをむしろ歓迎するのではないかと専門家は見ているようです。

――ザックらしいといえば、ザックらしいです。

とはいえ、ここでの懸念は、何が投稿され、何が削除されるかの判断を政府が担うことになる、という点です。政権に有利な投稿だけが許可されるということになれば、中国や先のウガンダと何が違うのか、ということにもなりかねません。

――といって、この間の選挙戦を見ている限りでは、企業の自助努力だけでは制御しきれないようにも見えますから、この判断は難しいところですね。

もっとも「legal liability shield」がなくなることで一番痛手を被るのは、「Twitter や Facebook よりも、むしろReddit やYelp、あるいはWikipedia などのサイトだろうともされています。

――Wikipedia がなくなったりしたら困りますね。

まったくです。続いての話題は「中国テック」ですが、バイデン政権は、トランプさんが指摘していたように自国民のデータが中国に盗まれているのではないかという疑念は共有していまして、「全面禁止」のような強硬策ではない、もっと戦略的なやり方で中国と対抗するだろうと見られています。これにはTikTokやWeChatのようなサービスだけでなく、5GをめぐるHuaweiの処遇なども含まれます。

――うまく中国を御することができるんでしょうかね。

どうなんでしょうね。記事には具体的なアプローチは語られていませんが、どんな戦略がありうるのか興味ありますね。そういえば「中国テック」については、この原稿を書いている11月13日の「日本経済新聞」に「テンセント、動画『物量作戦』コンテンツ投資倍増」という記事が出ていたのですが、それによるとTencentが2023年までに映画やドラマのコンテンツ制作に対して、なんと、

1兆6000億円相当の投資をしていく予定だと明かされています。

——1兆6000億！ コンテンツにですか！

すごいですよね。記事は主にBaiduやByteDanceへの対抗策として国内コンテンツの拡充を狙っているとの見方ですが、個人的に気になるのは、その資金がどの程度ハリウッドに流れていくのかという点でして、Tencentが保有する映画製作会社「Tencent Pictures」がこれまで出資してきた作品を見ますと、ハリウッドでの展開は、今後さらに強まるようにも感じます。

——え。Tencentが関わっているハリウッド映画って結構あるんですか？

ありますよ。並べてみましょうか[※18]。『ウォークラフト』『キングコング：髑髏島の巨神』『ワンダーウーマン』『ラ・ラ・ランド』『レディ・プレイヤー1』『ヴェノム』『バンブルビー』『メン・イン・ブラック：インターナショナル』『ターミネーター：ニュー・フェイト』などがこれまでのもので、来年以降には『トップガン』『ヴェノム』の続編なども控えている[※19]そうです。

——ちょっと！ ほとんど観てますが！ Tencentのお金が入っているとは知りませんでした……。しかも名だたるIPばかりじゃないですか。

自分は『ヴェノム』を観たときに、冒頭に「Tencent Pictures」とあったのに気づいて「えっ？」と思ったのですが、調べてみて改めて驚きました。

——Disneyが『ムーラン』で中国寄りの態度を取ったことで世界中から批判を浴びました[※20]が、そう考えると、すでにアメリカのコンテンツビジネスは、チャイナマネーにどっぷりという可能性もありますね。そこに来て、コンテンツ予算「1兆6000億円」とくれば、バイデン政権はこの辺も気にしないといけないのかもしれませんね。

大変ですよね。話を戻しますと、バイデンが直面しなくてはならない「テック問題」はまだあります。

——まだあるんですか……。

はい。「NPR」が中国問題に次いで取り上げているのは、いわゆる「データプライバシー」の問題です。これについては、2021年にはプライバシーをめぐる連邦法が制定されるのではないかと専門家は見ているそうです。

——テック企業の反対はないんですか？

むしろテック企業側がそれを望んでいると記事は書いていまして、なぜかと言えば、カリフォルニア州が独自にデータプライバシー法を施行した[※21]ように、50の州で個別に法制化されるよりは、連邦レベルで法制化してもらったほうが彼らとしてはありがたいですし、どうせ欧州において「GDPR」を遵守しなくてはならないわけですから、GDPRと同等の厳しさの法規制であれば、すでに対応済みだということもあるようです。

——ふむ。まだ、あります？

お次はギグエコノミー対策です。これについては、つい先日、ギグワーカーを雇用者ではなく個人事業主としてとどめおくことを求める「Proposition 22」という法案が、カリフォルニア州で可決[※22]されまして、ワーカーたちのみならず労働組合などにも大きな落胆をもたらしました。

とはいえ、テックプラットフォームに対して、ギグワーカーたちをもっと公正に扱うべきだという世論は根強くありますし、独占企業が同業のSME（Small & Medium Sized Enterprise）を圧迫することへの反発も強くあります。一方のテック企業も、より柔軟でフェアな労働環境を生み出していくことの必要性を認識していると、あるベンチャーキャピタリストも語っており、バイデン政権は大統領令をもって規制を発動してもよいのではないか、とする声があることを記事は紹介しています。

——なるほど。

飽きてきました？　ご安心を、次が最後です。

——はい。

最後は移民の問題です。

※18　※19　※20　※21　※22

――テックと関係あるんですか？

シリコンバレーは長いこと外国生まれのワーカーたちによって牽引されてきましたし、記事によればテック業界における外国生まれのワーカーは実に60％に上るそうです。

――イーロン・マスクやピーター・ティール、セルゲイ・ブリンをはじめ、Microsoft のサティヤ・ナデラなどなど、外国生まれのスターには事欠きませんね。

そうした優秀なワーカーたちを呼び込むために用いられてきたビザが「H-1B」というものでして、これをトランプ大統領が廃止しようとして、連邦裁判所に止められるという悶着※23が今年ありました。トランプとしてはアメリカのワーカーに職を与えるための施策だったようですが、バイデンは、高技能をもった国外からのワーカーについてはさらに増やしていく方針だと見られています。

――この問題については、先週の〈Field Guides〉で特集※24されていましたが、今回のお題である「テクノナショナリズム」の問題とも直結していますね。

ナショナリズムと排外主義は、コインの裏表のようなものだと思いますが、その根底にあるのは、やはり労働・雇用の問題です。2020年3月には、ドイツで高技能ワーカーの条件を緩和する新しい移民法が施行された※25そうですが、移民の増加が社会の不安定さを増すのは知りながらも、それでも優秀なワーカーを呼び込みたいとどこの先進国も思っているのは、そうしないと国の未来がつくれないと考えているからだと思います。排外主義を抑えながら、国の経済のドライバーとなる外からの新しい人材を、どうやって社会のなかになじませていくのかは、非常にデリケートなバランスが必要とされる難題ですね。

――票取りという観点から言えば、敵を特定して排除を謳うのが一番効率が良さそうですから、そこに陥らないためには、よほどの自制が必要に思えます。

今回の〈Field Guides〉は、インターネットの夢であった、ヒューマニスティックにつながったグローバル世界が、粉々に砕け散っている状況を反映した特集ですが、そのなかでもとりわけ面白かったのは、「インターネットをあらゆる言語でアクセスできるようデータサイエンティストたちが格闘中[※26]」(Data scientists are trying to make the internet accessible in every language)という記事です。

――ほお。

ここでは南アフリカのデータサイエンティストの、こんなことばが紹介されています。

「インターネットは情報を民主化したというけれど、そうじゃない。インターネットが民主化したのは『英語の情報』だ」

――冒頭にあった「グローバルといえばアメリカのこと」ともつながる話ですね。

私たちはアメリカの覇権の下で長いこと暮らしてきましたから、グローバルというとそれが「アメリカ化＝英語化」を意味していると、あまりに自明のこととして思ってきましたし、テックイノベーションを主導したのがアメリカ企業だったことから、デジタル化がもたらす「グローバルビレッジ」もまた自明のこととして英語の世界だと感じていたように思いますが、本当は、もっと想像力を働かせて、そうでない世界を思い描くべきだったのかもしれません。

――中国語が話されている、とか？

それもひとつですよね。J・J・エイブラムス製作のNetflixオリジナル『グローバーフィールド・パラドックス[※27]』では、宇宙ステーションにおける公用語が中国語という設定で、これには大変驚き、かつ感心もしたのですが、いま起きていることは、これまでの「英語の覇権」が、他の言語に置き換わっていくということばかりでもないのかもしれません。

――どういうことでしょう。

それこそ、いま挙げた記事は、ローカルな言語が多数あるインドやアフリカ、あるいはバスクなどで、自然言語処理の専門家が翻訳AIを用いて、インターネットにおける言語の多様化を推進している状況を描いていますが、すでにして

※23　※24　※25　※26　※27

私たちは、かつてないほどマルチナショナルでマルチリンガルな環境に接していることは、この原稿を書きながら、ずっとBLACKPINKを聴いていても思います。

——好きですね。

言語という観点で言えば、BLACKPINKの動画には絶えず、ハングルと英語とタイ語と日本語がランダムに入り混じっていますし、いわゆるファン動画はもはやナショナリティという概念自体が意味をもたない様相です。そのなかで、英語は、やはり相変わらず優勢にある言語ではあるのですが、つい先日、『Virtual English: Queer Internets and Digital Creolization[※28]』という面白いタイトルの本を見つけまして、「なるほどそうか」と思いました。読んではいないのですが。

——えーと、訳すと「バーチャル英語：クイアなインターネットとデジタルクレオール化」という感じでしょうか。

ここにある「デジタルクレオール」ということばはいいなと思いまして、言われてみれば英語の専制は、すでにクレオール化されながら相対化されているのかもしれないな、と思ったりします。

BLACKPINKのリサが母国語のタイ語を話している動画[※29]を、意味もわからないなりにたくさんの人が観ているような状況は、かつてないものだと思いますし、そうやって未知なる言語に絶えず晒されながらも、それでも何かしら共有できるものを皆が探り当てようとしているさまは、非常にポジティブなことのように感じます。

——それこそBLACKPINKやBTSが、アメリカの4大ネットワークの番組で韓国語の歌を歌っているのをみると、時代も変わったものだなと思いますね。

今朝、ちょうどアヤ・ナカムラという、フランスをはじめ欧州で大人気のマリ人の女性シンガー[※30]の新譜を聴いていたところでして、彼女の名前の「アヤ・ナカムラ」は、調べてみるとドラマ『Heroes』のヒロ・ナカムラさんからとった、ただの芸名なんです。日本人名を芸名にしたフランス語で歌うアフロポップの歌手って、やっぱり相当面白いなと思います。彼女の作品は、今作で初めてアメリカでデイストリビュートされることになるそうですが、アメリカもすでにして、こうした「クレオール」なものを楽しめるだけの耐性を得ているのかと思うと、興味深いですね。

――ナショナリズムや「一国による覇権」といった観念を鮮やかに無効化していく感じがあります。

　地上の国家がいくら壁を立て、人びとを自分たちの領土に閉じ込めようとしても、デジタル空間のなかには、摩訶不思議なやり方でクレオール化した別の領土がすでにできているのだとすると、少し痛快な気持ちにもなります。だいぶロマンチックな見方かもしれませんが。いずれにせよ、「国家」というものを強く統治したい側にとっては、その新しい領土は目障りでしょうね。

――今後世界がどう転んでいくのか、よほど注視しないとですね。

どうなりますか。

※28　※29　※30

Field Guidesを読む #28

Welcome to the splinternet

November 15, 2020

https://qz.com/guide/splinternet

- テクノナショナリズムが形づくるインターネットの未来
  Techno-nationalism is shaping the future of your internet
- インターネットの未来を勝ち取るべく戦う最も重要な企業・政治家・アクティビスト
  The most powerful companies, politicians, and activists fighting for the future of your internet
- インターネットにあらゆる言語でアクセスできるようデータサイエンティストたちが格闘中
  Data scientists are trying to make the internet accessible in every language
- 衛星インターネットはスプリンターネットを壊せるか
  Can satellite internet break the splinternet?
- 中国への窓となるアプリ&ウェブサイト
  The apps and websites offering a window into China
- アプリの出所はますますわからなくなってきている
  It's become increasingly difficult to tell where apps are from

#29

Climate tech's second shot

November 22, 2020

気候テックの神話・上篇

グレタさんおよび、彼女のデモに賛同したと言われる
世界中の若者たちの領土は、おそらくソーシャルメディアで
彼女らはその空間内においてつながっています。
グレタさんが体現する新しい気候の神話が
ことさら大人を苛立たせるのは
それがソーシャルメディアというものと
深く関わっているからのように感じます。

――こんにちは。

はい。

――お疲れですか？

はい。

――まだ単行本の制作が続いているんでしょうか。

はい。

――大変ですか。

はい。

――あはは。死んでますね（笑）。

はい。

――なんかしゃべってください。

えー。はい。この週末で校了するのですが、何を隠そうようやく全貌が見えまして、トータルのページ数が448ページもありました。

――マジすか。そんなになりますか。

どうりでゲラを読み終わらないわけです。

――いろんなこと語ってきましたからねえ。

そうですね。

――概観すると、ご自分としては何を語っている本だと思われます？

うーん。ゲラを読みながら私なりに思うのは、自分が一番気にしているのは、結局「情報の問題」なのかなというところですね。

――情報？

いわゆるフェイクニュースだったり、インフォデミックだったりといったテーマなのかな、と思っています。いま世界を苛んでいる一番の困難は、そこだと思うんです。世の中的には、おそらく、反知性的な言動を「知性」や「理性」といったもので押し返すことができるはずだという考えが、まだ根強くあるように思えるのですが、状況はそんな生易しいものではないのではないかという気が、とてもします。

――それは、この連載でも何度か指摘されてきたことのようにも思いますが、そこ、やはりそんなに重大ですか。

重大だと思います。実は今月末に弊社から武邑光裕先生の新著『プライバシー・パラドックス※1』という本を出すのですが、武邑先生がおっしゃるには、「fact」(事実)と「fake」(偽物)は、語源が一緒なんだそうです。つまり、ともに「fiction」、すなわち「つくりもの」なんですね。

――あれま。

要は、私たちが突入しようとしているのは「本当」と「嘘」がもはや不分明な、中世以前の世界のようなものなのではないか、と先生は書かれています。「魔術」と題した最終章にこんな一節があります。

「現代のネットユーザーは、『精霊の領域』やテクノ魔術や黙示録(ディープ・フェイク)に魅せられ、遠く離れた独裁的な地主の捕虜になっている中世の農民のように見える。インターネットは、日常生活の上に置かれた一種の超自然的なレイヤーへと発展し、人びとは恐ろしい力、熱を帯びたビジョン、終末的で精神的な戦いの領域へと容易にアクセスできるようになった。

私たちはサイバーパンクの未来に加速されているのではなく、空想的で魔術的な前近代の過去に放り込まれている」

――なんと。

この数十年だと思いますが、映画やゲームなどをみても、中世的想像力が明らかにメインストリームになっているわけですよね。『ロード・オブ・ザ・リング』や『ゲーム・オブ・スローンズ』といったところが典型だと思いますが。ちなみにMMORPGの9割は舞台が中世だそうですから、時代の心性はすでにサイバーパンク的な

※1

イマジネーションとは異なる方向に向かっていて、サイバーパンクのビジョンを通して想像されていた未来はすでに失効しているとのことばは、言われてみるとリアリティがあります。

——そうなんですね。

お気に入りの映画で、『ラスト・ウォリアー 最強騎馬民族スキタイを継ぐ者[※2]』という、11世紀を舞台にした『マッドマックス』みたいな変なロシア映画があるんですが、ご覧になったことあります？

——あるわけないですよね（苦笑）。

アクションシーンも非常にカッコよくて面白いもので、ぜひオススメしたいので、ちょっと、Amazonに掲載されているディスクリプションを引用しておきますね。

「11世紀のユーラシア大陸——一つの文明が瞬く間に新しい文明にとって代わられてしまう激動の時を迎えていた。誇り高き戦士、遊牧騎馬民族スキタイの末裔たちは今や邪悪な傭兵へと転身し、残酷な報酬目当ての暗殺者となり、村人たちを襲撃していた。村を襲われた戦士ルトバーは、人質に取られた妻と子供を救うため、捕虜にしたスキタイ戦士マーテンを案内役として同行させる。旅の道中で敵対する2人だったが、互いに仲間に裏切られた者同士協力し合うことに。だが、次々と襲う刺客と罠に瀕死の状況に追い込まれたルトバーは怒りと復讐により己に眠る戦闘民族の血を覚醒させる！」

——面白そうじゃないですか（笑）。

このあらすじで説明されている「激動の時代」というのは、さまざまな未開部族と言いますか、民間宗教やアニミズムを信仰している土地土地のトライブがキリスト教文明に飲み込まれていく時代背景を指しています。

主人公の戦士ルトバーは、たしかキリスト教に宗旨変えした諸侯の家来なんですね。その彼が、スキタイの戦士と連れ立って、キリスト教化されていない奇妙な未開部族のいる土地を旅していくことになるのですが、あるところで、土地の部族の長老にこう言われるんです。

「おまえの神はここにはいない」

——ほほお。

　このフレーズ、なかなかすごいなと思いまして、中世という時代がどういうものかと考えたときにピンとくるものがあったんです。

——たしかに、ハッとさせられます。

　キリスト教的な世界観では、神というものは普遍的な存在として想定されているはずですが、昔からその土地に暮らす部族から見たら、それはあくまでもどこかよそのローカルな神さまでしかなくて、その土地ではなんの実効性ももたないんですね。とはいえ、そうした「未開部族」も、やがては普遍宗教に「平定」されていくことになるのですが、映画はどちらかというと「未開」を平定していく普遍の側ではなく、いずれ失われていくことになるバナキュラーな世界の側に立っていまして、ラストで戦士ルトバーは衰亡していくスキタイの一味として「普遍」に抗う側に身を置くことになります。

——面白いですね。

　近代国家のリーダーであるよりは、もはや土着的な部族長を目指そうとしているように見えるプーチンのロシアでこんな映画がいま製作されることの意味を考えることは、それはそれで面白そうですが、ここでお伝えしておきたいのは、いわゆる「マルチポーラー化＝多極化」する世界というのは、「普遍」によって一度は「平定」されたはずの世界が、徐々に溶け出してかたちを失い、もう一度「それぞれの神がいる世界」に戻っていこうとしている状態を指しているのではないか、ということです。

——あー。うーん。なるほど。

　例えばアメリカ大統領選の様子を見ながら、自分は「この土地におまえの神はいない」ということばを何度も反芻してしまうのですが、そう考えると「フェイクニュース」「陰謀論」といったことばは、近代が措定してきた普遍的な世界像そのものを相対化していく非常に大きな強い趨勢のようにも思えてきてしまうんです。それを普遍的な「近代的理性」をもって押し返すことは本当に可能なのかと、正直思ってしまったりもします。

※2

――そう言われると、西洋近代の「普遍」の側から見るよりも、「いまは中世なんだ」というフィルターをもって物事を見るほうが見通しが利くような気もしてきますね。

ところで武邑先生は先の引用部分の直前に、サイバーパンクを葬り去った存在としてある特定の人物を挙げています。この人物こそが中世化する世界のアイコンとも言えるのですが、いったい誰だと思いますか？

――さっぱりわからないです。

引用しましょう。

「凍った北欧の果てから、古い世代の虚栄心を非難し、大惨事が起こることを警告し、王や女王と対決するためにやってきた予言者の少女、グレタ・トゥーンベリの登場が、すべてを変えた」

――ははあ。なんでずっとこんな話をしているのかと思ってましたが、そこで今回の〈Field Guides〉のお題の「クライメート・テック」、つまり「気候変動とそれをめぐるテクノロジー」の話につながるんですね。

うまくつながるのかどうか自信はありませんが、「グレタさん」をどういう存在として理解すべきなのか、自分も正直腹落ちできぬままいたので、彼女が中世の予言者であると言われて妙に納得してしまいました。

――武邑先生は本当に面白いですね。

間違いないです。それはそうと、グレタさんについて言えば、つい先日知人から、面白いメッセージをもらったんです。あるところで気候変動の話をしたところ、それなりの大企業の代表クラスの人が「気候変動は陰謀だから」と真顔で言ってきたそうで、それに対して「グレタさんはじめ、多くの若者はリアルな危機感があって活動しているんですよ」って返したところ、「それも操られてるんでしょ？」と言われたというんです。

――日本のおっさん、マジやばいですね。典型的な陰謀論じゃないですか。

それはそうなんですが、こうし

た感覚は、何もおっさんに限らないような気もしています。というのも、先日ある会合で、気候変動やサステイナビリティをめぐる話題が議論の俎上に載ったのですが、「地球環境をなんとかしなくてはいけない」という議論が出てくると、なぜかその会議に参加していた若者が、それについて懐疑的になり、「そのことを認めたくない」という感じで防衛的に反応する場面に出くわしたんです。

　これは経験的にも、そんなに珍しい反応ではなく、それこそ中央官庁の人と話していたときにも同じような反応をされたことがあります。

――やばいですね。日本人、大丈夫ですか？

　やばいかどうかは別にして、ここで考えておいたほうがいいと思うのは、何が日本人をして「気候変動」や「地球環境」という概念に強い心理的抵抗を催させるのか、という点だと思います。そして、それを考えることは、逆に言えば、グレタさんをどう理解するのかということにもつながるような気もします。

――抵抗の原因はなんだと思います？

　こう言ってしまうと非常に語弊があるのですが、先ほどのスキタイの映画に出てきたような、「普遍に怯える土着部族」みたいなところがあるんじゃないかと思ったりします。

　そもそも「普遍」という概念が、おそらく日本人はハナから苦手なんだと思うんですね。ただでさえ市民とか国民といった概念が苦手なところで、その延長線として「世界市民」や「地球」なんてことばを持ち出されても、正直なんのことやら、みたいな感覚はあると思うんです。自分ですら「なんだよ世界市民って」って思うところもないではないですから。

――まあ、それはわからなくもないです。

「地球」なんていう概念をもち出されて、「あなたもそのステークホルダーである」「ステークホルダーであるからには責任をもて」と言われると、責められているように感じてしまうようなところがあるのかもしれません。しかもグレタさんの場合、かなりの詰問口調で責め立ててきますので、「なにを！」と反射的に身構えてしまうんでしょうね。

――「地球」という巨大な普遍をもち出されて、その責任を問われても、実際のところ何をどうしたらいいかわからないですもんね。

　しかもその概念が厄介なのは、それを誰も否定したり拒否したりすることができない強制力をもっている点です。「地球に対する責任」と言われたら、そこから免罪される人はいないわけですよね。ただ、じゃあ一方で、その「責任」が実体的に何を意味しているのかといえば、それを特定することはとても困難です。

　思想家のイバン・イリイチは、「環境科学という新しい神話ないし哲学における主役」である「生命」ということばを『生きる思想※3』という本のなかで分析しているのですが、彼はそれをこんなふうに批判しています。

「『生命』ということばは、現在のエコロジー、医学、法律、政治、倫理などに関する話しのなかにかならず登場する不可欠の用語となっています。ところが、この用語を使う人たちは、この概念が歴史をもったものであることをいつも忘れています。実はこれは西洋の概念であり、もとをたどれば、キリスト教の教えがねじ曲げられた結果あらわれたものなのです。そして同時に、これはきわめて現代的な概念でもあります。しかし、その意味あいが混乱しているために、このことばは、何ひとつ正確に言い表せなくなっているのです。『一つの生命』とか『人間の生命』といったことばでもってものを考えていると、人は漠然と、何か非常に重要なことについて語っているような気がしてきます」

――なるほど。「生命」というあまりに当たり前になってしまっていることばについて、それが何を意味しているのか真剣に考えたこともありませんでしたが、言われてみると、なんだかもやっとしていますよね。「地球」ということばも、似たところがありそうです。

　生命ということばをめぐって「意味あいの混乱」が起きていて、それが何を指しているのか「何ひとつ正確に言い表せなくなっている」

というのはまさに環境についての議論において起きている問題と相似を成しています。

　エコロジーの議論はなぜゴミ情報まみれなのかという問いを、哲学者のティモシー・モートンは『Being Ecological[※4]』という本の冒頭に提出していますが、要は、気候変動問題はそれ自体がフェイクニュースの温床なんですね。しかもイリイチのことばに沿うなら、それはある意味、構造的に起きていることなので、陰謀論に与するおっさんが、ただの間抜けだというわけでもなさそうです。

——そうですか。

　地球環境の問題のなかでも、特に天候という領域は、古来より深く「天」という概念と関わるものですよね。つまり、そこは長らく神さまの領土だったわけじゃないですか。そこを今後誰の管轄下においてどう管理をするのかという問いが気候変動問題をめぐる話であるわけですが、イリイチが指摘するように、そもそも「生命」やそれを根拠にして支えられている「地球」といった概念がキリスト教由来の、あるローカルな神さまをめぐる神話でしかないのだとすると、それに普遍ヅラをされる筋合いもない、と感じるのはその通りだと思うんです。というのも、気候変動の問題はこれまでの西洋近代のフレームでは取り扱えない問題なのではないか、という疑念がそもそもの根っこにあるようにも思えるからです。

——ふむ。

　ここで考えないといけないのは、グレタさんは、西洋近代の神話をもう一度神話化するために現れた存在なのかどうか、というところなのだと思います。おそらく少なからぬ日本人は、新しい普遍による抑圧であると感じるところから反発も覚えるのだと思いますが、本当に彼女はそうなのかをいま一度問うべきなのかもしれません。

——それを武邑先生は否定されるわけですね。むしろ彼女は、ある固有の部族の予言者であるとおっしゃるわけですから。

　そうなんです。じゃあグレタさんはいったいどういったトライブを代表するアイコンなのかといえば、私の見立てでは、おそらく「ソーシャルメディア」ということに

※3　※4

なるのではないか、という気がします。

――んんんっ？　どういうことですか？

グレタさんおよび、彼女のデモに賛同したと言われる世界中の若者たちの領土は、おそらくソーシャルメディアで、彼女らはその空間内でつながっています。グレタさんが体現する新しい気候の神話が、ことさら大人を苛立たせるのは、それがソーシャルメディアというものと深く関わっているからのように感じます。

――気候変動は、ソーシャルメディア世界の新しい神話だ、ということですね。

あくまでも仮説ですが、そう考えると自分としては腑に落ちるところがあります。若い世代がソーシャルメディアを通じて感得される世界像というのは、ハナからグローバルですし、しかも実感的にそうなんですね。地球の裏側に自分と同じような個人がいるという実感は、テレビや新聞といったマスメディアでは体得できないものでしたから、外から見るとそれは得体のしれないものですし、そのなかで育まれた神話は、たしかに胡散臭くは見えますが、注意しなくてはならないのは、それを批判する人たちの言うことも結局は胡散臭いということで、気候変動という問題系は、そもそも誰が何を言っても胡散臭くなる構造を孕んでいることを、私たちは常に留意しておいたほうがいいのではないかと思います。

――「神学論争」になってしまいがちですもんね。

気候変動はそういう意味で情報の問題ですし、「天」という神の領土が関わってくる分だけ文化的なものでもあり、そうであればこそ、「中世化」というものを最も先鋭的に表出させてしまうのではないかと思うんです。

――そうだとすると、日本は逆にどういう神話のなかを生きているんですかね？

昨年だったと思うのですが、ジェームズ・ブライドルという方が書いた『ニュー・ダーク・エイジ』という本について議論するイベントを開催したのですが、そこで得た気づきはいくつかありまして、そのひとつは、まず、そもそも科学技術というものが、天候というものと深く関わっているということです。イベントをレポートした文章※5がありますので、長いのですが、引用させてください。

「そもそもコンピュータやデジタルネットワークをつくりあげた計算論的思考は、気象予測、天気を計測し、モデル化し、それを予測することによって、あわよくば天気そのものをコントロールしたいという欲望から生まれ出たものだという。そして、その欲望の追求こそが地球規模の気候変動を促していくというパラドクスを生み出したという指摘は、なるほどと頷かされる」

「『気象を操作したいと願った人間の歴史』という本は、環境改変への執着がやがて軍事技術へと転用され、50年代から70年代にかけて、朝鮮半島やヴェトナムやラオス、カンボジアなどで展開された『人工降雨作戦』などへと発展していった経緯などを詳細に明かしている。コンピュータの父として名高いフォン・ノイマンが１９５５年に執筆した論文が本書で引用されているが、『人類はテクノロジーより長く生き残れるか』と題された文章は、『ニュー・ダーク・エイジ』と響きあうようで興味深い」

「フォン・ノイマンは気候制御を完全に『常軌を逸した』産業と呼んだ。（中略）地球の熱収支や大気の大循環に手を加えると、『核戦争やこれまで起きたあらゆる戦争の脅威よりも徹底的なやり方で、個々の国の事情をあらゆる他国の事情と混ぜ合わせることになる』。（中略）フォン・ノイマンは気象や制御の二面性を明らかにした。最も大事な問題は、『人間に何ができるか』ではなく『人間は何をすべきか』だった。（中略）最終的な解決策を求めながらも見つけられないまま、彼はこう述べている。生き延びる見込みを最大限に増す鍵は、忍耐、柔軟性、知性、謙虚さ、熱意、監視、犠牲、そして十分な幸運であると」

――なるほど。

続けて引用しますね。

「それほどまでに気候変動は重大なイシューであるにもかかわらず、

※5

それにしてもなぜか自分にはどうしてもピンとこない、という感覚は抜き難い。そんなことを、池田純一さんに漏らすと、こんな答えが帰ってきた。

『それは、ノアの箱舟があるからでしょう』

　言われてみれば、その物語のなかの雨と洪水は世界を破滅にいたらせる、それはそれは恐ろしいもののなはずなのだが、ノアと世界の破局の物語を、主旨がいまひとつわからない教訓話のようなものとしてしか読まなかった身としては、その恐ろしさがいまひとつ真に迫ってこない。けれども、それが西洋ではいまなお重要なモチーフになっていることは、グリーンランドのズヴァールヴァルにある種子貯蔵庫が、ずばり『箱舟』と呼ばれていることからも窺うことができる。著者のブライドルも『ニュー・ダーク・エイジ』のなかで、その箱舟の重要性を熱を込めて語っている。

　それで思い出したのは、だいぶ昔に熊野の熊野本宮大社を訪ねたときのことだ。

　ともに旅した民俗学者の畑中章宏さんがそこで教えてくれたのは、熊野本宮大社は、現在建っているところにあったのではなく、3つの川の合流地点にある『大斎原《おおゆのはら》』と呼ばれる中州に建っていたということだった。

　中州に建っているので、当然大雨で増水・洪水が起きるたびに流されてしまう。けれども、そうやって数年か数十年に一度流され、そのたびに再建することが、ちょうど伊勢神宮における遷宮と同じ役割を果たすことになっていたらしい。大雨や洪水はたしかにカタストロフにはちがいない。けれども、それは破滅であると同時に、再生のための禊でもある。そこでは時間は直線的に進むのではなく、ぐるぐると円を描くようにまわる。空や雲がもたらす破壊は、いわば織り込みずみ。災害列島と言われるこの島々に代々暮らしてきた人たちにしてみれば、巨大災害は避けられないものとして共同体の時間のサイクルのなかにあらかじめ埋めこまざるを得なかったにちがいない。

　そうした時間感覚なりが自分のなかにも受け継がれて、それが気候変動の脅威に対する望ましい理解を阻んでいるのかどうかはうっかり即断はできないが、考えれば考えるほど『空を制御しよう』などという大それた欲求は出てきそうにない」

——あー、なるほどー。気候がどんどん予測不能、制御不能になっていることを西洋文化はことさら恐れているのに対して、日本では、最初から予測不能、制御不能なものとして扱われている、ということですね。それはたしかにそうかもしれません。

これはあくまでも自分の勝手な見立てなので間違っているかもしれませんが、少なくとも気候というもの——遡ると「天」というもの——の理解が、それぞれの文化の基層において違っているということのように思います。科学技術を進展させてきた西洋の気候へのオブセッションは、やはり西洋固有のもの、あるいはキリスト教固有のものであって、どこまで行っても日本人には希薄なものだろうと思います。

——困りましたね。

とはいえ、日本は日本で、ただぼんやりと天に翻弄されるがままでいたかといえばそんなことはなく、もちろんさまざまな知恵を発動してきたわけですが、その知恵は、気候そのものをターゲットにするのではなく、それがもたらす「災害」にむしろ焦点があったのではないかと思います。

——ああ。気候変動の責任をどう考えるのか、と詰問されるよりは、災害をめぐる知恵を出せ、と言われるほうが、考えやすそうです。

そうですよね。いずれにせよ私たちも一応近代以降の世界を生きているわけですから、そのフレームから勝手に外れてしまうわけにもいかないのは、もとより当たり前のことなのですが、その一方で、世界が本当に中世化しているのであれば、これまでのような世界連邦的イメージをもってして問題と対峙することの限界が今後ますます露呈してきてしまうようにも思えますので、議論の枠組みそのものを検討し直す必要があるのではないかと思います。ファクトとフェイクの境目がもはや見えない状況を「普遍的理性」で押し返そうというのでは、議論はむしろ後戻りしてしまいかねません。普遍的理性というものも、結局のところひとつの神話でしかないわけですから。

——うーむ。

　本が見つからないので、うろ覚えのままお話ししてしまいますが、先ほど引用したイリイチは、別の本『生きる意味：「システム」「責任」「生命」への批判※6』のなかで、宇宙から撮影された「地球」のイメージというものが、私たちの生きる科学技術の神話世界をいかに強化しているかを語り、たしか、「『地球』は触れることも匂いを嗅ぐこともできない」という言い方で批判していました。「地球」や「環境」といった概念をイリイチは「ことばのアメーバ」と呼んでいますが、それらをできるだけ排して、触れることのできる何かとして、それらを取り戻す回路が必要なのだろうと思います。そうしたことを踏まえると、日本ではむしろ気候変動の話題は、まず「災害」をめぐる問題としてナラティブ化すべきように感じます。そこには手に触れる具体性が、「地球」と言われるよりはありますから。

——なるほど。

　最後になってしまいましたが、今回の〈Field Guides〉は、「気候テック」というお題ですが、ここで言う「気候テック」は、かつて「クリーンテック」、もしくは「グリーンテック」と呼ばれていたもので、こうしたことばは下手すると、イリイチが言うところのことばのアメーバ化を促進しかねませんので、それらが、どういう回路を通じて私たちのコミュニティや社会を助けうるのかをよほどちゃんと考えないと、結局は普遍的管理に隷属させられるだけになってしまうように危惧します。

　自分は「持続可能性」という概念は決して嫌いではないですが、それを支持できるのは、あくまでも物事の一回性や偶発性が保証される前提においてのみです。そうでない持続可能性は、ただの延命治療ですし、ただのエコディストピアです。近代のそうした管理構成から逸脱するという意味において、さっきからお話ししている「中世化」は面白いわけですし、なんならちょっとした希望であると感じることもできるわけです。

——そうなんですね。

というのが、今回の〈Field Guides〉を語る上でまず思うところでして、実際の中身は、次回見てみることにしましょう。

――長い前置きでした（笑）。

すみません。

※6

#30

Climate tech's second shot

November 29, 2020

ただでさえ経済の浮揚の手立てのない日本にとって
再生エネルギー分野は絶好のビジネスチャンスになるはずです。
にもかかわらず、「陰謀論だ」と言って現実から目を背け
ビジネスチャンスを逃しているのだとすると
目も当てられません。

気候テックの神話・下篇

――前回に引き続き「気候テックの神話」というお題で、今回はその下篇ということですが、前回はしかし、要領を得ない話でしたね（笑）。

あれ、そうでしたか。

――わかったような、わからないような。

まあ、そうですよね。自分もよくわかっていないですから。今回は、もう少し実際的な話にしたいと思っています。

――ぜひ、お願いします。

しかし、あれですね、菅内閣というのは、想像していた以上にキビシイですね。

――言ったそばから本題から逸れる……。

永田町・霞が関の動向についてはできるだけ腹を立てたりしないようにしているので、そこまで気にはしないのですが、昨日知人が送ってきてくれた記事を見て、「は?」と思ってしまいました。そこから別の知人に尋ねてみたりしているうちに、久々に腹が立ってきてしまいまして。

――どうしたんですか。

共同通信の「政府、『Zoom』の利用を解禁：議員説明、質問通告に活用[※1]」という記事を読んだんです。

――ん？ 禁止にしたのではなく、解禁？ 意味わかんないですね。

わからないんですよ。アメリカを筆頭にカナダ、イギリス、台湾などがセキュリティ上の懸念から政府機関でのZoom利用を禁じているところ、なぜこの期に及んで「解禁」なのかと思って、知り合いに「どういうこと？」って問い合わせてみたんです。そうしたら、私は知らなかったのですが、

NECという会社がですね、日本国内でのZoomの販売代理をやっているんですね。それも、「国内販売店第1号[※2]」などと自社サイトにて威張っていらっしゃる。

――なにそれ。

先の共同通信の記事を見ると、「ズームを利用する際、議員とのやりとりが第三者に傍聴される可能性もあるとして『情報の機密性管理』を要請。機微な情報を扱う場合には別の会議システム『Webex』を利用し、省庁側で会議を主催するよう求めた」とあるので、おそらく問題点を認識はしているようですが、それを認識した上でわざわざ「導入解禁」を謳うあたり、かえって裏がありそうに見えてきてしまいます。

ちなみに、Zoomの脆弱性の問題で世界が揉めていたのは主に2020年4月頃で、その時点からずいぶんアップデートがあるようですので、興味ある方はこの記事[※3]を見ていただくといいかもしれません。

――何なんでしょう、NECが泣きを入れて解禁してもらったとか、そういう話ですか？

そこまでは言いませんが、とはいえ、こんな調子で「DXだ」「デジタル庁だ」とおっしゃってるわけですから、その本気度も推して知るべしというところです。結局はITベンダーのための延命組織でしかないのではないか、という疑念は深まります。

知り合いは「何周遅れなんだ」と嘆いていましたが、周回遅れどころか、どこを向いてレースが進んでいるのかもわからないといったありさまのようにも思えます。

――こちらまで腹が立ってきました（笑）。

Zoomは、確証はないものの中国政府との関係性が長らく疑われてもいますので、それ自体が政治的にもデリケートなトピックなはずですから、このニュースがもつメッセージ性を政府はもう少しきちんと考慮したほうがいいと思うんですけどね。この間にも、中国の外相にいいようにあしらわれた[※4]り、「RCEP」（地域的な包括的経済連携）を締結したりといったこともありましたので、そうした流れのなかでこのニュースを見ると、

※1 ※2 ※3 ※4

「日本はすでに中国の属国なのか？」と本気で疑いたくなってきます。実際、ソーシャルメディアではそうした声が大きくなっています。

——大丈夫なんでしょうか。

ついでにRCEPについては、いわゆる関税撤廃の話なのかと思っていましたが、報道によるとそれだけではないんですね。BBCのニュース[※5]からの引用です。

「RCEPでは20年以内に輸入品に対するさまざまな関税が段階的に撤廃される。関税削減に加えて、知的財産や通信、金融サービス、Eコマース（電子商取引）、専門サービスといった分野で共通ルールを設ける」

——ん？「知的財産、通信、金融サービス、Eコマースで共通ルール」？ここ重大に見えますが、どう考えたらいいのでしょう？

普通に考えると、中国のサービスがどんどん入ってくるようになると思えます。あるいは、知的財産については、その権利の売買を自由化していくということが含まれるのであれば、コンテンツ産業が中国資本に飲み込まれていくことも想定しうるのかもしれません。この連載の第28話で、Tencentが向こう3年で、コンテンツに1兆6000億円の資本投下を行うというニュースを紹介したと思いますが、そうした動きとRCEPがどうつながるのか、興味深いですよね。

——もはや中国に飲み込まれる趨勢にあるということなんでしょうか。

日本政府、というか菅内閣がいま、どういう方針で何をやろうとしているのかわかりませんが、こうした流れを見ていると、保守のみなさまが政権を「売国奴」と罵るのもさもありなんという気もします。

——デジタル庁に外国人を登用[※6]するともいわれていますが、こうした流れで見ると、ここで言う「外国人」は、中国人を意味するんですかね。

「デジタル庁」と威勢よくブチあげて、いきなり人材不足で白旗を上げているようにしか見えないダサは措くにしても、そうでないのだとすると、政権がどこぞの国なりに適当に空手形を切ったのではないかと勘ぐりたくもなりますよね。

　私は特に何のシンパシーもないですが、それこそ右派の論客であられる有本香さんという方※7が「デジタル庁で何をどうするかということが明らかにされないうちに、『海外から人材を受け入れる』ということだけが明らかにされるということは、順序が違うような気がします」とおっしゃっていて、まあ、それはその通りですよね。先にそんなことだけ決めて明かしているのは、何か裏の目論見でもあるように見えます。

――とほほ。その一方で、「マイナンバーと銀行口座の紐付け」みたいな話を政府が見送った、なんていうニュースも報じられていますから、「何がしたいの？」って感じですよね。

「ミスター・マイナンバー」と呼ばれている「内閣官房番号制度推進室」の方のインタビュー※8が6月にネット上に掲載されていまして、ここで銀行口座との紐付けの意義が語られていますが、まあ、これで説得される人はいないでしょうね。見送りになって当然としか思えませんが、どうするんでしょう。

――情けなや……。

　そんなに安全だと言い張るなら、自分のマイナンバーをソーシャルメディアにでも公開したらいいと思いますけど。

――あはは。

　いや冗談抜きで、エストニアのある行政職員は、出席したイベントのプレゼンの場でごく当たり前のように公開していましたよ。

――ええ？　大丈夫なんですか？

　大丈夫なんですよ。インドなどでもそうなのですが、「デジタルID」というものは、それ自体では「本人確認」以上の情報は保持していないので、考え方としてはただの「住所」もしくは「宛名」なんですよね。住所や宛名を知ったからといって「家」に入る「鍵」が付与されるわけではない、というのが、海外などで聞くデジタル

※5　※6　※7　※8

IDの基本的な説明です。

――はあ。

それと比べると、「マイナンバー制度が始まって5年だが、マイナンバー由来のプライバシーや財産の被害は起こっていない」という説明は、そもそも説明になっていませんし、結果をもって意義が正当化される論法にしかなっていませんよね。また「金融機関とマイナンバーの情報が紐付いたとしても、それで行政府に資産情報がもたらされることはない」と言われていますが、どういう仕組みでそう言えるのか説明もありませんから、これも「言っているだけ」にしか聞こえません。しかも国税庁の人間ですからね、言っているのが。

――あはは。そりゃ色々と裏を勘ぐりたくもなります（笑）。

「国民の理解を深める」以前の問題かもしれません。

――やることなすこと裏目裏目ですね。

そろそろ本題の「気候テック」に入ろうと思うのですが、今回の特集の趣旨は、この間、中国が2060年に脱炭素化完了を謳い[※9]、それに引っ張られるかたちで日本も2050年というゴールを発表[※10]したように、コロナによって世界的なエネルギーシフトが一気に加速し、これまで「グリーンテック」「クリーンテック」と言われていたものが装いも新たに「気候テック」（Climate-tech）の呼び名でクローズアップされ、一種の投資ブームが起きているということなのですが、これがなぜ重要な動きなのか、いま一度認識しておいたほうがいいと思うんですね。

――はい。

まずここで紹介したいのは、「変容する世界のエネルギー地政図：IRENA Geopolitics 解説記事[※11]」という記事でして、これは「IRENA」（International Renewable Energy Agency）という再生エネルギーに関する国際機関がまとめた「エネルギートランスフォーメーションの地政学[※12]」というレポートをサマリーしたものです。

――面白そう。

詳細はぜひ記事を読んでいただきたいのですが、記事の骨子を簡単に抜き出すと、こうなります。

「レポートでは、化石燃料を中心に形成されたこれまでのエネルギー地政図が、自然エネルギーの急速な普及拡大によってどのように変容しつつあるのか、また、その変容が世界の国や地域のリーダーたちにどのような対応を迫ることになるのかが述べられています」

「自然エネルギーが主流化する時代に入り、国同士の関係や位置づけは再構成されていきます。国際関係における競争力の源泉のひとつは経済ですが、自然エネルギーに関しては技術の面で世界的なリーダーになることが大きな意味をもつようになります。このような競争力の変化が規定する国際関係は非常に複雑であるものの、レポートでは変化の速度を読み解く上では『イノベーション』がカギとなることが指摘されています」

「技術イノベーションをリードする国は、世界的なエネルギー転換の恩恵をもっとも享受すると見られています。これについて、いまや自然エネルギー技術のイノベーションにおける超大国となった中国に敵う国はいません。中国は太陽光パネル、風力発電、電気自動車などを世界でもっとも製造し、輸出し、導入しており、世界のエネルギー転換の最前線となっています。風力発電の部品、結晶シリコン太陽光発電モジュール、LEDパッケージ、リチウムイオン電池の製造付加価値を示す図5は、中国の圧倒的な競争力を表しています」

――中国が「気候テック」の圧倒的なリーダーであることは、過去にも触れられていましたが、記事中で「図5」として紹介されている「自然エネルギー設備製造による付加価値」という図を見ると、本当にビビります。

衝撃的といっていい数値だと思いますが、中国が400億ドルに近い数値で、遠く離れた2位は60億ドル程度ということですから、もうすでにしてひとり勝ちの様相です。ただ、これを見て「おっ」となるのは、その2位が日本だという点です。

――あ。ほんとだ。2位日本、3

※9　※10　※11　※12

位ドイツ、4位アメリカがほぼ同水準で、少し下がって5位韓国、6位台湾、という順序ですね。

というレポート内容を受けて、記事は日本の取るべき針路を概説するのですが、こんな内容です。

「では、変容する世界のエネルギー地政図のなかで、日本は今後どのような方向性に進む可能性があるのでしょうか。ひとつの大きなリスクは、政治経済のリーダー層が、このレポートで示された変化の流れや速度を見誤り、分散型の自然エネルギーがもたらす競争の機会を見逃し、世界のなかで日本が立ち位置を失ってしまうことです」

「日本が分散型への転換に向けた一進一退に時間をかけている間に、中国をはじめとする世界の国々は急速に自然エネルギーを増やし、技術の覇権を競い、新たな影響力を獲得する動きを推し進めています。そして、その変化のスピードは年々速まっているため、気づいたときには日本は見る影もない、という状況に陥ってしまうことが予見されます。世界の急速な変化を認識することは難しく、また、変化は人々の認識を追い越して次々と先へ進んでいくため、政治経済のリーダー層は特に積極的に認識をアップデートすることが必要です」

「一方で、日本は東アジアで自然エネルギーを通じた信頼の構築と相互連携をリードする役割を担える可能性もあります。国レベルでは歴史問題や領土問題をめぐって緊張関係があるものの、3・11後に国内各地で立ち上がった地域主導型の自然エネルギーの取り組みには、韓国や台湾などから視察も多く、日本が知見を共有できる重要な分野となりつつあります」

――ふむ。なるほど。先のランキングを見ると、東アジアは大きなポテンシャルをもっているわけですから、日本がそこにおいてリーダーたりえる可能性はなくもないということですね。希望を感じます。

もちろん、そうなるためには、「政治経済のリーダー層は特に積極的に認識をアップデートすることが必要」という部分が極めて重要になってきますから、前回お話ししたように、経済リーダーであるべきはずの人が「気候変動は陰謀論だ」などと言っているようでは目も当てられません。ただでさえ経済の浮揚の手立てのない日本にとって、再生エネルギー分野は絶好のビジネスチャンスになるはずです。にもかかわらず「陰謀論だ」と言ってその現実を見ずビジネスチャンスを逃しているのだとすると、ビジネスセンスやビジネス力は無能に近いでしょう。仮に気候変動が「陰謀論」だとしても、それにしたたかに乗っかってビジネスするのがビジネスセクターの務めじゃないですか。

――そうですよね。

ちなみに、今年の「Good Design賞」には個人的に信頼する方がたくさん審査員に入っているのですが、選考はいまお話ししたような危機意識を反映したものになっています。広義の「気候テック」と呼べるプロダクトやサービスが上位に入賞していまして、大賞の「WOTA BOX[※13]」（WOTA）という自律分散型水循環システムや、金賞のポリエステルのリサイクルを実現した「BRING[※14]」（日本環境設計）や、デジタルファブリケーションを用いてつくられた商業施設「まれびとの家[※15]」（VUILD）といった事業は、地味ではありながら、日本の技術力やデザイン力がいいかたちで表現されたものだと感じます。

――いいですね。海外からも引き合いがありそうです。

あると思います。聞けば「BRING」は、海外のアパレル企業との提携が進んでいるといいますし、こうした企業やサービスを日本経済の真ん中にどんどん送り込んでいくことを、本当は国全体としてやっていくべきなんですよね。

――いつまで家電とクルマを日本経済の真ん中に置いているのかと思いますもんね。

価値軸を変えたほうがいいですよね。変われない大企業は、もはや社会のお荷物でしかないと社会全体として認識したほうがいいと思いますし、先の記事にあったような「変化の速度や流れ」が見えない「リーダー」は、できるだけ早く退いていただいて、のんびりNetflixでも観ていただくか、地道に自分のコミュニティに貢献する

※13　※14　※15

などして過ごしていただきたいです。

――今回は珍しく攻撃的ですね。

これまで割とオブラートに包んで遠回しに言ってきたのですが、急激に世界が動いているなか、のほほんとしたバカどもに任せておく時間は、もはやないような気がしてきました。

――あはは。

というなかで、今回の〈Field Guides〉で注目されているのは「金融」なんですね。

――と言いますと。

前回のグリーンテックブームは、結局のところ、それがデジタルテックへの投資のような短期リターンが望めない分野であることがわかった途端、投資家が離れてしまったんです。

今回の特集は、そうした投資家たちの短視眼を諌めるもので、「気候危機を解決するのはシリコンバレーではなくウォール街※16」(Wall Street is the key to solving the climate crisis—not Silicon Valley)という記事は、長年気候テックに投資してきたVCのインタビューを掲載し、こんなことばを紹介しています。

「(どのテクノロジーに投資するのかを決める基準があるかと訊かれて)退屈なものである必要がある。退屈であればあるほどいい。私たちが投資しているのは90年代に株式公開して20年以上の実績があるような企業たちだ。初めのうちは誰もが燃料電池や水素は怖いと思っていたけれど、長い目で見れば、テクノロジーはどんどん成熟していく」

――退屈であればあるほどいい、というのは面白いですね。

さらに面白いのは、最近の研究によれば、例えばソーラーエネルギーは、もはやどのエネルギーよりも安い投資対象になっているそうですが、それがなかなか広まらないのは、もはやコストの問題ではないと指摘しているところで、インタビューを受けているVCは、「古いインフラを新しいインフラへと転換するために重要なのは、コスト効率ではまったくない」と結論付けています。

※ 23

――何が重要なんですか？

グリッドのセットアップの仕方や、規制のフレームワーク、あるいは労働者の配置といったことが重要だと彼は言っています。加えて、「イノベーション＝金」と勘違いしているシリコンバレーのマインドセットが、この分野においていかに有害かも語っています。

また、「気候テック・スタートアップをファイナンスする方法※17」（How to finance a climate tech startup）では、MITが2016年に発表したレポート※18を紹介していまして、ここでは、「VCモデルはクリーンテックには通用しない」とされています。

――気候テックは、そもそもが資本集約的で、かつそれが成熟するまでに時間がかかるのだとすると、国の関与も重要になってくるでしょうし、さらには新しいタイプの資本調達の仕組みも必要になってきそうです。

「投資家たちがシリコンバレーの気候ブームに賭けている理由※19」（Why investors are betting on Silicon Valley's second climate boom）では、来るべき都市環境をテーマに投資を行うような投資ファンド「Urban Us※20」や、公共の研究所や大学のラボ発の研究に投資する「Activate※21」、あるいはノンプロフィットのアクセレレーター「Elemental Excelerator※22」といった新しいタイプのVCが注目を集めているとしていますし、さらにはフィランソロピー系の財団の影響力も強まっていることを明かしています。

――アメリカは、ビッグビジネスと見ると、金融の仕組みなども柔軟に動きますね。

その辺のスピード感はさすがという感じですよね。ちなみに「VCが支援している気候テックベンチャー※23」（The climate technologies venture capitalists are backing）という記事には、現在注目を集めているベンチャーがリスト化されています。面白いので見ておきましょうか。

――いいですね。

電気自動車：NIO, Tesla, Rivian, Lucid, Nicola, Byton, WM Motor, Xpeng

物流：Nuro, Starship, Boxbot

※16 ※17 ※18 ※19 ※20 ※21 ※22

マイクロモビリティ：
Lime, Bird, Ofo, Hellobike, Mobike

航空：
Wright Electric, Joby, Eviation, Kitty Hawk, Ampaire, Lilium

インフラ・データ：
Populus, StormSensor, Overstory

食・代用タンパク質：
Impossible Foods, Beyond Meat, Memphis Meats, Ripple Foods, Clean Crop Technologies, Apeel

精密農業：
Climate Corporation, Indigo Agriculture

リモートセンシング：
Descartes Labs, TellusLabs

林業：
SilviaTerra, DroneSeed, Wren

エネルギー効率：
Alturus, Ecomedes, Advanced Energy Solutions, Malta

発電：
Tesla/Solar City, Bboxx, Oxford Photovoltaics, Fenix International, Net Power

バッテリー：
Quantumscape, Quidnet Energy, Lilac Solutions, Form Energy

原子力：
General Fusion, Commonwealth Fusion Systems

合成燃料：
Prometheus, Nexus Fuels

マテリアル：
Modern Meadow, Ginkgo Bioworks, Zymergen, Mobius, Monolith Materials, Particle Works, Visolis

産業エネルギー・処理：
LanzaTech, Charm Industrial, Sundrop Fuels, Solugen, Dearman, Skyre, Sublime Systems, Via Separations

ビル効率：
EcoFactor, Verdigris, Katerra, Uplight Energy, Curb, Enlighted

CO_2：
Carbon Engineering, Global Thermostat, Carbon Engineering, Climeworks, Verdox, Mosaic Materials

CO_2廃棄：
Opus12

CO_2削減プロダクト：
CarbonCure, Solidia

ジオエンジニアリング：

Project Vesta,
Ocean-Based Climate Solutions

——すごいリストですね。

先にインタビューに登場したVCの方が言うように、エネルギー転換というのは「古いインフラを新しいインフラに転換する」ということですから、これは国家的な一大事業になるわけです。しかも、日本は、デジタルインフラの整備の道筋もロクに立っていないところで、並行してこの大整備をやらなくてはいけないわけですから、もう本当に気が遠くなるような話です。

——できる気がしないです。

いい企業や起業家が出てきていて、地味ながらそれなりの成果も出しているわけですから、それらを国や自治体がちゃんとレバレッジして小さなところからでも変えていけば、そこから道筋が開けるような気もするんですけどね。おバカなトップが、子どもみたいに目に見える成果ばかりを欲しがるからロクなことにならないんです。どうせ、結果だって生きているうちに見られないのだから、早いところ次世代にどんどん渡していったらいいんですよ。

——どうせ見られないって、乱暴な（笑）。

実際そうじゃないですか。「2050年にゼロ」宣言にしても、現在の内閣にいる人のほとんどが、結果を見ることができないのはほぼほぼ明らかなわけで、どうせ自分の手柄にはならないわけですから、とっとと優秀な後続に任せればいいんですよ。って、永田町や霞が関に優秀な後続がいれば、の話ですが。

Field Guides を読む #29/30

Climate tech's second shot

November 22/29, 2020

https://qz.com/guide/climate-techs-second-shot/

- ◉投資家たちがシリコンバレーの気候ブームに賭けている理由
  Why investors are betting on Silicon Valley's second climate boom
- ◉VCが支援している気候テックベンチャー
  The climate technologies venture capitalists are backing
- ◉気候テック・スタートアップをファイナンスする方法
  How to finance a climate tech startup
- ◉気候危機を解決するのはシリコンバレーではなくウォール街
  Wall Street is the key to solving the climate crisis—not Silicon Valley
- ◉気候テックの現在地
  The current state of climate tech

#31

The new meaning of cool

December 6, 2020

クールの再誕生

マイルス・デイヴィスという人は
その長いキャリアのなかでどんどん新しい音楽モードに
取り組んでは乗り換えていく
悪い言い方をすればジャズ界きっての変節漢ではあったのですが
それが決して「裏切り」に見えなかったのは
彼が時代々々のトレンドやモードに対して
いつもどこか冷ややかな
デタッチメントをもっていたからだと思うんです。

——お疲れさまです。『週刊だえん問答 コロナの迷宮』、いよいよ発売ですね。

ちょっとしたトラブルがあって店頭に並ぶのは少し遅れそうですが、見本を見た限りでは、おおむねいい感じです。

——結構な分量ですね、しかし。

背幅が30ミリありますからね。アタマから読み通そうと思わずに、適当に拾い読みしていただくのがどうやらよさそうです。自分だったらそうします。

——それじゃ私も、遠慮なくそうさせてもらいます（笑）。さて、今回の〈Field Guides〉のお題は「クールの新しい意味」というもので、これまでとは趣向というか、切り口がちょっと違いますね。

雑誌っぽいですよね。「特集 いまクールとはなにか？」って感じのタイトルが踊る表紙が目に浮かびます。かつて日本でも出版されていた雑誌「エスクァイア」で特集してほしいようなお題です。

——実際にありそうですよね。

そういえば先日、イラストレーターの長崎訓子さんとオンライントークイベント[※1]をご一緒させていただきまして、「エスクァイア」日本版のアートディレクターを創刊から10年間担当されていた木村裕治さんのお話になったんですが、それが非常に面白かったんです。

私は木村さんには一度インタビューをさせていただいたことがあるくらいで、仕事をご一緒したことはないのですが、長崎さんがおっしゃるには、木村さんは長崎さんに、イラストの用途の説明、つまり「こういう内容のこういうページにイラストが入る」という説明もなく、ざっくりとしたお題だけを投げて、あとは好きに描いていいよ、という感じで発注していたというんです。

——へえ。

　特に、木村さんがアートディレクションを担当されていた「鳩よ！」という雑誌では、長崎さんが何十点と描いたイラストを、木村さんが誌面全体に適当に——もちろん実際には適当ではないのですが——配置していくということをされていたそうで、そう言われて実際の誌面を見てみますと、テキストの内容とイラストのモチーフとが、関係ありそうに見えてまったく関係なかったりするんです。

——それでも、変な感じにならないんですね。

　変なことにならないんです。

——不思議ですね。

　これは、実は不思議でもなんでもないんです。というのも、読者は、テキストとイラストが別個に差し出された状態ではなく、最初からそれが一体となった状態で見るわけで、最初から「関係ある」という設定のなかで見ますから、どちらかといえば、むしろイラストの印象に引っ張られるかたちでテキストを読み進めることになるんですね。

——ああ、そうか。読む側は、つくる側とは逆の手順でイラストとテキストに接するわけですね。それはそうですね。

　雑誌に限らずウェブ記事を制作するときは、最初に本文があって、それを整えてからタイトルやリード文や見出しを考えるわけですが、読者はタイトルやリード文や見出しを先に見てから本文を読みますよね。音楽でもまさにそうです。ジャケットの印象が先に来てから音楽を聴くという手順になることが多いと思いますが、そもそも聴き始めた時点で、すでに音と画像が不可分になってしまっているので、「なんかこれ、画像と合ってないな」とは、なかなか思いにくいんです。

——逆に、いわゆる「名盤」と呼ばれるものに、別のジャケットをつけてみろと言われても難しいですよね。

　やっぱりそのジャケットがふさわしい、とどうしても思っちゃうじゃないですか。でも、その名盤がそのジャケットでなくてはなら

※1

ない必然性なんて、実際はどこにもないんですよね。

——たしかに。面白いですね。

デザインの面白さやそのマジックは、「そうでしかありえない」と人に思わせてしまうところですよね。と、いきなりかなり脱線してますが。

——はい。お題は「クール」です。

「クール」というお題に寄せて、木村裕治さんのデザインの話を思い出したのは、今回の〈Field Guides〉にある「ブラックアメリカンはいかにクールをグローバル化したか[※2]」(How Black Americans have shaped cool globally) という記事に「detachment」ということばがあったからなんです。

——耳慣れないことばですね。

「アタッチメント」(attachment) は、くっつけたり取り付けたりすることを意味することばで、そこから派生して「愛着」といった意味もあるのですが、「デタッチメント」はその逆です。分離することを意味し、そこから例えば「超然としている」とか、宗教用語として「ノンアタッチメント」(non-attachment) なんていうことばも派生してきます。「ヒトが世界における物事、人物、価値観などへの愛着欲求を克服し、それによってより高い視点を獲得するという概念」とWikipedia は定義しています。

——「クール」は、そうした「デタッチメント」の感覚に通じるというわけですね。

ちょっと長いですが、記事から引用しておきましょうか。

「さまざまな意味内容を含みながらも、『クール』の語をおおむねい意味で用いる使い方は、ブラックアメリカ文化に由来する。1930年代のブラックジャズミュージシャン、なかでもレスター・ヤング[※3]が『クール』の語の提唱者とされているが、そこでは『リラックスした激しさ』(relaxed intensity) を意味していた。それはやがて音楽のスタイルを指し示す以上の意味をもつようになる。それは、ブラックミュージシャンがステージで求められてきたことへの拒絶を表す、感情的なデタッチメントを意味するようになった。ミンストレルショーのような、それまでのエンタテインメントにおいて黒人は『白人を笑わせること』が役割とされ、その他の多くの人種差別の決まりごと同様、ブラックアメリカンが服従せねばならないルールのひとつとなってきた。だが、ジャズミュージシャンは、それに叛逆したのだ」

——なるほど。なぜ、いま「クール」が、わざわざ問題になっているのか、ちょっとわかってきました。

こうした話と先ほどのデザインの話がどうつながるのか、自分でもまだ判然としていないのですが、自分は、あえて分離したり距離を置いたりするという感覚はとても好きなんです。それは、そのこと自体が批評的な行為だと思うからですが、あえて尻尾を掴ませないというか、そういう身振りって、実はいまこそ大事なようにも思います。ただ、実は今回の〈Field Guides〉で語られる「クール」は、それとはまったく逆の話なんです。

——はい。今回は、どちらかというと、「クール」という概念がもっていた「分離」の感覚が、特にZ世代以降の若者たちのなかで逆の意味をもち始めているという内容です。いまどきの「クール」はむしろ「エンゲージメント」や「コミットメント」を条件にしているとしています。

「いまクールが意味するところ[※4]」(What cool means now)という記事では、ニューオリンズのテュレーン大学で文化史を研究し、『The Origins of Cool in Postwar America[※5]』という著書のあるジョエル・ディナースタインという教授のことばが全編にわたって引かれていますが、記事の冒頭で語られていることばが、まずは今回の〈Field Guides〉のテーマを端的に表しています。

「5〜6年前、あるいは、正確には思い出せないがもう少し前からかもしれない、彼は学生たちの語ることに変化が起きているのに気づいた。『彼ら/彼女らは、ソーシャルアクティビストやポリティカルアクティビストとしてのアジェンダとまでは言わずとも、少なくとも立ち位置をもっていない有名人やセレブはクールとは見做さないようになっていたのです。こ

※2 ※3 ※4 ※5

れは完全に新しい現象です。クールは政治とは長らく接続してきませんでした。少なくとも、その始まりにおいてはそうでした』」

そこから教授は、クールの起源を辿り、先ほどお話ししたレスター・ヤングと30年代のジャズクラブについて語るわけですが、クールとは、先ほども言ったように、その源流においては、無関心や無感動を装うことを通して表明された反抗的な身振りでした。ところが、黒人文化の内部から生まれた身振りや態度は、あらゆるブラックカルチャーがずっとそうであったように、これも白人文化によって、強いことばで言えば「搾取」、もう少しマイルドに言うのであれば「消費」されてきたわけです。

先の「ブラックアメリカンはいかにクールをグローバル化したか」という記事は、音楽はもとよりスニーカーをはじめとするファッションも含め、世界中のあらゆるカルチャーがいかにブラックカルチャーの影響下にあるかを明かしていますが、その影響はインドのボリウッド映画から、K-POPにいたるまで、ありとあらゆる地域、領域に及んでいるとしています。

——なるほど。ヒップホップは、もはやグローバルな言語と言ってもいいですもんね。

いまあえて「搾取」と言いましたが、ブラックカルチャーのグローバル化という状況を「搾取」ということばでネガティブに捉えることはできますし、そのように非難することは妥当ですが、ただその一方で、「クール」という身振りも含めたブラックカルチャーのグローバル化は、世界の似たような立場にある人たちに、ある意味で「闘争」もしくは「抵抗」のための武器を与えたところもあると思うんです。

——ポジティブな側面もあるわけですね。

世界中の多くの人びとがブラックカルチャーに魅せられてきたのは、音楽であれば、その快楽性や心地よさに「世界性」があったからだとは思いますが、もちろんそれだけではないですよね。日本で60年代にフリージャズが流行ったのは、公民権運動を背景にした黒人たちの闘争の音楽が、日本の学生たちの反体制的な心情に合致したからでしょうし、ヒップホップが日本はもちろんインドやアフリカ、南米などにおいて単に聴かれているだけでなく「表現様式」として採用されているのは、それが、それまで社会的な声にならなかった声にかたちを与えることのできる様式であったことの顕れだと思うんです。

――なるほど。

アメリカ西海岸の黒人の現実は、もちろん日本の都市の現実と違ってはいて、当然、個々のローカリティに即して歌われる現実も違ってはきます。とはいえ、ヒップホップという回路を通じて、これまでのポップスやロックでは掬い上げることのできなかった心情なり立場なりを表明・表現することができるようになったはずで、そういう意味で、ヒップホップは新しい音楽のOSのようなものです。その上で、さまざまな地域や階層の人たちが、自分たちにふさわしい新しいアプリケーションを生み出すことができるようになったということのように感じます。

――プラットフォームということですよね。

レゲエなんかもまさにそうで、レゲエというプラットフォームを通して、世界の音楽家たちは、それまでにはなかったやり方、それまでにはなかった角度から、自分たちにふさわしい「Rebel Music」を開発することが可能になったという、そんな印象をもっています。

――ブラックカルチャーのグローバル化には、ポジティブな側面もあるということですよね。

ロック、パンク、レゲエ、ニューウェーブ、テクノ、ヒップホップ等々、どんな音楽ジャンルも、その時代その時代の若者の切実さのなかで生まれたもので、そうであればこそ世界中の同世代のリスナーに「私と似たような感覚をもった人がここにいる」と感じさせることができたわけです。かつ、そうであればこそ、商売として大きくなり得たとも思うので、それがうまいこと商業になり得たという点にすら、ポジティブな側面はあるようにも思います。消費文化にそれを合流させたことで、実際に世の中のメインストリームの価値観に変化を起こすことができたわけですから。

――それをうまいことやったのが、まさに「Nike や Apple のような企業はいかにして何十年もクールであり続けることができたのか※6」(How companies like Nike and Apple stay cool for decades) という記事で取り上げられている Nike、Apple ということになるわけですね。

はい。ここでは、ラリン・アニクというバージニア大学教授で経営管理の専門家が行った「A General Theory of Coolness」というリサーチと、アリゾナ大学で消費者心理の研究を行っているカレブ・ウォーレンの研究をベースに、Nike や Apple といった企業がなぜ「クール」と見なされ続けているかを解説していますが、クールと見なされている企業の共通点は、いずれも、メインストリームから外れたニッチなグループに支持されるところからスタートした点だとしています。

――へえ。

Nike は60年代後半にランニングというサブカルチャーを支えていた人たちに向けてスタートした会社であり、似たようなことはスケートボーダーというニッチのための「Supreme」やサーファーのための「Quicksilver」、バイカーのための「Harley Davidson」にも共通すると、ウォーレン教授は述べています。もちろん Apple も、IBMや Microsoft による「コーポレートPC」に対する対抗軸として長らく反体制的な立場を取り続けていたわけで、いまとなっては完全な勝ち組ですが、ある時期までは完全に「サブカル」でしたよね。

――いまとなっては信じられないですけどね。

ここでおそらく重要なのは、反体制的な気骨をもった企業がマス化して巨大化するのをどう見るのかという点かと思いますが、おそらくアメリカでは、かつてのニッチブランドが大きくなってメインストリームとなることを、決して否定してはいないように見えます。むしろ、それを経済のダイナミズムの証しと見ているように感じますし、そうやってメインプレイヤーがダイナミックに入れ替わっていくこと、それ自体を「デモクラシー」と見なしている感すらありそうです。

——それこそが「アメリカン・ドリーム」ですもんね。

「デモクラシー」という語が、かつて日本で「下克上」と訳されていたことがあった、といったことをどこかで読んだ記憶がありますが、それまで周縁にあった信念やアイデアを世の中の主流へと押し上げていく機能こそが、市場というものがもつ最もポジティブな機能であるとは思うんですね。

——そこにこそビジネスの面白さもあるんでしょうしね。

とはいえ記事は、そうしたサブカル的な出自をもつ企業が、マスの支持を得た際に、当初もっていた「クールネス」をどう舵取りするのかは非常に困難なタスクだと指摘していまして、実際それをうまくナビゲートできた筆頭が、Nike と Apple だとしています。

——どうやってそれをやれたんですか？

勝ち組企業になっても「叛逆し続ける」というメッセージをしつこく社会に向けて発し続ける点において、Nike と Apple は達人であると記事は書いています。

Nike は、2018年に国歌斉唱の際の起立を拒んだことでNFLから追放されたコリン・キャパニック選手をキャンペーン広告に起用※7して非常に大きな反響を生みましたが、その広告が出た当初に「Quartz」が掲載した記事「資本主義とアクティビズムが衝突するとき、Nike のキャパニックの広告が生まれる※8」(Nike's Kaepernick ad is what happens when capitalism and activism collide) は、1988年の「Nike Air」のCM※9でビートルズの「Revolution」を使ったり、93年にチャールズ・バークレーを起用し「I am not A Role Model」(おれはロールモデルではない) というCM※10を打ったりしたことなどを振り返りながら、Nike のマーケティングにおいて「叛逆」のメッセージが、いかに重要であったかを明かしています。

——当然、そのことについての批判もあるわけですよね。

はい。キャパニックの広告については、キャパニックの政治運動

※10 ※9 ※8 ※7 ※6

を商業化しているという批判もありますし、ＢＬＭのような運動をNikeのスニーカーを買うという消費行動へと矮小化しているという批判もあります。一方で、Nikeはかつて働いていたスタッフに性差別を理由に訴えられていますし、共和党に献金してきたことを非難されてもいます。

――言うこととやってることが違うじゃないか、と。

とはいえ、キャパニックのキャンペーンを支持した人たちは、そうした矛盾をわかった上で支持していたりもするんですね。「Perception Institute[※11]」という黒人の社会正義をテーマにしたリサーチ団体の共同創業者である女性ディレクターのアレクシス・マッギル・ジョンソンはこう語っています。

「私たちは資本主義のエコシステムのなかに生きています。そして社会正義というものもまた、資本主義の複雑な構造のなかにあるのです」

――そうしたキャンペーンが、ビジネス上の判断であることは認めているわけですね。

そうなんです。実際、キャパニックが選手として活動できなくなった際に、Nike内部では、キャパニックの契約を打ち切ることも検討されていた[※12]と「The New York Times」が明かしたように、あのキャンペーンを打つにいたるまでには、相当シビアなビジネス上の判断があったとされています。

――それでもあえてやった、と。

キャパニックは選手としてはフィールドに立てない状況にあるわけですから、ロゴを載せるユニフォームも、試合中に使用してもらうギアもないわけです。つまり、実際の商品を動かすための広告塔としての役割は果たせません。それでもNikeがあえてキャパニックを起用したのは、企業はもはや商品ごとの差別化ができなくなり、企業自身を差別化するしかない状況にあるからだと、先の「Quartz」の記事「資本主義とアクティビズムが衝突するとき、Nikeのキャパニックの広告が生まれる」は分析しています。そして評論家ナオミ・クラインの有名な評論「No Logo[※13]」（『ブランドなんか、いらない――搾取で巨大化する大企業の非情』）からの、こんな一節を引いています。

「ブランドの本当の意味、いわゆる『ブランドエッセンス』の探求は、広告エージェンシーを個々の商品の属性ではなく、ブランドが人びとの暮らしにおいてどんな意味をもっているのかを理解するための心理学的／人類学的な探求にますます向かっている。これは決定的な重要性をもっている。なぜなら企業は製品をつくっているが、人びとが買っているのはブランドだからだ」

——なるほど。

こうしたことに加えて、企業はもはや、自分の「ブランド」を自分自身でコントロールできなくなっていることも指摘されています。

記事はグローバルコンサル企業A・T・カーニーの2017年のレポート※14を引きながら、こう解説していますね。ちょっと長いのですが引用しますね。

「A・T・カーニーのレポートによれば企業と消費者の関係性は、抜本的な変化のただなかにある。かつて企業は消費市場の中心にあった。情報と影響力は、事業者から消費者への一方向にのみ動いており、そこにおいて消費者は、何をどれくらい買ったかで自尊心が満たされていた。

今日、デモグラフィックのシフトや価値観の変化、そしてインターネットとソーシャルメディアがもたらしたハイパーコネクティビティによって、従来のダイナミクスは変化した。消費者たちは共有する価値や信念を通じてコミュニティ化することで、ブランドと同等の発信力をもつようになった。情報や影響力はもはや一方向には動かず、複数方向に動く。ブランドはもはや決定権をもつことができない。それが意味するところは、ブランドは消費者に向けて、パーソナルに語りかけることで信頼を獲得し、消費者にとってオーセンティックな存在になっていかなくてはならないということだ」

——「オーセンティック」(authentic)は、理解がちょっと難しいことばですね。

辞書的に言えば「真性の」「正真正銘の」あるいは「信ずべき」「確実な」「頼りになる」ということになりますが、ここでは「信頼

※11 ※12 ※13 ※14

に足る」くらいで理解しておいて、かつ「裏切らない」というニュアンスを込めておくのがいいのではないかという気がします。

——というのは？

「オーセンティック」という語には「一貫性」というニュアンスがあるように思うんですね。ブレない、というか。

——ふむ。

初めて会った人にイヤなことをされても「裏切られた」とは思わないじゃないですか。それまでよくしてもらったりしてきた経験があって、その期待が継続しているからこそ「裏切られた」という感情が発生するのだとすると、そこには時間的な蓄積がありますよね。Nikeのキャパニックの広告を見て「オーセンティック」さを感じる人は、これまでのブランド体験との一貫性をそこに見ているわけですよね。一方で、それをもって「裏切られた」と感じる人は、その一貫性がブレたと感じているはずです。

——いま若者が求めている「クール」は、ここでいう「オーセンティシティ」のことなのかもしれませんね。

そうですね。とはいえ、一貫性、オーセンティシティを貫くのって、実際はとても難しいことだと思うんです。「一貫した私」っていうものを、個人のレベルで貫くのでさえ困難ですし、それが企業ともなればなおさら難しいようにも思えます。過去に遡って「言ってることとやってることが違う」といったことを指摘されても、「そのときの経営陣がやったことだし……」といったこともあるでしょうから、それを問い詰められてもな、ということもある気がします。個人でも、人はそもそもうっかり調子に乗ってしまうこともあるでしょうし、ヘタを打ったりもします。とりわけ時代が大きく動いているなかで、過去の自分といまの自分との一貫性をどう取っていくのかは、難しい問題ですよね。

——たしかに。

そこでもう一度、レスター・ヤングが90年前に語った「クール」が、案外意味をもつんじゃないかという気がするんです。

――ほお。

最初にお話しした「デタッチメント」というスタンスです。

――ああ、なるほど。一定の無関心を装うということですね。

はい。最後の最後にではありますが、「クール」の代名詞って言ったら、やっぱりマイルス・デイヴィスじゃないですか。

――いつ出てくるのかな、と思っていました（笑）。

マイルス・デイヴィス※15という人は、その長いキャリアのなかでどんどん新しい音楽モードに取り組んでは乗り換えていく、悪い言い方をすればジャズ界きっての変節漢ではあったのですが、それが決して「裏切り」に見えなかったのは、彼が時代々々のトレンドやモードに対して、いつもどこか冷ややかなデタッチメントをもっていたからだと思うんです。

私が敬愛するジョージ・クリントン※16もそうですが、熱狂に巻き込まれそうになると、すっと身を引くんですよね。周りが盛り上がれば盛り上がるほど冷めていく。ずるい立ち位置といえばそうなのかもしれませんが、一貫性ということでいえば、そうした一貫性だけが持続しうる唯一の一貫性であるような気もするんです。

――尻尾を掴ませないようなやり方ですね。

逃げ場のないところへ自分を追い込んでいくのはどうしたって苦しくなりますから、常に身動きできる余白をつくっておくというのは大事な気がします。

冒頭でお話しした木村裕治さんのアートディレクションのやり方って、いまの時代に必要な、うまい余白のつくり方のように思うんです。ガチガチにつくり込んでしまうと、あとあと苦しくなっちゃうんですよ。

――であればこそ、いい具合に「クール」なんですね。

今回の〈Field Guides〉の趣旨からは少しズレた話かもしれませんが。

――最後まで、最近話題になった

※16

※15

Nike の広告[※17]の話が出てきませんけど、いいんですか？（笑）

ああ、あれですか。広告としてはそんなに好きではないですし、Nike というブランドについても自分は実際思い入れがないんですよ。

——って、ここまで、こんなに喋ってきて（笑）。

Apple にしたって特段好きということもないので、そういう意味では、メガブランドというものにそこまで期待したり怒ったりする人の気持ちがあんまりわからないのが正直なところですが、ビジネス的判断として、ああやって社会を攪乱していくやり方は、何かと微温的でウェットな日本のやり口と比べると、アグレッシブで羨ましいなと思うところはありますね。

——そうですか。

ずいぶん前にケヴィン・ケリー[※18]という人に、メディアは社会を挑発してなんぼだ、といったことを言われたことがありまして、「いや、はい、そうですよね、そうなんですよね、そうなんですけど、うーん」なんてもごもごしてしまったことがあったんですが、自分は全然そういうのが得意じゃないんです。受け手としても、そういうものはどちらかというと苦手ですし。かつ、日本でそれをやろうとすると、なぜか下品になってしまうという、なぜだかわからない根本的な問題もあるようにも思いますし。

——って、結局答えになってないですよ。

Nike のＣＭをめぐってソーシャルメディアをつらつら眺めていたら、「それよりポカリスエットのＣＭ[※19]の方が気持ち悪い」といった意見があって、それには共感しましたよ。

※17 ※18 ※19

Field Guides を読む #31

The new meaning of cool

December 6, 2020

https://qz.com/guide/cool/

- ◉いまクールが意味するところ
  What cool means now
- ◉クールはこんな音色だった
  What "cool" originally sounded like
- ◉NikeやAppleのような企業はいかにして何十年もクールであり続けることができたのか
  How companies like Nike and Apple stay cool for decades
- ◉ブラックアメリカンはいかにクールをグローバル化したか
  How Black Americans have shaped cool globally

#32

How we eat now

December 13, 2020

食卓のセキュリティ

コミュニティ内に、飲食店も含めた
「パブリックな食卓」がどの程度存在しているのかって
誰も計測したことがないと思うんです。
食事をつくる場所と食べる場所とが
どんどん分離していくなか
それらをデジタルネットワークを用いて
動的につなぎ直そうと思ったら
食卓の実態を可視化する必要がありますよね。

——今日も出張中なんですよね？

ですね。

——どこにいるんですか？

熊本です。

——以前、熊本で書いたという回がありましたね。

そうなんです。そのときは全館禁煙のホテルで作業しなくてはならなかったので、喫煙室にこもって書きました。今回はありがたいことに喫煙可の部屋があるホテルですので、部屋でのびのびと書いています。感謝を込めてホテル名を書いておくと、「熊本ホテルキャッスル[※1]」さんです。

——ここでメンションされて嬉しいかどうか微妙ですが。

営業妨害にならないといいのですが。

——前回の熊本出張のときは、熊本との往復の飛行機の座席はパンパンで、かつ空港でも感染症対策がろくに実施されていないと、ぶうぶう文句をおっしゃっていました。今回はいかがでした？

その点はずいぶん改善されていました。空港も各所にサニタイザーが置かれていましたし、飛行機でも、そもそもさほど混んでいなかったからなのか、それとも制限をかけていたからなのかわかりませんが、乗客同士の間が1席ずつ空けられていました。

——それはよかったです。

12月12日も東京の感染者数は過去最高値を記録していましたし、総じて徐々に神経質になってきているのかもしれません。ちなみに13日に公表された毎日新聞の世論調査[※2]では、内閣の支持率が劇的に下がってもいまして、とりわけ政権のコロナ対策について「評価する」が20ポイント下落の14%、「Ｇｏ Ｔｏトラベル」についても

7割近くが「中止すべき」としたようです。

――さもありなんですね。

すごいなと思ったことがありまして、ソースはすぐに出てこないのですが、なぜ菅内閣は「Go To」を一時中止にするなどをしないのかという疑問に対して、「あるベテラン自民党議員」だったかが「いまやめるとすれば、GoToが間違いだったと認めることになる」と答えていました。ありきたりな感想ですが、第二次大戦時の日本軍も、こんな感じで戦争の泥沼から抜け出せなくなったんだなと思ってしまいました。

――トップのメンツのためなら、全体が危機に晒されても構わないというのは、相当な過激思想ですよね。

もし本当にそのためにやめられないというのなら、そうなりますね。毎日新聞のあるコラム※3では、コロナが収束していなくてもオリンピックを強行するための予行演習がGo Toであるという見立てが語られていますが、旅行者が感染原因であるというエビデンスはないと首相が言い張っているのも、オリンピックに根本の理由があると見ているようです。

――はあ。

なぜそうまでしてオリンピックを開催したいのかという点については、経済的な影響もさることながら、別の要因も推測されています。

――と言いますと。

記事を引用しますと、こういうことだそうです。

「なぜ、五輪は中止できないか。経済的損失が、コロナでも決行する時よりはるかに大きいという試算がある。納得いかない旧大蔵省OBが、後輩の武藤敏郎大会組織委員会事務総長（元財務事務次官）に問いただしたら、諭されたそうだ。『東京五輪ができずに、半年後の2022年2月、北京冬季五輪が成功裏に行われたら、国内の反中世論が激高して政権が持ちません。中国は全入国者の健康状態を徹底監視する恐るべきシステムを用意し、国家の威信にかけてやりますよ』」

※1　※2　※3

――日本としては、日本で開催できず中国が開催してしまえば、国家としてのメンツが丸つぶれ、ということになりますもんね。中国が日本のメンツをつぶそうと妨害をしているという見方は、ＳＮＳでもよく見かけます。

どうでしょうね。日本開催が中止になれば、北京五輪の開催にも間違いなく影響があるでしょうから、中国が自国開催を確実なものにするためには、東京五輪が開催されることが望ましいという考えもありうるのではないでしょうか。

先だっての王毅外相の訪日※4ではそのあたりも話し合われたのではないかと思わなくもないのですが、報道ではあまり触れられていなかったような気がします。

――どうなんでしょうね。

12月の初旬には、オリンピック開催時に外国人観光客に対して「専用アプリを使った健康管理を実施する」といった内容の中間報告※5が大会組織委員会から出ています。そもそも「COCOA」でどスベりした日本政府のアプリの開発・運用能力の低さを見ますと、中国の協力が想定されているからこそ、こんな皮算用が成り立つのではないかとも疑ってしまいます。

――報道で見る限り、中国のほうがデジタルツールをはるかにうまく使っていましたもんね。

一方、中国に対しては秋頃から、香港や新疆ウイグル地区での人民弾圧を理由に、世界中の人権団体がＩＯＣに対して「北京五輪をボイコットすべき」という主張※6を猛然と展開していまして、ここでも日本は難しい判断を迫られそうです。

――ふむ。

経済制裁を科したり国際世論による圧力をかけたりしていけば、中国は徐々に西側の価値観に馴化していくだろう、という見立てが完全に破綻したのは、２０２０年の重大事のひとつでした。そうしたなか、西側を中心とした国際社会に残された唯一の取引カードがオリンピック、ということなのかもしれません。日本は、一応「西側」にいるわけですから、人権問題にほっかむりするわけにもいかないものの、東京五輪が北京五輪と一蓮托生になっているのであれば、おおっぴらに北京五輪に盾つくことも難しそうです。東京開催で下手に恩を着せられれば、なおさら北京五輪の参加をめぐって日本は股裂き状態に置かれる気がします。

――「道連れ感」あります。

そうなんですよね。中国にとっては、東京五輪と北京五輪は一蓮托生であるとどうしたって考えざるを得ないように思うのですが、一方の日本では、それがさほど視野に入っていないような気がします。国際政治における重大性から見ると、東京よりも２０２２年の北京五輪のほうが、はるかに大きな意味をもっているのは明らかだと思うのですが。いずれにせよ「China Olympics 2022」と英語でググってみますと、ボイコットの話題ばかりが並びます。

――ややこしいですね。

ちなみについ先日の金曜日、12月11日は中国がＷＴＯに参加した日で、今年でちょうど20年を迎えたそうです。私の敬愛するお金とテックの専門家、デイヴィッド・バーチ先生はこの出来事を「21世紀を決定するかもしれない出来事」とTwitterで[※7]評していました。

中国を西側諸国を中心とした国際社会に迎え入れることでリベラルデモクラティックな価値観へと変容させようという戦略が、中国とのエンゲージメントを深める事態を招き、逆にリベラルデモクラシーそのものを衰退・崩壊させるにいたってしまったわけですが、バーチ先生は、その経緯を描いた『China, Trade and Power: Why the West's Economic Engagement Has Failed[※8]』という本を紹介しています。これは面白そうです。

――ところで、今回のお題は「食」というテーマなのですが「Ｇｏ Ｔｏ Ｅａｔ」については、何か話題はあります？

これは日本でも報道されていることですが、実は、韓国の感染者数が日本と同様に過去最高に上っていまして、「The New York Times の報道[※9]」によれば、韓国ではこれが第４波ということになるそうですが、政府が対応にかなり苦慮しているようです。

――あれま。韓国はこれまで感染

※4 ※5 ※6 ※7 ※8 ※9

追跡をかなりうまくやってきましたよね。

今回の「第4波」は、これまでのように大規模なクラスターが発生しているというよりは、いたるところで感染が散発しているという状態で、追跡がすでに困難な状況になっているといいます。原因については、自主隔離にしびれを切らした若者たちが飲みに出かけたりパーティをしたりといったことが挙げられていますが、こうした状況を受けて、大学のそばでポップアップ検査を拡充したりといった手立てが打たれていると報じられています。

——あまり迂闊なことは言えませんが、日本との対比でいえば、「トラベル」よりも、むしろ「イート」のほうが問題を大きくしているということですかね。

即断できないところですが、ウイルスがすでに遍在している状況になっているのだとすると、旅よりも日々の食事のほうがリスクということはあるのかもしれません。最近、知人が地方で感染者と濃厚接触したことが判明したのですが、濃厚接触したのは会食の席でした。直接的な原因ということで言えば、地方に行ったことよりも会食したこと、ということにはなりそうです。

——とすると、飲食業はますますツラいことになりますね。

今回の〈Field Guides〉では、「ファストフード業界はコロナウイルスをどう生き抜いているか[※10]」（How is the fast food industry surviving coronavirus?）という記事で、まずアメリカのファストフードチェーン各社の状況が報告されていますが、全体で見ると好調だとされています。

——え？ そうなんですか。

記事は、まずファストフードの価値をこう定義しています。「Quick, convenient, low-contact」。

——「早く、便利で、低接触」。もともとコロナ向きな業態だった、と。

はい。かつ、この間、店舗は封鎖されてもドライブスルーやロードサイドでのピックアップといったサービスを拡充してきたおかげで、かえって便利さが増しているそうです。これはスマホ決済を用いた事前支払いによってより効率性が高まる領域ですので、さらに拡充しようと各社が意気込んでいます。

——中国では、スタバや Luckin Coffee などのコーヒーショップで、アプリで購入してデリバリーや店頭でコーヒーを受け取るサービスが随分前から一般化していたそうですが、同じようなことがアメリカでも進行しているということですね。

そうですね。また、面白いのは、自宅からのリモートワークという環境の変化に人びとが適応していくなかで、新しい生活スタイルに合わせて、ファストフードのありようも変わってきているところです。例えば、Dunkin' Donuts や Starbucks の経営陣は、家の近所にある店舗への来店が目覚ましく増えていると語っていまして、それも夕方の遅めの来店が増えているといいます。

——家での Zoom 仕事を終えて、ほっと一息つくというわけですね。

まさにそうです。また、開店している店舗については、お客さんの滞在時間が長くなっているともいいます。あるいは、ハンバーガーチェーンの Wendy's は、コロナ期間中に拡充した朝食メニューが非常に好評とのことで、これをさらに大きく展開していくと語っています。タコスチェーンの Taco Bell では、持ち運びに便利なミニタコスや家庭用のタコ・バーの、メキシコの死者の日のお祭りにあたる5月1日の売上が記録的なものとなったそうです。

——なんだか、たくましいですね。チャンスと見るや、どんどん新しい手を打ってる感じがすごいです。

Dunkin' Donuts のCFOは、「大きな声では言えませんが」と断った上で、こんなことを語っています。

「コロナがもたらしたよい面があるとすれば、競合が店を閉じていくなか店舗を開け続けたことで、うちが単なるドーナツ屋ではなく飲み物もイケる店であることを知ってもらうことができたことでした」

※10

――へえ。飲み物がおいしいんですか。

少なくとも、飲料の品質向上には、かなり力を入れていたようです。また「Taco Bellは、この間、マーケティング戦略をピボットし、グループでの購入、「接触者追跡ドライブスルー」の利用を強く打ち出したほか、ファンや「地元のヒーロー」たち、コミュニティの人たちに無料でタコスを配布するといったことにも力を注いできたそうです。

――いいですね。ファストフードって効率化するばかりで、安かろう、まずかろうというどんよりした印象がありますけれど、品質を向上させながら、お客さんとの新しいコンタクトポイントをつくっていこうとする動きは、実際のところはどうなのかわかりませんが、話だけ聞くと躍動感がありますね。

人の生活様式などががらっと変わっていくことで生まれた新しい隙間をめがけて、ダイナミックに動いている感じがしますよね。

別の記事「フードデリバリー時代のレストランの新たなビジネス[※11]」(How restaurants are reclaiming their businesses in the era of food delivery)では、デリバリービジネスで、パンデミック以前の数字にまでなんとか売上を戻したペルー料理店の38歳の女将のことが取り上げられています。彼女は「デリバリープラットフォームは必要悪」だと言っています。

――どういうことでしょう。

たしかにUber Eatsのようなデリバリーサービスを使えば、それまでにアクセスできなかったような数のお客さんにリーチすることは可能なのですが、とはいえコミッション料が高すぎて、なかなか儲けが出ませんし、配達員が料理をきれいな状態で、しかも温かいうちに届けてくれるかどうかも保証の限りではありません。先ほどの女将さんは、食事がこぼれたりしないようなパッキングに自分で投資しているようですが、そういったことを自己責任のなかでやらなくてはならなくなっています。

――大変そうですね。でも、その一方で、そこから新たな創意工夫が生まれ出てきそうでもあります。

目に見える課題があると、ビジ

ネスチャンスと踏んで、新規のプレイヤーが入ってくるのがアメリカのビジネスの面白いところで、Uber Eats といった大手のデリバリー業者の牙城を突き崩すべく、ニッチで、コミッションフィーも安いサービスなどが出てきていることが記事では紹介されています。

——へえ。

「Chowbus[※12]」というデリバリーアプリがここでは取り上げられていますが、これは中華料理専門のUber Eats みたいなもので、シカゴで始まったサービスだそうです。これが面白いのは、中華料理店が密集したチャイナタウンのレストランが数多く参加していることから、追加費用なしで、例えば、シュウマイをこの店から、フカヒレスープを別の店から、そしてチャーハンをさらに別の店からオーダーして、それを一揃いで届けてもらうことができるところです。

——めちゃくちゃ面白いですね。

どの程度の需要があるのかはわかりませんが、これってこれまでにない食べ方ですよね。お店をネットワーク化することで、チャイナタウン全体をひとつのフードコート、もしくは巨大なバイキングに見立てるということですから、これは非常にデジタル的な考え方ですよね。このスタートアップはアメリカ20都市で何千ものレストランと契約し、3840万ドルもの資金調達を実現しているそうです。

——ダイナミックですねえ。

そんなかたちで、食の供給サイドのアップデートは紆余曲折を経ながらも進んでいますが、一方で難しいのは、食べる側の問題ですよね。

——せっかく、いろんなお店からよりどりみどりの一皿を選べたとしても、狭い家でひとりで食べるのでは、ちっとも楽しくないですもんね。

おっしゃる通りです。都市の巨大化とオフィスワーカーの増大は、それによってランチの需要というものを生み出したわけですが、ランチというのは、そういう意味では、人びとにとって、もっとも重要な「社交の時間」だったんです

※11

※12

よね。
これは「悲しきデスクランチの明るい未来※13」（The happy future of the sad desk lunch）という記事が指摘していることですが、ランチは生活における「最もパブリックな食事」でしたが、それがどんどん削られて個別化していったのが20世紀後半に起きたことで、ここにさらに、シリコンバレーのワークカルチャーが広まったことで、その「パブリック性」が決定的に損なわれたとしています。

——ブリトーをレッドブルで流し込みながらコードを書き続ける、みたいなスタイルですね。

典型的な絵柄としてはそうなりますね。ただ、そうしたワークスタイルもパンデミックによるステイホームで変化せざるを得なくなりましたから、今後「ランチタイム」を、どう社会が受け入れていくことになるのかに記事は注目しています。

——どうなるんでしょうか。

コロナが去ったからといって、以前のようにオフィスに人が戻っていくことは少なくなるはずですから、レストランの再開についてけ投資家たちも慎重にならざるを得ないと記事はみています。

そうしたなか、フードトラックのような業態が伸長するのではないかと予測されていますが、やっぱり、そこでの問題は「どこでそれを食べるのか」ということです。

——そうですね。

ランチの魅力がパブリック性にあって、それが都市というもののダイナミズムをかたちづくっていたのだとすると、コロナ以降の世界において、そういったパブリック性をどう取り戻すのかは、頭の悩ませどころですよね。

——何かアイデアがあったりします？

先ほどの中華料理のアプリが街全体をひとつのフードコートであることを可能にするのであれば、フードコートには当然食べる場所が必要になります。そのアプリの考え方でいえば、都市内に分散して存在している「食卓になりうるテーブル」を、ネットワーク化することはできないかと考えてみたりはします。つまり公園にあるテーブルを、アプリで予約できたりしたら面白いのになと思ったりするのですが。

――なるほど。

コロナによってドラスティックに進行しているのは、サービスと不動産とがどんどん乖離していくことだと思うんです。レストランという空間は、生産空間であるキッチンと、それを消費する空間である客席フロアとがセットになっていたわけですが、例えばフードトラックは、キッチンの部分をモバイル化しちゃうわけですし、デリバリーは客席を分散化させてしまうことになります。

とはいえ、「食べる」という行為が成立するためには、生産する場と消費する場との双方がどうしたって必要になるわけですよね。ですが、いまはまだ消費する側の空間をアップデートするためのアイデアが出てきていない気がします。

ちなみに知り合いがやっているカフェ[※14]は、飲み物さえ注文すれば、食事をデリバリーで外部から頼んでもいいというルールにしていまして、そうやって食べる場所とつくる場所のそれぞれがマッチングできるようにしてしまえばいい、という考え方は合理的なように思います。

――公園とかも、もっとうまく使えるとよさそうですよね。

ずいぶん前のあるトークイベント[※15]で、『週刊だえん問答　コロナの迷宮』の表紙イラストを描いてくださった漫画家の宮崎夏次系さん[※16]とご一緒したことがあるのですが、そのときに、客席から「家族の未来ってどうなりますか？」という難しい質問が飛んできたんです。自分は適当なことを言ってお茶を濁した記憶しかないのですが、そのとき宮崎さんが、面白いことをおっしゃったんです。

――ほお。

正確ではないのですが、こんなことをおっしゃっていました。

「家族の未来がどうなるかは私にはわからないんですが、家族の未来を漫画に描くなら、多分食卓を描くかな、と思うんです。食卓というものは、変わらないと思うんで」

※13　※14　※15　※16

――すげえな。

その答えに、会場がどよめくほど衝撃が走ったのですが、そこで宮崎さんがおっしゃったのは、「家族」というものを規定しているのは血のつながりではなくむしろ「食卓」だ、ということだったようにも思うんです。あるいは、家族よりも食卓というもののほうが普遍性が高いといいますか。

――面白いですねえ。

それ以来、社会のなかにおける食卓っていうことに漠然とした興味をもっているのですが、おそらくですけど、あるコミュニティ内に、飲食店も含めた「パブリックな食卓」がどの程度の数で存在しているのかって、誰も計測したことがないと思うんです。

先ほど言ったように、食事をつくる場所と食べる場所が分離していくなか、それらをデジタルネットワークを用いて動的につなぎ直そうと思ったら、まずは食卓の実態を可視化する必要があると思うんですよね。

――屋外にも「フリー」のテーブルがもっと必要なのかもしれません。

そうなんです。もちろんパンデミックのことを考えると、きちんとソーシャルディスタンスを保って運営される必要はありますし、冬はどうするんだといった問題もあるとは思いますが、食というものの「パブリック性」をどう再編するのかは、やはり重大な問題な気がします。

――そうやって考えると「Ｇｏ Ｔｏ Ｅａｔ」という施策は、食の経済的側面だけにフォーカスしている点で、いまひとつ深みにかけるきらいがありますね。

人と人とがコミュニケーションをするための空間としての飲食店が社会の健康を考える上でも重要だ、という配慮ももちろんあっての施策だとは思うのですが、もし仮に今回のパンデミックよりもはるかに致死率の高いパンデミックが襲ってきたら、それはもはや「使えない手」です。

元に戻るという前提ではなく、さらなる困難が襲ってきた場合でも維持できる経済体制を模索していくことが、この困難のなかで本来取り組まなくてはならなかったことだとすれば、アメリカの飲食業界がこのコロナ下で新たなトライアルをどんどん実行していったのは正しいことですよね。

——ほんとですね。

かつ、そうしたなかでの一番の難題が「食の公共性」ということをめぐる論点であるとするなら、先に挙げたTaco Bellのコミュニティ活動のようなものも、非常に大きな意味をもってきます。

——たしかに。

ここまであまり触れられませんでしたが、今回の〈Field Guides〉には、学校給食をテーマにした「なぜアメリカの学校は無料のランチを提供しないのか[※17]」(Why doesn't the US offer universal free school lunch?)という記事もありまして、ここでは、学校でのランチが、多くの世帯にとって重要なライフラインになっていたことが明かされています。つまりアメリカでは、学校閉鎖のなかでも、ランチを提供するために児童生徒に門戸を開いていた学校がかなりあったというんですね。

——学校給食がなくなると、食事からあぶれてしまう子どもたちがいるということですね。

はい。これは先にお話しした「公共性」とは異なる論点で「公共性」に関わることですが、これまでの議論に即していえば、こぼれ落ちる人が出ないように、食卓にすべての人をどうインクルードするかは、とりわけ格差が広まっていると言われているなか重要な政策課題です。

同じ観点から、「UBIで飢餓を救えるか：COVID-19が提供するケーススタディ[※18]」(Covid-19 is a case study in how universal basic income can fix hunger)という記事では、ケニアで行われたユニバーサル・ベーシック・インカム[※19](UBI)の実証実験についてのレポートも紹介されています。

——結果はどうだったんでしょう。

おおむね効果はあったと記事は書いています。UBIを受け取った人とそうでない人とでは食事にありつけない割合において11%の差があったそうです。加えて、U

※17 ※18 ※19

ＢＩを受け取ると、多くの人がそれで酒を飲み怠けて過ごすようになるというよくある俗説は、この調査によって見事に粉砕されたとしています。新しいスモールビジネスを始めたり、それに向けた投資を行ったりする人が多かったということですね。

――なるほど。

記事は、食事の心配をなくすことで人びとが未来に目を向けることができるようになった、と書いています。

――いいですね。

それでも、パンデミックによる経済的な影響を食い止めるには至らないようですが、少なくとも食の心配をしなくて済むようになることで、精神的な解放感はもたらされるようです。記事はこう締められています。

「ＵＢＩは精神的、経済的解放を人びとにもたらします。子どもたちの毎日の食事の心配から解放されることで、人は気持ちが楽になります。そのことに思い悩むことがなくなれば、人は、よりよい自分になることができるのではないでしょうか」

――希望がありますね。

ここでは「フード・セキュリティ」ということばが使われていますして、これは国家による食料の調達を意味する「食の安全保障」というものの最もミクロなレベルにおける「安全・安心」を指しています。感染リスクの軽減といったことも含めると、ここで言っていることは、おそらく「いかに安心・安全な食卓を維持するか」というテーマに収斂することになるのではないかと思います。

――食の安全保障ではなく、食卓の安全保障、ということですね。

「イート」というものの核心にあるのは、本来は、そこなのかもしれません。

――面白いです。

面白いですよね。

Field Guides を読む #32

How we eat now

December 13, 2020

https://qz.com/guide/eat/

- ◉COVID-19はいかに私たちの「食べる」を破壊し混乱させたか
  The disruptive and disorienting ways Covid-19 has changed the way we eat
- ◉ファストフード業界はコロナウイルスをどう生き抜いているか
  How is the fast food industry surviving coronavirus?
- ◉来たるべきサステイナブルフードの巨大市場
  The next big market for sustainable food
- ◉フードデリバリー時代のレストランの新たなビジネス
  How restaurants are reclaiming their businesses in the era of food delivery
- ◉UBIで飢餓を救えるか：COVID-19が提供するケーススタディ
  Covid-19 is a case study in how universal basic income can fix hunger
- ◉なぜアメリカの学校は無料のランチを提供しないのか
  Why doesn't the US offer universal free school lunch?
- ◉悲しきデスクランチの明るい未来
  The happy future of the sad desk lunch

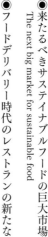

#33

The great sports comeback

December 20, 2020

スポーツビジネスの陥穽

パンデミックのリスクが
今回の新型コロナで終わるわけではないとすると
群衆が密集するような空間の運営のあり方は
決定的に変わっていくはずです。
一方でデジタルメディアを用いたスポーツ消費は
まだまだ成長性が見込まれているわけですし
おそらくは今後はオンラインの賭博なども
本格化してくるようにも思いますので
コンテンツホルダーは収益の軸を
きちんとそこに置いておく必要があるように感じます。

――いよいよ発売になりましたね。『週刊だえん問答 コロナの迷宮』。

ありがとうございます。

――売れるといいですね。

どうなりますか。

――プロモーションとしてイベントなんかもやるんですよね。

通常であれば、書店さんと組んで、発売記念イベントなんかをやるんですね。2018年に『さよなら未来※1』という本を刊行したときは、あちこちの地方の書店さんを訪ねてとても楽しかったんですが、リアルのイベントをやるのが困難ということになりますと、戦略を変えざるを得なくなりますので、なかなか難しいです。

――難しいですか。

トークイベントみたいなものは、オンラインでやるとなると数を打っても違いが出ないのが厳しいところです。東京の本屋さんと大阪の本屋さんの主催でそれぞれイベントをやるにしても、リアルイベントであれば来場できるお客さんが違うから意味がありますが、大阪のお客さんも東京のお客さんも、あるいはそれ以外の地域のお客さんもオンラインで参加できるのであれば、どこで誰が主催しているかは意味を失ってしまいます。

とすると、今度はコンテンツで差別化しないと、ということになりますから、「刊行記念トーク！」という感じで、「出したばかりの本について話します」みたいな内容では複数回やれません。

――やればやるほどお客さんが集まらなくなりますもんね。

そうなんです。加えて、最近はアーカイブ化してあとで見られるようにしてくれ、という要望も多いですから、アーカイブを公開するなら、ますます同じようなコンテンツを2度、3度やることに意味がなくなります。

――悩ましいですね。

もちろん、トークイベントであれば、毎回それなりに内容は違うんです。けれども、その微妙な違いを価値として何度も観に来てくれるお客さんは、そうはいませんよね。

――たしかに。

この話は、以前にRoth Bart Baronというバンドの三船雅也さんとお話をしたとき※2に話題となったことなのですが、彼らはこの秋にアルバムをお出しになって、この冬から来年にかけて全国で十数カ所のライブツアーを行うのですが、その模様をほとんどライブ配信するそうなんです。もちろん熱心なファンの方には嬉しいことだと思うのですが、そうではないライトなファンからすれば、1回観れば十分という感じになりますよね。それは、ライブの良し悪しとは関係なくです。

――おっしゃりたいことはわかります。

そうした状況のなかで、それぞれの配信に「観たい」と思ってもらうための価値をどう付与していくかといえば、まず思いつくのはセットリスト、つまり演奏曲目を毎回ガラッと変えることだったり、毎回ゲストを呼んだり、といったことですよね。

――なるほど。1回ごとにスペシャルな内容にしていかないといけない、ということですね。

ただし、これは、やる側にはかなり大きな負荷がかかる可能性があります。加えて、いわゆるライブハウスのステージで演奏することも問題になってきたりもします。

――どんなにカメラワークや照明などを工夫をしても、絵柄がさして変わりませんもんね。

はい。こうしたことを考えていくと、いわゆるサーカス型の巡業興行という形式は、基本ひとつのプログラムの再現性をいかに高めるか、ということに重きが置かれていたビジネスモデルであったことがよく見えてきます。

つまり、「ツアー＝巡業」とい

※1

※2

うものは、セットリストを決めて、演出を決めて、それをひとつのパッケージとして完成させて、どこに行ってもそのプログラムを繰り返すことができるようにすることで、コスト的にも成り立っていたビジネスということになるわけです。かつ、ベニューというものも、そうしたモデルに対応するかたちで、どこでも一定のクオリティでプログラムを再現できることを前提につくられてきたわけです。

——面白いですね。だからこそ、ベニューは、そのつくりや、機材や設備のスペックなどが、ある意味規格化されているんですね。

　これは『コロナの迷宮』のなかの「大学のトランスフォーメーション」という章で触れたようにも思うのですが、そもそも、こうした「再現ビジネス」が成り立っていたのは、「定員＝キャパシティ」という物理的限界によって、それを観ることのできるお客さんが限定され、そのことによって希少性が生まれるからなんですね。

——そうか。オンラインに移行してしまうと「キャパシティ」という概念がなくなっちゃいますもんね。

　先日、とある経済学者のお話を聞く機会※3があったのですが、そこでお話しされていたのはまさに大学教育のオンライン化についてでして、その先生がおっしゃっていたのは、大学をオンライン教育前提にして、入試をなくして誰でも受講できるようにしたらいいということでした。そもそも入試が熾烈なものとなるのは、「定員」が厳しく設定されているからで、その「定員」を無限大にしてしまえば競争する意味がなくなっちゃうんですよね。

——ああ、ほんとだ。

　その代わり、「卒業」を狭き門にすることが重要で、そうすることによって「〇〇大学出身」ではなく「〇〇大学卒業」の肩書きに価値が宿るようにしたらいい、というのがその先生の提案で、その提案は、オンラインがさらにデフォルトの環境となっていけばいくほど合理的な考えであるのは間違いないかと思います。もっとも、そうなると、いま現在「いい大学」とされている大学が、どんどん優位になってしまうことにはなりますが。

——いずれにせよ、すべてが空間の物理的制限によって価値化されていたビジネスモデルは、変更を余儀なくされるというのは間違いなさそうです。

これは結構大きな転回だと思うんです。つい先日、佐伯啓思さんという経済学の先生がお書きになられた『経済学の思考法※4』という、２０１２年に刊行された面白い本が文庫化されたのですが、この本のサブタイトルが、「稀少性の経済から過剰性の経済へ」なんです。

ざっと斜め読みしただけですので、いまお話しした内容とはおそらくズレているとは思うのですが、ことば尻だけを捕らえて言うのであれば、デジタルテクノロジーが、これまで自明とされてきた「稀少性」をどんどん奪っていくことになるのは間違いありません。

ビジネスや経済の原理が「稀少性」を基盤にしたものから「過剰性」を前提としたものに変わっていくのだとすれば、相当ダイナミックな発想の転換をしていかないと、生き残れなくなるのかもしれません。

——なるほど。

先ほどのライブツアーの話に戻りますと、オンラインでのライブ配信において、１回１回の配信に異なる内容、異なる絵柄、異なる意味が必要になってくるのだとすると、ライブを行う側には非常に大きい負荷がかかってしまうわけですが、それでも、ライブ配信を行う場所を変えていくことで、配信に新しい意味を与えていくことはできるのかな、と思ったりします。例えば、ある回はどこかのお寺で演奏して配信する、次はどこかの小学校から配信する、あるいは海辺で焚き火をしながら演奏するといったことで、１回ごとの面白みは付加できるようにも思います。

——大変そうですけどね。

もちろん大変ですが、ベニューという再現性を前提とした空間から外に出て、より一回性の高い空間のなかに身を置いていくというのは、大事なのかなと思うんです。そこでは、完璧なプログラムを完璧に実行することよりも、不安定な状況のなかでの１回限りのパフ

※4

※3

ォーマンスをライブドキュメントするといった部分が前面に出てくることになるのかなと思います。そういう意味で、「ロケ」というのは、逆にいま面白い可能性があるように思うんです。

――どうせお客さんは動けないわけですしね。コンテンツをつくる側が動き回る、と。

そっちのほうが面白いんじゃないかという気はします。少なくとも、オンラインがデフォルトという環境下では、これまでコンサートをやってきた環境と同じ環境から配信されても、さして嬉しくないのは間違いないと思います。

それこそ、NPRがYouTubeで公開しているライブ動画「Tiny Desk Concert※5」も、各ミュージシャンにしてみれば、いつもの演奏環境とは異なる一回性の高い「ロケ」動画になっているわけですよね。であればこそ、それぞれのミュージシャンの数ある動画アーカイブのなかでも「Tiny Desk」でのパフォーマンスは、特別なものになりうるのだと思います。

――なるほど。興行として行う演奏とまったく違うことが、価値になっているわけですね。

そうなんです。

――というお話を聞いていると「ベニュー」ビジネスは、今後先行きが厳しそうですね。って、今回の〈Field Guides〉はスポーツをお題にしたものですが、スポーツの先行きはどうですか？

スポーツコンテンツは、メディアのデジタル化が進むなかでも最もユニークなポジションにあるものだと思うんです。

――そうですか。

デジタル空間って、基本的に「情報の膨大なアーカイブ」なんですね。その膨大なアーカイブにオンデマンドでアクセスできて、自分の求める情報をいつでもどこからでも取り出せるというのが最大の強みなので、あらゆるコンテンツは「アーカイブとなっていること」において価値が見いだされるものなんです。

ということは逆に言えば、世の中のほとんどのデジタルコンテンツは、実際は「リアルタイムで視聴しなくてはならない」理由がほとんどないものばかりだということでもあります。

　複製技術によって拡張したコンテンツ産業は、そのネイチャーからいって「無時間」なんですよね。とりわけ私が関わるようなカルチャーを扱ったものは、今日見たり聞いたりしようが来月見たり聞いたりしようが、ほとんど価値の差を生まないもので、であればこそ「アーカイブされますか?」という問い合わせをやたらと受けることになるのですが、そうしたものとは決定的に違って「リアルタイムで視聴するからこそ意味がある」というコンテンツがあるとすれば、唯一スポーツがそれなんです。

　という意味で、スポーツコンテンツは、それ以外のものとは、まったく別の原理で動いていると感じます。

――今回の〈Field Guides〉には、中継や配信の話はほとんどないですね。今回の特集の論調は、いかにスポーツをコロナ前の状況に戻せるか、というものでした。

　そこが個人的にはちょっと残念なところではあるのですが、スポーツのゆくえを大きく左右することになるのは、スポーツ中継の世界で試された「無観客」という状況を、どう考えるのかという点なのかなと思います。

――ふむ。

　例えばＦ１は、２０２０年は、無観客で、ヨーロッパと中東のコースだけを用いて開催されましたが、Ｆ１好きの友人に聞いたところ、それで面白くなかったかというとそんなこともなかったそうです。２０２１年は、通常に戻すかたちで、世界中のサーキットで開催する予定が発表※6されており、３月にオーストラリアでスタートし、バーレーン、中国と続くわけですが（後にオーストラリアと中国は延期が決定）、ようやくワクチンの利用が始まったとはいえ、それが予定通りに遂行され、しかも観客ありで開催できるものとなるのかは、いまのところ、まだ曖昧です。

――不安定な状況が続けば続くほど、オンラインでの視聴にビジネスの軸足を移していくことにならざるを得ないという感じなのでしょうか。

　どういう戦略を考えているのか詳しいことはわかりませんが、オ

※6　※5

ンライン視聴に軸足を移行すればする分だけ、先ほどからお話ししている「ベニュー」のあり方は問われていくことにはなりますよね。先の友人の見立てでは「F1は、今後レース自体は、ヨーロッパと中東だけで行われていくことになるんじゃないか」というのですが、そもそも「無観客」をデフォルトということにしてしまえば、当然、これまでのサーカス型の巡業モデルは見直されることにはなります。

——ふむ。

そうした見立てのなか、今回の特集で一番気になるのは、「エコノミストはなぜスポーツは経済に効果がないと考えるのか?[※7]」(Why economists don't think sports matter for the economy)という記事です。

——え? 効果ないんですか。

そうらしいです。例えばスタジアムの新設や新調は、オリンピックスタジアム改築で東京でもとても揉めましたが、多くの場合自治体の税金が投入されますから、東京に限らず基本的にどこでも揉めるんです。その際、必ずと言っていいほど「経済効果」という指標をもってスタジアムの意義が正当化されることになるのですが、実際のところ、効果はそれほどでもないというのがこの記事の趣旨でして、記事はこう始まります。

「2020年3月、プロスポーツの世界が止まった。欧州サッカー、アメリカのプロバスケットボールからクリケットまで、すべての競技を中止した。スポーツに楽しみと仲間意識を見いだしてきた世界中のファンと選手たちにとっては大きな損失だった。

とはいえ経済全体から見れば、それは大した損失ではなかった。スポーツチームがもたらす経済成長という言説とは裏腹に、スポーツエコノミストの多くは、プロスポーツチームが地域経済にもたらす貢献は驚くほど小さいということに合意している」

——あれま。

記事は、シカゴ市のプロスポーツチームすべてを合わせた収益は、市全体の経済のわずか0・5%しか占めておらず、COVID-19によって発生した損失は、飲食業や旅行業と比べるとインパクトは小さいとしています。

すね。

――あれれ。ちょっと残念な話ですね。

そこから記事は、スポーツチームの経済効果を正当化するためにこれまで提出されてきた数字は、実際はミスリーディングなものだったと語っています。

イングランド・プレミアリーグのリバプールFCがデロイトとともに行った調査[※8]によれば、2017～18年のシーズンでリバプール市にもたらした経済効果は、4億9700万ポンド（6億6200万ドル）で、さらに4500人分の雇用を生んだとしています。あるいはシアトル・スーパーソニックスが、2008年にオクラホマにホームを移転[※9]する際に語られていたのは、経済効果が2億ドルはあるということだったそうです。

――でも実際は違う、と。

いえ、数字自体はおそらく合っているんです。記事が何をミスリーディングであるとしているかというと、チームがなくなってしまうと、そのお金も、チームとともにあたかも消え去ってしまうという印象を与えることだとしています。

――ん？

要は、そのお金は余暇に市民があてるお金なわけですから、スポーツに使わなくなったとしても、映画やコンサートなど、ほかの余暇に流れるだけだというわけです。実際、ある研究は、リバプールFCがなくなったとしても、おそらく市の経済にはほとんどインパクトがないとしているそうです。

――ファンが聞いたら怒りそうです。

スポーツチームの経済効果を疑うこうした研究は、1999年にデニス・コーツとブラッド・R・ハンフリーズというふたりの研究者が執筆した論文「The growth effects of sport franchises, stadia, and arenas[※10]」から始まっているとのことで、そこでは、通常のシーズンと野球チームがストライキで試合を行わなかったシーズンとを比較して、市民の収入には何の違いもなかったこと、また、チームが町を去っても、ほとんど経済的損失が見られなかったといったことを明かしたそうです。

――むむ。困りましたね。

※7　※8　※9　※10

さらに、ロサンゼルス市が行った調査によると、1999年にバスケットボールのレイカーズとホッケーのキングスがそれまで拠点としていた町を去ったあと、税収はむしろ増えたそうです。

——あちゃー。

いじわるな記事なんです、これ。ただ、だからといって、スポーツチームがあることがまったく無意味なわけではもちろんありません。実際、スタジアム周辺の飲食店やバーなどは大きな影響を受けます。ただ、それでも、ある都市計画の専門家は、特にCOVID-19以降、飲食店がビジネスの軸足をテイクアウトやデリバリーに移しているなか、スタジアムやアリーナの近くに店を構えることの意味はなくなっていると語っています。

——高いお金をかけてスタジアムを建設する意義は、今後どんどん見いだしにくくなっていきますね。

そう考えれば、ここでもベニューの再定義は急務と言えるのかもしれません。ただ、それでもスポーツビジネスの規模は、今後さらに伸びるとされてはいまして、コロナ前の試算では、2025年には、現在の市場規模の3倍の15兆円にまで達すると見込まれています。これは日本の話ですが。

——へえ。そんなに伸びますか。

あくまでもコロナ前の試算ですが、『スポーツビジネス15兆円時代の到来[※11]』という本には、2016年に日本政府が提出した「日本再興戦略2016—第4次産業革命に向けて[※12]」が紹介されておりまして、そこでは「スポーツ」を成長産業と位置付けて数値目標や達成のための施策を描いているのですが、その数値目標は、2015年に5・5兆円だった市場規模を2025年までに15兆円に成長させることとなっています。

——それを達成するためにどんな施策があるんでしょうか？

ここで語られている内容には3つの柱がありまして、「スタジアム・アリーナ改革（コストセンターからプロフィットセンターへ）」「スポーツコンテンツホルダーの経営力強化、新ビジネス創出の促進」「スポーツ分野の産業競争力強化」となっています。

——ふむ。

詳細をここで紹介すると長くなってしまいますので興味ある方は本を読んでいただけたらと思うのですが、「日本再興戦略2016」によれば、「スポーツ産業を我が国の基幹産業へ成長させる」ということになっていたようです。

——すごいですね。初めて聞きました。そう言われると、オリンピックを無理にでも開催しようとしている理由も見えてきそうです。

スタジアムについて言えば、飲食、観光、商業から教育、文化にまでまたがる産業が交錯する複合施設化していくような道筋が、本では描かれています。地域コミュニティの経済的・社会的なハブになるようなものとしてスタジアムが構想されているわけですが、仮にスポーツチームの経済効果が言われているほど大きなものでなかったとしても、それでもスタジアムの「ソーシャル」な役割や価値は、やはり小さいものではないわけです。

——ソーシャルな価値ですか。

スポーツには、メディアコンテンツとしての価値と、同時にそれが人と人をつないでいくような価値とが同居していますよね。「観戦する」という行為のなかには、放映権や観戦に紐づく経済効果だけでなく、そこで友人に会うといった社会的な価値もあるはずです。

一方で、スポーツを自分でする場合においては、身体・メンタルを含む健康の促進といった価値と同時にコミュニティづくりといったソーシャルな価値がさらに前景化します。かつ、スポーツ人口が増えることによってもたらされる経済効果も当然あるわけですから、その双方を踏まえた包括的な観点から、スポーツというものの価値を社会のなかでどう定義していくのかが問われているのだと思います。

——経済効果だけでは測れないところがあると。

それはもちろんです。簡単な区分けの仕方をしますと、スポーツには、そのメディア的な「コンテンツ価値」と、ソーシャルな「コミュニケーション価値」の双方が、

※11

※12

入れ子状に入っているわけですが、とはいえ、それぞれを切り分けて考えるのも難しいんですね。

　例えば、誰でも普段から気軽にスポーツを楽しむことができるような空間をつくっていくことは、基本アマチュアのためにやることだったとしても、そうやって裾野が広がることは、プロリーグの持続可能性のためにも不可欠です。そうやってプロリーグが活性化すれば、市民の間でスポーツに参加することに対してより興味が湧くでしょうから、いわば、さまざまな価値が複合的に絡まり合って循環するようなエコシステムを目指していくことが今後は大事になってくるのだと思います。スタジアムというものは、そういう意味では、そうした価値が交錯する、より多彩な体験の場として設計されていく必要がありそうです。

——「動員数」のような指標だけで見ていてもダメだということですよね。

　ずいぶん前にスタジアム専門の建築家のインタビュー動画[※13]を見たことがあるのですが、そこで言われていたのは、「未来のスタジアムは、スタジアムがないことだ」ということでして、その例として、例えばスペインの街中で行われる闘牛が挙げられていました。

——普段は広場として使われている空間が、そのときだけ闘技場に変わるということですね。お祭りってそういうものですよね。

　言ってみればポップアップ・スタジアムということですね。実際、F1は、いわゆるサーキットでのレースから年々、市街レースへと比重が移っています。たしかロンドンやモスクワなどが市街レースの実施に向けて名乗りをあげていたかと思うのですが、遠隔地に巨大サーキットをつくってその運営を観客動員だけでまかなうというやり方は、ビジネスモデルとしてもやはりしんどくなっているように思うんですね。特にある競技に特化してしまった専用ベニューは、ほかの使い道がないので重荷にしかならないわけです。

——ロンドン五輪の競技会場は、客席が仮設で、オリンピック後は公園として利用される設計になっていましたが、それも考え方としては通じ合っていますね。

パンデミックのリスクが、今回の新型コロナで終わるわけではないとすると、群衆が密集するような空間の運営のあり方は決定的に変わっていくはずです。

　不確実性を前提にした運営が求められていくのだとすると、不動産への大規模な投資は、それ自体がリスクでしかありません。

　一方で、デジタルメディアを用いたスポーツ消費は、まだまだ成長性が見込まれているわけですし、おそらく今後は、オンラインのリアルタイムベッティングなんかも本格化してくるように思いますので、コンテンツホルダーは収益の軸を、きちんとそこに置いておく必要があるようにも感じます。

――ベッティング?

賭博ですね。

――ああ。へえ。そうなりますか。

　Jリーグがやっている「toto」のようなものを発展させて、オンラインで中継とリアルタイムで展開するというのは、5Gがもたらしうるひとつの大きなビジネスチャンスだと思うのですが、サイバーエージェントがこの10月に公表した試算[※14]によれば、その経済効果は年間7兆円になるとされています。

――でかいですね。先に出てきた2025年の目標数値の半分近くですもんね。

　スポーツ領域のデジタル化というと、とかくe-Sportsが語られますが、個人的な考えでは、スマホを通じたリアルタイム視聴の上に賭博がかぶさっているというのが、その本丸ではないかと思っています。経済規模も大きいですから、いわゆるメガスポーツと呼ばれる、巨大なグローバルビジネスはますます大きくなるでしょうし、賭博というレイヤーが乗っかることによって、マイナーなスポーツのマイナーなリーグにも面白い可能性が開けるような気もします。

――新たな財源にもなりますしね。

　2019年に中国の衆安保険[※15]という会社を訪ねた際に聞いた面白いサービスがありまして、それは飛行機の遅延保険というものでした。

　自分の乗る飛行機が遅れたとき

※13　※14　※15

のために保険をかけておくわけですが、そのとき、「保険ってリアルタイム化がどんどん進行していくことによって賭博化していくんだな」と思ったんです。

通信速度が上がり、情報処理スピードも上がっていけば、サッカーのペナルティキックやバスケのフリースローなど、ひとつひとつのプレイを賭けの対象にすることもできるようになるはずですし、私が聞いたところによりますと、そうしたことの実装に向けて、大手ゲーム会社やカジノ企業などがビッグスポーツに大きく関わり始めているそうです。２０２８年のロス五輪が、そのひとつの大きな転換点になるとも言われているようです。

——面白いですね。

ちなみに、オンライン賭博のデジタルソリューションをカジノの胴元やヨーロッパのサッカーリーグなどに提供しているアルメニアの企業[※16]を以前訪ねたことがありまして、CEOにもお会いしたのですが、各国の賭博、いわゆるIR（統合型リゾート）の規制緩和に関しても詳しく、日本の状況などもよく知っていました。つまり、カジノの開発は、リアルな施設の不動産開発だけの話ではなく、オンラインサービスとセットとして考えられているんです。

——なるほど。聞けば聞くほど、東京五輪と、それに付随する開発のやり方は、20世紀型オリンピックの最終回という感じがしてきます。

不動産開発をして土建屋にお金が回れば、それで景気対策・経済対策になるという古典的な発想から抜け出ることができない悪弊が、コロナによっていよいよ明らかになっている感じですね。

デジタルのキモは、不動産が担保していた希少性というものを反故にするものですから、それとはまったく異なる視点から不動産を考えないと、「リアル空間への動員」に頼ることが難しくなっていくポストコロナ世界では生き残れなくなるようにも思うのですが、どうなんでしょうね。

——ほんとですね。

オリンピックについて言えば、そもそもお金がかかりすぎて、さまざまな都市が持ち回りで開催する「巡業モデル」が限界に来ているのは、コロナ前から明らかだったわけです。20世紀型の土建屋＋マスメディア主導のモデルは、もう無理なんです。

——デジタルデフォルト、もしくはスマホデフォルトのスポーツ体験が新たに組み上げられていくことになるということですよね。

ちなみに、そうした動きを世界的にリードしているのは、NBAではないかと思いますが、元Microsoft CEOのスティーブ・バルマーはいまロサンゼルス・クリッパーズのオーナーでして、双方向の新たなスポーツ視聴体験をつくり出す実験を、データサイエンティストたちとともに果敢に行っている[※17]と「Fast Company」が報じています。アリーナ内にセンサーを張り巡らせて、全選手の動きをリアルタイムでトラッキング・解析するような設備が、すでに実装されています。

——すごいですね。

そうやって、ますますスポーツ視聴がデータドリブンになっていきますと、オンラインでの視聴の仕方もどんどん変わっていくことになりますが、そうした動向にAmazon Web Serviceなどが興味を示していることも、記事では明かされています。

——ふむー。なるほどー。デジタル視聴体験のほうに、よりいっそう、ビジネスの比重は高まりそうですね。

NBAは、無観客で、フロリダのディズニーリゾート内で完全なバブリングを行うかたちで今シーズンを実施しましたが、これは、いい実験になったのではないでしょうか。クリッパーズが着々とつくり上げつつある、センサーを搭載したアリーナ＝スタジオから、全世界に向けて試合を配信するような未来が構想されているのだとすると、無観客であることは、大きな問題ではなくなってくるようにも思えます。VIPだけが、現場で観られるみたいなことにしておくほうが、むしろ費用対効果としては合理性が高い可能性すらありそうです。

——SF映画やアニメにはそんなシーンがあったりしますが、それがいよいよ現実になるかもしれな

※16

※17

い、と。

デジタル中心のスポーツ体験と、ソーシャルなコミュニティベースの活動とが、双方絡み合うかたちで進行するのではないか、と思います。ある意味二極化するといいますか。今後のスポーツは、デジタル視聴と草の根の体験という二極をどう接合させていくかというところに焦点があるのではないか、と予測します。

——コロナはそういう意味では、大きな転機にはなりそうですが、どうなんでしょうね。

元の状態に戻ればそれでよし、というわけにはいかないような気がします。日本のスポーツに関する「成長戦略」は、ある意味でコロナという想定外の落とし穴によって足踏みをさせられてしまっているのだろうと推測しますが、無観客という縛りのなかで、それでも人を熱狂させる体験を与えることができるのであれば、不動産ビジネスに立脚した従来のモデルから脱却できて、かつ、今後起こりうるパンデミックのリスクも回避できるようになります。

いまの時間を、そうした未来を実現するためのチャンスと見るか、あるいは従来のやり方を脅かす危機と見るかで、今後の成長性は、当然変わってきますよね。

Field Guides を読む #33

The great sports comeback

December 20, 2020

https://qz.com/guide/sports-comeback/

- ◉スポーツの帰還：ビジネス界がそこから学ぶこと
  How sports came back—and what the corporate world can learn from it
- ◉エコノミストはなぜスポーツは経済に効果がないと考えるのか？
  Why economists don't think sports matter for the economy
- ◉マラソンの未来は一般ランナーの手のなかに
  The future of marathons is in the hands of the casual runner
- ◉COVID-19がアフリカの若いサッカー選手のヨーロッパでの夢を奪っている
  Covid-19 is robbing young African soccer talent of their big-time European ambitions
- ◉10億人がスポーツを楽しめないと起きること
  What happens when one billion people can't play sports?

#34

The rise of employee activists

December 27, 2020

働き手たちのアクティビズム

これまでのような
会社対労働者という対立軸で考えるのではなく
ともに責任を負うというスタンスが重要ということです。

——激動の2020年の最後の回です。

やれやれ、ですね。

——お疲れさまでした。

いや、ほんとに。疲れました。

——今年はどんな1年でしたか？

正直言うと、ほとんど覚えていない感じです。

——印象に残った出来事とか。

ほとんど旅ができない1年でしたから、旅をしたのは印象に残っているかもしれません。

——社員旅行に行ってましたよね。

それも楽しかったですし、つい先週に収録と配信のために山形を訪ねた※1のもよかったです。

——何がよかったんですかね。

よくわからないんですよね。今日ランチを一緒にしていた知人が「今年は匂いの記憶がほとんどない」と言っていたのですが、毎日、限られた同じ空間だけで過ごしていると、それまで感知していた情報量と比べて、情報量が全体として減っているのかなとは感じます。今年、旅に出て思ったのは、違う景色のなかに身を置くのは大事なんだなということでした。

——なるほど。

ふたつの旅はともに、ハイエースを借りて、それこそバンドのツアーみたいな感じで出かけたのですが、そうするとトイレ休憩とかでコンビニに何度も立ち寄ることになりますよね。

——なりますね。

もちろん、コンビニなので、どこに行っても置いてあるものは変わらなかったりするわけですが、それでも店舗の広さや商品の配置は違っていますから、毎日使っているコンビニのようにはスムーズに買い物ができないんですね。

——まあ、そうですね。

で、旅から帰ってきて、といっても2泊しただけですが、数日ぶりにいつものコンビニに行くと、極めて円滑性が高くて、「やっぱ、ホームグラウンドっていうのは楽ちんだな」と感じたんです。

——あはは。

そう思うことで、逆に、ホームではないコンビニでは、それなりの摩擦を感じていたんだなということに気づいたんです。まったくもってつまらない気づきで申し訳ないのですが、ただ、そう感じてみると、やっぱりルーチンのなかにずっと閉じ込められているのは、危険なものだなと思いもしたんですよね。

——すべてが予測通りというか、想定内に収まるわけですからね。

そうした円滑さは、日常を運営していく上で重要なことではありますが、怖いのは、その円滑さを「円滑さ」として認識しなくなってしまうことですよね。つまり、自分の日常がつるつるなものなのだとしても、それに馴染んでしまうと、それが「つるつる」なのかどうかわからなくなっていくと言いますか、触覚そのものが消えてしまうんです。つるつるかどうかも感じられなくなるんです。

——面白いですね。

自分の日常の「つるつる」を見いだすためには、ザラザラした他のものに定期的に触らないといけないということなのかもしれません。

——旅はその意味ではいいですよね。

そうなんです。旅から戻ると「つるつるってやっぱいいな」と感じることもできるわけですから。そういう意味で、触覚みたいなものを失っていた1年だったという感じはしますね。加えて、すべてがオンライン化していくと、視覚情報の優位性がどんどん高まっていきますから、なんだか、五感にかなりの偏りが生まれていそうでもあります。

※1

――『週刊だえん問答 コロナの迷宮』に収録された最終話はポッドキャストのお話でしたが、ポッドキャストを始めとする聴覚メディアの隆盛は、そうした状況と関係があるのかもしれませんね。

　そうですね。ところで、全然違う話なのですが、最近非常に気になっていることがありまして。

――はいはい。なんでしょう。

「分散」ということばについてなんです。

――ほお。

　それこそ都市機能の分散、とか、ワーカーの分散、とか、とにかく「密」を避けなくてはならないコロナ下にあって、いま、「分散こそがソリューションだ」といった感じで、政府も企業もやたらとこのことばを使うのですが、どうも根本において理解が間違っているような気がします。

――そうですか。

　以前この連載で、リモートを前提とした労働環境のなかで東京のワーカーを地方に分散させようという政策のことを取り上げたことがありますが、まず、「分散型社会」ということについて基礎的な考え方を見てみましょうか。

　これは、「京都大学こころの未来研究センター」の広井良典先生が、『現代ビジネス』に書かれた記事[※2]からの引用となります。

「これからの時代において感染爆発の繰り返しを避けるためにも『地方分散型システム』への転換が鍵となることを述べたが、ここで『分散型』というとき、それは以上のような国土の空間的構造に関する点のみならず、実はもっと広い意味を含んでいる。すなわちそれは、(1)働き方あるいは職場―家庭の関係性における『分散型システム』……リモート・ワークないしテレワーク等を通じて、自宅などで従来よりも自由で弾力的な働き方ができ、また余暇のプランも立てやすく、仕事と家庭、子育てなどが両立しやすい社会のあり方、(2)住む場所あるいは都市―地方の関係性における『分散型システム』……ローカルな場所にいても様々な形で大都市圏とのコミュニケーションや協働、連携が行いやすく、オフィスや仕事場などの地域的配置も『分散的』であるような社会の姿を指している」

――いいじゃないですか。

いいんですよ。ここにまったく間違いはないんです。ただ、そのあと、広井先生はこうもおっしゃっているんですね。

「以上に関連して、今回の新型コロナを契機に、自宅での仕事やオンラインの会議等が広く浸透し、その結果、高額の家賃を払って都心にオフィスや会議室を持つことの必要性があまり感じられなくなり、オフィスの縮小や郊外移転等を検討する企業が増えているといった点はすでに様々な形で論じられている。

また同様の背景から、地方への移住やオフィス移転を考えたり実行に移したりする個人や企業が増加していくことも予想されている。この場合、こうした『分散型』の働き方やライフスタイルへの移行において最終的にもっとも重要なのは、それが個人の『幸福』にとってプラスの意味をもちうるという点だろう」

――ははあん。キモは最後の1行ですね。

そうなんです。ワーカーをオフィスから解放して、好きなところに住まわせて、好きなところから働いてもらうのは、一見良いことのように見えますし、それが「個人の『幸福』につながるように見えはするのですが、それによって個々人のワーカーがこれまでの企業の管理からより自由になるのかといえば、実際どうなのか、という疑念はあるわけです。

加えて、経済的に大都市の企業に依存するワーカーが全国的に分散していくことになるだけなのであれば、インターネットを介した大都市従属が強まるだけ、ということにもなりかねないのではないかとも感じます。

――たしかにそうですね。

つまり、インターネットは空間を超えて人を管理しうる装置であるという、根本的な問題がここではすっぽりと忘れ去られているように感じるんです。

――全国に散らばったリモートワ

※2

ーカーを中央が集中管理している状況ですもんね。

デジタル・パノプティコンが全国規模に拡大されるだけなのであれば、これはもうただ単に都市への権限集中が高まるだけになります。

最近タクシーでやたらと「スカイ」という企業のCM[※3]を目にするのですが、これが「仕事の見える化」をお題目にした、HRツールなんです。

——ほお。

このCMを日本でご覧になったメディア美学者の武邑光裕先生が、驚愕しておりまして、「ベルリンだったら完全にアウトだろう」とおっしゃるんですね。おそらく、GDPR違反になるのだと思いますが、日本では、「デジタル化がもたらす分散化」が、デジタルツールによって逆に集中化が高まりうるという原理があまりよく理解されていないのではないかと感じます。

中国のような管理国家を目指そうと、あえてそれをやろうとしているのであれば、もちろん支持はしませんが、それでもまだ意図があるだけマシとも言えそうで、多くの場合、字義通り「それを実装すれば幸福な社会が来る」と、ただうすぼんやり思っているだけとしか思えないのが、本当に怖いですね。

——困っちゃいますね。

分散型と言うときに、本来であれば、「自律分散型」と言わなくてはいけないんだと思います。そして、そこにおける力点は、「分散」そのものではなく、それが「自律的に運営される」ところのほうでなくてはならないはずなのですが、どうもそこの視点が抜け落ちるんです。

——それは、まさにイバン・イリイチが言っていることですよね。

分散を謳うのであれば、まずは権限が分散化されなくてはなりませんし、それに伴って経済的な自立が達成されなくてはなりません。それらを中央に預けたまま分散だとか言っても、むしろ従属性が高まるだけです。おそらく政治の領域において「地方分権」が言われるときには、実態はどうあれ、このことは考慮されているとは思います。一番、このことをわかっていないのは、むしろ企業のほうかもしれません。

——そうですか。

先ほどの広井先生の引用にある「ローカルな場所にいても様々な形で大都市圏とのコミュニケーションや協働、連携が行いやす」いシステムが、誰を一番利するのかといえば、大企業じゃないですか。

生活費の安い地方にワーカーを住まわせることで、場合によっては給与を抑えることだってできるわけです。自分が仮に大企業に勤めていて、それなりに重要なポジションを目指していたとしたら、絶対に地方になんか移住しないと思いますよ。どう考えたって、本社の特権性・優位性が高まるわけですから。

——出世よりももっと大事なものがある人にとってはいいんでしょうけれど。

出世よりも大事なものがある人は、むしろ競争的ではない環境のなかで、のびのび生きたいわけですから、地方がそういう人を受け入れたいと考えるのであれば、土地土地で身の丈にあった仕事やビジネスができる環境を用意することのほうがはるかに重要だと思うのですが、そうした観点から「成長戦略」「経済戦略」を具体的に語っている自治体は、自分の知る限りほとんどない気がします。「分散化」に乗じて中央の従業員を呼び込もうなんて話は、これまでの工場誘致と発想が一緒ですから、いい加減やめたほうがいいです。

——なるほどなあ。

ちなみにですが、今回の〈Field Guides〉でも、いまお話ししたようなことが具体的に触れられています。

——あれ、そうでしたか。

はい。「ヨーロッパはワークライフバランスの権利を効果的に守ることができるのか※4」（Can Europe effectively legislate the right to work-life balance?）という記事は、「Right to Disconnect」、つまり「つながらない権利」を扱ったものでして、現在、これが欧州議会において法

※3

※4

制化されるべきかどうか議論されているそうです。

――へえ。

この権利は２０００年を過ぎたころから問題として提起されてきたものだそうですが、とりわけフランスで重大なイシューとされるようになったのは、現在はオランジュ（Orange）の名称に変わっているフランステレコム（France Telecom）で、過酷な労働環境を理由に、２００７～２０１０年にかけて従業員の自殺が相次いだからだそうで、この事態を受けて「つながらない権利」がフランスで法制化されることとなりました。「日本の人事部」というウェブサイトに概要の説明[※5]がありますので、一応、引用しておきましょうか。２０１７年の記事です。

「『つながらない権利』が法制化された背景にあるのは、ＩＣＴの進歩・普及による働き方の変化です。週35時間の労働時間制限が義務付けられ、先進国中もっとも労働規制の進んだ社会として知られるフランスにおいてさえ、職場に広がるデジタルコミュニケーションがオン・オフの境界線をあいまいにし、労働時間制限を事実上無効にするおそれが高まっていました。

翻ると日本は、もともと長時間労働や持ち帰り残業が常態化している上、『顧客のためなら休日も時間外も関係ない』といった風潮も根強いため、状況はより深刻といえるかもしれません。スマートフォン一台あれば、いつでも、どこでも仕事と〝つながる〟ことができてしまう労働環境。便利になった一方で、プライベートな時間への侵食には歯止めがかかりません。独立行政法人労働政策研究・研修機構が行った13年の調査によると、始業と就業時間が決まっている通常の被雇用者でも、勤務時間外の連絡が『よくある』『ときどきある』と回答した人はあわせて3割を超え、就業時間を自分で決められる裁量労働制では４～５割に上りました」

――見えてきました。このような状況が、コロナによるリモートワークの一般化によって一気に加速したというわけですね。

そうなんです。もっとも、このときのフランスでの法制化において「つながらない権利」は定義もあいまいで、法律自体もあいまいであったことから抜け道も数多くあり、さらに、法自体の有効性を問う声も根強くあったそうですが、2015年に政府の命を受けてFrance Telecom の問題とデジタル化による職場環境の変化を調査したレポート[※6]は、「つながらない権利」について、こう結論づけています。

「つながらない権利は、雇用者と被雇用者の共同責任であり、そこにはつながらない義務、も含まれる」

――つながらないのは「権利」であるだけでなく、「義務」ともなるというわけですか。

これは、先にお名前を挙げた武邑先生が『プライバシー・パラドックス[※7]』という本のなかでも指摘されていることですが、プライバシー保護は、もはや「権利」ではなく、市民一人ひとりの「義務」として考えるべきだという方向に、すでに欧州では議論が進んでいます。つまり企業や政府をいくら規制したところで、市民がほいほい個人データを企業に差し出してしまっている状況を乗り越えようと思えば、罰則も視野に入れつつ、義務化を考慮する必要性が出てきているということです。

――大変ですね、それは。

また、「企業とワーカーが共同で責任を負うべきものだ」という指摘も興味深いものだと思います。

ここでようやく本題に入っていくことになりますが、今回の〈Field Guides〉は、「エンプロイー・アクティビストの勃興」（The rise of employee activists）というお題で、従来の組合という枠組みとは別のやり方で、会社のなかで労働環境の改善や、会社の方針などに異議申し立てをする「アクティビスト」の活動や、そうした活動が増えている状況をレポートしています。特集のなかで繰り返し強調されているのは、こうしたアクティビズムを左遷などの報復をもって応えるのではなく、真摯に協調していくことで、会社自体のパフォーマンス全体を改善していくことの重要性です。

――これまでのような、会社対労働者という対立軸で考えるのでは

※5　※6　※7

なく、ともに責任を負うというスタンスが重要ということですね。

おそらくそういうことなんじゃないかと思います。とはいえ、いきなり「エンプロイー・アクティビズム」と言われてもピンとこないところもあるかもしれません。「エンプロイー・アクティビズム年表[※8]」(A timeline charting the new rise of employee activism) という記事がありますので、まずはそこでめぼしい事例を見てみましょうか。

——助かります。

年譜は2011年から始まっていまして、まず、スーパーマーケットの Target がブラック・フライデーのセールを前倒しして感謝祭の夜から始めることを発表したことに、従業員が反発して、Change.org で社内・社外から19万人分の署名を集めた出来事が挙げられています。

次いで、2014年にデジタルメディア企業の Gawker でジャーナリストが組合結成の運動を行い、その影響もあって、Quartz を含む多くのデジタルメディア企業に組合がつくられたそうです。Quartz の組合は2018年につくられています。

——へえ。

次いで、2016年のコリン・キャパニックが国歌斉唱の際の起立を拒否した事件が起き、2017年には、Uber 経営幹部におけるセクハラが内部告発によって明かされ、CEOだったトラヴィス・カラニックが辞任に追い込まれています。それを追うかたちで、シリコンバレーでもセクハラ告発が相次ぎ、同年の秋には「The New York Times」の暴露記事[※9]によって、映画プロデューサーのハーヴェイ・ワインスタインがハリウッドから放逐されます。これを受けて「#MeToo」運動が再燃していきます。

——企業内のアクティビズムが社会運動と連動しているわけですね。

はい。2018年には Google で大きな動きがあります。まず「Project Maven」というペンタゴンからの受託プロジェクトへの反対署名が4月に社内で起きます。これはドローンによる攻撃精度を向上させるための画像解析ソフトの開発プロジェクトです。Googleは社員の反対にもかかわらず、このプロジェクトをやめませんでした[※10]が。

――ふむ。

その影響もあってか、同年11月に大規模なストライキ（Walk Out）が行われました。これはセクハラの加害者であったアンディ・ルービンに対して９０００万ドル（約１０１億円）の退職金が支払われる[※11]ことが「The New York Times」にすっぱ抜かれたことを契機にして起きた反対運動で、世界40カ国の2万人近いワーカーが参加したと言われています。

――すごいですね。

これ以外にも２０１８年には、Microsoft や Ogilvy といった企業が、米軍をクライアントとした案件を受託したことから社員の反対運動にあっていたり、Amazon では、気候変動をめぐるデモに参加するために社員がストライキしたりと、２０１８年以降は数多くのアクションが行われるようになっています。

――コロナ下の２０２０年のメーデーでも、Amazon の職員はストライキをしてましたよね。

そうですね。２０２０年には、Black Lives Matter 運動への対応をめぐって署名運動やオンラインストライキなどが起きたりと、コロナ下でも動きはむしろ活発化していきます。２０２０年12月3日には、こうした運動をオーガナイズしていた社員をスパイしていた容疑でGoogle がＮＬＲＢ（National Labor Relations Board、全米労働関係委員会）に告訴されています。

――こうした動きを見ていると、本当に会社というもののあり方が、根本から問われているように感じます。２０２１年も、この趨勢は強まるばかりでしょうね。

本当にそう思います。

――日本でも「ＥＳＧ」だ、「ステークホルダーキャピタリズム」だ、とことばだけは勇ましいですが、こうした動きがいかに企業というものそのものに対して根源的な転換を迫っているのか、経営上層部において、どれだけ真剣に考

※8 ※9 ※10 ※11

慮されているのか、心もとない感じしかしませんね。

「新世代のワーカーたちはいかにエンプロイー・アクティビズムを再燃させたか※12」（How a new generation of workers has revitalized employee activism）という記事は、新しいアクティビズムが、いかにこれまでの「労働運動」と異なっているかを解説しています。

まず大きな特徴として、こうした運動が、組合といった組織体によって束ねられているのではなく、セルフ・オーガナイズ、つまり自生的に組織されるものであることを指摘しています。加えて、なぜこの動きがここまで大きなものになっているのか、その背景として、6つの要件を挙げています。

おそらく、これは日本でも同じ状況だと思いますので、いま企業とワーカーの間で起きていて、これからも継続していくであろう変化を理解する上で、重く受け止めておいたほうがいい内容かもしれません。ざっと列挙します。

――お願いします。

1. 企業は優秀な若者を惹きつけようと「パーパス」（目的）を謳うようになった
2. 政治家を変えるよりも、企業を動かすほうが社会変革として効果的
3. 格差が、人びとをより具体的な行動へと導いている
4. テックユートピアは労働搾取工場（sweatshop）でしかなかった
5. 労働法がもはや機能していない
6. アフィニティ・グループが同じようなアイデンティティや体験をもつワーカーをつなぐようになった

――面白いです。「1」については、いま盛んに日本でも企業が「パーパス」や「ビジョン」などを語り始めてはいますが、これは諸刃の剣になりうるということですよね。「パーパス」を謳った以上、それにきちんとコミットしないと社員から返り討ちにあうと。

先の反対運動などを見ていると、これまでの労働運動と大きく異なるのは、プロテストのテーマが、具体的なビジネス内容にまで踏み込んでいる点です。つまり、米軍やペンタゴンからの受託仕事に対

する反対が公然と表明されるようになったことです。

これは「2」の問題とも連動していますが、単に労働環境の問題を超えてビジネス上の経営方針にまで関わるものとなってきますので、会社としては頭が痛いところだと思います。ただ、とはいえ「世界を良くする」といったことを「目的」として掲げてしまっていて、それをエサに採用などもしてしまっていれば、「ビジネスの中立性」といった逃げ口上もだんだん通用しなくなっていきます。

――そうですね。

「企業リーダーはいかにエンプロイー・アクティビズムに応答すべきか[※13]」(How corporate leaders can respond to employee activism) という記事には興味深い事例が掲載されていまして、Chefというソフトウェア企業が、移民・関税執行局、税関・国境警備局の仕事を受託したことを受けて、それに反対したワーカーが、社内のデジタルインフラをシャットダウンするという事件が2019年にあったそうです。

当時、これらの行政機関の移民政策に強い批判が集まっていたことから、社員から経営層に対して非常に大きな非難が出たのですが、CEOは、これらの声に、まず、こう応答した[※14]そうです。

「政府から受託するプロジェクトに対してどの部門や省庁からのものはやってよくて、どれがダメなのかを選択することは、適正でもなく、実際的でもなく、かつ私たちのミッションに沿うものでもない」

――いかにも企業のトップが言いそうなことですね。

ところが、これに対して、システムをシャットダウンさせたワーカーは「TechCrunch」上で、自分のやった行為に違法性はないことを確認した上で、こう反論しています[※15]。

「CEOが公開した返答はまったく逆だと思います。自分たちのつくったソフトウェアがいかに、どのような目的で使われるかを自社のモラル・コンパス(倫理の指針)に従って見極めることは、ビジネスにおける責任だと思います」

――正論。で、どうなったんでし

※12 ※13 ※14 ※15

ょう？

結局CEOは、のちに方針を転換し、契約を1年で終わらせ、かつそこで得た収益をチャリティに寄付することを表明しました。そこでCEOはこう書いています[※16]。

「私や何人かの経営陣は社内方針に反対していながらも、社員の要望に従って自分たちの立ち位置を決定することを行いませんでした。このことをまずお詫びします。（中略）何年にもわたって社員たちが会社の方針の転換を求めて建設的に声を上げてくれてきたことに、いま改めて感謝します」

――いい話ですね。そうやって、政策のしょうもなさを理由に受託を断る企業が出てくると、たしかに政府に対しても一定のプレッシャーになりますね。

どうでしょうね。日本ですと、公共事業はよほどおいしい金づると見なされているようにも見えますから、勇気をもって断る企業があるのかどうか怪しいですし、テック企業について言えば、インフラ系の企業はどこも国策企業みたいなものでしょうから、最初から一心同体ですよね。

――たしかに。

一方で、先のChefの態度とは真逆の態度を取った企業もありまして、暗号資産の交換所を運営している「Coinbase」という企業は、黒人社員から、なぜ会社としてBlack Lives Matter運動への立場を表明しないのかと突き上げられて、CEOが、「我が社はApolitical（非政治的）だ」と答え、かつ、社内で政治的なイシューを語ることを禁じるポリシーを打ち出し、そのポリシーが気に入らない者は4〜6カ月の退職金をもって辞めてもらう[※17]、としました。

――それはそれで強気ですね。

結局、5％にあたる60人ほどの社員がそれで退職したそうですが、この対応はシリコンバレー内でも大きな論議を巻き起こし、ジャック・ドーシーなどが非難のツイートを投稿していますが、ジャック・ドーシーはそのなかで、「暗号資産はそれ自体がアクティビズムじゃないか」と書いています[※18]。

——面白い指摘ですね。

Coinbaseは、暗号資産というものそれ自体がポリティカルなもので、自分たちがそれでビジネスをしている以上、その政治性について議論することは構わないとしていますが、そうだとすると、問題は、社内で論議していい政治的な議題は何で、何がダメかを誰がどうやって決めるのか、となります。CEOは、それに対して「社員の良き判断にまかせたい」と回答しています。

——日本政府のコロナ対策みたいです。

CEOがもし、社員の良き判断に委ねるということを本気で実行しようと思うなら、「何が社員として良き判断」なのか自体を、社員たちが議論して決定しなくてはなりませんから、結局は社内にオープンに議論できる環境がないと困ることになります。

——難しいですね。

おそらくいま見たふたつのケースのそれぞれの応答には、それぞれに対して共感する方がいると思いますし、どちらが正しいかを厳格に判断するのは難しいところもありますが、ここで問題になっている「ビジネスの中立性」というものについて、いま大きな岐路に私たちが立っているということは、よくよくわきまえておいたほうがいいと思います。

——「お金をもらってやっているだけなんで」という言い訳が、どこまで有効でありうるのか、ということですよね。

これはここで何度も言ってきたことでもありますが、製品なりを納品しておしまい、でやって来られた時代であれば、そのロジックもそれで完結していたはずですが、いまはむしろ、製品がもたらす「インパクト」や「アウトカム」をきちんと査定しろ、ということになってきていますし、納品したものがもたらす結果や影響も含めた「体験全体」が企業の責任範疇になってきていますので、「あとは知りません」という訳にはいきません。

かつ、世の中のデジタル化がいっそう進行していけばいくほど、デジタルインフラの開発・管理・

※16 ※17 ※18

運用は重要になりますが、それにつれてテック企業はますますただの下働きになっていくわけでして、それが、モラルコンパスのない「何でも受託しますよ！」といった便利屋に堕していけばいくほど、テックの仕事は、奴隷化するようにも思いますので、テック企業がワーカーたちとどういった関係性を構築しうるのかは、重大な問題です。

——先に挙げた6つの要件のうち「4」にあたる部分の話ですよね。

はい。そんなシステムを入れても誰も得しないようなシステムを売りつけるようなことをやり続けていれば、当然、ワーカーのモチベーションは下がっていきます。ちなみに、2018年のGoogleのストライキを主導したクレア・ステイプルトンは、たとえ労働環境が過酷なものでなかったとしても、ワーカーたちは、「テック仕事がブルシット・ジョブでしかない」ことにやがて気づくだろうと指摘しています。

——デジタルテクノロジーが、新たな官僚主義とブルシット・ジョブとを大量に生み出す可能性があるとしていたデヴィッド・グレーバーの予見が、ここでも。

ステイプルトンは、続けて、こう語っています。

「企業が大きくなり裕福になっていくにしたがって、経営陣が当初のリベラルで進歩的な考えを保つのは難しくなります。そして、中間管理職よりも下のランクの働き手は、自分の役割に意味を見いだすことが困難になっていくのです」

——とほほ。官僚主義がただ強化されていくだけという。

ステイプルトンは、このストライキのあと、企業側から熾烈な報復にあい、結果Googleを追われることとなりましたが、その顛末は「ELLE」に彼女が寄稿した手記[※19]に詳細に綴られています。ご興味のある方はぜひ読んでみていただきたいのですが、そのなかでエグいのは、ストライキのあとに策定した新しい〈コミュニティ・ガイドライン〉[※20]において、Googleが、社内の小グループで政治を論じるのを禁じたことです。

——ひどいですね。

　ここでようやく先の6つの要点の「6」の話になるのですが、ここまで見てきたようなアクティビズムが、ここまで大きな力をもつようになったひとつの大きな要因は、やはりデジタルテクノロジーでもあったわけです。

　つまり、それがもたらした最大の効用は、同じアイデンティティや経験をもつ人たちが可視化され、お互いにつながることができるようにしたことです。

――そうですね。

　最初のほうでお話ししたHRテックや、あるいはGoogleの新しいコミュニティ・ガイドラインのような問題のある管理手法に共通しているのは、ワーカー同士が連帯することを嫌うところにあります。

　つまり、ワーカーと企業とが1対1でつながっていて、ワーカー同士では隣のワーカーが何をやっているかが見えないようにするのは、管理体制側にとっては一番都合がいいことなんですね。

　そうすることによって、全体を把握できるのが管理側だけになりますので、全体に関わる意思決定を完全にブラックボックス化することができるわけです。

――ああ、たしかに。

　官僚的な組織体のピラミッド構造は、個々人を分断して、ひとりずつサイロに入れて、上からの情報しか入ってこないようにすることで最も効率よく作動します。であればこそ、そうした組織は、人びとが「横でつながること」を嫌います。

　ところが、デジタルネットワークは、それをたやすく実現してしまいますし、全体に対して声を上げることも可能にしてしまいます。

――これまでの組織の根本原理と真っ向から対立するわけですね。

　またお名前を出して恐縮なのですが、先日、武邑先生が、バルセロナの市民参加型の民主主義についてお話をされていて、市民主導で政策立案を可能にする「Decidim※21」というオンラインフォーラム／プラットフォームについて解説されるのを聞いたのですが、こうした市民からの政策提言のような仕組みは、特段新しいものではないとはいえ、こうした仕組みがデジタ

※19　※20　※21

ルテクノロジーによってアップデートされうるのだとすれば、それはおそらく、広場のような空間で、全員の前で繰り広げられるようなものになると思うんです。

――企業や役所に対するクレームを直接言うのではなく、衆目の前で語るということですよね。ソーシャルメディアの力は、基本そこに宿るわけですよね。

もちろん、その良し悪しもあるかとは思いますが、これまでなら個々のクレームを1対1で処理していれば、それで済んでいたものが、ソーシャルメディアで暴露されてしまうと、同じ体験をもつ人たちが簡単に組織されてしまうわけです。そのことによって、対応も個別にやれていたものが一律で応対せざるを得なくなりますので、例えば、こっちにはお詫びに5万円を払ったけれど、こっちは1万円で済ませたといった応対ができなくなります。

――たしかに。

世間的にはそんなに大きなイシューでもないかとは思いますが、カルチャー雑誌界隈では、先日から「ラティーナ」という音楽雑誌が、執筆者の許諾なく雑誌の過去記事をオンラインで販売していたことが発覚し、小さく大炎上しました。抗議の声を上げた一部の執筆者たちがソーシャルメディアで経緯を明らかにした[※22]ことから、おそらくは個別になだめすかそうとしていた会社側の動きが、全体に向けて晒されることになってしまいました。

「こっちにはこういう内容のメールが来た」「こっちには来てない」といったことが、ソーシャルメディア上で、それこそ読者にまで明らかになってしまいました。

これまでであれば、情報の全体像を把握しているのはあくまでも企業側でしたから、ステークホルダーである筆者たちは分断されたまま、個別に横の連携を取りながら個別に情報を収集し、個別に事態そのものの全体像を想像するしかなかったのが、劇的に変わってしまったんですね。

――やりとりを個別化することで、自分たちの都合のいいように情報をコントロールすることが、かつてはできたということですよね。

はい。ただ注意しなくてはならないのは、デジタルテクノロジーはそうしたかつてのやり方を無効化しうる一方で、一人ひとりをフィルターバブルのなかに追い込んで、分断によるコントロールをより強固にもしうるところです。

——1対1でやりとりをさせられている限りは、反対意見はなかった、と言われても確かめようがありませんし、自分と同じ意見の人がいたのかどうかもわかりませんよね。

その一方で、デジタルネットワークは、体験を共有し横につながるツールでもあります。そうした横の連帯を手助けするツールを「ワーカーを動員するのに役立つデジタルツール[※23]」(Digital tools are helping employees mobilize the workforce) という記事は紹介していますが、もちろんデジタルツールが完全にオフラインアクティビズムを代替できるわけでもない、と注意を喚起してもいます。

——会社との諜報合戦みたいになっていきそうですしね。

結局のところ、問題はツール以前のところにあるのかなと思います。文化人類学者の松村圭一郎さんが、雑誌「群像」に寄せた「国家とアナキズム」[※24]という文章で非常に面白い指摘をされていたので、最後にそれを引用させていただけたらと思います。

——はい。

「政策という観念は、他者に自分たちの意向を強要する国家や統治機構の存在を前提としている。それは特権階級によってでっち上げられたもので、『人びとが自らの問題を解決する』という本来の『政治』の思想とは相容れない。グレーバーはそう主張する。

『民主主義』といえば、私たちはすぐ多数決のことだと思ってしまう。しかし、グレーバーは『民主主義の非西洋起源について[※25]』で、その「多数派民主主義」が可能になるのは、『決定事項を実行に移すことができる強制力を持った装置』があるからだと論じている」

——ふむ。

つまり、ここで言われているのは「ポリシー＝政策」というもの

※22 ※23 ※24 ※25

は、それを強制的に実行できる機構があって初めて存在するものだということで、その中身を議論し、こうしたらいいと声を上げることがみんなにできたとしても、それを実行するのは、あくまでも「自分たちではない誰か」なんですね。ですから私たちは原理的に決して「自分たちで問題を解決する」ことができないんです。

「政策を提案することはできても実行はできない」という根本的な問題があって、グレーバーは、それは本来的な意味での「政治」ではないと語っているわけです。

——そうか。自己決定できたとしても実行ができないんですね。

そういう根源的な矛盾がある限り、私たちは「自律的」に生きることが阻害されているということにもなります。これは行政のみならず、企業というものをめぐって私たちが直面している根源的な問題で、それを問わない限り、巷で盛んに言われている「デジタル化」も「分散化」も、ブルシット・ジョブをさらに生み出すことになっていくだけなのかもしれません。

「政治」とは、「自分たちの手で自分たちの問題を解決することである」というのは重要な指摘だと思います。

——なるほど。

いまの「政治」って結局「自分たちの問題を誰かに解決してもらうための働きかけ」でしかなくなってしまっているわけですよね。現状の制度化では、それしか方法がないのはそうなのかもしれませんが、バルセロナで起きているような変革は、本来そうあるべきはずの「自分たちの手で自分たちの問題を解決する」ものとして「政治」というものを取り戻そうという運動のように見えますし、そこが本質なんだと思います。

——日本はどうでしょうね。コロナも当面収まりそうもないですし、オリンピックも控えてわけのわからないデジタル化やスマート化も進行しそうですから、ますます世の中のブルシット化が進むことを覚悟しておいたほうがいいんですかね。

一番ツラいのは、そうした状況を推進しているのが、より強固に管理してやろうという悪意すらない、善意のマヌケであるという点です。

——善意の悪のほうが手に負えないと、よく言われますよね。

とはいえ、市民やワーカーの側には大きな変化の機運もあるようで、コロナ禍のなかで、市民に一番大きな行動の変化が起きたのは日本だという記事※26がつい先日公開されていました。というのも、Change.org の調査によると、コロナを通じて署名活動が劇的に増えた国が日本なんだそうです。

——へえ。面白い。

数字で見ると、こんなことらしいです。

・新規で立ち上がったキャンペーン数：219・67％増加
・賛同数：150・56％増加
・新規ユーザー数：41・37％増加

——いいですね。

それこそ足立区の議員さんがLGBTQコミュニティをくさして炎上し、ごねた末に謝罪をした※27ことがありましたが、ああいうのも、これまででしたら、謝罪もせずに済んでいたものかもしれませんから、少なくとも、ああいった失言が逃げられないリスクとなることは徐々に認識されつつあるのではないでしょうか。

——そう思っていなさそうな政治家や企業がいくつも思い浮かびますが（笑）。

自分たちの都合で幕引きを図ろうとしても、これまでのようにはできなくなっているということは、どんどん身にしみてわかってくるようになると思います。

——だといいですが。ご自身としては、２０２１年は、どんな1年にしたいですか？

これも冒頭にお話ししたことと関連しますが、もっと旅したほうがいいのかなと思ってはいまして。会社でキャンピングカーを買いたいんですよね。どこでも配信とかできるような。

——どうしてですか？

※26

※27

手短に言いますと、多拠点生活みたいなことについて自分なりに考えてみたところ、そもそも「拠点」っていう考え方がつまらんのだろうという気がしまして、「興味あるとしたら無拠点かなあ」と思ったわけです。行った先々でできそうなことを考えよう、と、そういうプロジェクトをやってみたいですね。

——いいじゃないですか。

ちなみに余談ですが、この間「プロジェクト」ということばについて、友人と話していたのですが、「プロジェクト」って、日本語で書くと「投企」と書きますが、これは哲学用語でサルトルが使ったものだそうで、「未来に向かって自らを投げること」を意味するそうです。なんかしっくりきました。

——未来に向かって自らを投げる。いいじゃないですか。２０２１年はそれで行きましょう。

そうしましょう。

Field Guides を読む #34

The rise of employee activists

December 27, 2020

https://qz.com/guide/employee-activists/

◉新世代のワーカーたちはいかにエンプロイー・アクティビズムを再燃させたか
How a new generation of workers has revitalized employee activism

◉企業リーダーはいかにエンプロイー・アクティビズムに応答すべきか
How corporate leaders can respond to employee activism

◉6人の企業アクティビストが教える効果的な組織化の方法
Six employee activists on the practices of effective organizing

◉ワーカーを動員するのに役立つデジタルツール
Digital tools are helping employees mobilize the workforce

◉ヨーロッパはワークライフバランスの権利を効果的に守ることができるのか
Can Europe effectively legislate the right to work-life balance?

◉エンプロイー・アクティビズム年表
A timeline charting the new rise of employee activism

#35

How movie theaters avoid extinction

January 10, 2021

ムービーシアターの絶滅

制作者と劇場での配給と
オンラインディストリビューションとを
シームレスに結びつけて展開するためには
作品ごとに細かく戦略を練らないと
いけないことになりますので
現状のように制作は制作、配給は配給と
分断された業界構造では
持続できないようにも感じます。

——あけましておめでとうございます。今年もどうぞよろしくお願いします。

はい。よろしくお願いします。

——お正月はどうされていましたか？

特にこれといったことはなかったです。読書したり、音楽を聴いたりする気にはあまりなれず、Netflixをぼんやり観ていたりしました。

——何か面白いものありました？

どうでしょうね。たまたま観た『#Rucker50※1』というバスケットボールをテーマにしたドキュメンタリーが、作品の出来はめちゃくちゃ悪いんですが、内容はとても面白かったです。

——へえ。どういうものなんですか？

ハーレムに「Rucker Park」という、バスケ史における伝説的な公園があるそうで、その50周年につくられたドキュメンタリーなのですが、この公園で毎年夏に開催されていたトーナメントが、いかにその後のバスケの隆盛を下支えしたかが主題でして、この公園と、そこで行われていたアクティビティの意義を確認してみると、スポーツというものをめぐる私たちの認識が、大きく間違っているかもしれないということに気づかされます。

——どういうことでしょう。

公園の簡単な歴史は、スニーカーを中心としたカルチャーメディア「Complex」のいい記事※2がありますので、それをご参照いただくといいかと思うのですが、60年代に始まったこの夏のトーナメントというのは、当時のＮＢＡの選手も参加するような大会だったんです。というのが何を意味するかと言いますと、全米最高レベルのバスケは、必ずしもNBAにあったわけではない、ということです。

――どういうことですか？

つまり、黒人のバスケが、そこにはインクルードされていなかったということです。

――そうか。

公民権法が制定される1964年以前のNBAは、アフリカンアメリカンもいるにはいたのですが、チームに数名程度だったそうです。ちなみにNBAは、1946年に創設されたそうですが、NBAで初めてプレイした有色人種は、ワタル・ミサカさんという日系の方なんだそうですよ。

――へえ！　そんな話、聞いたことないですね。

そうなんです。私もいま調べていて初めて知ったのですが（笑）。ミサカさんについては、例えばこの記事[※3]をご参照いただくといいと思うのですが、どうもドキュメンタリー映画[※4]もあるみたいですね。

――面白いですねえ。

夏のハーレムで行われるトーナメントにプロのNBA選手が参加しているのがどういうことかというと、当時の選手たちの間では、バスケの最高峰はプロリーグではなく、むしろハーレムのストリートにあった、ということなんですね。いわば、プロが腕試しをしに行くような場が、Rucker Park のトーナメントだったということです。

――なるほどなるほど。

いまもあまり変わっていないとは思いますが、それまでのバスケは大学リーグの延長線上にあって、大学が選手を多く輩出していたわけです。ところがそこから遠く離れた都市の貧困エリアにバナキュラーなバスケットボールカルチャーがあって、それがいわば、エスタブリッシュメントであったメインストリームのバスケを常に脅かす存在であったということを、Rucker Park のトーナメントは表しているわけです。

――ふむ。

※1　※2　※3　※4

そのトーナメントを通じて、ストリートのテクニックやプレイスタイルが徐々にNBAに影響を与えていくことになるのですが、そうした影響はゲームのルールなどにも及んだと言われていて、選手たちだけでなくNBAの運営・経営自体までもがこのストリートトーナメントに多くを負っていると言えるほどでして、実際、Rucker Parkは、NBAの審判や運営スタッフなどを多く輩出しています。

――すごい影響力ですね。

そうなんです。そうしたストリートの文化をダイナミックに導入していくことで、バスケというスポーツはグローバル化することになるわけですから、その後のメガエンタテインメントとしてのバスケは、実際はハーレムにおけるローカルなコミュニティ活動に、ひとつの大きな基盤をもっていることになります。

――というのは？

このRucker Parkのトーナメントを創設したホルコム・ラッカーという人は、ニューヨーク市の公園管理部門で働きつつ、学校やコミュニティセンターで英語を教えていた教師でして、彼がこのトーナメントを始めたのは、あくまでも若者たちが都市犯罪などに巻き込まれるのを防ぐためだったんです。

そうやって始まったアクティビティが、やがて選手たちを輩出し、かつNBAのなかに雇用さえ確保していくことになったわけですから、このトーナメントは、いまのことばで言ってみれば、スポーツを通じたコミュニティビルディングの模範例とでも言えそうなものなんですね。

――ははあ。

かつ、このハーレムの事例は、シカゴやフィラデルフィアなどにも伝播していくことになり、ある時期からは都市対抗で試合が行われるようにもなります。と考えてみますと、その後極端に商業化され、純然たるエンタメと見なされるようになったアメリカのスポーツは、その基盤に、周縁化させられたマイノリティコミュニティの草の根のアクティビティがあったわけで、それは、根本のところで公共をめぐる社会活動であったという意味において「政治」的なものなんですね。

――そうなりますか。

前話の最後でお話しした、文化人類学者デヴィッド・グレーバーが言うところの「自分たちの問題を自分たちで解決する」ことを指しての「政治」の意味で使っていますが、そもそもスポーツがそういうものとしてコミュニティで機能していたということであれば、スポーツは最初から政治的なんですね。

――ふむ。

ところが、80年代のレーガン政権以降、テレビ中継のグローバル化によってスポーツがグローバルエンタメ化していくなかで、こうした出自が一切見えなくなっていくんですね。特に日本では、マイケル・ジョーダンとシカゴ・ブルズの全盛期をもってバスケのグローバル化の波に飲み込まれていくこととなりますが、ハーレムから遠い日本のお茶の間には、プレイの凄さと快楽性ばかりがエアジョーダンというプロダクトとセットで伝わってくることになり、ひたすら消費主義的な快楽のなかで受容されることになりました。

だからといって、ジョーダンによって洗練の極みに達するプレイがどこから生まれてきたものなのか、おそらくアメリカの現場では、忘れられたことはないはずなんです。

――このあたりは、第31話の「クールの再誕生」とも密接に関わっていますね。

これは、つい先日気づいたことなんですが、こうしたハーレムのストリートバスケのレガシーは、実は意外なところに流れついていまして、実は「B Corp※5」というアメリカ発祥の企業認証制度があるのですが、これが、ハーレムのバスケ文化と関係があるんですね。

――B Corpというのは、Patagoniaや Unileverといった環境や人権意識の高い企業に与えられる認証ですよね。

はい。最近ですとESG、SDGsといった文脈で改めて注目されている認証制度ですが、この認証を授与しているB Lab※6という

※5

※6

非営利組織は、実は、AND1というバスケットボールシューズをつくっていたベンチャー企業の創設者が、AND1を身売りしたあとにつくった組織なんです。

――へえ！　面白い！

『The B Corp Handbook[※7]』という本の冒頭には、このAND1というブランドのことが書かれていまして、この会社は、ハーレムなどで撮影されたストリートバスケのトリックプレイばかりを集めたミックステープ[※8]を制作・配布していたことで90年代に知られていたそうです。

加えて、社員に対するフェアな扱いなどでも知られていた企業だったとも書かれているのですが、企業というもののなかにいま一度、「社会性」や「公共性」といったものを埋め込み直そうという運動の中心にいる人たちが、ハーレムのストリートバスケに源流をもっているというのは、非常に示唆的なことに思えます。

――ほんとですね。

最近、BLMなどの流れのなかで、スポーツ選手が何かを発言するたびに、「スポーツに政治をもち込むな」というような横槍が入ってきましたが、『#Rucker50』という作品を観て感じたのは、「スポーツに政治をもち込むな」という言説は、実は「スポーツ」のことを言っているのではなくて、「経済」もしくは「ビジネス」に政治をもち込むなと言っていたのだな、ということです。

――はあ。

つまり、スポーツは、いま見てきたように最初から政治的な活動としてあったわけです。ところが、メディア産業が、それを巨大エンタメへと仕立て上げる際に、そうした政治性を脱色するかたちで広めていったおかげで、「スポーツが非政治的なものである」という錯覚が生まれたように思うのですが、それはいわゆる新自由主義的なビジネススタイルが発動したイデオロギーであって、スポーツの特性や属性ではないんですよね。

スポーツはいつだって政治的だったはずなんです。それを遠い極東のお茶の間でも見ることができるように中立化していったのは、むしろ娯楽・メディア産業の要請であったはずなのですが、その娯楽・メディア産業の根幹には、ローカルな「政治」がいまなお常に存在しているわけですから、それを消そう消そうとしても、表出してくるわけです。

――それは音楽でもまったく一緒ですね。

ですから、せっかくごきげんな気分でスポーツを見ていたところ突然政治的なメッセージを見せられて不愉快になる人は、スポーツの中立性を侵害されたことではなく、むしろ新自由主義的な観点から、ビジネスというものが非政治的であると信じているところに水を差されたことに憤慨しているんです。それは、ちょうど、新自由主義的な企業のあり方やそれを支えてきた価値観が、それこそESGの観点や「B Corp」のような考え方によって、水を差されて防御的になるのと同じ心性のように感じます。

――「ビジネスの中立性」は、もはや存在しない、というのは、前回でも指摘されていたことでした。前回では、それこそ、「ビジネスであれば、どんなクライアントからの仕事も受ける」という経営者の考えと、「世の中の害悪と思われる企業や組織とは仕事をしたくない」とする従業員との対立が取り上げられていましたが、事ここに及ぶと、なんと言いますか、「ビジネスに善悪はない」「クライアントが喜べばそれでいいのだ」というような論理が、なんでこうまで世の中に深く根付いてのさばるようになってしまったのか、そのこと自体が不思議ですよね。

ほんとですね。ちょうどいま、トランプ大統領のソーシャルメディアのアカウントが凍結されたことが話題になっていますが、Twitterは会社内部からの突き上げが、かなり強くあったことが報じられています※9し、Facebookについては、社内のメッセージボードをなぜか会社側が一時封鎖した※10ことも明かされていました。経営者にとって「社内の声」は、もはやかつてないほど大きな影響力をもつステークホルダーになっていることが見えてきます。

――ほんとですね。あのマーク・ザッカーバーグがついに強硬措置に※11出たのには驚きました。

※7 ※8 ※9 ※10 ※11

そうですね。これは本当に難しい判断だったろうと思います。

——言論統制だ、という声が日本でも大きく上がっています。

Twitter も Facebook も、トランプのアカウントを凍結するにあたっては、それが大統領という公共性の高い人物のアカウントであることから特例的に「規約」の適用を免除してきたわけですし、十分に時間的な猶予を与えてきたということもありますので、これが突然起きたことではない、ということは前提として理解しておくべきでしょう。

かつ、重要なのは、どちらの社も、トランプ大統領の発言内容に対して是非の判定を下しているわけではない、という点かと思います。

——あ、そうですか。

そうだと思います。というのも、どちらの声明にも登場しているのは「リスク」ということばでして、これ以上放置しておくと社会的リスクが高い、という理由からの凍結であって、トランプが間違ったことや間違ったメッセージを発しているからという理由ではないんですね。

——そこは結構重要なことですね。

「修正第1条[※12]」というのは、とても重いものでして、これだけ公共性の高いプラットフォームであればなおさら、そこに投稿された言論を正しい、あるいは間違いだ、と判定すること自体、原則許されないということは、おそらくジャック・ドーシーもマーク・ザッカーバーグも相当強く意識していたはずです。ですから、ここにいたるまで強硬策を講じることはしてこなかったはずですし、それはとても正当なことだと思います。というのも、人には嘘をつく自由もありますし、何が真実か、そうでないかを、誰かが一方的に決定することはできないのが原則だからです。

——ふむ。

ところが、世の中には、それが嘘であると困る類の嘘もあるわけです。

——ははあ。

その嘘が、社会の安全を脅かす

ものになる可能性があった場合、そこにおいては、その嘘の重大性が測られなくてはならないという議論は、とても古くからあるものでして、いまから約100年前のアメリカの判事でアメリカのプラグマティズムの発展において非常に重要な役割を果たしたオリバー・ウェンデル・ホームズという人が言った名言[※13]がいまもよく参照されます。それはこういうものです。

「言論の自由を最も厳格に擁護したとしても、劇場でウソをついて火事だ！と叫び、パニックを起こす自由は誰にも保障されないだろう」（The most stringent protection of free speech would not protect a man in falsely shouting fire in a theatre and causing a panic.）

——なあるほど。

これは1919年のことばだそうですから、問題系は100年前からあまり変わっていないとも言えますよね。Twitter や Facebook の措置は、おそらく、このことばを念頭に考えるべきものかなと思うのですが、要は、ここでの判断の基準は、内容そのものではなく、それが発せられる状況と、それがもたらしうる被害をめぐるリスク計算に基づいている、ということになるのではないかと思います。自分の見るところ、この判断の仕方は、とてもプラグマティックなものなのだろうと思います。

——プラグマティズムってそういうことなんですね。

宇野重規先生の『民主主義のつくり方』[※14]によれば、プラグマティズムは、「人々の『信じようとする権利』を最大限に重視した」思想なのだそうです。

——へえ。

宇野先生はこう解説しています。

「問題は、人間が行動するにあたって選びとった理念が正しいことを、神学的・形而上学的に論証することではない。すべての人間には、自分の選びとった理念を追求する権利があり、重要なのはむしろ、そのような理念が結果として何をもたらすかである。

（中略）人間は考えがあるから行動するのではなく、行動する必要があるから考えをもつと彼らは説

※12 ※13 ※14

いた。（中略）プラグマティストたちは、ある理念がそれ自体として真理であるかどうかには、ほとんど関心をもたなかった。というよりも、それを真理であると証明することは不可能であると考えていた。そうだとすれば、ある理念に基づいて行動し、その結果、期待された結果が得られたならば、さしあたりそれを真理と呼んでもかまわない。彼らはそのように主張したのである。
　重要なのはむしろ、各自が自らの理念をもつことに関する平等性と寛容性である」

――面白いですね。読みながら、議会に突入した人たち[※15]の姿を思い浮かべてしまいます。

　もちろん彼らの行為は法的に審査されることになると思いますが、それでも、彼らの「理念」が正しいか間違っているかは問わないというのが、プラグマティズムの重要なところだと思うんです。「やつらはアホだ」というのも、それを言う人間をなじるのも簡単なのですが、そこで発動された理念の真理性をいくら論じても泥仕合にしかなりませんよね。

――まあ、そうですよね。

　随分昔に、ある本のなかで「表現の自由というものは、あなたのためにあるのではなく、あなたと正反対の意見をもつ人のためにある」ということばを読んだことがありまして、それがアメリカのある判事のことばだと書いてあったのは覚えているのですが、おそらくこれもホームズのことばではないかと思います。プラグマティズムが説く「信じようとする権利」と、それをめぐる「寛容性と平等性」をよく表しています。

――身につまされることばです。

　いいことばです。

――はい。

　というような話をですね、つい先日ある知人にしましたら、最近公開になった『ワンダーウーマン1984[※16]』が、まさにそんな内容でしたよ、と言われました。

――あ、そうなんですか。

　自分も観ていないからわからな

いのですが、そう言われるとちょっと観てみたくなりました。最近は映画館に行くのも何かと億劫ですし、緊急事態宣言中ですしね。

――と、ここで唐突に今回のお題であるところの「ムービーシアターの絶滅」に入っていくわけですが（笑）、ちなみに、『ワンダーウーマン　１９８４』は、劇場とＳＶＯＤプラットフォームでの同時公開だったそうですね。

　らしいですね。今回の〈Field Guides〉を読んで初めて知ったのですが、本作は２０１９年に公開予定だったのがCOVID-19の影響で実に7回も公開延期となって、さすがにシビレを切らしたWarner Mediaが、昨年のクリスマスに、劇場とＨＢＯのストリーミングサービス「HBO Max」での同時公開に踏み切ったという経緯だそうです。「映画館が絶滅を逃れるために※17」(How movie theaters can avoid extinction)という記事に詳細が明かされていますが、今回の〈Field Guides〉の主旨は、この決定が、ある意味映画館ビジネスのターニングポイントになるだろう、という点にあります。

――どうなりますかね。

　これはなかなか込み入った話になりますが、映画業界が『ワンダーウーマン　１９８４』に衝撃を受けたのは、それが「ワンダーウーマン」に限った話ではなく、Warner Mediaが、２０２１年に公開するすべての映画をストリーミングと同時公開することを発表したからでして、この決定に『デューン』のリメイク版を監督したドゥニ・ヴィルヌーヴが真っ向から反対※18する声明を「Variety」に寄稿して話題になりました。

――怒ってましたね。

　ヴィルヌーヴ監督の怒りは、主にWarner MediaとHBO Maxを保有している通信会社AT&Tに向けられたもので、この戦略が「うまく集客ができていないHBO Maxのテコ入れ策」であって、「ウォールストリート向けの判断」でしかないとディスりつつ、大画面による劇場体験にこそ映画の未来があるのだと語っています。

　とはいえ、Disneyや Universalといった大手他社も、必ずしも「同

※15　※16　※17　※18

時公開」という戦略は取らないまでも、劇場公開からストリーミング公開にいたるまでの流れを、より柔軟性の高いものにしていこうとしている点では似た方向性を向いているともいえます。とりわけDisneyは、「Disney+」の世界展開がうまくいっていることが、逆に劇場収入の減少をもたらしていると「Quartz」の別記事[※19]は指摘していますし、Universalは世界の劇場チェーンの大手2社と新たに契約を結んでおり劇場収入を捨てる気はないように見えるものの、それも自社のストリーミングサービス「Peacock」がまだそこまで伸長していないからだと見られています。つまり、ストリーミングサービスが安定化したら、どうなるかわからないということです。

——各社各様で面白いですね。

　こうした各社の戦略を理解する上で重要なのは、いまなお映画の生涯収益の3分の1が劇場によってもたらされているということで、どう考えても、その3分の1をドラスティックに切り捨てるというオプションは、いまのところ現実的ではないということです。

——3分の1もあるんですね。

　アメリカの劇場産業は、徐々に収入が減少していますので、ずっと危機感がもたれてきましたが、その一方で、世界を見てみますと、中国における劇場収入は年々伸びていますし、実は日本もそうなんです。

——え。そうなんですか。

　日本映画製作者連盟が毎年出している統計[※20]によりますと、2019年は封切り本数、入場者数、興行収入において、過去20年で最高の数字に達していまして、これはスクリーン数も同様です。

——そうなんですね。なぜか斜陽産業という印象しかなかったのですが、違うんですね。

　この増加の要因が何なのかについて、「Quartz」は「働き方改革」による時短が影響しているのではないかといったコメントを掲載しています。それも一因かもしれませんが、日本国内でどういう分析がなされているのかは気になるところです。

――２０２０年は『鬼滅の刃』の記録的ヒットもありましたから、コロナがなければ、さらに伸長していたかもしれません。

というなか、アメリカにおいてこの間もたらされた最も重要なイノベーションは、映画館が映画を独占的に上映できる期間が短縮されたことだと、「映画館が絶滅を逃れるために」の記事は明かしています。

――制限があったんですね。

75～90日間の独占期間が認められていたそうなのですが、Universalが昨年夏に大手チェーンのＡＭＣと契約を結び、それを最短17日にするとしたそうです。

――17日？

「週末3回分」という計算だそうですが、これは、ほとんどの映画の劇場収益は公開1カ月に集中しているからだそうで、そうだとすると、これまでの75～90日間の規制によって、映画会社にしても、劇場にしても、およそ1カ月半から2カ月にわたって、無駄にコストを垂れ流していたことになります。その無駄を解消しつつ、かつデジタルで得た収益を劇場に対しても分配する、という仕組みを構築しようというのが、Universal とＡＭＣの提携の狙いとなります。

――ふむ。

記事は、こうしたモデルに、さらに Amazon Prime や Apple TV といったデジタルプラットフォーム上におけるレンタル――ここでは「Premium Video on Demand」（ＰＶＯＤ）と呼ばれていますが――に変動価格を導入すべきだと提案しています。

――公開から時間が経てば経つほど価格が下がっていくということですね。

はい。公開17日目でデジタルプラットフォームにお目見えする際には２５００円なのが、時間を経るごとに価格が下がっていくというようなモデルです。

――Amazon Prime はたしか、２５００円前後での販売期間が終わると４００円で３日間アクセスが可能になるといった仕組みですよ

※19 ※20

ね。

はい。自分はわりと、それを使っていますが、プラットフォーム上で弾力性のある課金を行うというモデルは、たしかに有効ではないかと思います。中国のTencent Musicなどは、そうしたモデルをうまく音楽配信に採用して、短期間で黒字化したと言われています。

——そうなんですね。

このほか提出されている面白いアイデアは、劇場チケットとオンラインのアクセスチケットをバンドルしてしまう、というものです。

——劇場でも観られるし、家に帰って再度観ることができるようにするということですか？

そうです。ただ、このように制作者と劇場での配給とオンラインディストリビューションとをシームレスに結びつけて展開するためには、作品ごとに細かく戦略を練らないといけなくなりますので、現状のように制作は制作、配給は配給と分断された業界構造では持続できないようにも感じます。

そこで、今後考えられるのは、例えばAmazonのようなテックプラットフォーマーが、劇場チェーンそのものを傘下に収めるようなシナリオ、もしくはDisneyのような制作者が、自前で劇場網を保有するという筋書きです。

——あり得ますか。

実は映画製作会社が劇場を保有することは、1948年に制定された「The Paramount Decrees」※21という独禁法に基づく法令で禁じられていたそうなのですが、それが2020年に改定され、できるようになったというんです。

——そうなんですか。Disneyなんかは、自前の映画ばかりかける映画館をやればそれなりに儲かるような気がしていて、なぜやらないんだろうと思っていましたが、法規制があったんですね。子どもは同じ映画を何度でも観ますし、その都度グッズも売れるでしょうし、サラリーマンが仕事帰りに「今日は『トイ・ストーリー』でも観るか」なんて需要もありそうです。

たしかに。Pixarだけかかる映画館とか、アベンジャーズの専門映画館とかがあったら、行っちゃいますよね。

――ミニテーマパーク、みたいなものになりそうです。

それはまさに記事でも指摘されていることですが、例えば制作会社やテックプラットフォームが劇場ビジネスに入っていくことで、劇場は、ただ映画を観るだけの空間ではなく、例えばＶＲのような新たなテクノロジーの試験場のような場所にもなり得るかもしれません。そういう意味で映画館は、21世紀型の新しい娯楽施設の苗床になり得ます。Disneyが「ディズニーランド」によって「テーマパーク」という新たな産業を発明したのと同等のことが起こりうる可能性はあります。

――面白いですね。とはいえ、そうなったとして、そのゲームで勝てるのは、やはりメガプラットフォームやメガコンテンツメーカーばかりになりそうです。インディペンデントな映画館や、インディペンデントなフィルムメーカーの行く末は暗そうですが。

そうなんですよね。「COVID-19はインディ・シネマのカーテンコールとなるか[※22]」（Will Covid-19 be a curtain call for indie cinema?）という記事は「インディ」の語がダブルミーニングになっていまして、インドの映画産業におけるインディペンデント映画のことを指していますが、ストリーミングサービスがいかにブロックバスター優位の構造になっているかを明かしながら、同時に、それが独立系の作家やスタジオに新しい可能性を開いていることも明かしています。それはちょうどNetflixなどにおいても同様ですよね。

――デジタルプラットフォームが新たなチャンスをもたらしているという側面はある、と。

インドの場合、それを支えているのはニッチなＳＶＯＤプラットフォームの存在だったりします。一口にインドといっても言語・民族の多様性がありますので、それぞれの需要に応えるべく、地域ごとにローカルなプラットフォームが存在するそうです。

こうしたかたちで、今後、Netflix、Amazon Prime、Disney+、Apple TVといった大手以外の、もう少しニッチなプラットフォーマーが

※21

※22

出てくると、面白くなるような気はします。映画について言えば、イギリスのアート専門の「MUBI[※23]」というサービスくらいしか、いまのところ思いつかないのですが。

——そんなのがあるんですね。

これは、ブライアン・イーノも愛用しているそうで、インタビューでこう語っています[※24]。

「Netflix よりも MUBI というアート・フィルム専門の配信サービスのほうを多く利用している。そこは、一度に30本しかラインアップがなくて、頻繁に新しい作品を取り入れて入れ替えを行っているんだ。配信する作品をしっかり選りすぐっているところが気に入っている。個人的にルールがあって、アメリカの映画はできるだけ見ないようにしているんだ。お高くとまっているだけでしかないんだけど（笑）、見ていてイライラする。日本映画、ポーランド映画、オーストリア映画、ノルウェー映画、オーストラリア映画を見るほうが新鮮だ。世界にはいくつもの言語が存在するわけだからね」

——良さそうです。

わたしも MUBI にはずっと加入しているのですが、いまサイトを見たところ、ちょうどドゥニ・ヴィルヌーヴの初期の『AUGUST 32ND ON EARTH[※25]』という作品がかかっていますね。ゴダールに影響を受けた作品みたいです。

——聞いたことない作品ですね。

イーノ先生が言うように、インターネットの良さは、「世界にはいくつもの言語が存在する」ということを知ることにあるはずです。それこそ MUBI で、ヴェルナー・ヘルツォーク監督の『アギーレ・神の怒り[※26]』がかかっているのを観て、「インターネットってこういうことのためにあるんだよな」といたく感動したことがあるのですが、ここでいう「言語」というのは、単に、英語や日本語ということだけでなく、映画と一口にいっても、そこにはさまざまな語り口や話法・文法があるといった意味での「言語」だと思うんです。

いわゆるブロックバスターの文法から離れた、まったく違う語り口をもったような何かと出会うことが、いまますます難しくなっているのだとすると、かつてであれば独立系の映画館が担保していた、多言語の空間がインターネット上にないとおかしいですよね。

――ソーシャルメディアやYouTubeのツライところは、言っている中身が正反対であっても、その語り口が、まったく一緒だというところにあったりしますよね。「言語」がどんどん画一化している感じはわかります。

　今回の〈Field Guides〉には、そうした「違った窓」を与えてくれるような空間をどう持続させていくのかという点についての答えらしきものはありませんし、世の中全体を見ても有効な答えがあるわけでもないとは思うのですが、コミュニティシネマセンターという団体が、２０１９年に「地域における〝新しいコミュニティシネマ／新しい映画の場所〟の可能性[※27]」という優れたレポートを出していまして、地域再生の文脈から、コミュニティを再活性化するために映画というものをうまく使っているケーススタディを紹介しています。レポートは、こんなふうに現状をまとめています。

「新しいコミュニティシネマは、『多様な映画を上映する』というコミュニティシネマの基本的なコンセプトを保持しつつ、これまで以上に、地域や、映画館を取り巻く人たちとの関係、コミュニティとの関わりを強く意識し、観客やコミュニティとともにある『コミュニティシネマ／映画の場所』を目指しているように見える」

――へえ。いいですね。

　ここに掲載されているレポートはいずれも面白いものなので、興味ある方はぜひ見ていただきたいのですが、願わくば、こうした空間が、単に映画を観て消費するだけでなく、それが、新しい「言語」を開発し生み出していくような空間になっていくといいなと思います。

――最初のバスケの話に戻りました。つまり、映画における「Rucker Park」みたいな場所が必要だ、ということですよね。

　もっぱら経済空間としか見ることができなくなってしまった空間が、実は、草の根のアクティビティ／アクティビズムによって下支えされていたのがスポーツの世界

※23　※24　※25　※26　※27

であるなら、映画や音楽といったものも、そうである可能性は十分ありますよね。そうしたグラスルーツの空間こそが、巨大な産業に常に新しく新鮮な「言語」をもたらしてきたということを、いま一度、きちんと確認し直す必要がありそうです。

——ほんとですね。

大手通信会社やプラットフォーマーだけがいたところで、コンテンツは生まれないし、更新も拡張もされないわけですから。

Field Guides を読む #35

How movie theaters avoid extinction

January 10, 2021

https://qz.com/guide/movie-theaters-avoid-extinction/

◉映画館が絶滅を逃れるために
How movie theaters can avoid extinction

◉ハリウッドのストリーミング化はいばらの道
Why Hollywood's road to streaming will be a bumpy ride

◉映画館の未来はどこにある？
Where is the future of the box office?

◉COVID-19はインディ・シネマのカーテンコールとなるか
Will Covid-19 be a curtain call for indie cinema?

#36

The economy in 2021

January 17, 2021

グローバルエコノミーのぐにょぐにょ

こんなかたちで強制的に経済がストップさせられるような
事態は極めて稀なことですが
とはいえ、そのなかでも人は生きていかなくてはなりませんから
ある意味抑圧された「生きる欲求」みたいなものが
出口を求めてさまよっているのが現状であるように思うんですね。
そうやって外に向かって押し出されている
出口のない欲求に出口を与えることができれば
それが新たなビジネスになりうるわけですから
経済ということで言えば、やはり、そういうところに
目を向けておくことは重要だと思います。

――ごきげんいかがですか?

ダメですね。

――どうしたんですか?

わからないんですが、今日はまったく原稿が書けないです。

――いま、土曜日の23時ですが、普段ですと、もう7割方は終わっているような時間です。

まったく手につかなくて、洋服でも買おうかとずっとネットを見てました。

――ダメじゃないですか。オンラインで洋服、よく買うんですか?

どの程度買うと「よく買う」ということになるのかわかりませんが、ちょこちょこと何かしら買ってます。

――最近は何を?

ミュージシャンのマーチャンダイズ(マーチ)ですが、Lomelda のTシャツ[※1]やら Big Thief のビーニー[※2]やら買いました。Lomelda のTシャツはまだ届いていませんが。

――マーチは楽しいですよね。

と言ってもマーチはTシャツやキャップが主流で、それこそまだノベルティの域を出ないところはありますが、おそらくミュージシャン側もそれなりに商品性にこだわるようになってきているように感じます。それこそ、カニエ・ウェストやビヨンセのように自身のブランドをもって、本格的にアパレルビジネスをしている人もいますから、そういう感じでより進化すると嬉しいなと思うところはあります。

――なるほど。

自分はニットのセーターが好きなので、Big Thief のセーターが売られていたら買っちゃうだろうなとか。

——ああ、たしかに。

もちろん、ミュージシャンが皆、ファッションデザインのセンスをもっているとは限りませんから、それが簡単なことだとは思いません。とはいえ、いまどきのミュージシャンはPVから衣装まで、ある程度ディレクションにまでコミットするようになっていますので、具体的なデザインはプロがやるのだとしても、まだまだやれる余地があるんじゃないかと思ったりします。というのも、ファンとしては、ミュージシャンのそうした複合的なセンスを信頼しているということでもありますから。

——ミュージシャンに限らず、「いまどきの表現者」はそうした包括的なセンス全体が売り物になっている、ということでもありますよね。

ミュージシャンのマーチも最近はいろんなアイテムが出るようになっていまして、それこそ音楽メディアの「Pitchfork」は、おそらく２０１７年から毎年、年末になると「Best Merch」を発表しています。２０２０年のベスト※3を見ると、それこそBig Thiefのエイドリアン・レンカーは、自身のソロアルバムの発売に合わせて、ジグソーパズルなんかを出しています。

——へえ。かわいい。

そういえば、自分もこの記事を見てLomeldaのキャップがかわいいなと思って、マーチサイトに飛んだのでした。

——まんまと買わされた、と（笑）。

おっしゃる通りです。せっかくなのでマーチについて色々と記事を探ってみたのですが、アメリカの「Vogue」が気になる記事を昨年8月に出しています。「お気に入りの場所を自分のものにしてくれるマーチ※4」（Merch That Brings Your Favorite Places To You）という記事ですが記事の冒頭にはこんなことが書かれています。

「２０１６年に隆盛を極めたマーチのトレンドが２０２０年に再び盛り上がりを見せている。マーチブームの第一波は、リアーナの『Anti』ツアーや、ジャスティン・ビーバーの『Purpose』ツアーと

※1 ※2 ※3 ※4

いった、特別なイベントの記念品が主流だった。2020年のマーチはちょっと違う。マーチは、これまでも自分のお気に入りの場所をサポートしたりレペゼンしたりするために買うものだったが、今年のマーチは、そうした場所を自分のものにするためのものとなっている。スローガンTシャツ、グラフィックスウェットシャツやトートバッグは、レストランやショップなどをサポートし（そして思い出し）、失われた休暇を自分の家で楽しみ、数カ月にわたって訪れることを禁じられた文化的な空間へとつながることを可能にしてくれる。小さく、タンジブルなやり方で、これらのモノたちは、たとえそれが象徴的な意味しかもっていなかったとしても、コミュニティにつながることを助けてくれる」

——ははあ。たしかに、アメリカでは、カフェやパン屋さんがTシャツを売っていたりしますもんね。

ミュージシャンの場合でも、ライブができない期間のマーチは、アーティストをサポートするための重要な収入源となっていました。

——ライブハウスがTシャツをつくって販売しているのを買っている知り合いもいました。

そうしたなか、これは昨年6月の「Vogue」の記事[※5]ですが、Merch Aid[※6]という非営利団体がR/GAというデザイン／マーケティング会社のメンバーによって創設されたことがレポートされています。この団体はロックダウンで困っている飲食店や小売店、とりわけ黒人によって経営されているスモールビジネスをサポートすべく、アーティストたちと組んでマーチの制作・販売を行っています。

——めちゃいいですね。

記事には、創設メンバーのインタビューが掲載されていますが、ファウンダーのひとりはファッションとマーチの関係性をこんなふうに語っています。ここは非常に面白いところですので、少し長いですが、Q&Aの一部を引用させていただきます。

「Q：マーチということばは、ファッションというより広い視点からみると非常にトリッキーなものでもあります。これまでも、Tシャツは、政治的マーケティングのツール、もしくはブランドの『意識の高さ』をアピールするためのPR手法として利用されてきました。Merch Aid としては、マーチというものが、そうではなく、より意義と実行力のある変化をもたらしうるものであるためには、何が必要だと考えていますか？

A：広告の世界ではたしかにメッセージ性の強いマーチャンダイズを、ただ目立ったり賢く見せたりするためのPR施策として使うことがありました。けれども消費者は、ブランドが自己満足のためにやっているかどうかを見抜くことができます。消費者は、非営利組織をサポートしているようなブランドをサポートしたいわけで、ただトレンドに乗りたいわけではありません。

Merch Aid が証明したのは、ファッション産業のなかにおいても、正しく用いることができればマーチは意味のあるインパクトをもたらしうるということです。マーチはある特定のイシューをお客さんに対して啓蒙することを可能にし、同時にそれを通してアクションに参加させることができます。お客さんがTシャツを欲しがるのは、そのトピックについて心から賛同しているからで、賛同している自分をみんなに見てもらうことを望んでいるからです。ファッションは『スタイルの誇示』であることから離れ、『価値の誇示』へと移行しています」

——佐久間裕美子さんが、著書の『We の市民革命[※7]』のなかで、「Wear your values」という標語を紹介されていましたが、まさにそれですね。

おっしゃる通りです。そうした論点から「Vogue」はメディアとしても、マーチ関連の記事をちょこちょこ掲載していまして、10月には「選挙前に投票マーチを買うならこの店[※8]」(All of the Voting Merch to Shop Ahead of the Election)、12月にはアレクサンドリア・オカシオ・コルテスのマーチ騒動についてレポートした「AOCのマーチをめぐるドラマ[※9]」(What's the Drama Over Alexandria Ocasio-Cortez's Merch?)、年末にはジョージア州の選挙前に「公正な選挙を支持するマーチで、ジョージアの選挙をいま一度思い出そう[※10]」(Make Sure Georgia's On Your Mind With Merch That Will Support a Fair Run-Off

※5 ※6 ※7 ※8 ※9 ※10

Election）などを公開しています。

――どれも政治絡みですね。

そうなんです。単にミュージシャンを応援する、といったところから、コロナを経て、マーチというものの意味性がドラスティックに変わってきていることは、かなり明確になっています。そうは言っても、根っこの部分は、自分の好きなブランドやお店やアーティストを応援するためであるのは、さほど変わっていないという点は重要だと思うんです。

――と言いますと？

平時においてはただの記念品だったものが、パンデミックによるロックダウンや活動休止を余儀なくされた環境のなかで、それが一種の「共助」の回路になったことで、そこに政治性が強く付与されたということなんだと思うんですが、それが「共助」の回路だからといって、別に好きでもなかったり自分と関わりのなかったりする場所や人のTシャツを身につけたところで意味はないわけですし、逆にそれこそ、ただ「意識高い」ことを表明するためだけの身振りでしかなくなってしまうわけですね。

――結局は「価値」ではなく「スタイル」の誇示じゃんか、と。

そうなんですよね。その辺のバランスは結構難しいですよね。

――そう言えば、アメリカの議会を襲撃した人たちが着ていたTシャツも、なかなかヤバかったですよね。

トランプ支持者たちのTシャツや旗などに描かれたイラストやスローガンを読み解いた非常に面白い動画が「TIME」に掲載されています※11。こうした図像学的な読み解きは、さまざまな思想信条の人たちが流れ込んでいたトランプ支持者たちの多種多様なコンテクストを知る上で非常に有効であることが、この動画からはわかります。また、この動画では触れられていませんが、襲撃者のひとりが着ていた「キャンプ・アウシュヴィッツ（Camp Auschwitz）」と書かれたロングTシャツは、ETSY上で販売されていたものだったそうですが、この商品を販売していた事業者が、プラットフォームから追放されたことを「Reuters」が報告していました[※12]。

——どこであんなものが売っているのかとは思いましたが。

ちなみにですが、ずいぶん前に買ったSlayerという大御所メタルバンドのロングTシャツがありまして、割と気に入って着ていたのですが、デザイン的には、あれとかなり似た感じなんです。

——やばいじゃないですか。

メタル系バンドのマーチの多くはあんな感じですから、それ自体がダメということにはならないはずですが、ただ、自分がもっているロンTには、たしかナチスの将校のような図像が描かれていたようにも思うんです。それをもってナチスを賛美しているわけではないのですが、なにせ、Slayerの初期の名曲「Angel of Death」という曲は、ナチスで化学実験を行っていたヨーゼフ・メンゲレを扱った歌でして、リリース当時からこの曲についてはすったもんだがありましたが、それをいまの時代状況のなかで着るのは、どうなんでしょうね。

——Slayerのメンバー自身が親ナチスだったわけではないんですよね？

それについては２０１６年の「Rolling Stone」の記事[※13]がありまして、メンバーは、歌詞自体は一種のドキュメンタリーであって賛美しているわけではない、と語ってはいるのですが、一方で、この曲を書いたジェフ・ハンネマンは、第三帝国についての本はよく読んでいて、そのナチスの「エクストリームさ」に魅せられたと語っていたりはします。

——うーん。

これは以前、自分が編集した『次世代ガバメント[※14]』という本のなかの「官僚制とヘビーメタル」というコラムで書いたことでもありますが、メタルと官僚制というのは実際のところ非常に相性のいいものでして、もちろんナチスのような超エクストリームな官僚主義を肯定するような歌こそ歌いはしませんが、それに魅せられてわざわざ歌にまでしてしまうところに、

※11 ※12 ※13 ※14

ある種の親和性が滲み出てしまうんですね。どうでもいいような余談ではあるのですが、メタル好きとしては、この辺、なかなか微妙な気持ちになってしまうところです。

――どんどん本題から離れて言ってますが（苦笑）。

すみません。いずれにしましても、トランプサポーターの「マーチ」を改めて見てみますと、これはスポーツチームなんかでも同様ですが、「マーチ」というものは、放っておくとユニフォームのようなものになっていく、というところが厄介なところだなと思います。マーチは、根っこのところでどんな陣営にとっても「連帯の証」であるわけですが、それがどこかのポイントを超えると、個と個の連帯であることを離れて、一元化された群衆へと変わっていくというのは、やはり不気味なところです。

――難しいですね。

だいぶ本題と関係のないところに来てしまいましたが、最初にマーチの話をしたのは、Slayer の話をするためではなく、マーチというものが、単なる記念品やグッズといったものからハミ出していっているところの面白さを語りたかったからなんです。

要は、マーチの世界で起きているのは、例えばTシャツというメディアを通して、ファッション産業と音楽産業が溶解しているということで、これまであった産業ごとの隔たりというものが変なやり方で溶解していっているのは、何もファッション業界に限ったことではないのではないか、というお話をしたかったからです。

――ひどい遠回りじゃないですか（笑）。

というのも、今回の〈Field Guides〉は『２０２１年の経済』がお題でして、そのお題にどうもいまひとつ乗り切れないせいで、こんな遠まわりをしたのですが、なぜ乗り切れないかと言いますと、そもそも自分にはマクロの視点から経済を眺める発想が完全に欠落しているのと、そもそも「経済」っていう概念自体が、いまお話ししたような「溶解」の対象なのではないかと思うからなんです。

――どういうことですか？

ここまで見てきたマーチの話なんかは格好の例だと思いますが、ただの記念品やお土産であるという点で、ただの消費財だと思っていたものが、いつの間にかポリティカルなツールになっているわけですよね。という意味で、ここからが経済の話でここからが政治の話、というようには、もはやそれぞれを切り出せなくなっているんだと思うんです。

——ふむ。

ちなみに、今回の〈Field Guides〉のなかで個人的に面白かったのは、「2021年のグローバルエコノミーを妨害しうる鬼札※15」(The wildcards that could sabotage the global economy in 2021)という記事で、「バブル」「香港」「家主」「アメリカ財政」「気候変動」「サイバーリスク」「ブレグジット」「戦争」「インフレ」といった項目が2021年の「ブラックスワン」として挙げられているのですが、よくわからないなりに興味があるのは「家主」という項目でして、ここで何が語られているのかと言いますと、こういうことです。

「コロナ禍のなか閉鎖を余儀なくされたバー、レストラン、ジム、ホテル、オフィス、サロンなどには共通項がある。彼らは家主に家賃を払っていないのだ。仮に不況が終わったとしても、都市部がかつてのような賑わいを取り戻すには数カ月はかかるだろうし、リモートワークの時代にあって人びとのビルの利用の仕方は永遠に元に戻らないかもしれない。こうした事態は、商業不動産業者を危機に追い込むことになるだろう。パンデミック前に都市部の地価がインフレ気味に上昇していたように見えていたのだからなおさらだ。アメリカの商業不動産の負債は2020年に3兆ドルという史上最高額に達した。もはやキャッシュを生み出すことのない不動産から借金を少しずつ返済していくためにコストのかかる努力は避けられない。加えて、不況が長引き、さらに都市生活にもたらされた変化が想定以上に永続性のあるものであった場合、新規開発は落ち込み、再起は一層困難になるだろう」

——なるほど。不動産ビジネスが大きく崩壊していくことになる、というわけですね。

※15

不動産ビジネスのテクニカルなところはよくわからないのですが、リモートワークによってオフィスが不要になっているという状態がいつまで、どの程度、常態化・永続化するのかという、実際のところ誰にも読めないことが非常に大きな懸念点になっているのは、当たり前といえば当たり前なのですが、やはり興味深いところですよね。

——実際、どうなるんでしょうか。

10人ほどの小さな事務所を経営していた知人は、早々にオフィスを解約し、完全リモートにしました。その彼にしたところで、コロナが収束した際に改めて新規にオフィスを借りるのかどうか、直接聞いてはいませんが、おそらく悩ましいところだろうとは思います。もちろん小さな会社で、大型の設備が必要な業種でもありませんから、参考になる話かどうかはわかりませんが、大企業にしたって、リモートワークが長引けば長引くほど、ワーカーのいない状態でフロアあたり何百万、何千万円とかかるようなオフィスを構えていることの合理性を見直さざるを得なくなるであろうことは予測できます。

——そりゃそうですよね。

加えて、リモートが長引けば長引くほど、家の近くにワークスペースを確保したいといった需要は高まってくるでしょうし、それをチャンスと見て郊外型のコワーキングオフィスのビジネスなどが増えてくるとなれば、ますます都心のオフィスに戻る理由がなくなっていきます。

——難しい判断ですね。ワクチンが広まればひとまずこの状況は収束するだろうという見立てはあったとしても、それがいつ達成されるのかは諸説ありますし、変異株のようなものが出てきてしまっているなか、そもそもそのワクチンで大丈夫なのか、といった問題もあります。

どのタイミングで、何をどう判断するのかは本当に難しい状況ですが、とはいえ、ずっと様子見をしているわけにもいかないとなると、少なくともオフィスにはもう人は戻ってこないという前提で、新しい可能性を追求したほうがいいんじゃないかと考える人も当然出てきます。不動産について言えば、例えばニューヨーク市はすでに新しい動きが出ているそうで、「The New York Times」の「瀕死のミッドタウン：オフィスはアパートになるべきか?※16」(Midtown Is Reeling. Should Its Offices Become Apartments?)が、それを詳細にレポートしています。

——面白そうです。

まず、ニューヨーク市のミッドタウンの状況を簡単に概説しておきますと、こういうことになります。オフィス地区であるミッドタウンの現在の空き家は全体の14%で、これは2009年、つまりリーマンショック以来最も高い数値となっています。さらにマディソン街に面した小売店の3分の1が空き家になっており、100万人いるオフィスワーカーのうち出社しているのはわずか10%だそうです。

——ひえー。

また、ニューヨーク市全体でみても新規のビル建設の申請は2020年で22%も落ち込んだそうです。こうした状況のなか、ニューヨーク不動産協会のプレジデントは、「これがどん底というわけではない」と警鐘を鳴らしています。

——ふむ。

また、家主とテナントが反目しあうケースも増えているそうで、パンデミックを理由に賃料を支払わない大手テナントを家主が訴えたり、そうした取り立てに対してテナント側が「店が開けられないのに、家賃を払えとは何事だ」と反撃したりするケースが頻発しているそうです。

——さもありなん、ですね。どちらも背に腹は代えられない状況ですからね。

そうしたなか、先の業界団体は、市や州に対して、オフィスビルを住居へと簡単にコンバートできるよう規制を緩めるべく働きかけているそうです。

——へえ。面白いですね。

マンハッタンには4億平方フィート(約3700万平方メートル)のオフィススペースがあるとされて

※16

いますが、そのうちの1・4億平方フィート分は平均的なクオリティのもので、なかには老朽化したものも相当あるそうです。そうしたオフィスを住居に転換するとマンハッタンのなかだけでも1万の住居を確保できるそうで、こうした転換を行うにあたって、一定の割合で廉価な住居を用意することを条件にするといったアイデアも提出されています。

——いいじゃないですか。

市の担当者も「賢いアイデア」と語っていると記事は書いていますが、実際パンデミック以前のニューヨーク市は、ワーカーの増加にハウジングが追いつかないという問題を抱えていたそうですから、このアイデアによって、それが解消されることも期待できます。さらに、ミッドタウンのようなオフィス専用の街区は、日中には人出があっても夜にはまったく人がいなくなってしまいますから、ある意味非効率ですし、飲食店や小売店なども少なく、楽しくないエリアになってしまいがちです。ローワーマンハッタンも、かつてはそのようなエリアでしたが、住居を増やしたことで活気ある街へと変貌したと言われています。

——街をオフィス専用、住居専用といったかたちで区切っていると、かえって効率が悪いし、活気もないしレジリエンスも低い、ということですよね。

そうなんです。また、この提案には、パンデミックの打撃を強く受けているホテルを住居に変えることもアイデアとして含まれているそうです。

——観光も出張もなくなっているわけですからね。

ホテルについては、先日とあるイベント[※17]で、大阪の独立系ホテルを経営している方とご一緒して色々とお話をさせていただいたのですが、観光客の減少によって大きな打撃を受けてはいるものの、その一方で、宿泊価格が下がっていることから、地元の人が使うケースが増えているとおっしゃってました。

——ん？ どういうことですか？

仕事で遅くなった人がタクシー

を利用せずホテルに泊まるケースが増えていたり、それこそリモートワーク用の空間として長期で借りたりといった方もいるそうです。

――なるほど。一種のシェアオフィスとしてホテルを利用するということですね。そういえばちょっと前にカプセルホテルがシェアオフィスに転向しているといった記事を見かけたような気がします。

一般的なホテルチェーンでもそうしたサービスが始まっているとも聞きますので、それ自体は、取り立てて驚くべきことでもないのかもしれませんが、この話が面白いのは、まさに前半にマーチについてお話ししたことと同様の「溶解」が起きているところだと思うんです。

――ああ、なるほど。つまり、ホテル、オフィス、住居といったこれまでまったく別々にセグメントされてきたものが、ぐしゃっと溶け合ってしまうということですよね。

このときのホテルは、家の延長でもありオフィスの延長でもあるわけですよね。さらに面白いのは、その使い方は、あくまでもユーザーが決定するというところではないかと思います。観光のための宿泊施設として使う人もいれば、オフィスとして使う人もいるし、もしかしたら住まいとする人もいるかもしれない。そのときに供給側に必要なのは、その使い方に合わせて、時間貸しもできるし、1カ月滞在での賃貸もできるといった柔軟性です。

――価格帯の設計や、そもそものビジネスモデルも変わっていくことになりそうです。

ニューヨークの事例に戻りますと、提案されているアイデアに対して、古いオフィスビルをたくさん抱えている業者のなかには、「古いオフィスビルの需要は十分にある」と住居への転換という提案を否定する方もいらっしゃるそうですが、いまお話しした考えに立てば、今後のありようとしては、そこを住居として利用しようがオフィスとして使用しようが、利用する側が決めればいい、という格好になっていることが望ましいように思えてもきます。

もちろん、さまざまな規制はあるでしょうから、すぐに実現するわけもないとは思いますが、とは

※17

いえ、リモートワークによって、空間を機能ごとにゾーニングするような設計思想は、なし崩し的に崩壊しているとも言えるわけですから、そうしたぐにょぐにょした状態を、かつての建て付けのなかになんとか押し戻そうという発想は、捨てたほうがいいんじゃないかと思います。

——そのぐにょぐにょした状態のなかに新たなチャンスがある、ということですよね。

そんな気がします。そうしたぐにょぐにょした状態も、そこに名前が与えられ、ビジネスモデルが見いだされ、そして一般化していけば、それ自体が秩序立ったものであるかのように見えてくることになるのだと思います。

——たしかに、スマホみたいなものだって、最初はぐにょぐにょした何かにしか見えなかったわけですもんね。

そう考えると、社会というもの、あるいは経済というものは、そこに生きる人びとのニーズや変な欲求に押されながら、そうやって絶えずぐにょぐにょと動いているものなのだろうと思えてきます。

今回の〈Field Guides〉は「2021年のグローバルエコノミー」というお題で、結局それについてはほとんど触れていないのですが、「いつ、どうやって経済がノーマルに戻るのか」というのは、もちろん考えておくべきこととはいえ、こんなかたちで強制的に経済がストップさせられるような事態は極めて稀なことなので、「元に戻す」ことにばかり専心するのももったいないように思います。というのも、こうした異常事態のなかでも人は生きていかなくてはなりませんから、ある意味抑圧された「生きる欲求」みたいなものが出口を求めてさまよっているのが現状であるように思うんですね。そうやって外に向かって押し出されている出口のない欲求に出口を与えることができれば、それが新たなビジネスになりうるわけですから、経済ということで言えば、やはり、そういうところに目を向けておくことが大事なのかなと思います。

——現状の制度や産業構成のなかで考えていてもダメだぞ、と。

エクストリームな状況であればこそ起きている変なことは、いまたくさんあると思いますし、それはおそらく、これまで自分たちが自明だと思ってきた領域区分やジャンル構成などの間の隙間で起きているような気がしますので、そういうところに目を凝らしておきたいですね。ぐにょぐにょした何かのなかにこそ、次の可能性は見いだされるんですよ。

Field Guides を読む #36

The economy in 2021

January 17, 2021

https://qz.com/guide/economy-2021/

- COVID-19以降のグローバル経済の姿
  What the global economy will look like after Covid-19
- 2021年のグローバルエコノミーを妨害しうる鬼札
  The wildcards that could sabotage the global economy in 2021
- 低金利がハイリスク経済へと世界を追い込む
  Low rates are ushering the world into a high-risk economy
- 2021年のグローバル経済の行方を知る7つのチャート
  7 charts to help you track the global economy in 2021
- 沸騰する中国の鍋料理市場に見る、パンデミック後の暮らし
  China's soaring hotpot stock hints at life beyond the pandemic
- インド経済の核心に潜む弱点
  The weakness at the heart of India's economy
- 2021年のアフリカ経済、最大のリスクとチャンス
  The biggest risk and opportunity for African economies in 2021
- ヨーロッパの経済復興に期待すべきこと
  What to expect from Europe's economic recovery in 2021

#37

The pet industrial complex

January 24, 2021

ペットビジネスの反命題

「社会全体が犬や猫を人間と同等のもの
市民権をもった存在として扱うようになれば
従来の産業は深刻な打撃をこうむることになるだろう。
なぜならペット産業は、ペットが家畜と同様の『財』であるがゆえに
それを売り買いし、安楽死させることをも可能にする。
『人格化』(personhood)は、そうした力学を破綻させてしまう」

——こんにちは。いかがですか？

なんだか気が滅入りますね。

——緊急事態宣言のせいですか？

おそらくそうだと思いますが、それが理由なのかどうかもあんまり定かでなくなってきてしまいました。毎日それなりに違う1日を過ごしているはずなのに、同じ1日のような気がしてきちゃっています。

——『恋はデジャ・ブ※1』もしくは『オール・ユー・ニード・イズ・キル※2』のような感じですか？

それとはちょっと違うような気もするんですが、なんか檻のなかにいるような感覚というか。映画としょうもない動画とソーシャルメディアばかり見ているせいのような気もしますが、何かを待っていて、それが来るまでの時間を無為にやり過ごしている、という感じかもしれません。

——何を待っているのですか。

それがよくわからないんです。というのも昨年のステイホームのときも、それまでと同じように出社していましたし、特に生活がドラスティックに変わっているわけでもありませんので、コロナの終息を待っているというわけでもないですし、「早くライブを観に行きたい！」とか「フェス行きてえ」と思わないわけではないのですが、そもそもそんなに熱心にコミットしてきたわけでもないので、特に欠如感や飢餓感があるわけでもないんですよね。

——おかしいですね。とはいえ、何かを待っているという感覚はちょっとわからなくもないです。

何を待っているんでしょうね。あるいは逆にいうと「何も待っていない」状況って、どういうことなんでしょうね。

——現在に没入している、みたいなことなのでしょうか。

うーん。先のスケジュールが立たない、というのは実は大きな困難なのかもしれません。例えば、オリンピックのような大きなイベントは、自分が特段それに期待しているわけでもないとしても、現状の見通しのなかでは、それが開催されるのか、あるいはされないのかは、社会全体にとっては非常に大きな分岐になります。今後の仕事の見通しを立てる上でも、それがどういう判断になるかによって、シナリオが当然変わってきますよね。

——夏の音楽フェスを開催するかどうかといった判断にも大きく影響するでしょうしね。

そうしたなか、社会全体がなんとなく「待ち」の状態になっているような気はします。変な話、例えば飲食店なども、いまなんとか歯を食いしばって踏みとどまるべきなのか、それとも、早めに諦めるのかという判断があったとしたら、その見極めは相当難しいですよね。判断の基軸や根拠がないわけですから。

——ですよね。

こういう状況のなかで日本の現状について思うに、これまで、例えばスタートアップの世界について「日本は失敗を許容しない社会だ」といったことが言われてきましたが、どうもそれはスタートアップや起業についてばかりではなく、社会全体においてそうなんだろうな、と思うんですね。

——そうですか。

とある飲食関係者にお伺いしたことなのですが、このことには、実はふたつの側面があるんです。

——ほお。

「失敗が許容されない社会」というのは、これまでは主に、エントリーのハードルが高いという側面から語られることが多く、要は、ビジネスを始めるための参入障壁やコストが高かったり、やたらと手間がかかったりするので、最初から大きなリスクを背負わなくてはならず、そうであるがゆえに、スタートする前から「失敗できない」仕組みになっているわけです。

※1　※2

ところが問題はそれだけでなく、その状況を裏側で強化しているのは、飲食の場合、「店を畳む」ということにも、非常に大きなコストと手間がかかるということなんだそうです。

——ああ、なるほど。

そう教えられて初めて知ったのですが、店を畳むのって、特に飲食の場合は、言うほど簡単ではないそうなんです。例えば、賃貸契約についても、次に入るテナントを自分で探さなくてはならず、そうでなければ、自費で現状復帰しなくてはいけないそうで、そのための労力もコストも、かなりかかるわけです。その結果、最も現実的なオプションは「夜逃げ」ということになってしまったりするそうで、かつ、いったん店を畳むと、それが例え黒字倒産だったとしても「店を畳んだ」という事実をもって判断されてしまうので、次に新たに店を始めようとしても金融機関などが融資をしてくれないといった問題もあるそうなんです。

——そうか。出口がないんですね。それがないから再エントリーもできない。悪循環です。

まさにそうなんです。貯金を残したまま いったん撤退する、みたいなことが簡単にできない仕組みになっているということなのだと思いますが、そこは案外盲点なのかもしれません。例えば「持続化給付金」は、基本的に「とりあえず事業を継続できるよう支援する」というものでしたが、いつ終わるともしれないこうした状況になってきますと、「持続化支援が持続しない」ことは目に見えているわけです。そうした観点から見れば、「一時撤退／再起」のための支援策というものも想定しておく必要があるのではないか、という気もしてきます。

——持続できるのかできないのか判断もつかないなかで「持続化」と言われても、生煮えの状況が煮詰まっていくだけですもんね。

下手すると、もっと早くに撤退しておけば、いろんな意味で力をセーブしておくことができた、ということが起きてしまうような気がします。判断が遅れれば遅れた分だけ傷口が広がる、と。

――持続可能性ということばは、単に現状を延命させることではなく、むしろ新陳代謝を活発に起こしていくということでもあるんでしょうね。

おそらく両方の視点が必要ではあるのでしょうけれど、社会全体の制度設計の部分において、エグジットのところをちゃんとサポートする仕組みがないと、いくらエントリーのところの障壁を除いたところで結局、糞詰まりを起こすことになるのは明らかな気がします。

――実際のところ、出口のハードルが下がると、少し前向きな気持ちになれるところもありそうですよね。

もちろん撤退が楽しいわけもないでしょうけれど、撤退から再起への道筋が選択肢として見えるだけで、判断に余裕は生まれるような気はします。もっとも、これは従業員などもさして多くない小規模事業者に限っての話だと思いますが。

――なるほど。

そういえば前回触れようと思いながら触れそびれたのですが、ついこの1月に、パリのシャンゼリゼ通りの再開発プラン※3というのが発表されまして、これは、自動車の交通量を減らし、歩行者が優遇され、緑豊かな公園のような空間にするという、グリーンリカバリー的なアジェンダがふんだんに入った計画で、世界最大の都市農場をつくるアイデアもあるそうですが、ビジネスについて言いますと、通りに面したテナントがいわゆるメガストアだらけになってしまわないようにグローバルチェーンの参入を規制しつつ、むしろパリの生活文化を反映したものにしていくそうなんです。

――いいですね。

これはシャンゼリゼ通りが商業主義によって独占されてしまったことで、地元の人たちからすっかり敬遠されるものになってしまったことへの反省から出てきたアイデアだそうですが、観光政策とローカルコミュニティの活性化とがトレードオフになっていた状況への解としては正しいと感じます。

※3

——観光政策としても、ローカルなスモールビジネスの振興は重要だということですよね。

だと思います。自分の国にもあるチェーン店だらけのモールみたいな街を歩いて楽しい観光客なんていませんよね。

——その国、その都市なりの日常性にアクセスしたいわけですもんね。観光客しかいない街を観光客として歩いても楽しくない。

そういえば、以前「Sónar」（ソナー）という音楽イベントを観にバルセロナを訪ねたことがありますが、何に一番感心したかといえば、犬の散歩をしている方を街中で多く見かけたのですが、その犬たちの表情がびっくりするくらい良かったことです。ほんとに驚いちゃったんですよね。

——って、いきなり本題に突入しました。

自分はわりと動物が好きなほうなので、街中の犬や猫にはそれなりに注意を払っているつもりですが、バルセロナの犬は、衝撃を受けるくらいの溌剌さで、「ああ、これはいい街だなあ」と感心してしまいました。「わが街！」って感じで、もう自信満々に闊歩しているんです。市民感があるんです。

——へえ。面白いですね。

変な話、一度、ペットを通して都市のウェルネスを測ってみた方がいいんじゃないか、と思ったりしたくらいです。

——今回の〈Field Guides〉のお題は「ペットの複合産業」（The pet industrial complex）でして、コロナ下のロックダウンでペットを飼い始める人が急増したことを背景にした特集なのですが、ここでの大きな論点のひとつはいまおっしゃったようなところで、もはや「ペット」というものが、ただの「愛玩物」ではなく家族のようなものとして認識され始めていることです。

はい。今回の特集のメイン記事「アメリカ人の犬猫への愛は、いかに巨大産業をつくり上げたか[※4]」(How America's love for its cats and dogs built the pet industrial complex)には、ペットと人間の関わり合いの歴史を簡単に素描したパートがありますが、そこで現状がこう説明されています。

「ペットは、経済的な理由から家族や子どもをもつことを諦めたミレニアル世代にとって、ますます子どもの代理のようになりつつある。ペットがいかに子どもの代わりになりつつあるかについて研究をしているロラン・シンプソンは、こう語る。

『私が行ったインタビューで「犬や猫が子どもの代わりだと思っている」と答える人はひとりもいません。けれども、彼らの行動はそのことばを常に裏切っています』」

——ふむ。

特集は、ペット産業の巨大化がペット用の食事、玩具、医療、保険からペット用の精神科医のような存在までを含む多種多様なビジネスに及んでいることを明かしていますが、産業の巨大化の背景には、明らかに「人と動物の境界が曖昧になる」状況があるとみられています。「アメリカ人の犬猫への愛は、いかに巨大産業をつくり上げたか」の記事は、こう書いています。

「人にとっていいものと、ペットにとっていいものとの境界は曖昧になりつつあります。自分が食に気を使うなら、ペットの食べるものにも同じように気を使います。自分がサプリメントを服用するなら、自分の犬もそうすべきだと考える人は増えています。自分よりもペットに対してお金を使う人も少なくありません」

——記事のなかにはペット向けのＣＢＤ製品なども紹介されていますね。

そうなんです。こうした状況を「ペットフード業界を図表化※5」(The pet food industry, charted) という記事は、こう説明しています。

「今年新たにペットを飼い始める人はさらに増えるだろう。けれどもペットフードの需要をドライブしているのは、それではない。マーケットリサーチ会社Euromonitor Internationalによればペットは年々小型化しており、小型犬のブリーディングがいまやトレンドだ。ペットの数が増えたとしても、ペットの小型化という現象を考慮すれば、それがペットフード産業の成長を後押ししているとは言えない。

※4 ※5

むしろ、ペットのオーナーたちが、自分の愛しい赤ん坊たちに何を食事として与えているかが変わってきているのだ。オーナーたちはペットを家族と見なすようになり、であればこそ、家族の一員にふさわしい食事を与えたいと考えている。この傾向によって、ふたつの市場が目立って成長をしている。『〝自然〟食』と『ペットごとに応じた科学的食品』（消化器官の弱いペット向けの食品やプロバイオティックな処方など）だ。

　これらの食品は製造業者が『プレミアムフード』と名付けるものだが、ことば自体はマーケティングのためのものだ。FDA（アメリカ食品医薬品局）は、ここでいう『プレミアム』ということばに明確な定義は与えていない」

——なるほど。うーん。自分がペットの飼い主であれば、自分もそうなるだろうなと思いつつも、ペットのほうが自分よりいいものを食べていると思うと、なんだか、ちょっと問題があるような感じもしてきますね。

　そうなんですよね。「ペットは家族」という考え方は、心情的にはその通りなのですが、ここから先、それが社会に何をもたらしていくことになるかと考えていくと、実は相当難しい話になってきます。

——ですね。

　先の「アメリカ人の犬猫への愛は、いかに巨大産業をつくり上げたか」の記事の最終章は「ペットの未来」と題されていますが、ここで論調が突然暗転します。引用しますね。

「（人がペットを家族として見なすようになったことは）ペット業界にとっては歓迎すべきことだ。人びとがペットを人間のように扱えば扱うほど、多くの人が食品やサービス、ヘルスケアにお金を使うことになる。けれども、仮に社会全体が犬や猫を人間と同等のもの、市民権をもった存在として扱うようになれば、従来の産業は深刻な打撃をこうむることになるだろう。

　なぜならペット産業にとっては、ペットは家畜と同様の『財』であり、であるがゆえにそれを売り買いし、安楽死させることもできる。『人格化』（personhood）は、そうした力学を破綻させてしまう。ペット製品協会のキング氏は、『「ペットの親」ということばは避けるべきだと思います。それは飼い主が「オーナー」であるという、そもそもの関係性を変えてしまうからです』と語る」

——うう。なるほど……これは、ぐっと重たい話ですね。

さらに獣医学の協会も、ペットの「人格化」は、医療ミスが起きた際に法的責任を負うことにつながるといった事情から慎重な立場を取っているとされています。

——それが取引可能な「財」であればこそ、そこをめぐって巨大な市場も生まれますが、その前提が崩れるとなると、社会そのものの大きな前提も崩れてきてしまう怖さがあります。

これはかなりヘビーな問題でして、あまり迂闊なことは言えませんが、この問題が厄介なのは、これが、そもそも「人間とは何か」ということに深く関わっているからです。というのも、「何が人間で、何がそうでないのか」という線引きは、歴史的に「人間」というものに対しても適用されてきたものですし、それもある意味恣意的に線引きされてきたからなんですね。

——奴隷制度みたいなことですか？

はい。例えばですが「未開人は理性というものがない」というロジックによって、西洋化されていない文明のなかに生きる人たちを、「財」として扱い、売り買いするといったことが過去にはあったわけですし、昨年から今年にかけてのアメリカの大統領選をめぐる問題のなかでも、そうした状況が実はいまでも続いているという認識が絶えず確認されていたわけですよね。もちろん制度や道義上のコンセンサスとして、あらゆる人を人として認めるということは、第二次大戦以降の世界では一般化してはいますが、実際にそれが社会において反映されているのかという問題は継続してありますし、そもそも「人間はみな平等だ」というときに、その根拠は何なのかというのは、実はそれほど確固たるものではない可能性があるということもあります。

——どういうことでしょう。

人類全体を見渡して「人間に共通する資質とは何か」と考えたと

きに、人間とその他の動物をわかつ根拠は、もちろん生物学的には特定できると思いますが、その共通性だけをもって平等だと言っても実際に平等が社会全体に行き渡っているわけではありません。また、動物の話に戻すなら、そこで特定された違いをもって、なぜ人間だけが他の動物に対して「主人」として振る舞うことが許されるのかも疑問じゃないですか。

——人間には知性や知能があると言っても、最近の研究などでは、他の動物にもかなりの知性が見いだされているといったこともあるでしょうしね。

そうなんです。そう考えていくと、これまでの人間と動物とを明確に分断していた「人間至上主義」と、例えばいま世界で問題になっている「白人至上主義」は、相似形の問題であると考えることができてしまうわけですね。そこから例えば動物愛護団体などは、動物にも市民権が与えられるべきだと考えるようになり、実際、これまでに象やチンパンジーに市民権を与えるべく法廷闘争が行われていたりする[※6]んです。

——うーん。

例えば捕鯨をめぐる論争などでも、「鯨は知能がある動物なんだ」といったことが言われたりしますが、この論法でいきますと「じゃあ知能の劣った他の動物は殺してもいいのか？」という疑問がすぐさま出てきてしまいますよね。「知性」という人間がもち出した価値基準で動物界を序列化するのは、結局「人間中心主義」でしかないということになってしまいます。

——難しいですね。

この問題を、めちゃくちゃ鋭く扱った本がありまして、南アフリカ出身のノーベル賞受賞作家のJ・M・クッツェーの『動物のいのち[※7]』という大変込み入った本なのですが、とても面白いものです。

——どういう本ですか？

これは、ある講演会にクッツェーが呼ばれて講演の代わりに書いた小説でして、このなかで「エリザベス・コステロ」という名の老いた女性作家が、ある大学の講演会に呼ばれて講演を行い、哲学者などとディスカッションをする状況を描いた、言ってみれば仮想の対話によって織り成されたものです。

――入り組んでいますね。

はい。クッツェーは、議論と対立の分断線を明確にするために、老作家を、菜食主義で、人間による動物に対する扱いを堪え難いものだと感じている人物として描きます。その主張を一言に集約させるなら、こうなります。

「私たちが認める意識のどこがそれほど特別だから、その種の意識をもった者を殺せば犯罪となり、動物を殺しても罰せられずにすむというのでしょうか？」

――ふむ。

それに対し、クッツェーは、その問いに反発する哲学者を多数登場させて、例えば、こんなふうに反論させます。

「貴女はご自分の目的のために、ヨーロッパで殺されたユダヤ人と屠殺された家畜という、ありふれた比較を借用しておられました。ユダヤ人は家畜のように死んだ、したがって家畜はユダヤ人のように死ぬ、と貴女はおっしゃる。これは言葉によるごまかしであり、私はそれを受け入れるつもりはありません。貴女は類似性というものを誤解しておられる。意図的に、ほとんど冒瀆と言ってもいいまでに誤解しておられるとさえ申しましょう。人間は神に似せて創られましたが、神が人間と似ているということはないのです。もしユダヤ人が家畜のように扱われたとしても、家畜がユダヤ人のように扱われていることにはならないのです。たんに逆に置き換えることは、死者の霊にたいする侮辱です。それはまた、収容所での恐怖に安っぽいやり方でつけ込むものです」

――めちゃ重たいですね……。

老作家は、問題点をクリアにするためにあえてナチスによるジェノサイドを問題にしたのですが、彼女は、当然予想された、先の批判に、こう答えています。長いのですが、引用させてください。

「私たちは他の動物たちと何かを、理性や自意識や魂を、共有してい

※6

※7

るのだろうか、というのは正しい問いではありません。（もし共有するものがないとしたら、私たちは他の動物を好き勝手にする権利――監禁し、殺し、死体を穢す権利――を与えられるという推論に至るでしょう。）死の収容所の話に戻りましょう。死の収容所特有の恐ろしさ、そこでおこなわれていたのは人間性に反する犯罪であったと確信させる恐ろしさは、犠牲となった人びとにも人間性があったのに、殺戮者が彼らをシラミのように扱ったという点ではありません。そんなことは抽象論にすぎません。恐ろしいのは、殺す側が犠牲者の立場に立って考えることを拒絶したし、他の人もみな同じだったという点なのです。彼らは『がたがたと通りすぎていく家畜車のなかにいるのは、やつらなんだ』と言いました。『その家畜車のなかにいるのが自分だったら、どうだろう？』とは言いませんでした。『あの家畜車のなかにいるのは自分だ』とは言わなかったのです。（中略）

言いかえれば、彼らは心を閉ざしたのです。心とは、ときどき他の存在を共有できるようにしてくれる共感という能力が宿る場所です。共感は主体とことごとく関係するものであって、客体、つまり『他のもの』とはほとんど何の関係もありません。客体というのをコウモリではなく（『コウモリの存在を共有できるか？』）別の人間と考えれば、すぐにわかるでしょう。自分が誰か別の人間だと想像する能力をもっている人もいますし、そんな能力はない人もいます。（能力のなさが極端な場合、彼らは精神病質者と呼ばれますが。）そして、能力はあるけれども、それを使わないことを選ぶ人もいるのです。（中略）

トマス・アクィナスやルネ・デカルトがなんと主張しようと、他の存在の立場になって考えてみられる範囲に限界はありません。共感的な想像力に限界はないのです。証拠が欲しいのなら、次の点を考えてみてください。数年前に私は、『エクレス通りの家』という本を書きました。その本を書くために、私はマリオン・ブルームの存在に入りこんで深く考えなければなりませんでした。うまくいったにせよ、うまくできなかったにせよ、です。（中略）いずれにせよ、重要なのは、マリオン・ブルームは存在しなかったということです。マリオン・ブルームはジェイムズ・ジョイスの想像の産物だったのです。もし存在しない生き物の存在に入りこんで考えることができるのなら、それならコウモリであれチンパンジーであれ牡蠣《かき》であれ、根源的に私と同じく生命をもっている生き物ならなんでも、その立場に立って考えることができます」

――うーん。なんとも言えませんけれど、感動的な感じもします。

ここだけ取り出すとさすがにちょっとナイーブに読めるかとも思うのですが、彼女はここで、理性や論理や道徳といった回路でなく文学的な想像力、哲学者ではなく詩人の心を通して、世界を感じるよう促しているんですね。

――えーと。共感する力っていうのは、詩人の心に宿るということですかね。

おそらくそういうことだと思います。彼女がこうやって「動物のいのち」というものにどうしようもなくこだわってしまうのは、道徳的信念からではなく、「自分の魂を救いたいから」だと言うんですが、おそらく、詩人の心っていうのは、その願いとともにあると感じられているのではないかと感じます。

――うーん。なんだかわかったような、わからないような。

結局、この本にも結論はないんです。ただ、この本で言われる「共感」というものはとても大事なものだと思うんですね。突然話が飛ぶようで申し訳ないのですが、演歌歌手の藤あや子さんって、ソーシャルメディアで飼い猫の投稿ばかり※8していて、そのアカウントが非常に人気なことから、このあいだ猫たちを主人公にした写真集が出版され、2匹の猫の飼い主として、藤さん自身がやたらメディアに出ていますが、インタビューなんかを読む※9と、捨て猫になるはずの猫たちを救ったつもりが、結局救われていたのは自分だった、といったことを盛んに語られています。

――デカルト批判から藤あや子って、すごい飛躍ですね。

この手の話は、ペット語りにおいてはある意味クリシェのようなものなので、そんなに重きを置くべきものでもないのかもしれませんが、なんというか、そうした相互性みたいな部分は、なんだかと

※8　※9

ても大事なような気はするんです。

――どっちがどっちを助けているのかわからないような状態ですよね。

そうなんです。これもかなり雑な話になりますが、「ケア」といったテーマ系における大きな問題は、ケアする側とされる側の関係性が明確に固定化されて、しかもそれが社会のなかにおいて階級化されていってしまうところにあるような気がするんです。その関係性が固定的であればこそ、そこで行われる「ケア」が専門化・サービス化されていくことも可能になるのだと思いますが、それが産業化していけばいくほど、より階層が固定されることにもなっていきます。

――どちらがケアをする側で、どちらがされる側かがわからないみたいなことだと、物事の捉え方もだいぶ変わってきそうですよね。

相互依存性（interdependence）という考え方は、おそらくこれからの社会を考えていく上では重要な観点なのではないかと思うんです。それこそデカルトあたりから発生する、いわゆる自立した近代的な「個人」という観点から、動物との関係を考えていくと、相当に困難な議論にならざるを得なくなりますが、そうではなく、ある環境のなかにおいて相互依存している関係であるというところから、それこそ身の回りの動物や植物との関係性を把握することができるなら、「動物に理性はあるのか？」といったひたすら分断を生むことにしかなりかねない議論を、少しは和らげることができるのかもしれないと思ったりします。

――どうなんでしょう。

そういえば、昨年の4月にコスタリカのクリダバトという市が、蜂と木々に市民権を与えた※10らしいんです。

――ええっ。そんなことできるんですか!?

「市民権」といったときの範囲はよくわからないのですが、これは市の都市開発の一環として発動されたもので、市内の緑地をインフラとして捉え、その持続に不可欠な存在として蜂を位置付けたということらしいです。

——そう考えると、最初のほうに出てきたバルセロナの犬なんかも、街の活力やサステイナビリティを維持する上で立派に役割を果たしていると考えるのであれば、十分に市民権を得る資格がありそうにも思えてきます。

メンタルヘルスの問題が前景化しているなか、ペットというものが「人をケアする存在」としてクローズアップされているのだと考えれば、犬や猫やその他の「ペット」の公共的な価値が高まっているということでもありますよね。それがさらに進行していった先に、人と動物との関係性にどんな未来が待っているのか。考えてみるのはちょっと面白いですね。

※10

Field Guides を読む #37

The pet industrial complex

January 24, 2021

https://qz.com/guide/pet-industrial-complex/

◉アメリカ人の犬猫への愛は、いかに巨大産業をつくり上げたか
How America's love for its cats and dogs built the pet industrial complex

◉犬のおもちゃの会社「Barkbox」がDisneyやLegoのデザイナーを雇う理由
Why Barkbox hires people from Disney and Lego to design toys for dogs

◉ペットフード業界を図表化
The pet food industry, charted

◉インドの心配性のペットの飼い主たちはオフィスに戻るのを恐れている
India's anxious new pet parents are dreading a return to the office

◉ペット精神科医が人気の理由
Why more people are hiring "pet shrinks"

#38

The business of mindfulness

January 31, 2021

マインドフルネス・ビジネスの不安

マインドフルネスの活用がもたらすリスクは
仕事のストレスから従業員を麻痺させるために
企業がそれを利用することだ。
雇用者がまずやるべきは
職場環境を向上させることであって
瞑想アプリを社員に無料で配布することではない。

——こんにちは。いかがですか？

元気ですよ。

——あれ。今週もどんよりした感じでくるのかと思っていました。今年に入ってからずっとどんよりしていたじゃないですか。

だいぶよくなりました。

——どうしたんですか。

瞑想アプリを使い始めたんです。

——ほんとすか！　今回の〈Field Guides〉がまさにそれがテーマなんですよ！

嘘ですよ。使うわけないじゃないですか。

——ちぇ。つまらない嘘をつかないでくださいよ。なんでそんな嘘をつくんですか。

「マインドフルネス・ビジネス」をテーマとした今回の〈Field Guides〉をひと通り読んでいたら、だんだん居心地が悪くなってきてしまいまして（笑）。少しくさしてやろう、なんて気持ちになってしまいました。

——ほんとに、ひねくれてますね。そういう人こそ瞑想アプリとか使ったほうがいいんですよ。

あはは。たしかに。

——使ってみようとは思わないですか？

思ったことないですね。今回の〈Field Guides〉のなかのメイン記事「マインドフルネス・ビジネスは人びとの不安を活力としている[※1]」(The mindfulness business is thriving on our anxiety) には、コロナウイルスがもたらしたロックダウンが、瞑想アプリ業界に60％に近い劇的な伸長をもたらしたとしていますが、そのなかで瞑想アプリの人気ブランドとして話題の中心にあるのは「Calm」「Headspace」「Meditopia」

「Ten Percent Happier」などでして、言われてみればYouTubeで「Calm」のCMがこれまでもしょっちゅう流れてきていたことを思い出しましたが、なぜか興味をもったことないんですよね。

――どうしてですか？

どうしてなんでしょう。ちょっとうろ覚えですが、ああいう瞑想アプリって、いかにも雄大な自然の映像が使われる感じがあるじゃないですか。ヨセミテなのかグランドキャニオンなのか、あるいはハワイの夕陽なのか、あくまでもイメージの話ですが。

――なんとなくわかります。「雄大なる自然に溶け込む感」、出しますよね。

あれがですね、苦手と言いますか、ヨセミテやグランドキャニオンなどに行ってみたいと思ったことすらありませんから、なんの欲望も刺激されないんです。

――あはは。じゃあ、ダメだ。

でも、そういうビジュアルプレゼンテーションって結構大事というか、本質を表しているところもありまして、実際のところ、「瞑想」や「マインドフル」というとなぜ唐突に「大自然のなかに溶け込んでいる私」のイメージになるのか、どういう思考や心理の回路を通してそれがいきなり結びつくのか、意味不明じゃないですか。逆に言えば、それ自体が固有の歴史性をもった文化的なコードだという感じがするんですね。端的に言ってしまうと、めちゃくちゃ「アメリカ西海岸的な感じ」がしちゃいます。

――ははあ。AppleのOSのバージョンごとのデフォルト画像にある「山」や「島」に、似ているといえば似ていますね。

そうなんです。一応仕事として写真を扱ってきた身からすると、ああいういかにもストックフォト的な文体をもったネイチャー写真って、基本、胡散臭いものにしか見えないんです。胡散臭いというのが言い過ぎであれば、操作的とでも言いますか。

――自然の画像のくせに、めちゃくちゃ人工的ですもんね。

※1

おっしゃる通りです。そうした画像のある意味での究極が、「青い惑星」を表す宇宙から撮影された地球の写真だと思うのですが、この連載でたびたび引用させていただいているイバン・イリイチは、そうした地球の図像が内包している特徴を『生きる意味※2』という本のなかでこう書き記しています。

「場違いな具体性。挑発的な官能性。視点の強制。技術的な要請を規範的な責任へと転じてしまうこと」

――ふむ。

イリイチは、イメージ上の「地球」は、踏みしめたり抱きしめたりできる現実的な大地であることから乖離していると語ります。そのくせ、図像自体はやたらと具体性をもっていて、かつ、映像となった場合にはたいてい非常に俯瞰的・鳥瞰的な視点であることが多いと思うのですが、そうした視点から物事を眺めるように私たちを促すわけですね。これが「視点の強制」ということですが、こうした視点を人間が獲得したのは、多くの場合、これが技術的に獲得可能だったから生成されただけのものであるにもかかわらず、それがモラルや倫理に関わる規範へといつの間にかすり替わってしまうわけです。しかも、こうした図像の厄介さは、非常に官能的で人を恍惚とさせるところにあります。

――なあるほど。うまい定義ですね。逆に言えば、「マインドフル」を謳うのにこうした図像のほかにふさわしいものはないとすら思えてきます。

瞑想アプリが先にあって、そのマーケティングツールとしてこうした画像が用いられているのではなく、こうした画像が人びとのうちに内面化されたことによって、瞑想アプリのようなものが要請されたということですらあるのかもしれません。

いずれにせよ、今回の〈Field Guides〉がとても良いなと思ったのは、もちろんイリイチのような言い方で瞑想アプリを批判するわけではないのですが、批判的な視点がちゃんと組み込まれている点でして、先の記事「マインドフルネス・ビジネスは人びとの不安を活力としている」は、瞑想アプリの矛盾点を、いくつか指摘しています。

——どういう矛盾でしょう。

ひとつ目は、加熱する瞑想アプリ業界が、本来的には人をスローダウンさせるためのサービスであるのに、それがベンチャーキャピタル主導のビジネスであるために「もっと速く、もっとデカく」というマインドによってドライブされているという点です。

——ああ。それは大問題ですね。

「あなたにぴったりのおすすめマインドフルネス・アプリ※3」（Which mindfulness app is right for you?）という記事にはこんな記載があります。

「瞑想アプリが、顧客をさらにエンゲージさせ、彼らに繰り返し利用することを促すやり方には、いくつかの方法があります。ひとつは、他のユーザーの利用状況などを可視化したり助けを求めたり友人をつくったりすることのできるフォーラムを開催することで、コミュニティの感覚をアプリ体験のなかに埋め込んでいくことです。あるいはゲーミフィケーションという手もあります。ゴールを設定し、そのプロセスをトラッキングし、達成したら祝う、といった流れを設計するのです」

——ソシャゲのようになりそうですね。

そうなんです。瞑想もマインドフルネスも、それがアプリになった時点で「結局はビジネスでしかない」というのは、やはり避けては通れない論点でして、スタートアップエコノミーのビジネスロジックがどうしたってサービスそのものの構造を規定してしまうことになるんですね。

「Calm」はセレブを積極的に活用することで知られていまして、レブロン・ジェームズがプログラムをもっていたり、マシュー・マコノヒー、ハリー・スタイルズ、ケリー・ローランドやスコッティ・ピッペンが朗読を担当したり、Sigur Rós や Moby などが楽曲提供をしたりしています。

——めちゃ豪華ですね。

さらに「HBO Max」は、グウィネス・パルトロウが主宰するかの「Goop」と組んで番組をスタ

※3

※2

ート[※4]させていまして、これはキアヌ・リーブスやケイト・ウィンスレットがナレーションを務めているそうです。

——ものすごい展開力に感心しちゃいますね。

　アメリカのビジネスのダイナミズムにはいつもながら驚かされますが、とはいえ、こうしたビジネスは、そもそも孤立しかけている個人に向けて発動され、しかもそれが常に個別最適化されていきますから、個々人がその現状の環境に最適化されていくことを極端に促してしまうと危惧されています。瞑想という行為を通して人を社会から切り離してしまい、人をある意味でより「自己中心的」にしてしまう可能性を、先に挙げた記事「マインドフルネス・ビジネスは人びとの不安を活力としている」も指摘しています。具体的にどういう状態となって問題化しうるかと言えば、「マインドフルネスやメンタルヘルスをめぐって雇用主が犯す過ちとそのリスク[※5]」(What employers risk getting wrong about mindfulness and mental health) という記事で、次のように指摘されています。

——ほう。

　この記事は、瞑想アプリやマインドフルネス／メンタルヘルス・プログラムを導入する企業が特にコロナ以降増えていて、アメリカでは現在36%の企業でそうしたプログラムが取り入れられている状況をレポートしながら、この状況がもたらしうるリスクを、こう端的に表現しています。

「マインドフルネスの活用がもたらすリスクは、仕事のストレスから従業員を麻痺させるために企業がそれを利用することだ。雇用者がまずやるべきは、職場環境を向上させることであって、瞑想アプリを社員に無料で配布することではない」

——なるほど。

　こうした問題がより重大になっているのは、例えば瞑想アプリ大手の「Headspace」が法人向けプログラムに非常に注力しているからです。企業が福利厚生として有料アプリを従業員に無料で使えるようにすることは、もちろん全面的に悪いわけではありませんが、すでにそれがもたらすリスクが指摘されていることはとても重要です。

――この連載の数回前でリモートワークについて指摘されていましたが、「仕事の見える化」ツールが、より強固な監視・搾取のシステムになりうるというお話と、似たような構造ですね。

先ほどから挙げている記事のタイトルに、すでにそうした二律背反は含まれているんですね。

――「マインドフルネス・ビジネスは人びとの不安を活力としている」というタイトルには、たしかに人びとの「不安」が文字通り「食い物」にされていることへの警鐘、もしくは皮肉が込められています。

とはいえ、そうした欠如や欠乏は、社会的なニーズであるわけですから、そこにビジネスが花ひらくのは当然ですし、そうあるべきだと思うのですが、瞑想やマインドフルネスといった概念は、それ自体が、ふんわりと「良いもの」であることを謳っていて、容易に道徳化、規範化しうるものであるという点には注意したいですね。ついでに言いますと、こうしたサービスは、まずは「意識高い系」の人たちや企業から広まっていきますので、白人的なバイアス、もしくは男性的なバイアスなどが、そこに含まれていることも懸念されています。瞑想空間がシステミックな格差や差別が規範化された場所になりかねないんです。

――たしかに。

そうした懸念から、「Liberate※6」という黒人向けの瞑想アプリなどが出てきたりもしています。また、瞑想アプリの効く／効かないといったあたりは、疑似科学やフェイクニュースの温床にもなるところですので、特にメンタルヘルスをテーマにしたこうしたサービスは、FDA（アメリカ食品医薬品局）の承認を受けるべきだという声もサービス業者の側から上がっているそうです。

――なるほど。

そうすることによって、サービスや効能に対する信頼性や透明性がもたらされることが期待されていますが、そうした規制は、最も

※4 ※5 ※6

脆弱な立場に置かれている人びとを念頭に規制が行われることが大事だと、ある臨床心理学者は記事内で語っていまして、そうであればこそ、規制の基準はそれなりに高く設定される必要があると考えられています。

——難しいものですね。

そもそも「不安」というものを、どの程度「病気」として扱えるのかという問題もありますよね。FDAの管轄下に置くということは、こうしたアプリを一種の「薬」と見なすことになりますが、それは同時に、ある種の精神状態を「病」として認めることでもありますので、それが本当に適切な考えなのかは、本当に難しいところです。イリイチは「病院が病人を作りだす」状況について、『脱病院化社会[※7]』という本で指摘し、かつて医療業界から猛然と批判を浴びたのですが、「健康」を強制していくような制度がもたらす害悪については、いま、より一層問題が先鋭化しているように思います。

——ミシェル・フーコーの言うところの「バイオ・ポリティクス」(生政治) みたいなことですよね。

このあたりにつきましては、それこそちくま学芸文庫の『フーコー・コレクション』第6巻「生政治・統治[※8]」をあたっていただくか、また「健康」を通じた管理社会の問題・恐怖を鋭く指摘した『健康禍 人間的医学の終焉と強制的健康主義の台頭[※9]』という素晴らしく面白い本がありますので、ぜひ読んでみてください。

——そういえば、日本の総理大臣が、藪から棒に「孤独・孤立対策担当相[※10]」なんてことを言い出して、ソーシャルメディア上では完全に物笑いのタネになっていましたが、「孤独」のようなものを国家の管轄下に置くには、よほどの慎重さが必要なはずですが、どうなんでしょうね。

フィジカルな病に関わる公衆衛生施策すらろくにやれていない政府ですから、相当厳しそうですよね。自殺者の増加といった状況を受けての思いつきのように感じますが、それこそ、先の企業のメンタルヘルス・プログラムの話題のなかで出たように、本来的には職場環境やステークホルダーの経済的環境の改善をすべきところ、メンタルヘルスを崩した人たちのケアにいきなり向かうのは、端的に自己責任論を補強することになりますし、本末転倒の誹りは免れない気もします。

——何をやるのでしょうね。

さあ、担当大臣も任命されて初めて知ったと言いますから、その杜撰さからして、なんの期待もできなさそうです。SNSには「ウケる!」みたいな反応しかなかったですし。

——残念ですよね。『週刊だえん問答 コロナの迷宮』のなかでも、それこそメンタルヘルスの問題は何度も取り上げられていましたし、孤独/メンタルヘルスへの対応、もしくは社会全体のウェルビーイングをどうつくり上げ持続していくかは、世界的に見ても重要な政策課題であるにもかかわらず、日本でいざこうやって発動されると物笑いのタネにしかならない、というのは。

ただでさえ説明責任を果たせない首相とその内閣が、詳細な説明もなく思いつきのようにこうした重要施策を発動してしまうと、そうした施策が、いざ国民にとって切実な関心事になったときに、誰も耳を傾けてくれないということになってしまうのが問題です。

——マイナンバー制度でもそうでした。どんな社会像を目指してシステムをアップデートしようとしているのか、まったく説明がないところで、いきなり「使ってください」と言われても、「なんで?」となりますよね。

そもそも信頼性の低いところで、いきなりさらに信頼を下げるようなやり方で施策を発動すれば、誰も耳を傾けないのは当たり前ですよね。しかもその施策を発動している政治家自身には、まったく切実さがないわけですし。

そういえば先日、面白い本が送られてきまして、『未来を実装する:テクノロジーで社会を変革する4つの原則[※11]』という本でして、ありきたりなタイトルのせいでうっかりやり過ごしそうになってしまったのですが、チラッと覗いてみましたら、内容は非常に勉強になるものでした。

※11 ※10 ※9 ※8 ※7

——ほお。

この本の主題は、テクノロジーによって世界や社会を変えるためには、もちろんまず最初にイノベーティブなテクノロジーやそれを用いたアイデアが必要だとしつつも、それだけでは不十分で、それが社会に浸透し、根付いていき、それを用いることが習慣化されるようになるための「社会実装」のところにおいて、実は「イノベーション」が必要だとしているのですが、この指摘は、さもありなんです。というか、自分にとっても、ここは非常に大きな盲点だったことに気づかされたのですが、「実装」を単なるデリバリーの戦略として考えている限りは、何も実装されないということを、この本は教えてくれます。

——面白そうです。

先の「マイナンバー」のようなものについても、一番のネックになっているのは結局のところ「使ってもらえない」という点でして、それを、半ば強引に銀行口座や保険証に結びつけようとしたり、無駄な広告キャンペーンを打ったりといった手法で乗り越えようとしている限りは、おそらくどこにも行かないんですね。むしろ「実装」の道筋が、最初からサービスデザインの基礎にきちんと位置付けられていないとダメだ、というのが、ざっくりとした私の理解で、それで合っているかどうかはわかりませんが、それで合っているのであれば、自分としては深くうなずいてしまいます。

——どなたの本ですか？

馬田隆明さんという東京大学産学協創推進本部でディレクターをされている方です。一度イベントでご一緒したことがあるのですが、とても聡明で話しやすい方でした。

——へえ。

日本の首相や内閣に関わる人たちは読んだほうがいいと思います。どうして自分たちの施策がことごとく実装に失敗して、むしろ反発しか生まずに、自ら実装を困難にしているか、よくわかるように思いますので。

——あはは。

話がだいぶ逸れてしまいました

が、今回の〈Field Guides〉で日本が大いに参考にしたらいいと思うのは、ウェルネス化が進む自動車業界を扱った「自動車会社はいかにマインドフルネス・ムーブメントに傾斜しつつあるか[※12]」（How car companies are leaning into the mindfulness movement）という記事です。

——へえ。そうなんですか。

自分はかねてより、日本のあらゆる産業は、メンタルヘルスも含めたヘルスケア産業にシフトすべきだと言ってきましたから、自動車業界がそちら方面に傾斜していたとしてもさほど驚きはしないのですが、それでもこうやって実際に動きが活発化しだすと面白いですね。記事はこんなふうに始まります。

「自動車製造者たちは、快適さと安全の先に、運転手や乗客たちのフィジカルおよびメンタルを含む包括的なヘルスの向上への道筋を探して熾烈な競争を行っている。このカテゴリーは業界では『ヘルス・ウェルネス・ウェルビーイング』（HWW）と呼ばれており、イノベーション空間として現在盛り上がりを見せている。『KIA』や『Hyndai』は、AIを用いて運転者の精神状態に反応する機能を搭載したコンセプトカーを発表。『Audi』はイタリアのフィットネス機器大手『Technogym』と提携し、フィットネスジムとしても利用できる車両を開発。メルセデスは運転者の気分を向上させる匂いを研究すべく専門家を雇用し、『BMW』は『セルフケア・コンシェルジュ』プログラムをスタート。『Lincoln』にいたっては、クルマを『瞑想空間』と位置付け、アプリのサブスクリプションを提供し始めている」

——面白いですね。クルマを「家」のように感じ、そこが一番落ち着く場所だと考えている人がアメリカでは45％いるという調査[※13]が、第23話「ホームオフィスの含意」のなかに出てきましたが、それを踏まえると、クルマがジムや瞑想スタジオに代わるというのは、ありうべき「進化」ですよね。

さらに、Tesla の「Model X」が搭載した「バイオ兵器防御モード」は、非常に強力な換気システムを用いたものですが、当初は、これまた物笑いのタネではあったものの、パンデミックによって大きくその価値を見直されていまして、

※12 ※13

広義の「ヘルスケア」に即したフィーチャーと見なされるようになった[※14]と記事にあります。

ちなみに、この機能は、森林火災が起きた地域においても有用だったそうですし、「Jaguar Land Rover」がパンデミックを受けて、UV光を用いて車内環境を抗ウイルス化する研究を発表[※15]してもいます。あるマーケットリサーチャーは、健康とウェルネスは、2025年には業界のスタンダードになると予測しています。

——面白いです。

自動車を、モビリティの道具からウェルネス空間へと定義し直すこうした動きの面白さは、それ自体の面白さとは別のところにもありまして、この転換がもたらす新しい価値を、記事はこんなふうに説明しています。

「運転席は、これまで『コックピット』であったが、それはホームインテリアとして定義し直されようとしている。それは自動車産業の男性中心主義をシフトさせる可能性を秘めている。自動車の購買における女性の影響力に気づいてから自動車メーカーは女性デザイナーを採用するようになったが、それでも女性デザイナーは主にインテリアの仕上げを任されることが多く、その仕事は、エクステリアのデザインと比べると重要性が低いものとみなされてきた。クルマそのものをウェルネス空間と定義し直すことは、こうした従来のヒエラルキーを覆すことになる」

——ああ、いいですね。

実際、自動車メーカーは車内を「五感にとって気持ちのいい空間」から「スパのような体験をもたらすもの」へとつくり変えようとしていまして、そうしたなか、車内で利用されるプラスティックや糊、塗装、皮革などを、より安全で気持ちのいいものに替えようと奮闘しているそうです。

——いわゆる高級車の「ラグジュアリー感」の追求のなかで、これまでも自動車メーカーはインテリアの上質化に労を費やしてきたのだとは思います。ただ、Lexusのようなブランドは特にそう見えますが、そのセンスが、なんというか、どうしても「金持ちのおっさんの書斎」モードだったじゃないですか。そうではなく、もっと女性的な観点から、ある種の合理性と贅沢感が再定義されるのは面白いですね。それこそ、第3話の「ホームフィットネスの意義」のなかでは、「ボディビルド」から「フィットネス」への転回を、男性原理の身体観から女性原理の身体観への転回と説明されていましたが、遅ればせながら自動車にも、そうしたシフトが起きつつあるということですね。

　そうですね。そこで重要なのは、それによって「マーケットが女性購買者中心にシフトする」ということではなくて、社会を動かす原理が、垂直ヒエラルキー型の一元的で拡張的なものから、水平的で分散的で自足的なものに変化しているということなんですね。男性・女性の区分はあくまでも比喩的というか象徴的なものであって、であればこそ、デザイナーに女性を採用することが重要なのは、そうした価値軸を導入できることが期待されうるからであって、女性であることが目的ではないという点です。実際、あるメーカーのデザイナーは、若いデザイナーはジェンダーにかかわらず、クルマの外観よりもインテリアのデザインのほうにこそはるかに大きな興味を抱いていると語っていまして、ジェンダーとは無関係に、これまでの価値体系にシフトが起きていることを明かしています。

——いいですね。

　なんにしましても、ウェルネスやウェルビーイングというテーマを扱う際に重要なのは、最初から指摘しています通り、個人が個人として「自分のウェルネス」にだけ気を配っていてもダメだ、という点です。

——と言いますと。

　特にメンタルヘルスの問題がわかりやすいかと思いますが、その問題は基本的に、人と社会の関わりのなかで発生するものですから、企業とマインドフルネスの関係で触れた通り、ワーカーのメンタルの改善を問題にするだけでは不十分です。

　職場環境、勤怠管理や査定のシステム、社内コミュニケーションの方法はもとより、取引先・下請企業・顧客との関係性の健全化も必須ですし、最初に述べたように

※14　※15

——健康が自己責任化され、かつ国家による懲罰の対象になるような事態は、現実に進行しつつあることですしね。

ほんとにいやになっちゃいますよね。瞑想アプリが必要になるのも当然といえば当然です。

「速く、デカく」だけを求めるだけの資金の調達も見直さなくてはなりません。そしてそれを実現しようと思えば、企業が属する業界全体の健全性にも関わりますし、企業の置かれた都市の通勤環境や飲食の環境などのウェルネスにも関わってきますし、ひいては国の政策や制度の健全性に関わってきます。というように、ミクロからマクロへとひと連なりの連続性のなかで、個人のウェルネスは外部に依存しながら保たれているわけですから、政治・経済・文化といった領域を横断しながら包括的な観点で検討されない限り、「ウェルネス」や「ウェルビーイング」は、それ自体が新たな管理システムを発動させるだけになってしまうようにも思います。

Field Guidesを読む #38

The business of mindfulness

January 31, 2021

https://qz.com/guide/business-mindfulness/

◉マインドフルネス・ビジネスは人びとの不安を活力としている
The mindfulness business is thriving on our anxiety

◉自動車会社はいかにマインドフルネス・ムーブメントに傾斜しつつあるか
How car companies are leaning into the mindfulness movement

◉あなたにぴったりのおすすめマインドフルネス・アプリ
Which mindfulness app is right for you?

◉マインドフルネスやメンタルヘルスをめぐって雇用主が犯す過ちとそのリスク
What employers risk getting wrong about mindfulness and mental health

#39

Finding happiness at home

February 7, 2021

ホームリノベーションの効能・上篇

ロックダウンによってホームセンターの
売り上げが急増していることにも見られるように
DIYで自分の状況や環境を改善しようとする
動きが活発化しています。ここ日本でも
コロナによる制限のなかで
これまで普段やってこなかったことに
チャレンジする機会は増えているはずです。

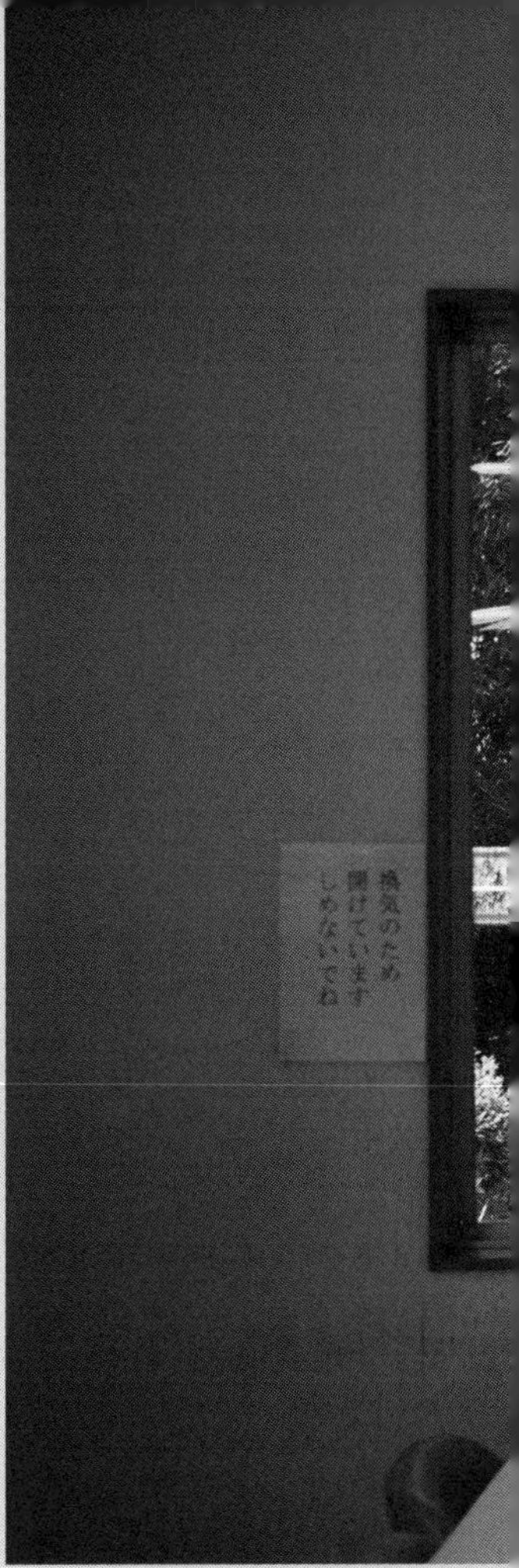

——こんにちは。いま、この対話をやっているのは2月6日の土曜日ですが、森喜朗元首相の騒動がまだ炎上中[※1]です。どうご覧になっていますか。

そうですね。森元首相の失言・放言につきましては、一定の世代よりも上の者にしてみると「またか」というものでして、ソーシャルメディアを見ていましたら「森元首相の失言で打順を組んでみた[※2]」というツイートがあって、それは非常に面白いものでしたが、これだけ数多くの失言を重ねても「余人をもって代えがたい重鎮」として相変わらず重宝されていることに、ここにきて改めて無力感といいますか、虚脱感を感じますよね。

——ほんとですね。ちなみに、その「打順」はどんなものだったのですか？

4番ファーストが「神の国」発言。今回の発言は8番キャッチャーで、9番ピッチャーが浅田真央さんについて語った「あの子、大事なときに必ず転ぶ」発言、でした。

——あはは。って、笑っている場合でもないですが。

もちろん、森さんの発言の呆れるほどの無神経さには本当にいい加減にしてくれと思いますし、ああいう時代からズレた権力者の発言や態度に、勤め先などで実際に苦しめられている方もたくさんいらっしゃると思いますので、この炎上が、そうした権力者に引導を渡すきっかけになってくれることを強く望みたいところではあります。とはいえ、結局謎なのは、いったい何のためにそれを言っているのか、まったくよくわからないところなんですよね。あれだけオリンピックの開催に情熱を燃やしているとおっしゃるわりには、ただでさえ世論の支持を得るのに四苦八苦している状況をむしろ悪化させてしまう発言を平気でしてしまうのが、どういうモチベーションに基づくものなのか、本当に理解に苦しみます。

――「森喜朗は、自ら体を張って、五輪を中止に追い込もうとしているのだ」なんていう穿った意見も、半ば冗談として見かけますね。

これは菅総理のコロナ対策でもそうですが、「五輪をやる」と強弁されるのはいいのですが、その割には、「何としても五輪を実現する」ための対策をやっているようには見えませんし、結局のところ、五輪をやりたいのか、本当はやりたくないのか、よくわからないんですよね。

――たしかに。

長い目で、日本のスポーツ全体の利益を考えたら、もちろんいつまでも森さんをトップとして担いでいるのは害悪でしかないと思いますので、とっととその座を後継に明け渡したらいいとは思いますが、短期的にオリンピックだけを主題にして見てみますと、森さんを辞めさせることの実際の影響がどこにどう出るのか正直よくわかりませんし、私のようにハナから「そもそもオリンピックなんてやらんでいいだろう」と思っている者からすると、森さんが辞めて「さあ、問題あるトップも消えたので、ここからは一丸となってオリンピック開催に向けてやっていきましょう」となるのもまっぴらごめんなんですよね。

逆に、開催大賛成という人にしても、森さんの去就によって何がもたらされるのかはよくわからないと思いますし、その結果、オリンピック開催の願いが果たされるのか、そうでないのか、判定は難しいですよね。

――森さんの発言に心を痛めている人は、オリンピック以前の問題として「辞任すべきだ」と考えていると思いますが。

それはその通りなんですが、とはいえ、組織委員会側からすると、辞任云々の判断は明確にオリンピック開催の現実性のレベルにおいてしか判断できないとも思いますので、そこはおそらく議論がズレちゃうでしょうね。

――ふむ。

それこそ今日は、「東京スポーツ」に柔道の元世界チャンピオン

※1　※2

の山口香さんのインタビュー[※3]が掲載され、大変な勢いでバズっていました。山口さんの勇気に感銘を受けつつ、皮肉の効いた諫め方のうまさに舌を巻きはしたのですが、一カ所、「森会長が自ら外れていただければ、五輪はかすかに希望が残る」とおっしゃっているところが個人的には気になりまして、ここが具体的にどういう意味なのかがよくわからないんです。

――はあ。

というのも、そもそも「五輪をめぐる状況」が、実際、この時点においてどういうものなのか、私たちにはまったく見えていませんよね。山口さんのご意見を字義通りに取るならば、五輪開催はすでにして「かすかな希望」すらない状況に陥っているということになりますが、そうだとするならば、何をもって、そういう状況になっていると言えるのか、また、なぜそんな状況になっているのか、説明が欲しいですよね。かつ、森さんが辞任することで希望がかすかに残るのだとすれば、その希望がどういうものなのかを知りたくもなります。というのも、基本、ずっと、五輪開催に向けてロクな対策をやっていないようにしか見えていないというのが「開催反対8割」に表れていることだと思いますので、森さんがお辞めになると、どんなふうにその状況が改善するのかが見えない限りは、賛成派にしろ反対派にしろ森さんの去就の是非を合理的に判断するのは困難ですよね。といって、森さんを擁護したいわけではないですし、森さん以外には五輪は誰も仕切れないと言いたいわけでもなく、そもそもこの時点で、開催に現実味があるのか、すでに現実味を失っているのか、現状がわからないんです。

――実際のところ、どうなんでしょうね。

つい先日、2月3日に、IOCとJOCとが共同で作成した五輪開催のための「プレイブック」（規則集）の第1弾[※4]が発表され、開催にあたってのルールが明かされたのですが、ご存じですか？

――いや、気づかなかったです。

参考までに『毎日新聞』の記事[※5]から、主だった条項を引用してきますと、こんなことが記載されています。

【プレーブックの主な項目】

・出国前14日間の健康状態チェック
・出国前72時間以内に日本政府が承認した検査を受ける
・日本到着後14日間の活動計画書を提出
・接触確認アプリ「COCOA（ココア）」をダウンロード
・許可なしで公共交通機関を使用しない
・入国後14日間は観光地やレストラン、バーなどを訪問できない
・選手とは2メートル、それ以外の人とも1メートル以上の距離を保つ
・大会期間中、定期的に検査を受ける
・体温37・5度を超える場合は会場への入場不可

——機能していない状態が4カ月放置されてきた「COCOA」※6をダウンロード、とか泣けてきますね。

このプレイブックを、いくつかの海外メディアが分析をしていますが、開催まであと170日のところで、たった33ページの中身の恐ろしく薄い運営マニュアルしか出て来なかったことに、かなり強い警戒感が示されています。「The New York Times」の記事※7は、選手全員をチャーター機で移動させる厳重な体制で開催したにもかかわらず感染者が出て大きな問題となったテニスの全豪オープンの主催者のインタビューを行っていますが、その人物のことばは、東京五輪が置かれている困難を端的に表しているように思います。

——ほお。

「五輪開催に向けた努力のなかで、オリンピック関係者は、隔離期間を設けるためにトーナメント開催2週間前に1200人の選手やスタッフを飛行機で迎え入れるべく数百万ドル費やした全豪オープンの主催者、テニス・オーストラリアの助言を仰いでいる。

テニス・オーストラリアのチーフエグゼクティブのクレイグ・タイリーは、全豪オープンのプロトコルは、オリンピック規模のイベントに適用できるスケーラブルなものではないと語っている。

『東京オリンピックの関係者から

※3 ※4 ※5 ※6 ※7

たくさんの問い合わせがあった』。タイリーは、全豪オープン開始前に行ったオンラインインタビューでそう語る。『何かアドバイスはないかと聞かれたが、「グッドラック」としか答えようがなかった』」

――「グッドラック」ですか（苦笑）。言うなれば、この状況下で五輪規模のイベントの実施は、もはや完全に未知の領域ということですよね。

　ということなんだな、と自分も改めて思いました。

――感染者が減ったら余裕で実施できる、というものでもないということですね。

　それこそＮＢＡが実施したバブリングのような参考にすべき成功例はあったとしても、それを即オリンピックに適用できるのかというとそうではない、と少なくとも全豪オープンの方はおっしゃっているわけですね。

　だとすると、これはもはや前人未到のオペレーションということになるのでしょうから、森喜朗云々を抜きにして、そもそも、この国でそんな離れ業をやってのけることができるのか、と思ってしまいます。

――たしかに。選手たちに外食、公共交通の利用を一切禁止して完全隔離したとしても、16万個のコンドームが用意される[※8]と言われる場所ですから、ひとりでも感染者が出たら一気にクラスター化しそうですし、万一そうなったとしても感染していない選手を選手村の外に出せないのだとすると、選手村がダイアモンド・プリンセス号とは比較にならない巨大シャーレになってしまいそうですね。

　そうなんですよね。ＮＢＡは安全衛生プロトコルを破った選手に対して5万ドルの罰金を科している[※9]そうですが、オリンピックでそれができるとも思いませんし、じゃあどうやって選手たちにルールを遵守してもらうことができるのか、想像しただけで頭が痛いですよね。

――警備にあたる人たちがツライことになりそうです。

　そうやってシロウトがさまざまなシナリオを思い描いてみただけ

でも、相当複雑で困難なオペレーションを要することが想像できますよね。にもかかわらず、日本の状況はといえば、病床も医療従事者の数も不足しているとされ、ワクチン接種は先進国で群を抜く遅さ、感染追跡アプリの運用についても「ずさん」なんていうことばでは済まないほどのずさんさで、かつ、コロナ以前から問題とされてきた猛暑対策なども、何がどの程度進んでいるのかよくわかりませんから、本当に、これは歴史的惨事になりうるのではないかと改めて悪寒が走ります。

――こういう比較は大変失礼ですが「ファイア・フェスティバル※10」以上の惨事になりうる感じですね。

　ほんとですね。もっとも、こうした話は、本質的には森元首相の発言とは無関係ですから、森発言については、それはそれとして追及すべきとは思います。

――あの発言は、実際どこが問題だったと思いますか？

　個人的に一番引っかかったのは、問題発言の冒頭にあった「女性理事を4割というのは文科省がうるさく言うんですね」というところです。

――変なところに引っかかりますね。

　これってハナから、国の方針を公然とくさしているわけじゃないですか。こうやって、「政府もしくは国としては、形として男女平等とか言ってるけれど、現場レベルではいい迷惑なんだよね」という認識を是認して、男女比の是正というお題目が「ただの建前である」ことを、自分たちの同類であるような人たちに向けてメッセージを送っているところの隠微さが、いかにも日本的と言いますか、イヤなところだなと感じます。こうやって「建前」と「本音」を切り分けることで、理事会や、はたまた会議というもの全般を有名無実化・空疎化させていくわけですね。

　その一方で、「本音」の部分は密室化されたサロンといいますかボーイズクラブで語られ、しかも、その「本音」に則って閉鎖空間のなかで意思決定が行われるわけです。

――まさに昭和スタイル。

※8　※9　※10

これは、何もＪＯＣや五輪組織委に限ったことではなく国会議員や政権与党が率先してやっておられることで、「閣議決定」を乱発することで、国会の場であったり記者会見の場であったりを有名無実化している流れと完全にシンクロしています。

　また、この間政治家の「会食」というものが問題化し多くの国民の不信感を集めているのも、「会食」が、まさに「密室で交わされる本音」に基づく意思決定が行われている空間に見えているからだと思いますし、かつ「会食自粛」はあくまでも国民向けの建前で、自分たちは適用除外されているとする考えも、森元首相の発言と、まったく同じです。

——なあるほど。

　今回の問題でのひとつの重要な論点は、そうやって「意思決定のプロセスが男性に独占されている」ことにあるのだとは思いますが、とはいえ、森元首相に反発している女性の側が主張しているのは、「その密室のプロセスに女性も参加させろ」ということではないはずです。むしろ、そこで主張されているのは「透明なかたちでやれ」ということなのではないかと思います。

——橋本聖子五輪相などは、その密室プロセスに入っていそうですが、みんながあれになりたいわけではないのですよね、きっと。

　ＪＯＣの山下会長が２０１９年に理事会を非公開化する提案をしたのは、まさに「公開だと本音の議論ができない」という理由でしたが、その際に、公然と反旗を翻したのが、山口香さん、高橋尚子さん、小谷実可子さん、山﨑浩子さんの4名だった[※11]とされています。いま起きている事態から改めてこの出来事を振り返ってみると、やはりとても象徴的な気がします。

——なるほど。にしても、この4人の顔ぶれ、なかなかいいですね。ちょっと清々しい気持ちになります。

　それは、もしかしたら、彼女たちの主張が、ただ一元的に「女性が差別されている」ということを言っているのではなく、むしろ多様な声を意思決定に反映させるための条件として、透明化、オープン化を実現しろ、ということを言っているからなのかもしれません。というのは、いくら女性が増えたところで、結局どこかの別室で結論が出され、会議はあくまでシャンシャンと手打ちをする場である限り、何の意味もないじゃないですか。会議という場の意味、意思決定のフェアネスをきちんと回復させるためには、透明性やオープンさは不可欠な条件なんです。

――男性がどう、女性がどう、という対立ではないわけですね。

これはこの連載でも何度も語ってきたことですが、「インクルージョン」というお題目を真に受けて、それが実現するような社会をつくっていこうと思えば、女性がインクルードされたらそれでおしまい、とはならないわけです。社会の半分を占める女性をロクにインクルードできない社会が、意思決定のプロセスから排除されているその他のステークホルダーをインクルードできるわけもないと考えれば、女性のインクルージョンははじめの一歩でしかないとも言えますし、若者、障害のある方、外国の方、ＬＧＢＴＱの方等々までが幅広く参加していることがＪＯＣ理事会が本来的に目指すべき「インクルーシブ」な状態であるのだとすれば、まだまだ到達すべき地点まで先は長いわけです。

――なるほど。

これは余談ですが、「透明性」ということで言いますと、聞いた話では、ある地方銀行は行員全員に向けて取締役会をライブ配信しているそうなんですが、そうやって透明性をつくっていくと、そこで行われた意思決定の合理性や公平性が詳らかになりますから、こそこそと腹芸で物事を進めていくことは困難になるはずです。

――いいですね。先進的じゃないですか。

みんなにとって住みやすい社会が、なにも「先進的な社会」である必要はないと思うので、よそと比べて「遅れている」からといって、それが即ダメだという話にもならない気はしますが、とはいえ、これだけグローバル化が進行してしまった世界で外の世界のスタンダードが見えなくなってしまうと、あらゆる領域でツラい状況にはなります。なんにせよ、要はどうい

※11

う状態を望むのかという意思の問題だと思いますが。

——ずいぶん前に「おっさんをどうにかしないとヤバいよ」という趣旨の原稿[※12]を書かれていましたが、森さんはすでにお爺さんですが、それにぶら下がっていそうな問題ありそうな「ヤバいおっさん」は、政治家や企業人から一般の方々までたくさんいるなか、そうした人たちの毒を解毒しつつ、かつ、その人たちを社会のなかにどう再インクルードするのかは、なかなかの難題ですよね。

つい昨日だと思いますが、俳優の高知東生さんのインタビュー記事がちょっとバズっていましたが、これは「俺、『陰謀論を信じかけていたんだよ』俳優はなぜ、告白したのか?[※13]」というタイトルの素晴らしいインタビュー記事でして、高知さんがコロナ禍でYouTubeなどを見ていくなか、徐々に陰謀論に傾倒していった顛末が赤裸々に語られているのですが、下手をすると多くのおっさんが陥りかねない隘路かもしれませんので、よくよくみなさんに読んでいただきたいものだと思います。

——高知さん、本当に率直に語られていて、それ自体がある境地を表していましたよね。

意固地なところがまったくなくて、素直に自分がどういうふうにラビットホールに落ちていったのかを語る、その語り口そのものを見習いたくなります。高知さんはTwitterで[※14]「若者のネットリテラシーはよく話題になるけど、あれ大人が勝手に言ってるだけで、実はネットネイティブの若者より、俺たちおじさんのネットリテラシーの方が余程危険じゃないかな」と語っていますが、それをインタビューのなかでこんなふうに補足しています。

「僕らの世代は、まだガラケーを使っている人もいる。そんな中でTwitterのアカウントや依存症に関するチャンネルをYouTubeに持っているだけで、僕は今の時代に付いていくことができていると思っていたんです。でも、これはただの勘違いでした。実際は全然わかっていなかった」

「——YouTubeでは見ていた動画に近いものが関連動画に表示さ

れるということは今回の出来事以前は知っていましたか？

「知りませんでした。そんなことも知らないのに、ネットの世界のことをわかっているつもりでいた。とんでもないですよね。何もわかっていませんでした。何十万回も再生されているという再生回数も信用度数のようにも感じてしまっていました。多ければ多いほど、この人の発信はすごいのかな。じゃあ信用もできるんだろうなと。でもね、再生回数は真実であるかどうかではない。どんなサムネイル画像で人の目を引きつけるかといったテクニックによって得られるもの、見てもらうための戦略であり仕組みですよね」

――レコメンデーション・アルゴリズムがもたらすフィルターバブルの問題は、これまで世の中でさんざん指摘されてきたように思いますが、にもかかわらずこうなってしまうんですね。

といって、高知さんを情弱と嗤う気にもなれないのは、自分も含め、誰しもが「僕はいまの時代に付いていくことができている」と思っているからです。しかも、高知さんが指摘している通り、YouTubeはとりわけ「この真実にたどり着いたのは俺だけだ」という感覚を強くもたらすもので、あくまでも比喩ですが掘れば掘るだけ脳の「報酬系」が活性化するような感じがあるのだろうと思います。そこに、自分が、それなりに生きてきたという自負が重なってくると、これまた高知さんのことばを使わせていただくと「自分は特別だって感じ」が強まっていくことになってしまうんですね。

――うーん。しんどいですね。

怖いですよね。ぶっちゃけ自分だってもういい歳ですから、「いまの時代に付いていく」ことが本当にできているのか、不安になることは多々ありまして、その不安こそがYouTubeにとっての格好の餌食なわけですから、不安が昂じたからといって情報を頑張って取りにいくのも、藪蛇になりかねないわけです。といって、いま起きている変化をあまり過小評価していると、本当にトンチンカンなことしか言えなくなるというのもまた事実ですから、本当に難しい。

※12　※13　※14

――どうしたらいいのでしょうね。

うーん。最近思うのは、奇しくも高知さんがおっしゃったリテラシーということばがもたらす弊害でして、『週刊だえん問答 コロナの迷宮』の巻末に収録したインタビュー※15のなかで台湾のＩＴ大臣のオードリー・タンさんは、「リテラシー」ということばを使う代わりに「コンピテンス」ということばを用いることを推奨しています。

――ええっと。ここですね。「私たちは『リテラシー』という言い方をせず『デジタルコンピテンス』および『メディアコンピテンス』と呼んでいます。『リテラシー』という言い方は、ユーザーが読者や視聴者といった受け手であることを前提としているからです。コンピテンシーは『能力』や『適性』という意味ですが、『あなたがつくり手である』ということを意味しています」。

そうなんです。インタビューしていたときはさらっと受け流してしまったのですが、改めて考えると、ここはとても大事なところでして、デジタルテクノロジーの重要な価値は、人のリテラシーを高めるところではなく、さまざまなコンピテンシー、まさに人のり能力を拡張してくれるところなんですね。

かつてであればテレビ局にしか「テレビ番組をつくること」はできなかったのが、いまは誰もがつくることができるわけで、それによって情報空間がカオスになっているわけですが、一方で、それによってもたらされている価値は、実際多くの人が動画の撮影・編集から配信のスキルを向上させていることなんです。

例えばK-POPのファンコミュニティでは、みんながただ与えられた動画を受容しているだけでなく、自分たちで新たなテーマや切り口から編集を加えて解説動画を作成してみたり、字幕や翻訳をつけたりして、個々人でそれぞれのコンピテンシーを発動することでファンコミュニティに貢献しているわけですね。

――たしかに。ヒマなヤツがいるなあ、と思いながら、面白いファン動画はありがたく観ちゃったりしますが、たしかにそうした空間のなかで、みんなのコンピテンスが向上しているのは間違いないですよね。

分散していた個々人が保有するコンピテンスがコミュニティのなかで集約され、コレクティブとして価値を生んでいくというのが面白いところで、そうやって自分なりのコンピテンスをどう生かしていくかを考えていくほうが、おそらく、リテラシーという観点から一生懸命「受け手」としての自分を向上させていくことを考えるよりも、精神衛生上いいのではないかと思えたりします。

――ふむ、なるほど。って、結局、今回は一向に〈Field Guide〉のお題であるところの「家をもっと快適にする」（Finding Happiness at home）に辿りつけていませんが、どうしましょう（苦笑）。

すみません。今回の〈Field Guides〉は、ロックダウンの影響から、家をもっと過ごしやすい空間へとつくりかえようとする人が増えている、という状況を受けての特集ですが、「ロックダウン生活の課題をＤＩＹで解決するデザインチャレンジ[※16]」（A design challenge helps DIYers solve the problems of lockdown life）という記事で指摘されているのは、ロックダウンによっていわゆるホームセンターの売上が急増していることにも見られるように、「ＤＩＹ」で自分の状況や環境を改善しようとする動きが活発化しているということです。言われてみると、自分でマスクをつくったりといったことから、見よう見まねでYouTubeで映像配信をやってみようといったことまで、ここ日本でも、コロナによる制限のなかで、これまで普段やってこなかったことにチャレンジする機会は増えているはずです。

――たしかに。

それは、おそらく世の中全体が、これまでとは異なるコンピテンスを身につけ始めているということだと思いますので、それをポジティブな動きとして社会のなかに定着させることは大事なのではないかと思います。

――そうした新しい能力を身につけていく作業が、これからの新しい社会を生きていく上での練習になっているような、そんな感じがちょっとしますよね。

※15　※16

たしかにそうですね。これまでの仕組みがとことんダメになっているのだとしても、「はい、今日から新しい社会です」というふうには人も社会も変われはしません。昨日までサッカーをやっていたのが、今日からバスケになります、となったら、それにはそれなりの準備や訓練が必要になります。

――長い練習期間になるんでしょうね。

特に自分みたいなズボラなおっさんにはツライですよ。正直。でも、まあ、どうせ長い道のりだから、時間がかかってもいいということなら、重い腰を少しずつ上げられるかもしれません。

――弱気な（笑）。

いや、だって、自分を変えるって、言うほど簡単じゃないですよ。

――そりゃそうですね。ひとまず今回はここまでにして、次回に「家をもっと快適にする」の続きをやっていいですか。

はい。そうしましょう。

#40

Finding happiness at home

February 14, 2021

ホームリノベーションの効能・下篇

COVID-19は、私たちがそのなかで暮らしていた「環境」というものについていかに無自覚であったか、いかに何も知らなかったかを強く気づかせてくれる契機であったのは間違いないと思います。

——前回は森元首相の失言問題に大きくスペースを取られてしまいましたので、今回は、〈Field Guides〉の本筋であるところの「ホームリノベーション」に沿ってお話しできるとありがたいです。

そうですね。そうしましょう。

——今回の〈Field Guides〉は、それこそ、コロナウイルスによるロックダウンから、いま一度「家」のありようを考えようという人が増えている状況を背景にした特集ですが、「家をもっとハッピーにする科学的な方法※1」（The science-backed ways to make your home a happier place to be）という記事では、アメリカの現況がこんなふうに紹介されています。

「２０２０年８月には、住宅市場は２００６年以来の高値を記録し、とりわけ郊外の住宅が好調。Bank of America のある調査によれば、パンデミックを契機に家のＤＩＹリノベーションを行った家主は70％に上り、Home Depot や Lowe's といったホームセンターの株価は急上昇を遂げた」

この感じはなんとなくわかります。知人でもこの間に引っ越しを考えた人は思い浮かびますし、私自身も引っ越しを検討中です。必ずしもすべてがパンデミックの影響とは言えないとは思いますが、リモートワークやリモート学習が、一過性のものではもはやないとなると、多くの人が、コロナ以前の居住環境を見直さざるを得なくなるのは当然のことですよね。

——はい。

パンデミックによってもたらされた課題をデザインを通じて解決することをテーマとした「Critically Homemade※2」という、香港のイニシアチブを取り上げた「ロックダウン生活の課題をＤＩＹで解決するデザインチャレンジ※3」（A design challenge helps DIYers solve the problems of lockdown life）という記事は、このプロジェクトの主宰者でデザイナーのMarisa Yiuさんのインタビューを掲載していますが、そこで彼女はこう語っています。

「COVID-19のパンデミックロックダウンによって、もっとマシなありようがあるのではないかという目で家のなかを見直すことになりました。例えば、あなたの子どもがZoomで授業を受けなくてはならないとすると、それに見合ったかたちで居間の環境をつくり直すことになります。そして、机の位置やかたちなどに合わせてどこにiPadを置くのがよいのかを考えることとなります。幼い子どもたちはZoomの画面の前でじっとしていることに慣れていません。とすれば、どういう座り方がベストなのか、考えなくてはなりません」

——子どもだけじゃないですよね。Zoom会議のために、家のどこに座るかを決めるにあたっては、背景に何が映るかも気になりますから、いままで気にしていなかったところに目を向けることになりました。

COVID-19は、私たちが、そのなかに暮らしていた「環境」というものについていかに無自覚であったか、いかに何も知らなかったかを強く意識させてくれる契機であったのは間違いないと思います。例えば、昨年から、日本では盛んに「密」を避けるように言われ、「換気」というものの重要性が謳われていますが、今日たまたまある記事を読んでいたら、こんな一節に出くわしました※4。

「『厚生労働省に『換気はどのくらいのレベルをクリアすればいいのですか』と聞いてみたんです。そしたら『基準はありません』と言われました』。実態調査に動く予定もないとのことだった」

——あ。基準、ないんですね。

ないらしいんです。で、これを厚労省に問い合わせた方は、基準がないのだったら自分で調べてみるか、と調査に乗り出したそうです。記事にはこうあります。

「二酸化炭素を測る装置を置き、1週間後に回収する地道な作業だ。併せて、客席や換気扇の位置など

※1 ※2 ※3 ※4

店の構造に関する聞き取りも行う。当面は80店舗を調査目標とし、データは国立保健医療科学院の研究班に提供。感染がどういう状況で起きやすいのか、その分析に役立ててもらうことになっている」

――へえ。面白いですね。これ、どなたがやっているんですか。

これが「日本水商売協会」という組織なんです。

――へえ！

記事は、この取り組みの主旨をこう評価しています。

「感染対策の基準がなければ、どれだけやっても『正解』がない。それでは店によって対応にばらつきが出てしまう――そんな現状を是正するのが狙いだ。その上で国や自治体に対し、対策を評価する仕組みの構築を望んでいる」

――ごもっともな意見ですよね。

せっかくですので、協会代表の甲賀香織さんという方のコメントも引用しておきますね。

「ちゃんとやっている店には営業を許可し、できていないところには認めない。そんな形が理想だと考えています。今この状況でも来店するお客さんはそもそも感染リスクを気にしない人が多い。結果的に店が対策を徹底しようが、おろそかにしようが変わらないわけです。これでは対策の意味がないし、しっかりやっているところもやらなくなってしまう恐れもある。悪循環です。だからこそ、対策をきちんと評価してほしいのです」

――めちゃ真っ当ですね。

そう思います。

――基準がなければ「正解」もない。ということは、逆に言えば「不正解」もないことになりますから、責任も発生しない。日本では、コロナ対策に限らず、一事が万事こういう感じのように見えます。

そうかもしれません。

――達成基準がないから、「努力した」「頑張っている」が評価軸として入ってきたりしちゃうんでしょうね。

本当にそうですね。

――それこそオリンピックの開催について、バイデン米大統領が「科学に基づき判断を」と言った※5そうですが、まさに同じことですよね。

パンデミックがもたらした気づきは、私たち自身が、私たちの暮らしの内実を、実際には、何も知らなかったということなのかもしれません。「換気が大事」と言われて、「はい、そうですね」と当たり前にそれを実行していたけれど、いざ、「どこまでやれば十分と言えるのか」という問いが提出されると、誰も答えをもっていない、と。

――面白いですね。

「家をもっとハッピーにする科学的な方法」という記事は、まさに、そうした私たちの思考の盲点を、「家」との関係性のなかで「科学的」に見つめ直そうというものです。

環境心理学という学問の研究者の意見が多く参照されていまして、空間内における自然光の量や、壁の色、木材の利用、匂いが、人の心理に与える影響を考察し、家をいかにして、より良い環境へと変えることができるかが語られています。壁はライトグリーンにするといい、といった具体的なティップスもそれはそれで面白いのですが、もう少し大枠の議論のところがやはり面白いように思います。

――と言いますと。

例えば、カリフォルニア大学バークレー校のビルト・エンバイロメントセンターの心理学教授リンジー・T・グレアムは、こんなことを言っています。

「私たちの社会的・個人的な関係性は真空のなかで起きているわけではなく、空間のなかで起きているのです。私たちがいる空間は私たち抜きでは存在しません。私たち自身が空間の反映であるならば、空間は人の内面から始まると言っていいのかもしれません」

――なんだか哲学的ですね。

ここでグレアム教授は、「空間」を「Space」という語でもって語っているのですが、昨日(2月12日)、私がお手伝いしている「B Corp」に関する翻訳ゼミ※6があってその準

※6 ※5

備をしていたところ、「as if people and space mattered」という文章が出てきて、これをどう訳すか、なんてことをちょうど議論していたんです。

——それは奇遇ですね。どんな議論だったのですか？

普通に直訳すれば「人と空間が大事であるかのように」という感じになると思うのですが、これがB Corpという、社会的責任をまっとうすることを目指した企業のあり方をめぐる文章であることを考えると、「人」という語には、単に生物学的なヒトだけでなく、人と人とのつながりであったり、それが構成するコミュニティであったり社会が含まれるであろうことが想定されますので、ここでの「people」は、思い切って「社会」と訳したほうがいいんじゃないか、なんて話をしていました。

——面白いですね。

もう一方の「place」には、当然、環境運動やエコロジーといった概念が示すところの「環境」という要素が含まれているのですが、あえて「環境＝environment」という語を使わずに、「place」と言っているところがミソだろうと考え、ここでの「place」は、まさに先ほどのグレアム教授の文章のように、私たち自身が空間の反映であり、逆もまた然りであるという相互性によって成り立っている空間である、という意味で、「風土」の語を当てるのはどうだ、なんていう話をしていました。

——ははあ。和辻哲郎ですか。

自分は恥ずかしながら和辻先生の議論はよく知らないのですが、風土ということばには、その土地の固有性がニュアンスとして含まれていることと、それがある意味文化的な空間であることも含意されているように感じますし、ここで言われている「place」にも、そうした含みがあるように思えます。人と人が醸す「空気」のようなものなども含んだ上での「place」なのではないか、と。

——「企業風土」なんていうことばが実際にはあるわけですしね。そうやって考えると、人と人は真空のなかに暮らしているわけではない、という先の大学の先生の指摘は、改めてハッとするところがありますね。

「人間関係が悪くなると空気が淀む」みたいなことを、ただの気分の話としてではなく、より実体的なものとして把握していこうというのが、おそらくはいま空間をめぐる「科学」が俎上に乗せようとしているものだと思いますが、ここでも主題となる問いは何かと言えば、第38話でお題となっていた「ウェルビーイング」なんですね。先のグレアム教授は、私たちがいま迎えている転換をこう問い直しています。

「いま誰しもがウェルビーイングやウェルネスや、いかにして人間(People)をよくすることができるかについて語っている。私たちは、いま、単に『生き延びる』こと以上のことを考えなくてはいけないところに来ている。私たちはより深く考えることができる。長く生きることが可能になり、単なる生存の要件としてだけでなく、空間をつくることができるようになっている」

——逆に言えば、これまでの家やオフィスというのは、効率的な生存のための箱でしかなかった、ということにもなりますね。

おそらく、これまでずっと問いは提出されてきたのだろうと思いますし、その都度デザインの改善などは行われてきたのだとは思いますが、それが必ずしも大きな転換をもたらしてこなかったのは、これは個人的な見立てですが、ある時期から「家」や「生活空間」が明確に資本主義的な欲望の対象として消費財にされていったからのように思います。

というのも、グレアム先生は、これから家のリフォームに着手する人へのアドバイスとして「見た目やセンス」ではなく、自分が「空間にどのような心地よさや機能を求めるか」に正直に向きあうことが重要であると語っているのですが、これは取りもなおさず、私たちが、これまで自分の空間や所有物を、簡単に言うと「見栄」の対象として扱ってきたことを逆に物語っています。先生は続けてこう語ります。

「私自身もそうだが、みなさんには、家が『正しいもの』であることを望む欲望を解きほどいてほしいと思っています。『私が欲しがっていること』は必ずしも『私たちが感じていること／感じたいと思っていること』ではないのです。私たちは、もっと自分を心地よくしてくれるもの、こうあってほしいと望むものやあり方に興味を向けるべきなのです」

――それこそ『週刊だえん問答 コロナの迷宮』の第23話「ホームオフィスの含意」のなかで「こんまり」さんに言及した箇所で、同じことを指摘していましたね。「自分が『好き』だと思っているものが、案外、外からの要請や外に対する適応戦略を、さも自分の欲求であるかのように自分を偽ったものでしかないことは、少なからずあるはず」。

そうなんです。ウェルビーイングやウェルネスというキーワードにおける重要なメッセージは、自分にとってのウェルネスやウェルビーイングがどういうものであるのかを「自己決定」できることにあるはずです。ただ、その一方で、「科学性」のようなものを十分に考慮することも大事とされていまして、ここが実は難しいトレードオフになるというところは気をつけたほうがよさそうです。

――先ほどチラッとお話に出たように、「心理学的には壁の色はライトグリーンがいい」というようなことが規範化していったり制度化していくと、そこが、ただの「ウェルネスの牢獄」になりかねない、ということですよね。

はい。それはまさに第38話の「マインドフルネス」の議論でも触れたことでして、ある種の無垢な状態、完全であったり純粋であったり透明であったりする「いい状態」が、自分の外に設定されてしまうと、それが規範化され、それに到達すること自体が目的となっていくようなことが起きてしまいます。

――イヤですね。

実際、マインドフルネスの回でも触れたように、そうした「無垢さ」や「純粋さ」への信仰は瞑想アプリの広告などで蔓延しているように思いますし、エコロジー、環境保護といった議論においても、「自然の原初的な状態」というものに対する信仰というものは明確にあったりすると批判されています。

――そうですか。

これは『「自然」という幻想：多自然ガーデニングによる新しい自然保護[※7]』という本からの受け売りでして、この本では「手つかずの自然＝ウィルダネス」というものが、英国のロマン派に端を発し、それがエマーソンやソローといった詩人たちによってアメリカに根を下ろし、さらにジョン・ミューアといった環境活動家によっていかにイデオロギーとしてフェティッシュ化されるに至ったかが明かされていていてとても面白いのですが、こうした経緯からもわかるように、私たちの「自然」をめぐる認識や理解は、それ自体が普遍的なものではなく、極めて歴史的なものなんです。

――なるほど。当然、そうした自然観とのセットとして「人間かくあるべし」という規範も存在してきたということですよね。

はい。「原初」という名の完全無欠な状態があるというのは、少なくともこの本のなかでは否定されていまして、というのも、安定的な「原初の状態」というものはない、とここでは考えられているからです。

つまり、生態系というのは、常に動的に動いているもので、人間がいようがいまいがそれは変わらないと言うんですが、そうだとすると、環境保護は「過去の自然」を取り戻すことに主眼を置くのではなく、人間が存在し、人が常に自然を改変している状態において、自然を守ることを考えるべきだとするのが本書の主眼で、そこで提出されるのが、本書の原題である「Rambunctious Garden」という概念なんです。

――はあ。

「Rambunctious」は「乱暴な」といった意味で、「Garden」はいうまでもなく「庭」。日本語では「多自然ガーデニング」と訳されているようでして、細かい内実は実際に本を読んでいただけたらと思うのですが、ここで提起されていることの面白さは、自然・環境保護を「ガーデニング」のアナロジーで捉えていることで、かつ、それは欧州のつくり込まれた庭園ではなく、適当に管理された庭をモチーフにしている点だと思います。著者のエマ・マリスさんは実際、

※7

かなり乱暴に、こう言い放っています。

「私の希望は、もっとずっと多くの多自然ガーデンが雑草も抜かれぬまま、乱雑なままであれということだ。さらには、役立つことすらないままであってほしい」

——ヤケクソ感あります（笑）。

　この話題をもち出したのは、今回の〈Field Guides〉に、まさに「庭」をテーマにした記事があるからでして、「人はなぜストレスと向き合うためにガーデニングをするのかを科学する※8」（The science behind why people turn to gardening to cope with stress）という記事が面白いのは、冒頭で、著名な脳神経科医のオリヴァー・サックス先生のエッセイから「自然というものがどのようなやり方で、私たちの脳を鎮め、まとまりを与える効果を発揮するのかをはっきり言うことはできないのだが」という一文を引用し、いきなりこう結論づけている点です。

「自然が私たちの健康やウェルビーイングにとって良いものであることに反対する人はほとんどいないにしても、サックス先生をもってしても、それがなぜ、どのように良いのかはわかっていない」

——そっか。よくわからないんですね。

　らしいんです。サックス先生をもってしても「自然は間違いなく私たちの奥底にある何かを呼び覚ます」と言うのがせいぜいでして、かつ、ここで先生が語っている自然というのは、植物園のようなものも含んでいますので、雄大で無垢な自然でさえないんです。ちょっとした鉢植えですら重要な意味をもつと言っているくらいです。

——なるほど。先ほどのエマ・マリスさんのおっしゃっていた「役立つことすらないままであってほしい」ということばと、自然が人間に及ぼす影響が「わからない」ということは、話としては、つながっているように感じます。

　この記事の面白いところは、ガーデニングは、ストレスを和らげることに間違いなく効果はあるのだけれども、それがなぜかはわからないことが前提となっているところです。それが、ガーデニングは科学的に「方法化」することが困難だということを意味するのだとすれば、ガーデニングを目的化することもフェティッシュ化することもできないということになります。

つまり、ガーデニングは、厳密には「役に立たない」という前提をもっていて、それを受け入れて、ただそれに参加するしかないというものだということになりますが、そうやって合目的性を逃れうるという点に、大きな可能性が宿っていると見られているんですね。

――サックス先生は、「慢性神経疾患にとって決定的に重要な非薬学的なセラピーの手法はふたつしか知らない。音楽と庭だ」と語っています。

その一文、いいですよね。そうなんです。音楽が、その本質においてまさに非合目的的で、その非目的性をただ受け入れることにおいてしか身を浸すことができないものであるように、庭というものと接することは、あらゆるものが科学の名の下に管理の対象となっていく世の中にあっては、それ自体がひとつの希望だと思うんです。

――それこそ、ブライアン・イーノが、あるインタビューのなかでおっしゃってました※9ね。「身を委ねる」ということは『世界は自分を中心に回っている』という考えを手放すことに関係している」のだ、と。

はい。同じインタビューでイーノは、「身を委ねることは負けを意味しているのではない。能動的な選択なんだ。違う形で世界とつながるための選択なんだ」とも語っていますが、これは、いままさに私たちが、自分たちの身体も含めた「自然」、もしくは自分たちがそのなかで暮らしている風土と、新しいやり方でつながる方法を模索している状況、つまり、コロナを受けて、いま改めて私たちが自分たちのいる環境を「真空」なものとしてではなく、より実体的な何かとして捉え直そうとしている、その眼差しと重なるところがありそうです。ようやく時代がイーノに追いついたということなのかもしれません。

――「これは40年くらいずっと言い続けていることなんだけど、いまになってようやく、みんなこの

※9

※8

考え方の核心を理解し始めたんじゃないかな（笑）」とご本人もおっしゃってますしね。

最後にここ最近で、非常に気に入っている文章がありまして、これは美術家の岡﨑乾二郎さんが書かれた文章※10で、豊田市美術館で2019〜2020年にかけて開催された展覧会のカタログに序文として掲載されたものですが、これが庭について触れたものなんです。非常に複雑な文章で、要約するのは難しいのですが、いいなと思う箇所を一部抜き出しておきます。

――お願いします。

「こうした庭いじりが身体を伴う技術に似ているのか、庭を身体として捉えているだけなのか、わからないけれど、肝心なのは、そこで作者は主体ではなく、聞く側に立っているということである。結局のところ庭の美しさが、地面の上に現れた模様――姿にだけ見出されてしまうとしても、そのメッセージを理解するには、そこにメッセージを送り出しているところの土壌を少しでも知る、とりあえずは触れてみるしかない」

――短絡的かもしれませんが、「聞く側に立っている」というところを読むと「音楽」と「庭」とが、なぜある種似た効果を人にもたらすのか、その秘密がちょっと見えて来そうな気がします。

今回の〈Field Guides〉を非常に図式的にまとめるなら、いま私たちが、自分たちの社会や風土を新たに見つめ直し、そのなかにもう一度私たち自身を置き直すことが必要であるなら、そのとき私たちは、「聞く側」として、そこに身を置くべきだ、ということなのかもしれません。

――それこそ、森義朗元会長の騒動においても、実際に問われていたのは「聞く力」だったとも言えますよね。自戒も込めてですが、「聞く力」、自信ないです。

私もないです。学んでいかないとですよね。

※10

Field Guides を読む #39/40

Finding happiness at home

February 7/14, 2021

https://qz.com/guide/finding-happiness-at-home/

- Amazon, Google, Apple：未来のスマートホームに向けた闘いの内幕
  Inside Amazon, Google, and Apple's fight to build the smart home of the future
- 変わりゆく屋上ソーラーパネル業界：それは家主に何をもたらすのか
  How the rooftop solar industry is changing—and what it means for homeowners
- 家をもっとハッピーにする科学的な方法
  The science-backed ways to make your home a happier place to be
- 人はなぜストレスと向き合うためにガーデニングするのかを科学する
  The science behind why people turn to gardening to cope with stress
- ロックダウン生活の課題をＤＩＹで解決するデザインチャレンジ
  A design challenge helps DIYers solve the problems of lockdown life

#41
Travel in 2021
February 21, 2021

海外旅行のエクスペリエンス

海外旅行に行く意味って何なのだろう？
この問いに、いま説得力のある答えを見いだすのは
案外難しいのかもしれません。

——こんにちは。

はい。ご苦労さまです。

——今回の〈Field Guides〉のお題は「旅行」ですが、お得意のテーマではないですか。

そう思いますか？　特に旅行好きというタイプでもないですよ。

——あれ？　しょっちゅう海外に行かれていたじゃないですか。

仕事だから行きますが、好きというわけでもないんです。出張前はだいたい行くのが嫌で、遠足に行く前の小学生みたいな感じです。

——その使い方、間違ってますよ（苦笑）。「遠足に行く前の小学生」は、ウキウキしている状態を指します。

あ、そうですか。「うー、行きたくねえ」と駄々をこねる感じではないんですね。

——違います。そういう小学生だったんですか？

保守的かつ繊細なものですから、知らない場所に行くのが苦手なんです。食事でも、新しいお店に入ることだとかが結構苦痛で。海外に行くと、いつも食事するのがストレスで、結局ファストフードで済ませたりします。

——残念ですね。食事は旅の最大の楽しみじゃないですか。

もちろんそうです。コロナ前には、自社の企画で「イノベーションツアー」のような旅のプログラム[※1]を毎年1〜2回やっていましたが、そこで企画する側として学んだのは、顧客満足度を上げるためには、とにかく食事が大事だということでして、特に最終日の夕飯のクオリティは非常に大事なんです（笑）。

——終わり良ければすべてよし、

と（笑）。

　そうなんです。ですから、旅においては、食事を念入りに企画しておいたほうがいいということはよくわかってはいるつもりなのですが、自分ひとりで行く際には、どうしてもそういうアタマにならないんです。

——旅先で印象に残っている食事とかあります？

　随分昔に、かつて文藝春秋社から刊行されていた「TITLE」という雑誌で、「Coffee & Music」という特集をお手伝いした際にパリに取材に行き、音楽レーベルの方とふたりで滞在したのですが、適当に入ったお店がどれもアタリで、めちゃくちゃ楽しかったですね。最初の晩がエチオピア料理、2晩目がクロアチア料理、3日目がバスク料理でしたが、どれも食べたことないものでしたが、本当においしかったです。

——出会い頭に入ったお店がアタリだとテンション上がりますよね。

　そうやって思い返すと、他にも思い出深い料理は、たくさんありますね。それらが、もしかしたら二度と食べることのない料理かもしれないと思うと、余計、貴重な思い出ですね。

——そう考えると、旅って、なんというか不思議なものですね。どうして人は旅をするのでしょうね？

　さあ、なんででしょうね。昔、何かの本で、それこそ中世のヨーロッパの話だったと思うのですが、「商人」というものは極めて胡散臭いものだと考えられていたということを読んだ記憶があります。それはたしかにそうなんだろうなと思うんです。というのも、商人というものは、こっちで安く買ってきたものをあっちで高く売る、というようなことをやるわけで、言うなればモノの価値体系が異なる共同体を行き来して、その価値体系の差分を利得として得るわけですから、そこには常に情報操作という側面があるわけです。

——ウーパールーパーでもタピオカでも何でもいいですが、例えば海外から新しい何かをもってきて、その商品の価値設定がない空間において、無理やりその価値を説得

※1

するという作業ですもんね。

それがいかに貴重なものか、あるいは、ユニークな価値をもったものか、あるときには嘘八百を並べながら、無理やり価値化するわけですし、それが中世のような時代であれば、多くの人は、その情報の真偽は確かめようがないでしょうから、まあ、基本胡散臭いわけですよね。

——たしかに。

ですから、商人は山師、詐欺師と同等というものだった可能性はありまして、そんなことを言うと真面目なビジネスマンには怒られるかもしれませんが、ある年配の商社の方に聞いたところでは、入社した頃には、「商社の仕事は基本3つ。詐欺、恫喝、売春だ」といった教えが先輩筋から脈々と伝わっていたそうです。

——いま、そんなことを社内で言おうものなら、即刻クビが飛びそうです（笑）。

とはいえ、情報が少なかった時代には、旅をして何かを見聞きしてきた人というのは、それ自体が希少価値をもっていたでしょうし、であればこそ、その人は、情報を自分の都合のいいように出し入れすることで、権力ともなり得たわけですよね。いずれにせよ、中世の時代の旅路というものが非常に危険の多いものだったというのはきっとそうで、山師、詐欺師、盗人、追い剥ぎなどが跋扈するような、そういう空間だったと見られています。いま、ちょうど手元に、中世の巡礼道について書かれた本がありますので、ちょっと引用しておきますね。

——いいですね。

「中世の巡礼は、命がけだ。巡礼者は多かれ少なかれ、なけなしの財産を身に着けている。巡礼道には追いはぎが出没し、身ぐるみ剥がされた屍《しかばね》が街道脇に転がっていたという」

——なるほど。これは、なんという本からの抜粋ですか？

星野博美さんの『旅ごころはリュートに乗って：歌がみちびく中世巡礼[※2]』という本です。星野さんはノンフィクションライターで、あるとき思い立ってギターの原型ともなる古楽器のリュートを自ら習うようになるのですが、リュートを学んでいくなかで中世ヨーロッパの世界にのめり込んでいった経緯や、その間に考えたことなどを綴った非常に面白いエッセイ集です。

――いいですね。自分のイメージですと、その当時のヨーロッパはいわゆる城壁で守られた都市を街道がつないでいるというかたちだったように思うのですが、その城壁から外に出て「路上」に身を置くというのは、文字通り、無法地帯に身を置くようなことだったのかもしれませんね。

　堀田善衛さんの名作『路上の人※3』は、中世を舞台に、まさにそのことをテーマにした本で、個人的に大好きな本なのですが、いま、おっしゃった無法地帯というのは、堀田先生の本のなかでは、ローマカトリックがかたちづくった世界からはみ出した空間を意味していて、ここでは、カタリ派と呼ばれるキリスト教の異端とされた宗派が主題として扱われています。非常に面白い本で、スタジオジブリが映画化するという話が随分長いことあったように記憶していますが、ボツになったのかもしれません。ちなみに佐藤賢一さんというフランスを舞台にした歴史小説ばかりを書いている小説家さんがいらっしゃいますが、『オクシタニア※4』という作品もカタリ派を題材にした作品でした。

――へえ。

　すっかり脱線してしまいましたが、要は、ここで何が言いたかったかと言いますと、「国家」という考えが出てきて、「国の経済・財政」という観点が出てくるようになりますと、都市や町々の「自由な往来」がもたらす商業の活性化を促していくことは、重要な政策になってくるんですね。

――なるほど。無法地帯を合法化していく、と。

　ただし、とはいえ、路上には、相変わらず胡散臭い連中が往来しているわけですから、完全に自由にするといろんな面でリスクも高まりますので、誰が往来できるのかをちゃんと管理する必要が出てくることになります。いわゆる「ボーダーコントロール」という概念

※2　※3　※4

ですが、日本の江戸時代ですと「関所」というのが、それにあたるわけですよね。

──はあ。そのお話は、例えばインターネットという「路上」を合法的なものとしてどう整備するのかということや、あるいは、今回のお題である「コロナ後の世界のボーダーコントロール」といった問題とも一直線につながっていますね。「自由な旅」がもたらすリスクと「経済」のトレードオフは、まさに「Go Toトラベル」に見られたトレードオフでもあるわけですし。

中国では市民を感染リスク別に「赤・黄・緑」の3種類に分類し、都市を出入りする人をQRコードを用いて管理しているそうですが、これがまさに江戸時代における「鑑札」にあたるわけですね。

──「COVID-19ワクチン・パスポート、2021年の開発状況※5」(The Covid-19 vaccine passports in development for 2021) という記事では、まさに国家間の人の往来を再開するためのワクチン・パスポートに関してさまざまな主体が開発にあたっている状況が報告されています。

ここではエティハド航空とエミレーツ航空が共同で開発しているシステムや、世界経済フォーラムが中心となったもの、あるいはシンガポール航空が現在運用しているもの、アメリカで運用されているものなどが紹介されていますが、言うまでもなく、こうした仕組みは、飛行機が発着する国の双方が同じシステムを導入していないと意味がありませんから、全世界で単一の仕組みを導入するか、あるいは、それぞれ好きなシステムを導入したとしても、システム間の相互運用性が確保されることが必要です。

──かなりややこしそうですね。

はい。各国あるいは国際機関の間には当然政治的な思惑が控えており、それらが複雑に錯綜していますから、「スタンダード化」のための国際合意にいたるまでには、相当の困難が待ち構えていると記事は分析しています。

──ふむ。

この記事で面白いのは、そもそもいま運用されているパスポートのスタンダードが、いつ、どのように合意されたかを振り返っている箇所でして、こんなふうに説明されています。

「COVID-19ヘルス・パスポートをめぐる議論は、1920年代に国際連盟がパスポートの規格化を呼びかけた際に起きていた問題によく似ている。第一次大戦後、欧州内に鉄道産業が花開いたことで、国境管理官は、旅行者たちが提示する多種多様な認証、ブックレット、パンフレットの類に埋め尽くされることとなった。国際連盟は、この問題を『ノーマルな交流の再開、さらに世界の経済復興を阻む深刻な障壁』と呼んだ。1920年、『パスポート・税関書類・越境チケットに関するパリ会議』が開催され、私たちがいま利用しているパスポートのサイズ、レイアウト、グラフィックデザインが合意された」

——面白いです。よく映画なんかでスパイが偽造パスポートを何冊も貸金庫に隠していたりするシーンがありますが、サイズが揃っていることを特に不思議にも思ってきませんでしたが、考えてみたら全世界で同じ規格になっているのは、すごいといいますか、改めて、そうやって合意を取り付けるのは大変だな、と思ってしまいます。しかも、いまのパスポートの雛形が100年前のものだというのも驚きです。

当時の世界情勢がどういうものか、あまり詳しくは理解していませんが、当時のアメリカ大統領のウッドロウ・ウィルソンによって国際連盟が提唱されたのが第一次大戦中の1918年で、その骨子となったのが「14か条の平和原則」というものだったといいますから、初めての「世界戦争」がもたらしたショックが、少なくとも欧米諸国では、大きな傷として残ったのではないかと想像されます。実際、その戦死者の数は、戦闘員・非戦闘員を合わせると3700万人とされているそうです。ちなみに第二次大戦については、当時起きた飢饉などの犠牲者も含めると全世界で5000万〜8000万人だった[※6]とWikipedia にはあります。

——コロナウイルスによる全世界の死者数は、2月20日時点で約2

※5

※6

45万人とありますが、それと比べる意味はないとはいえ、恐るべき数ですね。

ここで注目しておきたいのは、第一次大戦における日本の死者数は415人で、ほとんど犠牲者が出ていないことです。欧米諸国が戦争からの「復興」を思い描いた際に、「こういうことが起きないように国際関係を調停する機関が必要だ」と切実に考えたモチベーションが、日本ではもしかすると同様の切実さをもって体感できていなかったのではないか、と想像してしまうのは、実はコロナ対策においても重なる部分があるようにも思えるからです。

——ふむ。

今回の〈Field Guides〉を読んでいて一番ハッとした記述は、「COVID-19のなか、対面イベントを再開するために必要なこと※7」(What will it take for in-person events to return during Covid-19?)という記事のなかにあった、テニスの全豪オープンに関するものでした。

——はあ。

テニスの全豪オープンは参加する選手・スタッフ全員をチャーター便で入国させるという徹底したバブリングを行ったものの、飛行機の乗客のなかに感染者がいたことで、同乗した選手・スタッフなどが2週間のロックダウン状態に置かれました。外に出られず、練習もできず、かつ、食事もまずいといったことから、選手たちから非難の声が上がったのですが、それが逆にオーストラリア国民から大きな反発を受けたそうです。

——ふむ。

記事では、ある選手とオーストラリア市民のTwitter上でのやりとり※8が紹介されているのですが、文句を言った選手が市民の反発を受けて謝罪し、それを受けて、ある市民がこう返しています。

「選手：先ほどの(すでに削除した)ツイートについて、オーストラリアのみなさんにはお詫びをしなくてはならないと感じています。私のみっともない投稿に対するあなたの反応によって、みなさんがこの1年の間、どれほどの苦難を通り抜けてきたかに気づかされました。私自身が、この状況が不安だったのだと思います。口をつぐむことにします。

市民：ありがとうございます。メルボルンの私たちは、つい最近も114日間にわたる厳格なロックダウンを経て、まだそこから立ち直っているさなかです。あなたを乗せた飛行機がウイルスを運んできたことで、また同じことを繰り返すのを、私たちはとても恐れています。隔離はつらいものですがやる意味はあるのです」

――なるほど。興味深いやりとりですね。

ここでハッとさせられたのは、「経験」の重さと言いますか、それがもたらした「傷の深さ」の重大さに気づかされるからなんです。オーストラリアのロックダウンがどの程度の厳しさであったのかを私たちは、もしかしたら情報として知ることはあっても、それがどれほどしんどくて苦しいものであったか、ということにはなかなか思い至ることができないんですね。というのを、1年も経たいま気づくというのも実に間抜けな恥ずかしい話ですが。

――特に日本は欧米と比べると感染者数・死者数も少ないですし、対策も微温的なものばかりで基本個々人任せですから、海外の状況や、それがもたらす物理的・心理的、あるいは経済的な圧迫のようなものに思いを致すことが難しいですね。

このコメントを見て気づかされるのは、日本においては、パンデミックという非常事態が、あらゆる人にとって共通の「体験」になっていないのかもしれないな、ということなんです。

――人によって、捉え方が、完全にまちまちですもんね。

そうなんです。もちろん近しい人を亡くしたり、廃業に追い込まれたりした方もたくさんいらっしゃるわけですし、医療従事者のみなさんがとことん疲弊している状況もあるわけですが、そうした状況を目の当たりにするような機会がなければ、パンデミックの恐怖というものがあったとしても、それは抽象的なものでしかないわけですよね。

※8

※7

――さっきのテニスの選手も、自分が隔離されて初めて事態の重さに気づくことになったわけですし。

そういう意味でいえば、コロナ禍というのは、必ずしも「共通の体験」ではないんですね。例えば、地震の場合には、実際に地面が揺れて、広範なエリアにおいて多くの人が同じような経験をしますよね。その恐怖の記憶が共有されていればこそ、未来に向けた対策の方向付けも明確になりうるのだと思いますし、先の国際連盟も、「あれは二度と繰り返したくない」という思いが共有されていればこそ、多くの国が合意に至ることができたようにも思うんです。

――コロナ禍については、それが「全人類的な災厄である」ということがよく語られますし、実際、そうだと思いこそすれ、どんどん、その認識が緩んでいる感覚は、たしかにあります。

そうなんです。実は、先日、英国のミュージシャンに演奏のライブ配信をお願いする機会があったのですが、英国のロックダウンの状況下では、そもそもバンドも撮影クルーも、集まることが大前提として難しい、という返事をいただきまして、自分の甘さを指摘されたようで、恥ずかしい思いをしました。全然想像が及んでいなかったんです。想像力がまったく欠如していたことに、われながら強いショックを受けたんですね。

――とはいえ、日本においては、総理大臣を筆頭に政治家が率先して会食したりして、自ら発した「緊急事態」を、自らの手でなし崩しにしているわけですから、日本での「コロナ体験」が共有化されないのもやむなし、という気もします。

そのことを言い訳にはしたくないとも思うのですが、いま私がお話ししたような「切実さ」のズレみたいなものが、もしかしたら国家レベルで起きている可能性があるというところは、たしかに怖いところです。先に紹介した「COVID-19のなか、対面イベントを再開するために必要なこと」の記事では、当然のこととして東京オリンピックのことが触れられていますが、政府や組織委員会が語る「安心安全」が、どこまで海外で考えられている「安心安全」と足並みが揃っているのか、不安なところもあります。記事は、菅首相の経済アドバイザーとして影響力をもつ人物とされるサントリーの新浪剛史社長が、2021年1月末にアメリカのCBSと行ったインタビュー※9を紹介していますが、そのなかで新浪社長は、オリンピックが実現するためには少なくとも4つの条件をクリアしなくてはならないとしています。

――ほお。

お題目だけ並べると、以下となります。

・感染の広がりをコントロールすること
・参加者全員がコンタクトトレーシングアプリを携行すること
・ワクチン接種が遅くとも2月中に「必ず」始まること
・開催までの期間内に他のイベント（プロ野球等）で実験が行われること

――ええと。これが最低条件であるなら、すでに相当ビハインドと言っていいのではないですかね。ここで新浪社長がおっしゃっているアプリは、まさか悪名高き「COCOA」じゃないですよね？

2週間ほど前にIOCが発表した東京オリンピックの「プレイブック※10」によれば「COCOA」と書かれていますね。

――えー、マジすか。

そうなりますよね。結局、よくわからないんですよね。IOCも日本政府も、参加者のワクチン接種は義務化しないとしていますから、だとすれば、いざ感染者が出たときにアプリだけが頼みになるはずで、とすればなおさらそれを改善して万全な状態でオリンピックを迎えようとならなくてはいけないはずなのに、とてもそうした切実さのなかで運用されているようには見えません。オリンピックを本当にやりたいのか、それともやりたいフリだけして実際はサボタージュしているのか、まったくよくわかりません。

――この連載の前々回でも、全豪オープンの主催者が「アドバイスをくれ」と問い合わせてきたJOC関係者に、「グッドラックと答えた」というくだりがありました

※9　※10

が、オリンピックは全豪オープンと比べて桁違いの規模で、それをパンデミックのさなかに行うのは未曾有のチャレンジになるはずだというのに、全体に呑気な感じですよね。ワクチン接種もずるずると接種開始期日が後退しているわけですし。

旅行といえば、アメリカでも上院議員のテッド・クルーズが、地元テキサスが寒波と電力網の崩壊で死者が多数出ているなか、娘たちを連れてメキシコのカンクンに旅行に行ったことで大炎上[※11]しています。緊急事態と言いながらステーキを食べている人たちと本当に似たりよったりだなと呆れてしまいますが、ここでもやっぱり、上院議員の寒波の「経験」が、市井で本当にシビアな状況に直面している人びとの「経験」から激しく乖離して、もはや想像力が及ばないまでになっていることを思い知らされます。

――代議士が地元が苦しんでいるときに地元を離れて異国のリゾートに行ったら、それは集中砲火を浴びるだろうということは、想像できそうなものですけどね。

クルーズは、「旅行の最中も地元政府と緊密に連絡を取って、電力グリッドの崩壊の原因を探っていた」といった弁明をしていますが、CNNのエディター・アット・ラージは、「電力の専門家ではないクルーズに誰も電力の復旧を期待しているわけではない。人びとが政治家に求めているのは、安心と補償である[※12]」と語っています。

――おっしゃる通りですね。

つまり、ここでもやはり「経験」の共有というものが大事なんだと思うんです。政治家が被災現場を訪れることの意味は、現場を訪れて適切な対策を講じることよりも、むしろ、「ひどい目にあっている私たちの現実を見てくれ、現場でその困難を感じてくれ」という思いに応えることにある、とおそらくこの論考は言っているのだと思いますし、その「経験の共有」の基盤があってこそ、その後の補償を含めた対策が意味のあるものになると期待されるからなんだと思います。

――ある意味心情的な、ウェットな部分に応えるということですよね。

たしかにそれは非常にウェットですし、なんなら浪花節かもしれませんが、とはいえ、政治における「合意」「信頼」というものの基盤には、やはり「経験」が共有化されていくことが重要ではあるように思うんですね。

——たしかに。

ちなみにテッド・クルーズの件で株を上げたのはカントリー歌手のケイシー・マスグレイブスで、彼女はクルーズの問題が発覚するや否や、即座に彼を揶揄した「Cruzin' for a Bruzin'」という文言がプリントされたTシャツ※13の予約販売を開始し、その売上を、地元の支援団体に寄付することを発表しました。自分も早速買ってみましたが、予約は本日日曜いっぱいとのことですので興味ある方は、ぜひお急ぎください。

——なるほど。そうした行為にはテキサス市民として、地元と経験をともにする感じはたしかにありますね。

そうなんです。最後に旅行ということに関して、もうひとつ中国の状況をレポートした「愛国ツアーに週休3日：国内旅行を盛り上げる中国都市※14」（Patriotic tours and four-day weeks: How China's cities are promoting local travel）を紹介させてください。記事によれば、海外旅行が難しいなか中国では、各都市が競って国内旅行を推奨しており、なかでも共産党の歴史的な場所や遺構を訪ねる「愛国ツアー」が盛り上がっているそうです。旅行を、単に経済復興のトリガーにするだけでなく、共産党への共感を高めるドライバーとして利用しようというしたたかさは、さすがだなと感じ入ります。それがいいとは、あんまり思いませんが。

——でも、やっぱり旅というのは、実際の「経験」を通じて、人のなかに理解や認識をつくり上げていくものではあるわけですから、いい意味でも悪い意味でも、パワフルなツールではあるわけですよね。

おっしゃる通りですね。いまからちょうど１００年前にこれまで人類が経験したことのないような酷い戦争を「経験」したことで、各国の利害を調整・調停する「国際機関」が生まれ、「世界市民」という感覚が生まれたことで、旅

※11 ※12 ※13 ※14

行といったものを通じて「世界を知る」ことの意味や意義は大きく広がった、といったことがあったように想像します。戦後の日本でも、国際社会への復帰と、海外旅行の自由化とは切っても切れない縁があったはずですし、日本が国際舞台に返り咲くきっかけとしての1964年の東京オリンピックは、観光のデスティネーションとして日本という土地をプロモートする意味も含まれていたわけですよね。つまり、海外旅行を活性化することは「国際社会」というものにコミットすることだ、という含意が、きっとどこかに含まれていたはずなんです。

——なるほど。

ところが、いま、世界を見渡してみますと、「国際機関」といったものの正当性が、どんどん失われているようにも見えるんですね。昨今のコロナの問題を見ても、WHOへの不信感は根強くありますし、オリンピックの問題についても、IOCのいい加減さには多くの日本人も呆れているはずです。国連ですら、長いこと、その意義については疑問符が付けられていますし、一方で、世界経済フォーラムのような民間の国際機関も、何かと批判にさらされています。

——言われてみると、そうですね。「国際性」とか「国際的」といったことばは、ある時期までは、それ自体がちょっと煌めいていたところがあったように思いますが、いま、あんまり魅力のあることばとは言えなくなっちゃいましたね。

なんだか古ぼけて煤けたことばになってしまった印象です。

国家というものを基軸としていた「国際社会」が、経済を基軸とした「グローバル社会」に取って代わられたあたりで、もしかしたら「国際＝インターナショナル」という概念の命脈は尽きていたのかもしれませんし、その頃から、実は「海外旅行」というものの意義も、微妙に変わり始めていたのかもしれません。

——面白いですね。日本の若者が海外に興味をもたなくなった、といったことはよく指摘されることですが、マクロな視点で見ると、そういうことが影響しているのかもしれませんね。

おっさんの昔話で恐縮ですが、私が学生の頃なんかは、バックパックで世界を旅するような学生の貧乏旅行は、「すべきもの」という了解がまだ色濃く残っていまして、もちろん強制力があったわけではありませんが、それなりの圧でのしかかっていたような気はします。それも誂えのパック旅行ではダメで、ヒリヒリするような世界のリアルを見てこないとダメだ、といった感じはあったんです。それこそ沢木耕太郎さんや藤原新也さんの本なんかが、まだ非常に大きな影響力をもっていました。

——インドに行かないとダメ、みたいなノリですね。

はい。自分はどちらかといえば、ホテルでのんびり過ごしたいタイプですから、そのノリが苦手でしたが、それでもやっぱり「海外に行って世界を見てくることは大事なんだ」ということは、半ば自明のこととして信じて育ったようには思います。

——でも、いつからか、その圧があんまり作動しなくなったということですよね。面白いですね。

そうなんですよね。逆に言えば、いま、海外旅行に行く意味って何なのだろう?という話でもあるかと思うのですが、この問いに、いま説得力のある答えを見いだすのは案外難しいのかもしれません。

——たしかに。海外のリアルな情報ならSNSでも取れますよ、となれば、まあ、行かなくてもいいといえばいいわけですし。

ただ、そのひとつの帰結として、「海外にいる友だちに会いに行った」というような旅行は増えているような気がしなくもありません。

いずれにせよ、それって、もうすでにかつて言われた「海外旅行」とはまったく違うものですよね。そこにコロナによる「体験」が加わることで、「海外旅行」というものの意義や、その根拠もまた大きく変わってくることになるのかもしれません。観光立国を謳っていた日本としては、本来であれば、そうした変化にも十分に目を凝らしておく必要があるのではないかと思ったりはしますが。

Field Guides を読む #41

Travel in 2021

February 21, 2021

https://qz.com/guide/travel-in-2021/

- 旅は再開される。けれども楽しくはない
  Travel will return in 2021—but it won't be any fun
- 空港のウイルス検査はめちゃくちゃだが当面なくなりはしない
  Covid testing for airplane travel is a mess—but infection screening is here to stay
- COVID-19ワクチン・パスポート、２０２１年の開発状況
  The Covid-19 vaccine passports in development for 2021
- 愛国ツアーに週休３日：国内旅行を盛り上げる中国都市
  Patriotic tours and four-day weeks: How China's cities are promoting local travel
- COVID-19のなか、対面イベントを再開するために必要なこと
  What will it take for in-person events to return during Covid-19?

#42

Jeff Bezos's legacy

February 28, 2021

ジェフ・ベゾスの遺産

「ベゾスは、格差と貧困を緩和することをAmazonの成功と引き換えにすることなくできたはずだ。が、彼はそうしなかった。地球の境界を越え宇宙を目指している人物にしてはなんとも見事な想像力の欠如ではないか」

――お疲れさまです。この週末には、ここ数年ずっとやられているイベントシリーズ「trialog」[※1]がありましたね。「サステイナビリティ」というテーマでした。

ちょうどいまイベントを終えて、事務所に帰ってきたところです。

――いかがでした？

イベントでは、私がポッドキャストを一緒にやっている佐久間裕美子さんがモデレーターを務めた、ファッションをテーマにした「サーキュラーエコノミー」のセッション[※2]がありまして、それを聞きながら、実はちょうどAmazonのことを考えていたんです。

――おお、奇遇。今日のお題はまさに「ジェフ・ベゾスのレガシー」というものです。

そうなんです。

――どういう論点からAmazonのことを考えていたのですか？

そうですね。このトークセッションは、ソニーの社内ベンチャーで籾殻を用いた「トリポーラス」[※3]という新素材の開発をやられている方と、日本環境設計という会社で、ポリエステルの衣服をリサイクルして服をつくる「BRING」[※4]というプロジェクトの担当者がスピーカーとして参加したもので、要は「リサイクル」という観点から、環境負荷をより考慮した「生産／消費」の循環を考えていこうというものでした。そこで、BRINGの担当者の方が、正確な引用ではありませんが、「いまみなさんが着ている服が『資源』なのです」とおっしゃっていたのが、とても印象的でした。

――ふむ。

これを聞いて改めて思ったのは、おそらく産業革命以来いままで続いている経済というのは、やはり「生産」という行為が先にあって、それを前提としているのだな、ということです。

――というと？

これが、経済学的にどういうふうに説明されるのかは、よくわからないのですが、まあ、要はあらゆる製造業は、とにかく「新品の商品をつくる」ということを前提としているわけですよね。で、新品の商品というのは、どこかからその「資源」というものをもってこないといけないわけでして、その結果、衣服であれば綿花であったり、ポリエステルをつくるための石油であったりといった、自然を「資源」として取り出すことが必要になります。ところが、そうやってとにかく自然を搾り取れるだけ搾り取ろうとやってきたおかげで、もうこれ以上は取り出せないというところまできた、というのが、おそらく、世界の現在地なわけですよね。

――自然環境のキャパシティを超えてしまった、と。

で、「生産」と「消費」のサイクルを考えてみると、これまでのところ、生産と消費の関係は、常に前者を起点として起きていたわけです。つまり、市民の間に「クルマが欲しい！」「冷蔵庫が欲しい！」という声が高まり、それを受けてメーカーが「しょうがねえな」と重い腰を上げる、なんてことはないわけですよね。

――あはは。そりゃそうだ。

もちろん、潜在的な需要はあったとは言えますが、それが発見されるのは、あくまでもモノが生産されたあとのことであるはずです。

――はい。

つまり、生産が必ず先にあって、そこから需要が喚起され、それをさらなる生産を通して拡張し続けていくということが、まあ、ざっくり言うとですが、「経済」というもののありようだったように思うんです。

――サプライドリブン、ということですね。

どうやっても、最初に「生産」が起点としてあるわけです。そこでAmazonの話になるのですが、

※1 ※2 ※3 ※4

自分は基本Amazonのヘビーユーザーで、やたらと本やら何やら買うのですが、Amazonが古本屋さんから始まったというのは、とても重要なことだと思っています。本をやたらと買う人間からすると、Amazonのありがたさって、それが古本の巨大なアーカイブであるところでして、ちょっと興味のある著者の刊行物を、全部とは言わないまでもそのほとんどを、瞬時に呼び出して購入することができるところにあるんですね。

――はい。

自分はしょっちゅうそういう買い方をしてしまうのですが、その際にいつも思うのは、「世界の出版社が全部消えてなくなっても全然困らないな」ということなんです。自分で、出版業をやっていて言うのもなんですが（笑）。

――古本があるからいいじゃんか、ということですか？

もちろん世の中は常に動いていますし、その動きに合わせて人の考えもアップデートされますから、本は常に生まれ続けていくとは思いますし、そうあるべきだとは思います。ですが、仮に本を出版しようとする人だけが感染する致死性のウイルスが出てきて、出版業というものがどうにも持続できない、という状況があったとしても、本の市場というものが、必ずしも、それで消滅するわけではないんですよね。

――ははあん。

これを、消費者の側から言い換えると、仮に世界から新刊書が消えてなくなっても、「読む本がなくなる」ということにならない、ということです。

――まあ、たしかに、そうかもしれませんね。新刊書を読むのに汲々としている限り、ゆっくりと古典を読む時間はいつも後回しになっちゃいますしね。

もっとも、Amazonが、自分たちを取り立ててそういうビジネスだと考えていたわけではないのは明らかですし、おそらく異論も多くあるような気もするのですが、Amazonの古本ビジネスって、一種の「シェアリングエコノミー」に見えるんです。いや、Amazonのビジネスそのものはそうではないんですが、「Amazonというものがもたらしたひとつの未来像」というのがそれだったということで、そこにおける最大の皮肉は、Amazonはそうした未来像には興味がない、ということなんですが。

――もう少し説明を。

あ、つまり、Amazonの登場によって、「個々人みんなの本棚にある本」が、すべて「資源」もしくは「在庫」になるということが起きた、ということです。これは、まさにのちに、Uberが自家用車の空き時間を、あるいはAirbnbが不動産の空き時間をP2Pでユーザーとマッチングさせることで、有用性のなかった「財」を「生きた在庫」に変えていったことと、ほとんど変わらないように、少なくとも自分には思えるんですね。

――はあ。なるほど。

つまりAmazon以降の世界というのは、自分のなかでは、自分の本棚が、単に自分の私有財産としてあるわけではなく、ある意味いつでもシェア可能で、かつ換金可能な、「資源」になる世界なんです。

――面白いですね。でも、それってまさに古着の市場でも起きていることですよね。

はい。そうなんです。これは、自分が結構長いことずっと言ってきて、それでも、さして一般化していない理解ですが、インターネットによるコマースって、新品を売ることよりも、むしろ中古品を売ることのほうに向いているんです。

――そうですか。

インターネットの最大の強みが、お話ししたようにP2Pのマッチングにおいてこそ最も発揮されるのだとすると、同じ新品を大量に売ることよりも、むしろ中古品を売ることのほうに向いているはずなんです。

――どうしてでしょう。

なぜかと言いますと、中古品って、たとえ同じ商品であったとしても、売り手の価値観、査定の基準によって意味や価値が変わるし、それに基づいて価格も変わってくるわけですね。

——ああ、なるほど。同じ商品でも、出品者ごとによって、その価値が一つひとつ変わっていくわけですね。

本で考えるとわかりやすいですが、同じ本の同じ版のものであっても、それが初版本だからと5000円の値付けをする出品者がいてそれにお金を払う人もいれば、書き込みがいっぱい入っているからと100円で売りに出し、安いからそれでいいやと買う人もいるわけですよね。

——たしかに。

もちろん、そもそもの希少性に応じた「市場の相場感」みたいなものはありますが、新品においては「生産者」によって一元的に決定されていた商品価値が、中古になった瞬間、売る人と買う人の間の合意に基づく価値交換に転換されるということが起きるんですね。

——骨董の市場なんかは、その最たるものですよね。

ある人にはゴミにしか見えないようなものが数十万円する、みたいな摩訶不思議なことが、そこでは平気で起きるわけです。インターネットコマースは本来、こうした「1対1」のマーケットプレイスであることにおいて、最もその強みを発揮するはずなんですが、これを強引に「1対N」のビジネスにアダプトさせると、商品価値の差別化要因が結局は価格のみに基づくことになってしまい、Amazon のように価格競争を仕掛けて他の小売店をなぎ倒していくという、暴力的なパワープレイがはびこることになってしまうんです。

——なあるほど。

というわけで、冒頭の話に戻しますとですね、「自然」という外部から「資源」を調達しなくても、すでにいまあるもの、みんなの本棚やタンスに眠っているものをぐるぐると回すだけでも、実は、経済というものを回すことができるんではないか、と思ったりするわけです。そして、そこで見落とされるのは、おそらく中古品と生産者との関係なのではないかとも思います。

——ほほお。

古本のマーケットをぐるぐると流動させたときの問題は、そのサイクルのなかに生産者であるところの書き手や出版社が含まれていないということで、これはすでに長野県上田市にある古本の大手「バリューブックス※5」さんが取り組み始めていることですが、中古本の売上を書き手や出版社に還元する仕組みというのを導入し、きちんとつくり手が分け前を得ることができるようになると、本というプロダクトの実際のライフサイクルに見合った持続的ビジネスになりうるのではないか、ということです。

——面白いですね。

本は基本的に、出版社や著者としてみると、新刊で売ったらそれでおしまい、というビジネスです。ところが、本自体のライフサイクルは、それよりはるかに長くて、どこかで古本屋に流れて、また別の人の手元に届くということが起きるわけですね。そしてAmazonのようなインターネットコマースのプラットフォームの登場によって新刊以降の流通の速度が加速していけば、わかりやすく言えば、3000部しか刷っていない本が6000人に届く可能性が生まれるわけです。なので、仮に、その本がもたらした実際の総売上、つまり3000部の本が6000人に届くところまでの間に起きたトランザクションの総体に対する対価を得ることができたら、もしかしたら、生産者にとってもより息の長い、持続的な生産が可能になるかもしれません。なんなら生産アイテム数をもっと減らして、いままでとは違ったビジネスモデルを組むことができるかもしれません。

——たしかに。

本の例は、必ずしも他の一般の製造業に敷衍できるものではないかもしれませんが、例えば、クルマのようなものでも、世界全体で見たときに実際に乗られているクルマの総数において、中古車の割合って、バカにならない量であるはずなんです。ところが、そこでの流通量と経済規模と、新車の流通量と経済規模は、必ずしもセットで考えられているわけではなく、明らかに別個の市場と見られているはずです。それをきちんと統合し、第一次生産者も、そのサイク

※5

ルのなかに組み込むことができれば、全体として、これまでとはまったく異なるビジネスになりうるような気がします。

——そうですか。

これは過去に「WIRED」にいた頃に扱ったテーマでして、「ものづくりの未来」という特集をつくった際に池田純一さんが「ビルダーたちの世界：NASCAR、多崎つくる、と『メンテナンス』から始まる創造[※6]」という非常に面白い原稿を寄せてくださったのですが、そこにはこんなふうに書かれています。

「すべての国ですべての製品が製造されるわけではない。自動車の場合、多くの国で新車か、中古車かを問わず輸入されている。けれども、そのような輸入国でも、日々の生活で自動車のメンテナンスが必要になる。修繕のための技術が求められ、むしろ修繕技術を通じてこそ、製品の仕組みに触れることができる。かつてのアメリカのように、自動車を製造する北部、利用する南部という違いが、国の間でも存在する。

となるとNASCARを始めた南部のクルマ好きと同様に、クルマの輸入国のなかにも当然、修繕に長けたアマチュアが生まれる。彼らからすれば市販品という製品も、いわば巨大な部品のひとつと見なすことができ、そこから次なる創造の一歩を踏み出すこともできるだろう」

「もちろん、修繕から改造・改善を経て創造に至るには、それらの『部品としての製品』の利用が可能でなければならない。だから消費対象の製品が無条件に創造物に転じるわけではない。とはいえ、従来の大量生産体制の下では、消費者／利用者の方が圧倒的に数が多いという非対称性があった。その事実を踏まえたとき、さらには多くの人が国産品に拘泥しなくなるグローバル化の時代を迎えた今、メンテナンスや修繕から始まる創造性を無視することは現実性を欠くことになるだろう」

——中古市場が新たな創造の舞台になるということですね。面白いです。

実際、古着の市場では、まさに池田さんが書かれたことが起きていまして、救世軍などで買ってきた服をつくり変えて「Depop」というアプリ内で販売をしていた若い女性が、1億円相当の売上を達成※7したという報道が2020年にありまして、古着が単なる転売ではなく、新たな価値創出の場になっているんですね。

――へえ。

これは以前に「Pen」という雑誌にコラムとして書いた※8ことがあるのですが、自分の原稿を引用しますと、こういうことです。

「米国のビジネスメディア『Fast Company』は、ひとりの少女デザイナーであるベラ・マクファデンのブランド〈iGirl〉が、中古ファッションマーケットアプリ『Depop』において1億円の売り上げを達成したと報じていた。ベラは訓練を受けたデザイナーでもなんでもない。ファッション好きのインスタグラマーであった彼女は、質屋や救世軍などから調達してきた古着を自分なりに手直しし、販売することからビジネスを始めた。インスタグラム上に60万人、ユーチューブに10万人のフォロワーを抱える彼女の服は、瞬く間にZ世代のハートをつかんだ。チープでポップで、なによりも安い。彼女は『Depop』上で、既に4万点以上のアイテムを売りさばいている。

彼女のような『デザイナー』の存在は、ファッションデザイナーという職業のあり方そのものを変えるだろう、と『Fast Company』は報じている。彼女のブランドのプロダクトは、服のみならずバッグやアクセサリーにまでおよぶが、それらのアイテムのすべては『ベラのテイストと、ボディスタイルに合わせてつくられている』と記事は書く。なにげない一節だが、この一文は極めて重要だ。というのも、これまでのファッションデザイナーは、自分の体型に合わせて服をつくる、という前提をもっていなかったからだ。ベラのブランドは、彼女の『当事者性』を基軸にまわっている。彼女の服を買う人と、服をつくる彼女とは、入れ替え可能な『当事者同士』であり、そうであればこそ共感を通じて商品がやり取りされることになる」

「ベラ・マクファデンのようなD

※6 ※7 ※8

ＩＹデザイナーを欧米メディアは『ベッドルーム・アントレプレナー』と呼び、彼女たちの苗床となっているリコマース（Re-Commerce）市場は、２０２８年にはファストファッションの市場規模を追い抜くであろうとの予測も提出している。Depopは昨年６２００万ドルの資金調達を実現し、米国の中古ファッションマーケット『The RealReal』も大成功のうちにＩＰＯを果たした」

――ファストファッションより市場規模が大きくなる、というのは、すごいですね。

これはファッションの話ですが、こうした「メンテナンスや修繕に始まる創造」を基軸とする「リコマース市場」が、今後おそらく、ハードウェアにおいても広まっていくことになるだろうと予測されています。これについて、最近面白いニュースを見ました。

――ほお。

フランスが今年の1月1日から、特定の電化製品に対して「Repairability Score」、つまり「修理可能性」のスコアをつけることを義務化した※9というニュースで、この2月にフランス政府が、早速Appleに対して、このスコアを提出するように求めた※10とされています。

――修理可能性、ですか。

そうなんです。これは主に「アンチ・ウェイスト」(anti-waste)、つまり廃棄物を減らすことを趣旨とした規制に基づくものですが、特に電化製品は、いわゆる「計画的陳腐化」と呼ばれる、意図的に製品サイクルを短くして、買い替えを促進するような戦略をもって、「リペア＝修理」を著しく困難にしてきたわけですが、このフランスの法律は、それに歯止めをかけようというわけです。

――面白いです。

この間、「修理権」というものが、特にサステイナビリティという観点から大きく注目されている※11のですが、こうした流れは、修繕が付加価値を生み出し、新たな中古市場が創出されていくことで補完されていくはずですし、そこに製造者も参入できるようになることで、製造者が「計画的陳腐化」のような手法を捨てるインセンティブになっていく可能性もあるのではないかと思います。

――なるほど。そうした観点から、ほどなくCEO職を退任するAmazonのジェフ・ベゾスを評価すると、どういうことになるんでしょうか。

今回の〈Field Guides〉には、ベゾスが1997年にシェアホルダーに宛てて書いた、いまでもよく引用される手紙の全文が、「ベゾスの1997年のシェアホルダーレターはAmazonの成功の青写真[※12]」(Bezos's 1997 shareholder letter was a blueprint for Amazon's success)という記事に再掲載されています。そこで「Obsess Over Customers」というAmazonの経営の根幹ともいわれる理念が提出されています。これは「とにかく顧客に執着しろ」ということですが、いま、この手紙を改めて読んでみて首をひねりたくなるのは、たしかに「顧客」、つまり「消費者」への執着は強く謳われているのですが、手紙のどこを読んでも、プロダクトの生産者に対する言及がまったくと言っていいほどないことです。

――たしかに。

「顧客=消費者はもっと安く、もっと早く、を望んでいる」ので、「その欲求にあらゆる手を使って応えるのだ」と言うのは、たしかに勇ましい理念なのですが、ただそのお題目をもとに、生産者やその他の小売業者を、ぼこぼこになるまで圧迫してよいのか、という点を、ベゾスは面白いくらい考慮しないんです。

――ふむ。

そこにベゾスの思想の特異性が見えるように思うのですが、おそらく彼は、「徹底した顧客中心主義を取り、その欲求が生産者にプレッシャーをかけていくことで競争が生まれ、商品のクオリティは上がるし、価格もフェアなものになる」と考えているのだと思いますし、それが望ましい商業のあり方だと考えているように感じます。

――まあ、それによって、こちらは楽をさせてもらっているところが大いにあるわけですが、なんだか腹落ちしないところもあります

※12　※11　※10　※9

よね。

ベゾスの思想の根本のところには「人は怠惰な生き物である」という観念がある気がするんです。人、というのは、ここでは「消費者」という意味ですが。ところがアメリカなどでの消費者意識の高まりなどを見てみると、Amazonへの反発は、基本的にこうした観念に対する反発でもあるように感じます。つまり、こちらからすると「お前ら楽をしたいんだろ？」と、どうも足元を見られている感覚があるんですよね。

――わかります。

とはいえ、ベゾスに言われなくとも、実際に怠惰は怠惰ではあって、その便利さに負けてAmazonを使っちゃうんですね。ですから、Amazon／ベゾスへの評価ということになると、どうしてもアンビバレントなものになってしまうわけです。それは、今回の〈Field Guides〉のメイン記事「11人の専門家が語るベゾスのレガシー[※13]」(Jeff Bezos's legacy, according to 11 experts) にも色濃く出ていまして、「やっぱすげえよな」という陣営と、バッサリ断罪する陣営とにきっぱり分かれています。

――たしかに。

面白いのは、褒める人のほとんどがAmazon Web Service（AWS）について褒めることに終始していて、断罪する人は、Eコマースの巨人としてのAmazonを、とりわけ倫理的な観点から強く断罪しているところです。つまり、どこに力点を置くかによって評価が180度違うということになりますが、トータルで見ると、AWSが新しいビジネスのやり方のモデルケースとして先見性があったのは間違いないけれども、Eコマースのやり方とそれを支えてきた企業風土には問題が多く共感できない、ということになるのではないかと思います。自分もおおむねそんな感じです。

――なるほど。

反対派の意見としては、例えば「Bookshop.org」のCEOのアンディ・ハンターのことばに、Amazonに対する呪詛がよく込められています。

「私たちが欲しがっているものと良いものとが必ずしも合致するわけではない。ローカルビジネスは、意味のある仕事とコミュニティをつくり出し、私たちが共有している社会を支えるために税金を払っている。人の暮らしの美しさと魔法は、速度と低価格であることだけに価値を置くサプライチェーンの外で起きるのだ」

——手厳しい。

アンディ・ハンターはAmazonによって怠惰化された消費者を映画『マトリックス』で描かれた人間の姿に近いとまで言っています。

——あはは。耳が痛いです。とはいえ、Amazonのやり方に問題があったとして、それ以外のオルタナティブな道筋ってあり得たのでしょうか?

と思いますよ。テックシンカーのダグラス・ラシュコフはこう言っています※14。

「無限の拡張を実現するために、本来的には価値を分散的に分配し、長期的で持続的な収益をもたらすはずだったテクノロジーは、収奪的なものへと自らを作り替えなくてはならなかった。Amazonがいい例だ。それは、eBayのようなマーケットプレイスでもありうるものだった。代わりに彼らはマーケットに焦土戦を仕掛けた。（中略）Uberにしたって、地域ごとのタクシー会社やドライバーたちが、その自立性を失うことなくプラットフォーム上で競い合うことが可能なマーケットプレイスになりうる道もあった。そのような道を取っていれば、仮に今後ロボットが人間のドライバーの座を奪ったとしても、自らの労働をもってともにプラットフォームの成長に貢献したドライバーたちが、以後もシェアの一部を得続けることだってできたかもしれない」

——プラットフォームに参加しているプレイヤーたちが自律分散的かつ持続的に価値を生み出し続けることをサポートできる仕組みになり得たということですよね。

そうです。つまり、マーケットを利用する個々の事業者が、ちゃんとステークホルダーと見なされるということですよね。結局、多くの製造業者が「DtoC」（Direct to

※13

※14

Consumer）に流れていくことになった要因のひとつは、本来はP2Pプラットフォームになるべきだったものが、いつの間にか封建領主となり、個々の事業者が単なる小作人か農奴にさせられていってしまったことに、少なからぬ原因があると思うんです。DtoCの根本のエトスは、いつの間にかプラットフォーマーに奪われてしまった事業のオーナーシップを、自分の手に取り戻そうということのようにも見えなくもありません。

――なるほど。

その点、中国のAlibabaは、Amazonの犯した過ちを犯さなかったという点で、とても賢かったと思います。Alibabaの創業者ジャック・マーは、「インターネットは貧乏人の世界だ」と公言していたそうですが、Alibabaの理念は、創業当初から「小さな事業者をエンパワーする」ということにあったように思えます。小さなパパママ・ストアも、それをデジタルプラットフォーム上でネットワークとしてつなぐことで、大手チェーン店と同じパワーをもつことができるようにするというのがAlibabaの小売店向けサービスの謳い文句ですが、そうした考え方は、例えばAlipayがQRコード決済を用いることで、小売店や小さな屋台からホームレスの人までが簡単にデジタルプラットフォームに参画できるようにしたところにも表れているように思います。

――「インターネットは貧乏人の世界」というのは、すごいですね。

あるいは、カナダ発の「Shopify」が、いわゆる「DtoC化」の加速のなかで急激に成長を遂げ、いまや時価総額が10兆円を超えるのも、やはり事業の主権性の回復を求める流れにおいて必然だろうと思います。Shopifyは、簡単に言うと、自社でECをやろうと思ったときに、その際に必要なサイト構築や決済、在庫管理、売上分析などの機能を丸々一式提供してくれるサービスですが、ミュージシャンのマーチャンダイズの販売サイトの裏側にもかなりShopifyが入っています。「東洋経済オンライン」の記事[※15]は、こう解説しています。

「ショッピファイの台頭と呼応するように、企業がアマゾンや楽天といった大手ECプラットフォームから離脱する動きが出てきています。ルイ・ヴィトン、ディズニーやナイキ、ワークマンなどの企業が次々に『アマゾンには出店しない』と宣言し、代わりにショッピファイと組みながら自社のECサイトを充実させているのです。
　ショッピファイの時価総額は現在約10兆円。日本の企業と比べると、ホンダが約5兆円ですからおよそ倍。三菱商事やソフトバンクグループの時価総額も抜き始めている。創業2004年のベンチャーが、ここまでの規模になっているのです」

――すごいですね。

　まあ、そうなりますよ。というのも、これまでのインターネットビジネスは、本来インターネットが可能にするはずだった世界とはまったく違ったものになってしまっていたというのは、ずっと言われてきましたし、再度ラシュコフを引用しますと、以下のような問いをめぐって、実際、この間、ネットビジネスでは大きな転換が起きてきたんです。

「当時、安価なコンピューターとそのネットワークの勃興は、ピア・トゥ・ピアの、より流動的で、より開かれた経済空間が生まれ出る兆しに見えた。それによってわたしたちは、産業の時代から離脱し、タイムカードで管理された歯車であることから解放され、時間を自分の好きに使い、コラボラティブなやり方で、よりクリエイティブな仕事を、家で、それこそ下着姿のままでできるようになるはずだった。けれども、そうはならず、代わりに強欲な企業主義（コーポラティズム）のもたらす最悪の病状を患うはめになった。仕事の減少、権利からの分断、富の格差、企業的な無気力、人為的な成長、あらゆる物事の金融化。
　なぜ、わたしたちは、デジタルが可能にしたはずの、コミュニティ通貨や、働き手自身がオーナーシップをもつことが可能なビジネス、ネットワーク化された協働事業やピア・トゥ・ピアのマーケットプレイスといったものを手にすることができていないのだろうか」

――なるほど。以前からShopifyとともに「Bandcamp」が、テックスタートアップとしては好きだと言ってこられたことの意味がよくわかったような気がします。

※15

結局最近では、音楽配信プラットフォームも、Bandcamp のようなモデルに移行しつつありまして、例えば「Deezer」という配信サービスが、プラットフォームを通じてファンとアーティストがダイレクトにお金のやり取りができるような仕組みを実装する[※16]ことを発表しています。これはUCPS（User Centric Payment System）といって、ユーザーが自分の払ったお金の行き先を決められるもので、ユーザーの主権性が強く謳われています。これは裏を返すと、事業主体者が自分たちの「営業努力」に基づいて、ファンとの関係性を強化し、それによって売上を増やせるようにするものですから、ここにおいても事業のオーナーシップの回復が見られるようになっていると感じます。

——なんだか壮大な迂回をしたという感じがしますね。

実際そうなんだと思います。必要な迂回だったと言えなくもないですが、いずれにせよ大切なのは、Amazon のようなやり方は、それがベストな選択肢だったから世間に選ばれたわけでもないし、それが独占的なビジネスになったことに確固たる合理性や必然性があったわけでもないということを理解しておくことなんじゃないかと思います。

——オルタナティブな道はあったし、いまもある、と。

はい。それしか道はなかったのだと思い込むのは、単純に想像力の欠如なんです。「11人の専門家が語るベゾスのレガシー」のなかで、「Ethical Systems[※17]」のエグゼクティブディレクターであるアリソン・テイラーという人は、次のように書いています。

「ベゾスは、格差と貧困を緩和することを、Amazon の成功と引き換えにすることなくできたはずだ。が、彼はそうしなかった。地球の境界を越え宇宙を目指している人物にしては、なんとも見事な想像力の欠如ではないか」

※16

※17

Field Guidesを読む #42

Jeff Bezos's legacy

February 28, 2021

https://qz.com/guide/bezos/

- ◉11人の専門家が語るベゾスのレガシー
  Jeff Bezos's legacy, according to 11 experts
- ◉ジェフ・ベゾスがアフリカのeコマースに与えた影響
  How Jeff Bezos influenced African e-commerce
- ◉ベゾスの1997年のシェアホルダーレターはAmazonの成功の青写真
  Bezos's 1997 shareholder letter was a blueprint for Amazon's success
- ◉Amazonが推奨するジェフ・ベゾス関連本
  The books Amazon thinks you should read about Jeff Bezos
- ◉ジェフ・ベゾスはいかに経済を変えたかを図表化
  How Jeff Bezos changed the economy, in charts

#43

The dating biz

March 7, 2021

デーティングアプリの黙示録

「幸せな相手を見つけられる人は
すでにみんな見つけてしまっている可能性ってないかな。
もしかしたらいまTinderに残っている人って
家まで送ってくれる人を見つけられずに
パーティの最後まで残ってる人ばっかりだったりしないのかな？」

——ご機嫌いかがですか？

なんだかとても忙しくて、結構しんどいです。

——仕事が忙しいのですか？

そうですね。

——何よりじゃないですか。

まあ、そうとも言えるのですが、どんどん注意力が散漫になっているような気もします。なんというか、締め切りを、次から次へとやり過ごしている感じで、ゆっくり落ち着いて考えて何かを提出する、という感じがないんですね。

——これまではそうしていた、ということですか？

えーっと……まあ、そう言われると、以前とあんまり変わっていないような気もします（笑）。お尻に火がついてバタバタバタバタっと案件を終わらせていく、という感じではありましたので。

——じゃあ、あんまり変わらないじゃないですか。

たしかに。じっくり準備して、期日までに着実に仕事を積み上げていく、みたいなやり方は、どうもあんまり得意じゃないんです。そういえば、この間、どなたかが面白いことを言っていました。おそらく欧米のことを言っていたのだと思いますが、海外でのプロジェクトの進め方って、最初の20％のところを、まずはガーッと固めてからしばらくほったらかしにしておいて、期日が迫ってきたら、残り80％をドドッと終わらせるというやり方が多いそうなんです。一方の日本は、そういうメリハリはなく、全行程を均質にジリジリと進めていくと。それが果たして的確な指摘なのか、自分にはよくわかりませんが、どうなんでしょうね。

——うーん。よくわからないです

ね。まあ、何のためにあるのかよくわからない「定例会議」はありそうですが。

おそらく、この「最初の20％」とは、プロジェクトの方向性やコンセプトを詰めるところなのだと思いますが、そこは大事で、かつ面白いところじゃないですか。ですから、そこではある程度頭を働かせますが、そこから実際にモノをつくっていく作業って、考えたり議論をしたりするところではなくて、実際に手を動かして検証していくことになると思うんですね。つまり、「こういうコンセプトでやろう！」っていうのを、個別具体に落としていくわけで、自分の仕事の場合で言えば、その個別具体の制作とは、具体的な「文言」をつくることだったりするわけですが、それって実際のところ、手を動かして、「ああでもない、こうでもない」といっぱい文言をつくってみないと、何が正解かわからなかったりするんですよね。

——ああ、そういうものなんですか。

コンセプトを構想している段階では、ぼんやりとしたイメージはあるんですが、いざ、例えばタイトルや、キャッチコピーみたいなものをつくってみたりすると、字面がいまひとつだったり、「なんか華やぎがないな」みたいなことは当然あって、想定通りには、いかないんです。

——へえ。

なので、基本、何かにことばを与えるような作業って本当に「作業」なんですよ。自分でどんどん選択肢を出していって、自分で正解を見つけるようなことなので、まずは手を動かさないとダメなんです。

——面白いです。

特にことばのようなものは、自分の力でことばを捻り出すわけにはいかないわけですよね。

——というと？

「自分が感じているこの気持ちを表す単語をつくってきました」と言っても意味ないじゃないですか。

——たしかに。言われたところで、

意味がわかりませんからね（笑）。

なので、基本的に「選択」の問題でしかないわけですし、ある意味、一個一個のことばというのは、どこまで行っても、ある物事や事象の近似値でしかないわけです。

とはいえ、色鉛筆と一緒で、10色の色鉛筆と64色の色鉛筆では、描ける色の幅はグッと広がるわけですから、まずは、たくさんの色の色鉛筆をもっておくことは大事でして、それだけで自動的に、選択肢は広がるわけです。

——ははあ。

かつ、そこに色をうまく混ぜたりする技術をもっていれば、ある程度の色のバリエーションが出せて、かなり精細な表現も可能になります。それらをうまく使いこなすことで、何かを描写したり表現したりすることが可能になるわけですが、難しいのは、正解というものが、あらかじめ決定されているわけではなくて、あくまでも事後的にしか見いだされないというところなんです。

——難しいな。

例えば、友だちとバンドを組むとしますよね。

——はい。

「バンドやろうやろう」となっていれば、すでに音楽的志向性は共通しているはずで、その時点で、「どういうバンドになりそうだ」とか「こういうバンドがいいよね」といった合意は、ふんわりとはあるはずです。で、それを踏まえて、いざ「バンド名を決めよう」となるわけですよね。

——はい。

そのときに、どのバンドもやることは、とりあえず候補をたくさん出してみるということになります。

——たしかに。

ここでとても重大なことは、それ以外のやり方は存在しない、ということだったりするんです。

——というと？

つまり、コンセプトから演繹的に具体名を導き出すことって不可能なんです。もちろん一定の方向性は決められるんですが、論理的にこれという「正解」を導き出すことはできないんです。

――そういうものですか。

　このことは、倫理学・哲学を専門とされている古田徹也先生が『言葉の魂の哲学[※1]』という本のなかで説明されていることなのですが、先生は、100年前のオーストリアの風刺家・論争家カール・クラウスの言語論を考察するなかでこう書かれています。

「クラウスが言葉の力として着目するのはまさにこの点、すなわち、ある言葉が生まれることによって、それが生まれる以前のものの見方や感じ方、考え方などが明らかになる、というある種パラドキシカルな構造である。繰り返すなら、その言葉で表現されなければならなかったものとして、その言葉の創造において初めて『自分が以前から思っていたこと（感じていたこと、見ていたこと等）』が遡及的に浮き彫りになるというところに、言語の創造的必然性と言われる所以があるのだ」

――なるほど。言葉が提出されることで、初めてふんわりしていた何かの正体がわかってくる、ということですね。

　ですから、とりあえずいろんなバンド名を出してみて、そのなかから選ぶことを通してしか「正解」は見つからないということなんです。間違ってはいけないのは、正解というもの自体、ことばが出てきて初めて見いだされるということで、初めから自分のなかに存在していたわけではないというところです。

――でも、自分のなかにないなら、どうやって「正解」を特定できるのでしょうか。

　そこが面白いところで、正解を導き出すのは「しっくりくる」という感覚だ、と哲学者のウィトゲンシュタインのことばを古田先生は引いています。

「彼（ウィトゲンシュタイン）が強調していたのは、最終的にしっくりくる言葉が見出されるまで導きとなるのはしばしば、しっくりこないという感覚以外の何ものでも

※1

ない、ということである」

——しっくりこない、という感覚を頼りにしっくりくることばを探し続ける、ということですか。

そうなんです。面白いですよね。こういうことです。

「『これらの言葉がなぜしっくりこないのか、常に判断したり説明したりする必要はない。それは単にしっくりこないという以外の何ものでもない』。そして、にもかかわらず、しっくりくる言葉がいったん出てきたならば、喉まで出かかりながらもなかなか出てこなかった言葉とはまさにこの言葉なのだと人は受けとめるのである」

——面白いものですね。

ことばというものをめぐるこうしたパラドックスは面白いものなんです。かつ、これは、人が行うあらゆる選択についても面白い視座を与えてくれるものでもあると思います。

——あれ？　もしかして、今回のお題である「デーティングアプリ」の話を、ずっとされていましたか？

特にそういうわけでもないのですが、ある部分では近いところもあるかもしれません。パートナーが欲しいと思ったときに、空想している段階では、人はさまざまな要件・条件を設定しますが、とはいえ、そこからそれに見合った具体が現れ出てくるわけではありませんよね。結局は、提示された個別具体のなかからの選択ということになりますし、そのなかから「しっくりくる」誰かを選ぶというのは、言われてみれば、バンド名を決める作業に似ているのかもしれません。

——デーティングアプリ、使います？　日本では「マッチングアプリ」と言われるのが一般的なようですが。

最近やたらとソーシャルメディアに広告が流れてきますが、よほどパートナーがいなさそうな視聴動態だからなのか、それとも、デートアプリ事業者が莫大な予算を投下して物量作戦に出ているからなのか、ちょっとわかりませんが、残念ながら、使ったことはないんです。

――どうしてですか？

そもそも人見知りなので、知らない人に声をかけるなんてできないんです。恋愛でも基本かなりの奥手なものですから。かつ、ソーシャルメディアを含めオンラインコミュニケーションは滅法苦手です。

――そうなんですね。ナンパとかもしないんですか？

できないですね。

――どうしてなんですか？

うーん。たぶん、変に自意識過剰だからなんだろうとは思います。なんかしくじるとイヤだな、という気持ちが強いので、よほど安全が確保された関係にならない限り、のびのびと振る舞えないんです。

――そうですか。つまらないですね（笑）。

つまらないんです。とはいえ、今回の記事をつくるにあたって、日本のデートアプリの現状がどうなっているのかを少しばかり検索してみていわゆる「デートアプリ事情」を扱った記事を読んでみたのですが、例えば「3つのマッチングアプリを駆使して結婚した26歳OLが語る、『ヤバい男』に共通する〝プロフィールの特徴〟※2」なんていう記事には、こんなことが書かれていました。

「3つのアプリで、いろいろな人に会いました。たとえば、最初からめちゃくちゃ押しが強すぎる消防士、会ってみたら超見栄っ張りだった京大卒の男性、控えめすぎる獣医の男性など……。何度かデートをした人もいますが、どの方にも結婚するイメージは湧きませんでした。

獣医の男性はメッセージのやりとりの段階で『会ったらがっかりさせるかもしれない、ごめんね』と言ってきて……。なんだかそういわれるとデートが楽しみじゃなくなるし、かえってマイナスな印象でしかなくって。本人は優しさの気持ちで、良かれと思って言ってきたのかもしれないけど……。

がっかりするかどうかはあくまでこっちの問題であって、事前に自己申告しないでほしかったな」

――あはは。そんなこと言うのは、

※2

そりゃダメですよね。

自分は、この獣医さんにちょっと共感しちゃいましたけどね。自分にとりわけ自信があるわけでもないので、そう言いたくなる気持ちはわからなくないです。

——えー。端からはまったくそうは見えてませんけど（笑）。

人の内実は、外からはやっぱりわからないものなんですよ。

——あはは、たしかに。なんにせよ、今回の〈Field Guides〉は、コロナ禍のなかデートアプリが非常に好調であるという状況を受けての特集ですが、一方で、「デートアプリ疲れ」という現象が数年前から問題にもなっていまして、ユーザー側の心理的な疲弊と、そうした人たちをどうしてもつなぎとめておきたいアプリ事業者側の攻防が、ひとつの論点になっています。

今回のメイン記事とも言える「オンラインデート産業のすべて※3」（The complete guide to the online dating industry）では、かつてソーシャルメディアについて言われた「あなたはユーザーなのではなくて、プロダクトなのだ」という箴言が、改めて語られています。「デーティングコーチ」という肩書きをもつエリック・レズニックという方のことばです。

「『どのアプリであろうと、あなたはプロダクトなのです』とレズニックは語る。『アプリを眺めているとき、あなたは消費者ですが、一方で、みんなに見られているとき、あなたは商品なのです』」

——過去にも似たような話があったと思いますが、双方向であるデジタルメディアにおいては、常にそういう双方向性が作動するわけですね。発信者であると同時に受信者であり、生産者であると同時に消費者でもある、と。

当然そこにはポジティブな面とネガティブな面がありますから、基本その前提で利用する必要があるのだと思いますが、にしても、デーティングアプリの話になってきますと、「あなたは商品である」ということばは、やはりそれなりに生々しいですよね。

――ですね。

デーティングアプリを社会問題として扱った嚆矢とされるのは、2016年に「Vanity Fair」に掲載された「Tinder と〝デートの黙示録〟の夜明け※4」(Tinder and the Dawn of the "Dating Apocalypse")という記事だそうで、さすが大人向けのハイエンドメディアだけに、ウォールストリートのナンパ師の体験談が赤裸々に綴られていて非常に面白いのですが、ここで筆者のナンシー・ジョー・セイルズは、ある投資銀行の男性のこんなことばを引いています。

「『Seamless みたいなものだよ』。投資銀行に勤めるダンは、オンラインフードデリバリーサービスを引き合いに出して語る。『オーダーしてるのは人なんだけどね』。オンラインショッピングとの比較は的を射ている。デーティングアプリはセックスに自由市場経済をもたらした」

――ふむ。

さらにテキサス大学の心理学教授のこんなことばが引かれています。

「Tinder や OkCupid のようなアプリは、恋人候補がこの世には何千、何百万もいるという印象をもたらします。これは、男性の心理に大きな影響を与えます。女性が余っていると男性が思うことで、マッチングシステムを通して起きるデートはどんどん短期的なものになり、結婚は不安定化し、離婚も増えます。男性はひとりの女性にコミットしなくなり、ますます短期的なデート戦略を採用します。男性側のそうしたシフトに、女性は引きずられることになりますが、そうでないとデートそのものができなくなるからです」

――「真面目な」ということばが妥当なのかどうかはわかりませんが、長く付き合えるような恋人を見つけることが、どんどん困難になっていく、ということですよね。

この「Vanity Fair」の記事は、かなり強硬にそうした傾向に警鐘を鳴らすもので、ある意味、#MeToo に代表されるジェンダーをめぐる潮流に沿ったものとも言えますが、興味深いのは、そうしたアクティビズムが、一方で、デーティング

※3

※4

アプリの伸長を後押ししている面もあるということなんですね。

――そうなんですか？

例えば２０１８年に行われた「社内恋愛」に関する調査[※5]によれば、男性によるセクシャルハラスメントに対する社会的な糾弾は、女性よりも男性のオフィスワーカーに大きな影響を与えているそうです。２０１８年の時点で、３割の男性が、社内でのロマンスは「ありえない」と考えるようになっています。

――なるほど。

調査対象が寄せたコメントには「自分からは絶対声をかけたりしない」といったものから、「女性と一緒の部屋にいることを避けるようにしている」というようなものまであります。

――職場が「人と出会う」空間としてシャットダウンされてしまった、ということですね。

実際、過去の「不適切な行為」を理由にキャリアそのものが潰えてしまうような事例を見ていれば、うかつな「出来心」は、これまでにないほどのリスクになるわけです。もちろん、そうしたハラスメントがまかり通っていた世間に問題があったのはその通りだとしても、にわかに「出来心」が消えるわけでもないでしょうから、そうした「出来心」のはけ口はオンラインのデーティングアプリに見いだされていくことになります。その一方で、あからさまにセックス目当てというわけではなく、長く付き合えるパートナーを探したいと思っている人にとっても、職場が「潜在的出会いの場」でなくなることは、大きな痛手になります。

――そこにコロナによる文字通りのシャットダウンが起きてリモートワークともなれば、現実問題として、新しい誰かと出会うチャンスは激減しますよね。

その結果としてデーティングアプリの伸長もあるわけですが、「Vanity Fair」の記事で指摘されていた「デートの短期戦略化」というのは、そもそもマッチングビジネスのビジネスモデルと関わる部分でもあるんです。

——と言いますと。

事業の持続性を考えたら、みんながじっくりと相手を選んで、その結果、そこで見つけたパートナーとみんなが幸せに暮らしていけてしまったら、商売上がったりじゃないですか。事業者が必ずしもそう思ってビジネスをしているとは思いませんが、事業構造的には、ユーザーが短期でくるくる相手を変えて、ブレイクアップするたびにアプリに戻ってきてもらうほうがいいわけですよね。

——あ、そうか。

かつ、最近では、課金して気に入った相手にバーチャルなバラの花を贈るなどの「中課金」の仕組みもどんどん拡充されて、ゲーム性も高まっているそうです。そうした傾向は、長期戦よりも短期戦を採用するインセンティブになるとも思いますので、とにかく早めに「結果」を出す方向に、サービスが設計されるわけです。

——なかなか相手が見つからないアプリだと顧客満足度も上がらないでしょうしね。

とにかく相手が素早く効率的に見つかることがサービス事業者にとっては大事ですし、もちろんおっしゃる通り、ユーザーの側も、たとえ長く付き合えるパートナーを探したいと思っている人であっても、当然早く「結果」は出てほしいわけですよね。

——次第に「数打ちゃ当たる」って感じにもなってきそうです。

ちなみに、これは「タップル」という日本のマッチングアプリが公表したデータ※6で、「告白が成功したタイミング」を調査したものなのですが、「告白が成功したタイミングは、マッチングアプリで出会ってどのぐらいの期間が経過していましたか?」という問いについて、「マッチングアプリで出会った場合、告白の成功率が最も高いのは1カ月以内で49%。マッチングアプリ以外で出会った場合は半年以上が最も高い」という結果を明かしています。また「マッチングアプリで出会って、デートにお誘いしたタイミングはいつ?」という問いについては、「マッチングアプリでデートに誘う人は1カ月以内が約9割」との結果が出

※5

※6

ています。

——まさに短期戦。

タップルのようなサービス事業者は、こうしたデータを公開することで、「短期で素早く相手を見つけて素早く動けば、デートもできるし、告白も成功する」というメッセージを送っていることになりますから、人びとはみな、短期戦により誘引されることになりますよね。

——そうですね。

デーティングアプリに関する記事は、筆者本人が、自分の体験を綴ったものがかなり多く、そうしたなかで、「The Atlantic」というメディアに掲載された記事※7が面白かったのですが、この筆者は、2014年からアプリを使い始めて、誰かと付き合っては別れてを何度も繰り返し、その都度アプリに戻っていったそうですが、すでに2016年の時点で疲れ始めて、モチベーションが湧かなくなっていったと語っています。そのときに友人から言われたということばが、なかなか怖いんです。

「気が滅入る可能性を教えてあげようか。幸せな相手を見つけられる人は、すでにみんな見つけてしまっている可能性ってないかな。もしかしたらいまTinderに残っている人って、家まで送ってくれる人を見つけられずにパーティの最後まで残ってる人ばっかりだったりしないのかな?」

——めちゃイヤなことを言う友だちですね（笑）。

ほんとですよね。そんなふうに考えてしまったら、すでにして取り残された人たちのなかで、さらに取り残される焦燥感を味わうことになって、心理的にも追い詰められますよね。それでも、多くの人は、アプリのなかに眠っているはずの膨大な可能性、選択肢のなかに、自分が探している相手が見つかる、と思ってアプリから離れられずにいるのだと記事は書いています。

——それはよろしくない負のループです。

実際、事はそれなりに深刻ではありまして、「Journal of Social

and Personal Relationships」は、デーティングアプリが、孤独をより深めることになるという調査結果※8を明らかにしています。かつ、無限に近い可能性のなかから自分が主体的に何かを選び取ることができる、幸福とはそうやって自分で掴み取るのだというような観念は、それが果たされないときに、人を苦しめますよね。これは恋愛に限らず、就職などについてもそうだと思いますが、相手のある話である限り、自分の主体性が及ぶ範囲なんて限られているはずです。にもかかわらずこうした考えが、半ば信仰のようにはびこっているのだとしたら深刻ですよね。これはいわゆる自己責任論にも通じる話だと思います。

――そう言われると、先ほどおっしゃった「自分が探している相手」ということばにも、言い知れぬ危なっかしさがありますね。「自分で決めなくては」という圧があります。

今回の〈Field Guides〉全体が、どこかぼんやりした印象になってしまっているのは、どうもその辺に理由がありそうでして、というのも、デーティングアプリに人が「何を求めているか」というところが、結局のところ、一部の完全にセックス目的の人を除くと、おそらくとても曖昧なんですね。

――たしかに。

一夜を共にするだけの相手を探すのであれば話は早いですし、それが目的の人しかいないのであれば、もっと即物的なマッチングもできそうですが、難しいのは、非常に細かな動機やゴールの濃淡が人それぞれにあることで、それこそ結婚相手を探している人もいれば、ただ話し相手を探しているだけという人だってなかにはいるわけですよね。そうした個々人のモチベーションや欲求が曖昧なところでマッチングが行われていけば、その行き違いがハラスメントへとエスカレートするようなことも起きるでしょうし、なかにはレイプ目的でサービスに加入するような男性がいたりもしますから、非常に危険な空間にもなり得ます。

――そういう事例は結構あるんですか？

実際にレイプされた女性を取材

※7

※8

しつつ、彼女らの訴えに耳を傾けてこなかったTinderを告発した、オーストラリアのテレビ局「ABC」による２０２０年の調査報道[※9]がありまして、これはつくりの非常に凝った、デザイン面からも優れた記事ですので、ぜひ見ていただけたらと思いますが、こうした問題が出てきますと、やはりサービスの提供側も、自分たちが何を提供しているのかを顧みなくてはならなくなってきます。

——そうですか。

あらゆるデーティングアプリは露骨に「セックスのお供が見つかる」とは謳わないわけですよね。むしろ「あなたにぴったりのいい人が見つかる」「大切な人が見つかる」といった方向で、集客を行ってきたはずです。もちろん、そのふたつは明確に分かれているものではありませんし、セックスのお供かと思っていた相手が生涯の伴侶になるようなことだってあるわけですから、切っても切り離せないところではあります。とはいえおそらく多くのユーザーは、もっとふんわりと「パートナーが欲しい」と思っているはずで、それは、要は「自分と趣味や価値観が近い人と、できれば長く共に過ごしたい」ということだと思うんですね。おそらく日本でもそうだと思うんですが、サービスの提供価値については、基本的にそういう線でコミュニケーションがなされているはずです。

——まあ、そうですよね。広告とかの見せ方としては、少なくとも表向きには「健全なお付き合い」っていう線ですよね。

アメリカの場合は、もう少し踏み込んで、魂と魂が触れ合うような「ソウルメイト」を見つけようという感覚もあるようですが、ところが「The Washington Post」の２０１８年の記事「TinderとOkCupidはあなたのソウルメイトを探すことはやめたらしい。広告がそう認めている[※10]」(Tinder and OkCupid have given up on finding you a soul mate. Their ads even admit it)によれば、TinderやOkCupidといった大手アプリが、ある時期から、急に「愛」や「パートナーシップ」を語ることをやめたそうなんです。

——へえ。

この記事によると、Tinderの広告が、それまでの「長く深くコミットし合うふたり」という線から、突如「独身万歳！」「ひとりって最高！」というものに変わったとしていまして、特に若い世代に向けて、よりカジュアルでライトなリレーションシップを後押しするものになったそうです。

――ほお。

記事はそのことに対して批判的ではあるのですが、とはいえ、Tinderの広報の方によれば、そこには、特に男女関係における女性の不自由を解放するというメッセージもあったそうですし、加えて、若い世代になればなるほど「深いコミットメント」といったものへのリアリティを抱きづらくなっているという背景があるのだとすれば、「独身楽しい！」みたいな方向性が、それだけをもってして「セックスもしくは売春の新自由主義化」みたいなことにはならないところもあるのだろうとは思います。

――なるほど。事業者側としても、その辺は、なかなかハンドリングが難しそうですね。「結婚」というゴールがはっきりしている「婚活アプリ」であれば、ユーザーのモチベーションも明確ですし、動機の部分でも大きな齟齬は出ないのでしょうけれど、そこに特化せず、ふわっと「デート」に焦点が置かれたサービスは、ユーザーがみんなそれぞれに異なる動機とゴールをもっているわけですもんね。

それこそ、Tinderの「Passport」という機能に焦点をあてた「ボーダーレス・デートの勃興[※11]」(The rise of borderless dating)という記事では、フィジカルなデートが不可能な遠隔地にいる相手と、オンラインでバーチャルデートを楽しむ人たちが増えている状況が明かされていますが、そうなってくると、もはや、何をもって「付き合っている」「恋人である」と言えるのかすら曖昧になってきてしまうわけです。特にコロナ以降、フィジカルコンタクトが制限されていればなおさらその傾向は加速しますよね。

――なるほど。いわばサービスが目指すべき「ゴール」自体が無効化している感じなのかもしれませんね。

※9　※10　※11

実際、ハナからそんな明確なゴールなんてないようにも思うんです。出会った人がどういう人かによって、目指したい先なんて変わるじゃないですか。ですから、そもそも「デーティング」のサービスには、結婚かセックスかの明確なゴールがない限り、その価値を定義するのが難しいように思います。そうした困難の結果かどうかはわかりませんが、「meet-me[※12]」のようなコミュニティアプリが「出会いの場」として注目されてきていたり、「Bumble」のような女性主導のデーティングアプリに、ビジネス上でのつながりを促進するような「Bumble Bizz[※13]」というフィーチャーが追加されたりと、コミュニティビルディングに力を入れる動きが出てきています。

――1対1ではなく、もう少しふんわりした集団のなかで、人と人が出会うチャンスをつくっていくということですね。「デート」ではなく、広義の「出会い」に焦点が移っていくわけですね。

Match という、マッチングサイトの古参の大手が、最近、韓国で「ソーシャルディスカバリー」アプリを提供しているHyperconnectを買収[※14]したのも、こうした流れにおいて理解されているようです。このHyperconnectは、ライブストリーミングアプリのほか、リアルタイム翻訳機能のついたビデオ／オーディオチャットアプリなどももっているそうで、Match は、こうした機能をおそらくマッチングサイトに加えていくことになると見られています。

――まあ、でもよくよく考えてみたら、いきなり出会い頭に「この人いいな」ってなることもないわけではないにせよ、例えば会社だったり学校だったりで人を好きになったりするのって、どちらかというと、自分ではない誰かに対して、その人がどう振る舞っているのかを見たりすることを通してだったりしますよね。言ってみれば、お互いの社会性を見ているというか。それが情報としてまるでないところで、いきなり「ソウルメイト」とか言われても、なんだかおまじないのような感じもしちゃいます。

今回の特集を読んでいて思ったのは、人は、他人とのリレーションシップにおいて、必ずしも自分が何を求めているのか、多くの場合明確にわかっているわけではないということです。つまり、それは、個別具体の誰かがいて初めて「事後的に」あるいは「遡及的に」見いだされるものであるということなんだと思うんです。

——あ、最初の話につながった（笑）。つまり、「自分が探している相手」が曖昧なのは、そもそもの話として、それがあくまでも事後的にしか見いだされないからだ、ということですよね。恋に落ちて初めて恋だとわかる、みたいな（笑）。

最初に「しっくりくる」という話をしましたが、「しっくりくる」ことにおいて大事なのは、あらかじめ「しっくりくる」ための条件が存在しているわけではない、というところなんです。なので、「しっくりくるもの」が見つかる前においては、人にわかるのは「しっくりこないものはしっくりこない」という感覚だけです。で、あるものを見て「しっくりきた！」となった時点で、初めて「しっくりくるもの」の要件が立ち現れるという順序なんです。というのが、少なくとも、「ことばの選択」についてウィトゲンシュタインが語ったことなのだそうですが、これが果たして恋愛に適用できることかどうかはわかりません。

——面白いですね。ある人が現れることで、自分の知らなかった何かが作動する、みたいなことが起きるわけですよね。

でも、それがしっくりくると感じられるのは、それが自分のなかにずっとあったものであるように感じられるからですよね。であればこそ、そこには必然性が感じられるわけで。

——恋愛論ですよ、それ。

どうなんでしょう。少なくとも、誰かと友だちになるみたいなときは、そうしたメカニズムが大いに作動している可能性はありそうです。友だちについては、おそらくほとんどの場合、「こういう友だち欲しいな」などとは思うことなく、たまたま誰かと出会って「なんかしっくりくるな」という感じで付き合いが始まるわけですよね。友だちは、あくまでも、その人が存在して初めて、事後的に、それが必然的な選択であったように思えるもので、そこに選択があった

※14 ※13 ※12

かどうかすら意識しないものですよね。でも、恋愛は、そこからはみ出していく部分がありそうな気もしますから、よくわからないですね。もうちょっと危険な要素が含まれているような気もしなくはありません。

——あはは。めちゃ意味深ですね。そこ、もう少しお伺いしたいところですが。

だいぶ長くなってしまったことですし、今日はこの辺でやめておくとしましょう。

——ちぇ。残念。

Field Guides を読む #43

The dating biz

March 7, 2021

https://qz.com/guide/the-dating-biz/

◉オンラインデート産業のすべて
The complete guide to the online dating industry

◉ボーダーレス・デートの勃興
The rise of borderless dating

◉ニッチな特典や有料機能はオンラインデート疲れを緩和できるか？
Can niche offerings and paid features make online dating less exhausting?

◉国産アプリがインドの小さな町のデートを助ける
How India’s homegrown apps help people date in small towns

#44

How TikTok is changing music

March 14, 2021

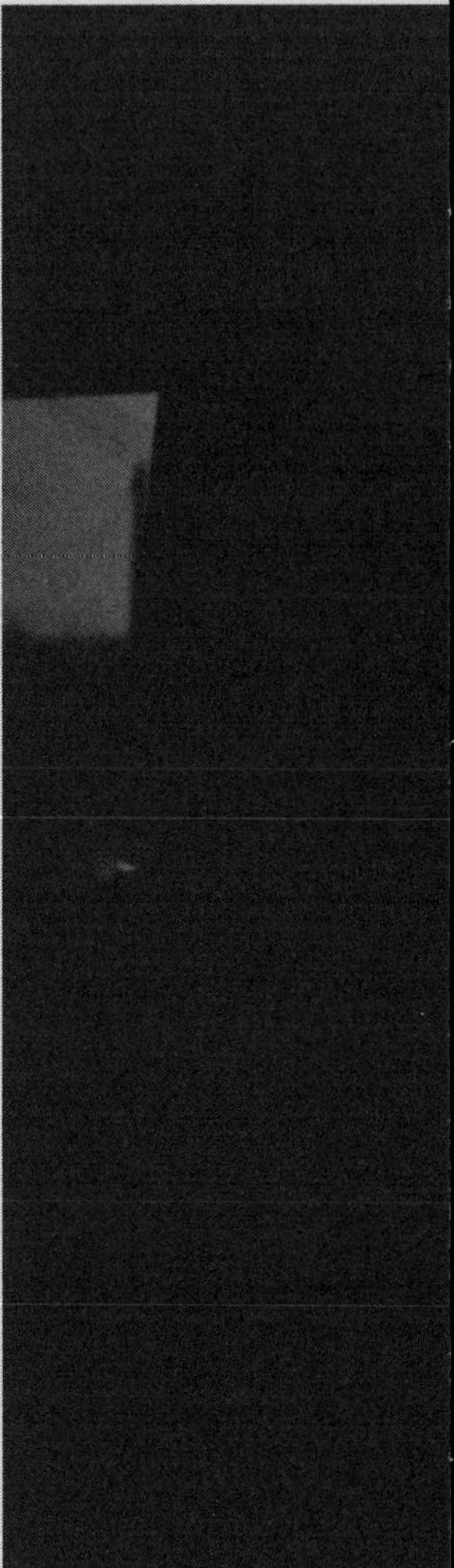

ティックトックの訓戒

ちゃんとお客さんを選んでいるブランドって強いじゃないですか。
「ファンをつくる」っていう行為は、別の言い方をすると
「ファンでない人と選別する」ことでもありますから
そこには、明確に「排除」の論理が作動しているはずで
そうでない限り、ファンにとって「ファンでいること」は
ちっとも楽しくないはずです。

——今回のお題は「『TikTok』はいかに音楽を変えているか」です。得意なジャンルですよね？

え。そうですか？ TikTokなんてまったくわからないですよ。

——あれ。そうですか。

はい。かなり自信あります。

——わからないことに（笑）。

ええ。むしろ教えてほしいくらいです。

——困りましたね。

基本的に、「バズる」ものに特に興味がないのだと思います。

——そうですか。

事務所や家にある本などを改めて見直してみても、いわゆるベストセラーってまったくといっていいほどないですし。

——ないですか。

先日、ちょっとした仕事で戦後日本のベストセラーのリスト[※1]を見ていたところ、有吉佐和子さんの『恍惚の人[※2]』や『複合汚染[※3]』が入っていましたが、それであればおそらく本棚のどこかにあるはずです。

——あはは。

あと、橋本治さんの『桃尻娘[※4]』とか。

——まあ、たしかにベストセラーではありますが（苦笑）。

といっても、基本リアルタイムで読んでいたわけではないんです。流行りものは割と後から追いかけることが多いかもしれません。

——昔からそうですか？

どうでしょう。思い返してみますと、時代とちゃんとシンクロしていたのって、中学生時代だけだったかもしれませんね。音楽について言えば、その時代だけはポップチャートのトップ200に入っていた曲の90％近くはわかるんじゃないかと思います。

——それ以降となると。

うっすらとはわかるんですが、メインストリームとシンクロしていた感じはないですね。ただ、当時はまだショップも含めたマスメディアの存在が安定していましたので、自分から熱心に追わなくても、何が流行っているのか、メインストリームで何が起きているのかは、それとなく察知できた気がします。

——そうなんですね。

MCハマー[※5]なんて、日本人全員が知っていたんじゃないですか。

——たしかに（笑）。

ところが、自分でもあまり意識はしていなかったのですが、2000年くらいを境にして、「海外の動向がなんとなくでも漠然とわかる」みたいな感じがなくなっていったんですよね。それは実は、インターネットの一般化を境にして起きたような気がしなくもありません。正確なところは、よくわからないのですが。

——へえ。

おそらく2000年代の中頃だったと思うのですが、あるときグラミー賞のノミネートを見ても「どの曲もわからない」ということがありまして、自分としては結構ショックだったんです。それなりに音楽をずっと追いかけていましたし、それがメインストリームのものではなかったにせよ、一応、視界の片隅では押さえていたつもりだったんです。

——なのに、まったくキャッチアップできていなかった。

そうなんです。そこで感じた「おれら知らない間に閉じちゃってない？」という感覚は、自分にとってひとつの大きな転換点にはなっています。ちょうどその後「GQ」という海外のメンズカルチャー誌をお手伝いするようになったのですが、その仕事をする上で大きな問題意識となっていましたし、そ

※5 ※4 ※3 ※2 ※1

れは「WIRED」というメディアでの仕事にもつながっていたと思います。

――いわゆる「ガラパゴス」ってことですよね。

おっしゃる通りなのですが、「ガラパゴス」ということばの問題は、そのことば自体が日本でしか流通していないところですよね。つまり、そのことば自体が閉じているので、取り立てて批判性もないいんですね。

――たしかに。自分たちで言っているだけで、外からそう批判されているわけでもないですもんね。

不思議なんですよね。自分の肌感覚に従うなら、インターネットという世界とつながることのできるツールが広まっていくのと同時に閉じていったわけです。これが、どういうメカニズムで起きたのか、うまく説明ができないんです。その一方で、経済の分野における「グローバル化」は着実に進行していたわけですし。

――謎ですね。

なんにせよ、ちょうどその頃から、当たり前といえば当たり前なのですが、「やっぱり自分には見えていない領域がいっぱいあるのだな」ということは強く感じるようになりまして、特にデジタル空間にあらゆる活動の軸足が移っていきますと、それなりの規模感になっているムーブメントであったとしても、まったく見えなくなってしまうんですね。

――「あれ、バズってましたね」みたいな会話が、どんどん成立しなくなっていますよね。

使っているツールによって、見えている景色がまったく違うのだろうと思いますし、そのなかでもクラスターごとに領域がセグメントされているのだとすれば、よそのチャンネルのよそのクラスターで起きていることは、まずもって把握できませんよね。

――たしかに。

さらに、時代の趨勢がマスメディアからデジタルメディアへと移行していくなかで何が変わっていったかについては、この連載でもたびたびお名前を挙げている池田純一さんという方の面白い指摘があります。

——ほお。

かつては「世代」というものが「コンテンツ」によってセグメントされていたけれど、デジタルメディア以降は、「世代」は「アプリ」、つまりは使っているツールによってセグメントされる、ということを池田さんはおっしゃっていて、これは面白いなと思います。

——「ミクシー世代」なんていう言い方、ありますもんね。

池田さんのこの指摘は、実は今回の〈Field Guides〉で何度も指摘されることなんです。

——あ、そうですか。

はい。例えば、「TikTokはいかに音楽産業を変えつつあるか※6」(How TikTok is changing the music industry) という記事には、こんな記述があります。

「ジャスティン・ビーバーはYouTubeで見いだされた。ショーン・メンデスはVineで存在感を発揮した。カーディ・BはInstagramの女王だったし、アークティック・モンキーズはMySpaceから名を上げた」

——なるほど。

さらに別の記事「ティックトッカーがレコーディング契約を結ぶまで※7」(How TikTokers get record deals) では、Soundcloudとビリー・アイリッシュの関係性が言及されています。

——面白いですね。プラットフォーム、もしくはアプリに対応するかたちでスターが輩出されていく、という構造になっているわけですね。

はい。今回の特集において重要な点は、そこなんです。どういうことかと言いますと、フィルターバブルの構造を考えれば、あるプラットフォームの内部で完結していておかしくない「バズ」が、あるクラスターのみならずプラットフォームからもはみ出して「社会的な現象」になって、社会的に認知される「スター」が継続して輩出されているのはなぜか、という

※6 ※7

ことで、ビリー・アイリッシュがSoundcloudから出てきて、気づけば「世界的なスター」になっていることは、なんとなく当たり前のように感じることではあるのですが、本当はそんなことはなくて、そこには別のメカニズムが働いているわけですね。

——んーと。どういうことでしょう。

今回の特集は、記事としては3本しかないのですが、そのうちの2つがミュージシャンの「レコード契約」を話題にしていることからもわかるように、ソーシャルメディア空間って、結局のところ、いまも昔も、それ自体としては経済空間にはなっていないんですね。

——ん？ わからないです。

それこそMySpace全盛の昔から、ミュージシャンのソーシャルメディアからの「エグジット」の仕方って、実は、さして選択肢がないんです。「TikTokはいかに音楽産業を変えつつあるか」の記事は、こう指摘しています。

「TikTokが音楽産業を本当に変えるためには、単にミュージシャンの『露出』を増やしてあげるだけでは足りない。ミュージシャンたちが自分たちの作品をマネタイズする方策がそこにはなくてはならない。どうマネタイズするかは個々のアーティストの選択になるが、いまのところ、選択肢はさしてない。ストリーミングの収入を増やすべく露出を稼ぎ続けるか、レコード会社との契約を取り付けるか、さもなくばブランドと提携してスポンサードコンテンツをつくるかだ」

——ははあん。なるほど。つまり、TikTokでいくらバズったところで、それで食えるようにはならないということですね。

はい。今回の特集は、要は、いかにTikTokが、音楽産業——特にメジャーレーベル——にとって新人アーティストを発掘する草刈場になっているかを明かしたもので、実際、2020年にTikTok出身のアーティスト70組以上がメジャーレーベルとの契約を得たことを、TikTokは自社のレポートで誇っています[※8]。ただ、これも、なんというか、割と「だから何？」

って気持ちになってしまいますよね？

——そうですか？　いい話なのではありませんか？

　ある一面においては、もちろんいい話なんです。ソーシャルメディアを通じて地道にファンベースを構築してきたアーティストが大手レコード会社と契約を結び、その存在が社会化され、時代の空気をアップデートしていくことは重要なことですし、リスナーとしても楽しいことだとは思うんです。ただ、その一方で、いまあるビジネス構造のなかでは、先の指摘の通り、自らの手で自分がつくり上げたファンベースをマネタイズすることがなかなかできないんですね。自分のファンベースを換金するためには、ストリーミングプラットフォームに頼るか、レコード会社に頼るか、どこかの企業に頼るか、原理的には、この3つの選択肢しかない、と記事は言っています。

——自分でせっせとつくったお客さんたちを、他人の土俵にせっせと送客することで、そのおこぼれに預かる、という構図になっちゃっているわけですね。

　そうなんです。例えば、ストリーミングプラットフォームの問題について言いますと、先の記事はこんなことを指摘しています。

「昨年11月、ミュージシャンたちの組合が『Spotifyに正義を』※9というキャンペーンをローンチした。そこで1万8000人の組合員たちは、Spotifyに対して、せめて再生1回にあたり1ペニー（1・3円）がアーティストに支払われること、権利料をめぐる訴訟を取り下げること、さらに財務の透明性を求める要求書を提出した。現在のところ、Spotifyの支払いは、ユーザーのサブスクリプションからの売上と広告で得た収益を、全体の再生回数における各アーティストの再生回数の比率に応じて分割する『プロラタ方式』に基づいている。結果、上位10％のアーティストに収益の99・4％が分配されることになっている、と『Rolling Stone』誌は指摘している」

——ああ、そうか。聴かれた分に応じて支払いがなされるわけではないんですね。

※8　※9

そうなんです。これは結構ツラいですよね。1回でも多く再生されるように努力しても、それに応じた収益を得ることはできず、むしろ、上位10%の人たちが全体のパイを増やしてくれたほうが収入が増える、という構造ですから、実はかなりいびつなシステムなんです。逆の言い方をするなら、こうしたストリーミングプラットフォーム自体が、TikTokなどの他社プラットフォームで起きる「バズ」をアテにしている構図にもなっているわけです。

——うーん。

ソーシャルのバズをアテにしているという点ではレコード会社も一緒です。数年前にあるイベントで日本の大手レコード会社のディレクターの方が、若いインディアーティストの人に「どうやったら音源を聴いてもらえるんですか？」と訊ねられて、「まずフォロワーを5万人以上にしてから連絡いただけたら」といけしゃあしゃあと答えていまして、「おー、搾取する気まんまんじゃんか」と思ったものでしたが、記事を読む限り、このマインドセットはあまり変わってはいないんですね。

もちろん、その5万を50万、500万に増やすのが、大手レコード会社の仕事だというのはその通りだとも思いますし、それを実現すべくそれなりの投資もするわけですから、言い分はわからなくもないのですが、とはいえ、TikTokは、2020年だけでも再生回数が10億回を超えた動画が176点もあったと言いますから、「バズったヤツを捕まえて商売したれ」というやり口は、どんどん横柄・横着になってきているようにも見えます。

——「TikTokのスターたちは名声への道をどのように再発明しようとしているか[※10]」(How TikTok stars are reinventing the path to fame) という記事は、Tai Verdesというアーティストが、自身がつくったデモ曲をクルマのなかで歌った動画が450万再生を超え、Spotifyの「バイラル50チャート」にランクインした時点で、数社から契約のオファーを受けていたことを明かしています。

アーティスト側も、すでにこうした「搾取」の構図については、だいぶ意識的になってはいるようで、記事で取り上げられたTai Verdesは、Aristaという大手企業と契約を結ぶ際に、アルバム複数枚契約という通例のやり方ではなく、EP1枚分の短期契約で収益はレコード会社と折半、原盤権についても本人が保持という契約を勝ち取ったそうです。これだけアーティスト側に有利な契約は、ジェイ－Zやリアーナ、U2やフランク・オーシャンといったほんの一握りのアーティストしか前例がない[※11]んですね。かのテイラー・スウィフトですら、自分で原盤権をめぐって熾烈に戦った結果、負けていまして、彼女は2018年以降の作品についてしか原盤権をもっていないんです。

——そう考えると、このTai Verdesの契約は、ある意味快挙ですよね。

アーティストがTikTokでのフォロワー数や再生回数を武器に、自分たちに有利な交渉をできるようになったことは、たしかに喜ばしいことですが、こうした状況が危ういのは、やはり根本のところで、「バズ」というものが、ひたすら予測不能なものだからです。

——すべてがまぐれ当たり、みたいなところがあるということですよね。

「ティックトッカーがレコーディング契約を結ぶまで」の記事では、マネジメント企業のエグゼクティブが、「TikTokでのバズは非科学的なものだ」と語っていまして、「バズるための戦略」は基本存在しないと指摘しています。おっしゃる通り「当たるも八卦、当たらぬも八卦」なんです。

——ですよね。

かつ、TikTokのように30秒以下の動画でユーザーをつなぎとめておかなくてはならないアプリの構造から、アーティストは自分の音楽よりも「自分自身」を切り売りすることとなります。そうなると今度はいざ音楽をマネタイズしようとしても、誰もそこにはお金を払ってくれないという事態も起きてしまいます。ですから、「どうやって自分のファンベースを耕していくかを、アーティストはよく考えておかないといけません」と、記事は強く戒めています。

——記事内に「バイラルするスキルと、音楽家として成功するため

※10　※11

のスキルはまったく違うものだ」という一節もあります。

難しいところですよね。最終的には「やっている音楽が大事だ」というのはその通りだとはいえ、必ずしも「バイラルすること」を求めないアーティストであっても、現状の環境のなかで地道にファンベースを積み上げていくためには、チャンネルやプラットフォームに合わせて最適な「伝え方」を模索することは最低限必要になります。そこでの問題は、音楽家自身が必ずしもそうしたことに長けているわけでもないということで、となるとマネタイズの道筋まで含めた包括的なビジネス戦略を描けるパートナーが、アーティストにはどうしたって必要になってくるような気がします。

――レコード会社がそれをやってくれるものだと思っていましたが。

レコード会社は言ってみれば、もはや投資家かVCの役割に近いものですから、投資対効果（ROI）が見込めないと見れば、すぐにでも契約をドロップする立場なんです。いまお話ししたように、音楽家を音楽家として持続的なやり方で成功に導き、それに向けて伴走すべきはずなのは、どちらかというとマネジメントのほうだと思います。

――ああ、そうか。

そういえば、つい先日、ポール・ワチターという元インベストメントバンカーに関する面白い記事[※12]を「Fast Company」で読みました。この方がやっている「Main Street Advisors[※13]」という会社は、基本的には財務コンサルタント企業ですが、クライアントはレブロン・ジェームズからドレイク、ビリー・アイリッシュ、ボノ、ジミー・アイオヴィン、ドクター・ドレー、88risingと多岐にわたっていまして、彼のユニークなところは、アーティストやスポーツ選手を単に「音楽をつくる人」「スポーツをやる人」と見なすのではなく、一種の「スタートアップ」もしくは「社会起業家」のような存在と見なし、共にビジネスをしていくパートナーとして、投資を行うだけでなく、ビジネスの構築を手伝っているところです。

――へえ。そんな会社があるんですね。

もちろん、アーティスト側がこうした動きができるのも、そもそも大きな名声をもっているからで、名声のはるか手前にいるアーティストがいきなりやれるようなビジネスモデルではないと思いますが、アーティストの社会的な価値を、レコード会社やサブスクリプションプラットフォーム上でただの「商品」としてのみ換金しているだけの現状を、面白いやり方で突破しているような気はします。

――たしかに。それこそビリー・アイリッシュが2019年の「Where do we go?」ツアーで、Reverb という非営利環境保護団体やGlobal Citizen とパートナーシップを組み※14、当時はぼんやりと「ダイナミックなことをやるなあ」と思っていましたが、アーティストの意向や価値観をダイナミックなビジネス／ムーブメントへと転換していくような策士が背後にいたわけですね。

実際すごいんですよね。レブロン・ジェームズとマーヴェリック・カーターのふたりが設立した「SpringHill Company※15」というプロダクション会社は、昨年1億ドル調達し、数カ月のうちにAmazon、Netflix、Universal などと契約を結び、Disney からは「ダイバーシティとインクルージョン」についてのアドバイスを求められていたりもするそうで、コンテンツづくりを通して、人種的公正について発信していくことを目指す、とされています。

――ははあ。

レブロンは、自身の会社の設立の理由を「プラットフォームをもっている者として何をすべきか考えた結果」と語っていますが、彼は、自分の名声や知名度、動員力を「プラットフォーム」として理解しているんですね。ここは面白いところだと思います。ビリー・アイリッシュにしてもおそらくはそうで、こうした観点に立てば、「ファンベース」と呼ばれているものは、そこからお金を搾り取る対象としての「消費者の群れ」ではなく、共に何かを実現していくパートナーとして認識されていくことになるように思います。

――面白いですね。

この連載でも何度か、K-POPのファンベースの話をしたかと思

※12　※13　※14　※15

いますが、あるアーティストとそのファンベースの関係性は、もはや「生産者」と「消費者」の関係性ではなく、それが一体となった「プラットフォーム」と見なすべきものになっているんですね。であればこそ、ブランドから非営利団体、さらには国連のような国際機関までもが協力を求めるようなことが起きるわけです。

――ふむ。でも、それって従来のセレブビジネスと違うんですかね？

これまでと違わないようでいて、大きく違うのは、活動のオーナーシップが、メディア側ではなくアーティスト側、アーティストの能動性・主体性にあることかなと思います。これまでは、メディア側の意向にアーティストが乗っかる、もしくは「乗せられる」という格好だったのが、いまでは完全にベクトルが逆になっているように感じます。

――アーティストの活動にメディアなりが動員される、と。

そうですね。こうした動きの重要な点は、まず前提として、アーティストとファンが「意味」というものにおいてつながっていることにあるのだと思います。平たいことばで言えば「価値観」とも言えますが、そうしたものでつながった信頼関係が「フォロワー数」を単なる数字以上の価値へと変えているんですね。

もちろん、多くのミュージシャンやアーティストは、ビリー・アイリッシュのような「巨大プラットフォーム」にはなりえませんし、すべてのミュージシャンやアーティストが、「地球環境」や「社会正義」といったお題目を掲げる必要もまったくないと思います。ただ、ちゃんとしたファンベースをもつことは、たとえそれが小さなものであれ、きちんと「意味」や「価値」に立脚したものであれば、それがビジネスの源泉になるだけでなく同時に社会的な運動の起点にもなりうるということは、この間見いだされた大きな発見であるような気がします。

――先ほど、日本の大手レコード会社のディレクターの「フォロワーが5万人を超えたら音源もって来なよ」という発言を挙げられていましたが、こうして考えてみると、このことばの残念さは、結局のところアーティストをただの「商品制作者」、フォロワーをただの「消費者」としてしか見ていないところにあるのがよくわかります。

〈Field Guides〉に戻って、いま一度「ティックトッカーがレコーディング契約を結ぶまで」を読んでみますと、こんなことが書かれています。

「アーティストがさまざまなSNSプラットフォームで必死にバイラルしフォロワーを稼ごうとしているのを横目で見ているマネージャーは、数を増やすことが必ずしも価値になるわけではないことに気づくはずだ」

――アーティストの価値は、単なる数字の大小ではなく、そのアーティストがどういうファンベースをもっているかによって変わるということですよね。

はい。でも、それって特段新しい話でもないですよね。やはり、ちゃんとお客さんを選んでいるブランドって強いじゃないですか。「ファンをつくる」っていう行為は、別の言い方をすると「ファンでない人と選別する」ことでもありますから、そこには、明確に「排除」の論理が作動しているはずで、そうでない限り、ファンにとって「ファンでいること」はちっとも楽しくないはずです。

――「お金払ってくれる人なら誰でもいい」っていうコンテンツには、そもそも「ファン」っていう概念すら成り立たないですもんね。

「自分のお客さんのことが好きでもなんでもない」というビジネスは、基本的に「不幸なビジネス」なんだと思います。で、せっかくいいファンベースを築いても、ひょんな「バイラル」のおかげで客筋が荒れたりしてしまうと、やっている側も楽しくないですよね。ですから、「バズ」を取りにいくにしても、その辺は注意したほうがいいと思います。なかには、「それでもおれはとにかくバズりたいんだ」っていう人もいるでしょうけれど、そういう人はどうせたいしたコンテンツはつくれないので、別に無理して追っかけなくてもいいじゃないですか。

――そうですか。

と、思いますよ。

――冒頭にトレンドについては後追い、という話がありましたけど、その辺を見極めるために後追いするということなのですか？ つまり淘汰されて残ったものだけ知ってりゃいいじゃん、と。

どうでしょうね。それこそひと昔前に、「MySpaceからすげえのが出てきた！」という触れ込みで、あるバンドがメジャーレーベルと契約して、それこそサマソニかなんかにも来たことがあったんです。たしか佐々木俊尚さんという方が書いた『電子書籍の衝撃』という本でも、そのバンドのことが紹介されていて、うろ覚えですが、これからはソーシャルプラットフォームが新しいスターをつくり出していくのだ、これによって音楽業界は変わっていくのだ、といったことが書かれていた気がするのですが、それを読んで「こんなクソバンドしか輩出できないなら、ソーシャルプラットフォームもたかが知れてるな」と思ったんですよね。

――あはは。なんてバンドですか、それ。

「ハリウッド・アンデッド[※16]」というバンドですが、知ってます？

――すみません（笑）。

ほんとにひどくて。

――そう言われると聴きたくなります（笑）。

デジタルプラットフォームが突発的に世界的な才能を生み出してきたのは、たしかにその通りではありますが、じゃあそれが、それぞれのプラットフォームで活動しているアーティストの何%を占めているのか、あるいは、売れていると世間で言われているアーティストが、そこに何%いるのかを考えてみれば、そっちのほうがよほどの特殊事例なわけですよね。TikTokですらメジャーデビューできたアーティストは年間に70組しかいないんですよ。そうした「成功」だけが、あたかも「成功」だというふうに喧伝されると、うっかりそう思い込んでしまう人もたくさん出てきてしまうのだと思いますが、そんな天文学的な確率しかないチャンスを追うことは、キャリア形成の道筋としては、よほど遠回りだと思うんですけどね。

――この連載も、全然バズらないですが、それも意図してのことだからそれでいい、ということですよね？

いえ。それとこれは話は別です。正直もう少し反応は欲しいところです。

――おい。

私だって、たまにはバズりたいと思わなくはないんですよ。

――こら。

すみません。

※16

Field Guides を読む #44

How TikTok is changing music

March 14, 2021

https://qz.com/guide/how-tiktok-is-changing-music/

- ●TikTokはいかに音楽産業を変えつつあるか
  How TikTok is changing the music industry
- ●TikTokのスターたちは名声への道をどのように再発明しようとしているか
  How TikTok stars are reinventing the path to fame
- ●ティックトッカーがレコーディング契約を結ぶまで
  How TikTokers get record deals

#45

Is telehealth medicine's future?

March 21, 2021

テレヘルスの梃子

遠隔医療は、その根本において「医療格差」を改善することに一番の期待がかけられているんです。

――また、オリンピック関連で炎上していますね。今度は、佐々木宏さんというクリエイティブディレクターが早々に放逐されました。

「オリンピッグ[※1]」ってのは凄かったですね。アイデア出しの局面での思いつきということで「目くじらを立てるのもどうか」という意見もあるそうですが、改めてタイムラインを見てみますと、このアイデアが出されたのが2020年3月5日だそうで、開催の1年延期が決まったのが3月24日ですから、これ、「1年以上も前に行ったブレスト時のやりとり」というよりは「開催が数カ月後に迫ったなかで出されたアイデア」のように思えますが、どうなんでしょう。

――言われてみるとそうですね。

このところのオリンピック関連の騒動を見ていて不思議に思うのは、これ、本来であれば昨年やるはずのものだったわけですよね。ということは、昨年の3月24日までにはそれなりに準備、決定されていたはずで、それがパンデミックによって大きく変更されることになったとはいえ、この間の体たらくを見ていますと、仮にコロナがなかったとしても、本当に昨年開催できていたのかなと思ってしまいます。

――こういう大型イベントが実際にどういうスケジュール感で実施されるのかはわかりませんが、開催数カ月前に「オリンピッグ」って、たしかに怖いですね。

今回話題になっていた女性振付家を含めた7人の演出チームが解散し、佐々木宏さんという方が統括の立場に就いたのが2020年の12月ですから、それなりに骨子が固まっていたからこそこれだけ乱暴な人事ができたのか、あるいは、なかなか骨子も固まらないからこうしたことが行われていたのか、内部の事情はわかりませんが、傍から見ていると不安でしかないですね。

――問題になった佐々木さんという人については、何か思うところはありますか？

携帯電話会社のCMも缶コーヒーのCMも、特段面白いと思ったことはなく、むしろあまり好きではありません。どうして好きじゃないのかを改めていま考えてみているのですが、実はあまりうまく特定できないんですよね。で、そこが、おそらくあまり好きではない理由なんだろうと思います。

――ほお。

うまく言えませんが、意表をついたアイデアでクリエイターとして頭がキレる感じを出しながら、同時に大衆の支持を集めることもできるというのがおそらく佐々木宏さんという方の強みで、ハイエンドもローエンドもカバーできるクリエイティブを発動できるというところにご本人の自負もおありなのだと思うのですが、その「両方押さえます」って感じが、個人的には鼻につくという感じでしょうか。やたらと操作的だな、と感じてしまいます。

――操作的？

アイデア自体は、ある意味バカっぽいんですよ。でも、それが完全にバカっぽくはなくて、頭のよさを見せたいがための「バカっぽさ」のように見えてしまう、という感じでしょうか。

――「オリンピッグ」というアイデアにも、そういう感じはありますね。「バカっぽいアイデアを臆面もなく出せるオレってチャーミングじゃない？」というような自意識を感じますよね。謝罪文にもその感じがありました。

広告の人ってどうしたってマスを相手にするので、「ただカッコいいだけ」みたいなアイデアを一段低くみるところがあったりするんですね。やはり一般性が大事なので。とはいえ、「トップクリエイター」と呼ばれるためには、ただ大衆におもねるだけではダメでしょうから、先進性やアイデアの冴えは必要になるはずで、その両方をどうバランスするかが生命線だと思うのですが、その手法ややり口がやたらと複雑化・巧妙化している印象はありまして、全体にどんどん面倒くさい感じになって

※1

いる印象を受けます。そうした「面倒くささ」が内面化されていくと、やっぱり自意識も面倒くさいものになるんですかね。

――犬がお父さんとか、フランス人俳優がドラえもんとか、たしかに言い知れぬ面倒くささがあります。

　とはいえ、そうした面倒くささが通用してきたのは、あくまでも日本の「お茶の間」ですから、そこで勝ってきた方程式を国際イベントに適用できるかどうかというところである種の見誤りがあったのかもしれません。「大衆」や「一般性」と言ったときの対象が変わったときに、どうチューニングできるのかという点に限界があったのかもしれません。とはいえ、そんなおじさんクリエイターのズレをチームメンバーが即座に指摘して却下したのですから、チームとしては機能していたとは言えるわけで、それは森元首相の騒動と比べると評価すべきことですよね。

――みんなが忖度して「ブタ、いいですねえ」とはならなかったわけですからね。

　多様性のあるチームで議論をしていたことの意義が明らかになったのは、それ自体意義があることだったとは言えそうです。

――かつ、変に庇いだてすることなく、即座に辞表が受理されたあたりも、森喜朗さんの顛末と比べると、なんらかの学びがあったという感じはします。

　なんでもかんでも「辞任だ！」「やめろ！」と騒ぎ立てる、いわゆる「キャンセルカルチャー」の横暴を危惧する声はわからなくもないですし、「思ったことが言えなくなる」といった反論にも一定の理があるとは思います。とはいえ、そもそも「思ったことが言える」という贅沢を享受している人とそうでない人とがいる、ということが批判の根幹にあるわけですから、自分の「言いたいことを言える自由」を守りたいのであれば、他人のそれも認めないとダメですよね。

――「キャンセルカルチャー、息苦しい」みたいな論調には、あまり与しない感じですか？

　そうですね。いつかそのうちそ

れが自分にも降りかかってくるかもしれないという恐怖はないわけではありませんが、一連のオリンピックの話について言えば、いままでであれば「臭いものに蓋」で済まされていた物事が、それではまったく済まなくなっていることが明らかになって、公正で透明なやり方で対応しないとダメなんだなということを上位レイヤーの人たちが危機感をもって感じるようになったのだとすれば、それこそが五輪の貴重なレガシーだと言える気もします。

——という意味では、開催されるのかどうかはわかりませんが、今回のオリンピックには、すでにして大きな意義があったと（笑）。

冗談ではなく、そう思いますよ。ビッグイベントを国家的な事業として開催することの意義は、それをテコにして国なり都市なりを新たな環境・時代状況に適応できるものにつくり変えることにあるわけですよね。

1964年は、敗戦を経て国際社会に再度復帰するという大義名分があったはずで、巨大イベントをテコにインフラを整備したり、市民のマインドセットをアップデートしたりして、新しい価値を世界に向けて発信することが目論まれたわけですよね。また、そうであるがゆえに巨大投資も正当化されたはずです。

——そうですね。

今回のイベントについても同じことが目論まれていたはずですが、具体的に「何をどうアップデートしよう」というアイデアが、さほど明確ではなかったように思いますし、それを従来のやり方でやれると考えていたところに大きな見込み違いがあったんでしょうね。

——想像していたよりも大きな転換に取り組まないといけない、ということに途中で気づいたということですよね。

はい。サステイナビリティやダイバーシティやデジタルへの対応といった課題意識はうっすらとはあったはずですが、そうした問題・課題の解決に向けた取り組みをちゃんとやろうと思えば、運営組織の体制や会議体の運営の仕方までドラスティックに変えないと遂行できないということに、おそらく気づいていなかったのが、色々と騒動がもち上がることで初めて気づいたということなんじゃないかと思います。少なくとも、それに気づいたのであれば、それだけでも、イベントが社会のアップデートに貢献したとは言えるのかもしれません。

――古い体制の遺物が次々とキャンセルされていくのは、後戻りできない流れだということですよね。

だと思います。元を辿れば、オリンピックの招致自体が、古い体制の人たちが自ら招いたことですから、「そもそも、それを使って何をしたかったんですか？」という問い返しがあるのは当然ですよね。森元首相などは自ら墓穴を掘った格好ですが、未来に向けた展望が本当に何もないのであれば「昭和・平成」の残骸・遺物の、死に場所を探すためのイベントでしかなくなるのも必然ですよね。

――すでにして20年前からデジタルトランスフォーメーションは課題になっていたわけですし、広義のサステイナビリティに向けた取り組みのみならず、パンデミックへの対策なども10数年来、世界的な課題として語られてきていたわけですから、そうした環境変化に向けて本腰を入れて準備もしてこなかったことに、改めてビビります。

「デジタル庁」なんていうアイデアが菅政権になって突然出てきて、ポイント稼ぎの打ち上げ花火のように見えてしまっていますが、その前の長期政権の内にだって、こうした構想を実現するチャンスはあったはずです。むしろ「なんでいままでやれなかった？」ということを、本当は問題にすべきなのかもしれません。あれだけ安定した長期政権だったわけですから。

――「働き方改革」とか言っていたわりに、コロナを機にリモートワークをがんがん推進しようといった感じもなかったですし。

「ソサエティ5・0」といった題目だけ言ってロクな政策を発動できず、「総裁スタンプ※2」とかしょうもないことをやっているわけですから。

――何ですか、それ。

知らなくて大丈夫です。

――それこそ、今回の〈Field Guides〉のお題である「テレヘルス」「テレメディスン」、つまり「遠隔医療」ということですが、これについても日本は、さしたる話題もないですね。

ひとまず〈Field Guides〉のサマリー[※3]から世界とアメリカの状況を拾っておきますと、こんな感じです。

610億ドル：2019年のグローバルテレヘルス市場の年間売上

5600億ドル：2027年のグローバルテレヘルス市場の推定年間売上

370億ドル：アメリカのテレヘルス最大手「Teledoc」の評価額

35億ドル：現在のアメリカのテレメンタルヘルス・セクターの市場価値

50%：2020年にテレヘルスを利用開始したメディアケア患者。2019年は1%

92%：遠隔医療の方が従来の診察よりも「良い」「はるかに良い」と答えた患者数（ジョンズ・ホプキンス大学調べ）

10・5マイル：アメリカの郊外における最も近い医者までの平均距離（都市部の倍の距離）

54%：2019年と比したときの2020年のテレヘルスユーザーの増加率

――やはりコロナで急激に伸長していて、かつ、評判も上々ということですね。

はい。比べて、日本の状況はどうかと言いますと、こんな感じです。2月19日掲載の「日本マイクロソフト、ヘルスケア分野のオンライン化などを推進[※4]」という記事からの引用です。

「デロイト トーマツ ファイナンシャルアドバイザリーが2020年8月に発表した調査結果によれば、コロナ禍で48%の患者が、『なるべく通院は控えたい』と回答。同調査では遠隔診療の認識率が43・9%に上るものの、実態は『国内約11万の医療機関で遠隔診療を実施しているのは約15%』という。ただ、実際に遠隔診療を受けた患者の評価は高く、『医師と対面で会話できるのは大きい。これまで医師は電子カルテに向かい、ほぼ患者を診（見）ていない』との声

※4 ※3 ※2

が寄せられたという」

——面白いですね。認知度はかなり高いんですね。

そうなんです。認知度は高いですし「どうせ直接行ったところでカルテばっかり見ていてろくに患者のこと見てないんだから、オンラインの方がよっぽどマシ」という意見が寄せられているのも、リアルで面白いですね。

——「オンラインとオフライン、どっちがいい？」みたいなこの手の議論ですと、「やっぱりフィジカルで、対面で話すのが大事」って話はよくされますが、「そもそも対面していても意味ねえじゃん」って広く思われていることを、医療業界は重く見たほうがいいですね。

おっしゃる通りです。ちなみに、この記事にコメントを寄せているのは、「インテグリティ・ヘルスケア」という医療従事者向けのサービスプラットフォームを提供している企業の代表取締役の武藤真祐さんという方ですが、その方が現状をこう解説しています。

「国内で遠隔診療が普及しない理由として武藤氏は、『コロナ禍でようやくイノベーター（革新者）からアーリーアダプター（初期採用層）に広まったが、日常診療内で普通の医師が使ってもらわなければならない。診療報酬（の改善）や規制緩和が必要だ。他方で医師も変わりつつあり、患者が遠隔診療を望む「ユーザードリブン」が起きている。ただ、映像で会話するだけの遠隔診療は医療診察の一部分で、疾病管理に役立つことを証明しないと、大病院など（に遠隔診察）は受け入れられない。さらに医療現場のデジタル化が進んでおらず、遠隔診療だけ進めても意味がない。デジタル庁発足をはじめとする社会的変化で解決していくだろう』と、遠隔診療にまつわる諸課題を挙げた。」

——「ユーザードリブン」ですか。

そこですね。先の認知度の高さを見ても、需要は大きいんですね。にもかかわらず、はっきり言ってしまえば、ユーザーの要求に対して、サービスが医療の現場も制度面も追いついていないわけでして、事が医療ともなれば、もちろん安全の確保は極めて重大なイシューであるとはいえ「まだここ？」という感じは否めません。

——変な言い方ですが、せっかくのコロナを無駄にしている感じですね。

この間何度かお話ししていることだと思いますが、デジタルトランスフォーメーションにおける重大な課題は「実装」にあるんです。システムやサービスをつくるのはできたとしても使ってもらわないとつくった意味がない、というのはマイナンバーでも「COCOA」でも同様で、サービスの緊急性や利便性を、ユーザーつまりは国民が認識しない限りどうにもなりません。

民間サービスであれば「売れなかったね」ということですべて企業の責任ですが、行政サービスは税金からつくられるものですから、「使われなかったね」では済まないわけです。ですから、どうユーザーの利用に向けた機運を高めていくのかは、実際どの国でも一番頭を悩ませているところで、よほどアタマを使わなくてはなりませんし、相当の努力を要する部分です。

という意味では、ことばは悪いですが、「コロナ」は動かない状況を動かすことのできる千載一遇のチャンスでもありますし、本来であればオリンピックのような巨大イベントも、そうやって世の中を動かす「テコ」として利用するはずのものなんですよね。

——そのチャンスをみすみす逃している、と。

先の記事には、こんな指摘があります。

「2020年4月に厚生労働省が新型コロナウイルス感染症対策として、初診・再診患者に対する遠隔診療の時限的措置を発した。遠隔診療自体の制度化は2018年3月だが、コロナ禍以前は全体のレセプト(診療報酬請求明細書)件数(月間約1億枚)に対して、遠隔診療料算出回数は100回程度(2018年4月時点)だったとされる」

——100回……苦笑しかないですね。せっかく制定したにもかかわらず、まったく無意味になっていた制度を大きく動かすチャンスをコロナがくれたわけですよね。

そうなんです。ところが、事は

そう簡単には行かずでして。続けてこうあります。

「現在は前述の時限的措置に加えて、指針の一部改訂（2020年7月）や初診の遠隔診療を考慮した指針改定を2021年秋頃に実施する。説明会に登壇したインテグリティ・ヘルスケア代表取締役会長の武藤真祐氏は、初診患者の扱いについて『事前にトリアージ（緊急度に応じた優先順位付け）をして、オンラインと対面を分ける仕組みが検討されているものの、個人的には医師が診察して判断すべきと思う。その意味で（実現は）難しい部分がある』と見解を述べた。

それでも遠隔診療の需要は大きい」

――結局、難しいんかい！と（笑）。

現場のことはよくわかりませんので迂闊なことは言えないのですが、需要が大きいということは、その領域にちゃんとコミットしていくことが経済政策にもなりうるということですから、そこにビジネスチャンスを見いだしていく企業を、政府としても積極的に支援したってよさそうに思うのですが、少なくともこの記事を読む限り、医療サービスの提供側、つまり大病院から町場のお医者さんまでが、その状況に対応できていなさそうです。これだけ明確に「需要」が見えている市場もいまどき珍しいと思うのですが、その需要にちゃんとコミットしようと業界全体としてなっていないのだとすると、相当深刻ですよね。これが、市場原理が健全に作動していないことの現れなのだとすると、そこに対して外部からなんらかのインセンティブを働かせることもできないですし。

――自ら「需要」を放置し見殺しにする産業って、相当怖いですよね。

怖いんですよ。ただ、今回の〈Field Guides〉にある「テレヘルスの成功がサイバーセキュリティの悪夢をもたらした※5」(Telehealth's success created a cybersecurity nightmare) の記事が指摘している通り、需要に応えたからといって、すぐにすべてが解決するわけではなく、新たな問題が発生することもありまして、サイバーセキュリティはその最大の懸念とされています。

——そうですか。

　記事は、データ漏洩がもたらす平均損害コストを業界ごとに分けてグラフ化していますが、ヘルスケア業界における損害は、テック、金融、エネルギー業界よりも甚大で、平均713万ドルと算出されています。これは逆に言いますと、ヘルスケアをめぐる個人情報は、ファイナンシャルデータなどよりもはるかに価値があるということです。「D Magazine」というメディアによれば、その価値はクレジットカードデータの50倍※6になるそうです。

——こわっ。って、何が怖いのかいまひとつわかっていないのですが（苦笑）。

　ハッキングによって盗まれたデータはブラックマーケットで売買されるほか、近年は病院を強請《ゆす》る事例も増えているそうで、かなりシビアな状況と言えます。昨年10月末には、アメリカのCISA（Cybersecurity and Infrastructure Security Agency）と保健福祉省（Department of Health and Human Services）とFBIが共同で医療機関や医療サービスプロバイダーに警告を発しています。

——おおごとですね。

　記事は、さらに深刻な問題として、ユーザーの側の脆弱性も指摘しています。ユーザーはYouTubeを見ているのと同じデバイスで医療機関にアクセスするわけですから、病院やサービスサイドがいくら頑張ってセキュリティソフトを導入し、院内や社内で徹底的にセキュリティ教育をスタッフに施しても、ユーザーがリスクをもち込んでしまうわけですね。

——困りましたね。

　記事はユーザーに向けて5つほど助言を授けていますので、ここでそれをさらっておきましょうか。

——お願いします。

　こんな感じです。

・OSを必ず最新バージョンにしておくこと
・複数段階認証を用いること
・ウイルススキャナーを定期的に走らせること

※6

※5

・フィッシング詐欺の基本的手口を知っておくこと
・パスワードマネージャーを使うこと

——ユーザー側も、ただ「テレヘルスを使わせろ！」と言っているだけではいけませんね。

データ保護は個人の「義務」とすべきだ、という議論が欧州では出ているくらいですから、ユーザー側のこうした「習慣づくり」も困難な課題として立ち上がってきています。加えて、遠隔の対面診察に、例えばZoomやFaceTimeなどの商業アプリの利用を認めるのかどうかといったあたりも、同列の問題として考慮される必要があります。記事によればイタリアやオーストラリアは商業アプリの利用を認めているそうですが、アメリカでは、コロナによるパンデミックが終息するまでのみ、特例として認められているようです。ちなみに、世界各国のテレヘルスの状況については、「DLA Piper」というところが発表したレポート※7に詳しく紹介されていますので、ぜひご覧ください。

——日本の行政府がやたらと「LINE推し」だったりするあたりも、なんだか不安ですよね。

テレヘルスの先進国って、私の知る限りですと、やはり中国だと思うんです。平安保険、衆安保険といった保険会社が、町のお医者さんをプラットフォーム上でネットワーク化して、そのなかでチャットによる問診などを受けられるようなサービスをコロナ以前より展開していて、かなり広範囲に利用されていると聞きます。

保険サービスと医療サービスとがひとつのアプリ内に収まることで、サービスの連動性が高まりますし、その結果ユーザーの利便性は上がり、新しいサービスを利用するにあたっての心理的ハードルはどんどん下がります。そうやってサービスがどんどん拡張していくアプリは「スーパーアプリ」といった呼び方がされていますが、AlibabaやTencentをはじめ、中国のプラットフォーマーは、これのつくり方が滅法上手いんですね。先にお話ししたような、「実装の困難」を乗り越えるにあたって、こうやってアプリを連動させながら拡張していくやり方はおそらく最も合理性の高いアプローチで、日本政府が何かと「LINE」をあてにするのも、そういう意味では理にかなっていると思わなくもないですし、先般発表されたヤフージャパンとの経営統合も、基本的には、こうしたスーパーアプリの開発を目論んでのことでしたよね。

——あー、そうなんですね。

検索すると、すぐに「ヤフーとLINEが経営統合。〝3つのスーパーアプリ〟で'23年2兆円※8」なんていう記事がヒットします。

——ほんとだ。

ここで言われているのは、こんなことです。ヤフージャパンの親会社にあたる「Zホールディングス」（ZHD）の川邊健太郎CEOのおことばです。

「スーパーアプリを定義すると、生活に身近な異なるサービスが1つのアプリで使える。新ZHDには、LINE、PayPay、Yahoo JAPANアプリという3つのスーパーアプリ候補があり、それぞれ発展可能性がある。LINEは人と人のコミュニケーション起点で、アカウントが強い。お店との関係も含めた生活支援ができる。かつては、Yahoo! JAPANアプリしかなかったので、いろいろ詰め込んで使い勝手を残っていたが、スーパーアプリに3つもチャレンジできる会社は世界中見ても、ZHDだけ。それぞれのアプリを無理のない形で強化していきたい。新ZHDをユーザーに取って意味ある統合にしていく。新サービスに期待してほしい」

——なるほど。

具体的には、例えば金融領域ですと「ユーザーのアクションに応じてローンや投資商品、保険などの提案する『シナリオ金融』を拡充する」とされています。また、「『LINEドクター』を起点に、オンライン診療や、服薬指導、薬の配送などの遠隔医療サービスを展開する。2021年中にオンラインの服薬指導を開始する」というヘルスケア分野における目論見は、まさに平安保険などが提供しているサービスを思わせますし、さらにそれが行政サービスと連動して「Yahoo! JAPANのサービスやLINE上で行政手続きの情報を拡充。さらに内閣府の『マイナポー

※7　※8

タル』と連携し、行政手続きのオンライン申請サービスを開始。児童手当や介護などの手続きから順次拡充を目指す」となってきますと、一気にさまざまな領域が横断的にデジタル化され、かつ使い勝手のよいものになっていく可能性は十分ありそうです。

——とはいえ「LINEは韓国の会社じゃんか」といった批判は根強くあります。

経営統合が発表された際には、日本における2大大手が組むことで「GAFAに対抗する」といったことが言われていました※9が、スーパーアプリという概念を強く打ち出しているところを見ると、脅威と感じているかどうかはよくわかりませんが、最も強く意識されているのは中国のIT産業であるようにも思えます。日韓で中国への対抗軸を打ち出していくといった政治的な論点があるのかどうかはまったくわかりませんが、気になるところではありますね。

——どうなんでしょうね。

さあ、まったくわかりません。ちなみに、「LINEドクター」では、利用にあたってユーザーが自分の保険証の画像をLINEに提供しなくてはいけないようでして、こうした認証は、もちろん必要であるとはいえ、多数の国民の保険IDの取り扱いをどこまで民間企業にまかせていいのかといったあたりは非常にセンシティブです。成り行きまかせで行政データとLINEのIDが紐づいていくようなことになるのは、それはそれでアリなのかもしれませんが、そういったことを可能にしてしまえば、ならApple IDでもAmazon IDにでも紐づけてくれたっていいじゃないか、という気にもなってきます。

行政がテコ入れして、GAFAや中国企業に対抗できる国産ITプラットフォームをつくろうとすることの必要性もわからなくはないですが、それが過度に進行すれば、国民はプラットフォームの選択肢を奪われることにもなりかねませんから、それはそれで結構なディストピアのようにも思えます。

——困りましたね。

今回の〈Field Guides〉の焦点は、実は、これまでメンタルケアも含めた医療サービスから遠ざけられてきた人たちを遠隔医療というものがいかに救うことができるのか、というところにありまして、それは「テレヘルスはヘルスケアをもっと平等にできる※10」(How telehealth could make healthcare more equal)、「ブロードバンドへのアクセスがあなたのヘルスケアを左右する※11」(Access to broadband could affect your healthcare) といった記事で明確に指摘されていることですが、遠隔医療は、その根本において「医療格差」を改善することに一番の期待がかけられているんです。

――なるほど。

そうしたなか、アメリカでは、例えばＬＧＢＴＱやトランスジェンダーの方々に特化した「Plume※12」「Folx※13」といった遠隔医療サービスや、糖尿病や高血圧の専門サービス「Livongo※14」など、それこそユーザーのニーズに合わせたサービスが生まれ、結果として、オンラインにおいて医療サービスをめぐる新たな多様性がつくられているようです。

――いいですね。

そうやって、これまで掘り起こされずサービス化されることのなかったニーズが、きちんとサービス化されることが、医療に限らずデジタルがもたらしうる美点なのだと思いますが、スーパーアプリには、そうした状況をエンドースする道筋もありうるわけです。

――逆に、そうした小さなサービスを全部なぎ倒して、勝者全取りといったモデルを採用することも可能なわけですよね。

そうですね。

――どうなりますかね。

いい方向に進むことを期待したいですが、正直半信半疑ですね。多様性や自由といったものを、どこまで重要なものと考えるかが分かれ道になるかと思いますが、政治、官庁、テック／ビジネスといった世界に、そうした勘所がある人がどの程度いるかですよね。

――いますかね？

どうでしょう。そういう人がたくさんいたなら、日本はすでにこんな体たらくではなかったのでは

※9 ※10 ※11 ※12 ※13 ※14

ないかと思いますけど。

――あはは。それもそうですね。

Field Guidesを読む #45

Is telehealth medicine's future?

March 21, 2021

https://qz.com/guide/telehealth/

- ◉テレヘルスこそ薬の未来かもしれない
  How telehealth could be the future of medicine
- ◉テレヘルスはヘルスケアをもっと平等にできる
  How telehealth could make healthcare more equal
- ◉テレヘルスの成功がサイバーセキュリティの悪夢をもたらした
  Telehealth's success created a cybersecurity nightmare
- ◉ブロードバンドへのアクセスがあなたのヘルスケアを左右する
  Access to broadband could affect your healthcare

#46

The Joy of sobriety

March 28, 2021

ノンアルコールの希望

男性原理社会の強力なドライバーとして
アルコールというものがあったことは
必ずしも故なしとはできないような気もしてくるのですが
社会全体がそれを変えようと望むのか
あるいはこのままその状態を受け入れ続けるのかどうかは
私のあずかり知らぬことです。

――先週の「週刊だえん問答」の第45話「テレヘルスの梃子」の最後の方で、LINEとヤフージャパンの経営統合のお話が出ましたが、その直後の3月22日にはLINE利用者の個人情報漏洩の問題が発覚しました。先週指摘されたのは、いくら便利だからといって行政府がLINEのサービスに依存するのが果たして望ましいことかということでしたが、今回の騒動で一番慌てていたのは、まさに行政府でしたね。先週のご指摘は、こういうものでした。

「行政がテコ入れして、GAFAや中国企業に対抗できる国産ITプラットフォームをつくろうとすることの必要性もわからなくはないですが、それが過度に進行すれば、国民はプラットフォームの選択肢を奪われることにもなりかねませんから、それはそれで結構なディストピアのようにも思えます」

　毎日新聞の記事「LINE、中国からのアクセス遮断も…政府・自治体の利用停止広がる[※1]」は、今回の騒動を受けて行政府の対応を大まかに以下のようにまとめています。

内閣府：防災情報を提供するアカウントを停止
厚生労働省：自殺防止相談、入国者健康確認などでの利用を停止
総務省：採用活動、マイナポイントの問い合わせ対応、意見募集での利用を停止
経済産業省：現時点で利用を制限せず
大阪府：いじめ相談の受け付けを中止
東京都：新型コロナの自宅療養者支援などで利用を継続
山形市：予定通りワクチン接種の予約手続きで活用

――国民や市民がアクセスしやすくなるとはいえ、いたずらに商業アプリに頼むのも考えものですね。

　そりゃそうですよ。国や自治体が一民間企業のサービスに極度に

依存してしまうことは、当然市場における健全な競争を歪めますし、それによって、そのサービスを利用しないユーザーが不利を被ることになれば、それ自体が行政サービスの公正性にも反します。もちろんそのあたりのことは、それなりに考慮されているとは思いますが、やはり全体的に拙速で不用意だったように思いますし、また「LINEを使った情報発信をしています」みたいなことが、あたかもデジタル先進性の証であるかのような言説がまかり通っていたことも、改めて反省すべきですね。

——ほんとですね。

その一方で、現実として、実際にLINEのようなサービスは、すでにして社会インフラのようなものになってしまっているところもあり、それに匹敵するようなインフラを行政府が自前で構築できるのかといえば、それも難しいでしょうから、これはなかなか悩ましい課題です。

——トランプ前大統領とTwitterのバトルにおいても似たような議論がありました。

はい。SNSというものの遍在性と浸透度を考えると、それがすでに一定の「公共性」をもってしまっているのは明らかですが、とはいえ、どこまでいっても一民間企業の商業サービスでもあるわけですから、それが提供する空間を公共空間と見なして国家の管理の対象にしてよいのかというのは、とても難しい問題です。

——どうするのがいいんですかね？

極論を言ってしまえば、国有化してしまうのが早い、ということなのかもしれません。

——えっ。

メディア美学者の武邑光裕先生によれば、そうした議論はすでに欧州では提出されているそうですし、日本においても、LINEとヤフージャパンとの統合は、半ば国策案件のように見えないこともないわけですから、国有化しちゃうのと実質変わらないところすらあるようにも思えてきます。メッセージアプリに関して言えば、たいした競合は国内にはいないわけで実質独占みたいなものですし。

※1

――言われてみると、まあ、たしかにそうかもしれません。

ただし、LINEは韓国の企業ですから、そんなことができるのかどうかは知りませんし、それが果たして望ましいことなのかどうかもわかりません。ただ、コミュニケーションからペイメント、医療といった領域をカバーし、多くの国民がアクセスしやすいデジタルインフラは、デジタル化にもたついている行政府としてみれば、喉から手が出るほど欲しいものであることは間違いないはずです。デジタル先進国と呼ばれる国は、それをこの20年近くをかけてせっせと整備してきたわけですが。

――エストニアの「X-Road[※2]」は、言ってみれば国有のOSですもんね。

まさに。エストニアでは、行政ポータルのなかで国民がさまざまな行政手続きを行うことができるわけですが、言ってみれば、それこそが国内最強の「スーパーアプリ」となっているわけです。行政府からのメッセージも専用のメールボックスで受信できたりしますし。

――なるほど。それを自前でつくらずに商業アプリにそのまま乗っかった行政機関が、今回の騒動で慌てているということになりますね。

とはいえ、そこまでリスクの大きくない領域に限っての利用だったのだとは思います。

――いずれにせよ国有化というのは、やはりちょっとした気味悪さがありますね。中国っぽいと言いますか。

今回の事件で実際に大きな問題とされたのは、まさに中国をめぐるリスクでもあります。ユーザーにきちんと明示されぬ状態で個人情報が国外にもち出され、韓国に置かれたサーバーに保管されていたのもさることながら、中国のエンジニアに個人情報へのアクセス権限を与えていたほか、中国企業にデータの監視業務を委託していたことが問題視されました。先の毎日新聞の記事はこう解説しています。

「政府や自治体で利用を一時停止する動きが広がったのは、情報管理を巡る『中国リスク』が強く意識されたためだ。中国には、民間企業や個人に国の諜報《ちょうほう》活動への協力を義務付ける国家情報法がある。日本の要人らの利用者情報が渡り、悪用されるリスクは否定できず、安全保障の観点から自民党でも『看過できない問題』（下村博文政調会長）などと懸念の声が上がっていた」

——ふむふむ。

　さらに記事は、こうも書いています。

「元経済産業省貿易管理部長で、安全保障問題に詳しい細川昌彦・明星大教授は『個人情報に含まれる個人の嗜好《しこう》や行動などが分析され、脅しやスパイ活動に利用することも可能だ』と指摘する。また、楽天が最近、中国IT大手テンセントからの出資を公表したことを引き合いに出し、『日本企業は警戒感が低いのではないか。ラインの問題は氷山の一角であり、日本政府は情報管理のあり方を厳しく再点検すべきだ』と話す」

——大問題ですね。

　この細川先生は、さらに『日経ビジネス』に「楽天への日本郵政・テンセントの出資に浮かび上がる深刻な懸念※3」「楽天・日本郵政の提携を揺さぶる『テンセント・リスク』の怖さ※4」といった記事を書かれていますので、ぜひ読んでいただけたらと思いますが、まあ、ビジネスセクターが、すでにして日本の外交・安全保障上のリスクになりつつあるという問題は、かなり深刻化しているのではないかと感じます。

——と言いますと。

　例えば、これは中国を専門とするジャーナリスト安田峰俊さんのツイート※5ですが、つい数日前に、こんなことが起きているんですね。ツイート文を引用しておきます。

「東京オリパラ、スポーツ用品唯一のゴールドパートナー・アシックスの中国法人、25日付微博で『私たちは今後も新疆綿を買い付け使い続ける』『アシックスは一貫してひとつの中国の原則を堅持し、（中国）国家の主権と領土を守り抜く。中国の行為への一切の侮辱とデマに断固として反対する』とマジで声明」

※5　※4　※3　※2

――おお、やばいですね。

この顛末について、「ハフィントン・ポスト」は、こう報じています[※6]。

「兵庫県に本社を置くスポーツ用品大手・アシックスの中国法人は3月25日、中国SNS・ウェイボーで、引き続き新疆ウイグル自治区産の綿花を購入すると発表した。

中国では、同自治区産の綿花を購入しないなどとした海外企業に対するボイコットが呼びかけられていて、アシックスは『中国に対する一切の中傷やデマに反対する』とした。声明は日本の本社の了解を得て出された」

――すごいですね。

この声明のなかで、アシックスさんは、「台湾は中国の一部分とする『一つの中国原則を堅持』し、『中国の領土と主権を断固として守り、中国に対する一切の中傷やデマに反対する』と表明した」らしいのですが、こうした中国擁護の声明文は、個人的には見覚えがあるものでして、昨年秋に、「赤井はあと」「桐生ココ」という日本の人気VTuberが「台湾」をめぐって「不適切な発言」を中国の動画サイト上で行ったことから、中国向けに謝罪文を掲載するハメに陥った際に、運営会社の「カバー」が発表した謝罪文[※7]と同じなんですね。「『一つの中国』支持声明のVTuber運営企業が謝罪　安全守るための『緊急措置』だったと説明」という記事からの引用です。

「カバーは常に中国の主権と領土の完全性を尊重し、『日中共同宣言』と『日中平和友好条約』を尊重し、『一つの中国』という考えを支持します」

――ひー。そんなことがあったのですね。

そうなんです。これ、大問題だと思うんですね。つまり多くの日本の大企業は、とっくに中国とはもはや抜き差しならない関係になっていて、企業があてにしている14億人の巨大市場から追い出されるくらいなら、「中国の領土と主権を断固として守る」という立場をたやすく選ぶ状況になっているということですから。

――巨大市場へのアクセス権を盾

に「踏み絵」を踏まされている、と。

　まさにそうなのですが、その際、どうも見ていると、ほとんどの企業は「じゃあ、中国から出て行くわ！」とはならないんですね。

――そうですか。

　ならないですね。映画『ムーラン』が新疆ウイグル地区で撮影を行っていたことで全世界から非難を浴びたDisneyは、ろくに回答もせぬまま問題を有耶無耶にしてしまいました[※8]し、つい最近ではファストファッションブランド「ZARA」の親会社Inditexが、新疆ウイグルの問題について、不法労働を認めないとするステートメントを取り下げた[※9]というニュースも出ています。

――中国の影響力は、恐るべきものですね。

　これが由々しき事態だなと思うのは、特に東京五輪の約半年後に控えた北京五輪という争点があるからです。アメリカと中国が、現在のようにバチバチと喧嘩しあっている状況下にあって、西側諸国のボイコットというのはそれなりに現実味ある話のように思えますが、仮にそうしたことが実際に起きたら、日本は非常に難しい立場に立たされることになってしまいます。

――政治的には、西側諸国の一員として足並みを揃えないわけにもいかないでしょうし、とはいえ、経済界からは中国との関係において波風を立てないでくれ、と圧力をかけられることにもなりかねませんね。

　東京オリンピックの国内最高水準のゴールドスポンサーであるアシックスが、「新疆ウイグル自治区を含めた中国国内から引き続き原材料を購入する方針を明らかにした」ことは、こうした観点から見ると極めて重大な判断で、東京オリンピックは、すでにして完全に北京五輪と一蓮托生であることを世界に明かしているようなものですらあるわけです。そうしたなか、日本の経済界が新疆ウイグルの問題を非難することは、ありえないことだと考えざるを得ません。

――政府はどう出ますかね。

　政治家にとって悩ましいのは、

※6　※7　※8　※9

仮に経済界に足並みを揃えてしまえば、今度は、自分たちの支持基盤であるところの保守層の支持を危うくしかねないというところではないでしょうか。いわゆるネトウヨと呼ばれる人たちのアイデンティティの基盤は「反中」にあるように見えますので、政権がべったり中国に追随すれば猛攻撃を食らうのは必至でしょうし、アメリカが中国に対して相当に強硬な姿勢に出れば、日本政府にも相当のプレッシャーをかけてくることが想像されます。そうした各方向から迫ってくる圧力をどうかわしうるのか、ここは総理大臣の外交手腕の見せ所ですよね。

——うう。大丈夫でしょうか。

4月に控えている菅首相の訪米では、そうした問題が議題に上がるのではないかと予測していますが、呑気に「バイデン大統領を東京オリンピックに招待するつもり」などと言っている場合ではないように思います。

——オリンピックをめぐる一挙手一投足が外交カードになっている感じですね。

実際、中国はワクチンをIOCに提供することを申し出てみたりと、明らかにオリンピックを外交カードとして使っているわけですから、日本だけ「スポーツに政治をもち込むな」「平和の祭典」だと言ってみたところで、どうしようもないですよね。すでにして政治経済の国際覇権をめぐる駆け引きの舞台となっているわけですから。

——とっとと中止にしちゃえばいいのに、と思ってしまいます。

私の見るところ、中国がそれを許してくれないんじゃないかと思います。

——一蓮托生というより、共犯関係にさせられている感じですね。

実際そうなんじゃないかと個人的には疑っています。

——とほほ。

自分は、2020年のオリンピックは、東京と競っていたトルコのイスタンブールでやればいいじゃないかと思っていたんですが、トルコの現状を見てみると、もし仮に、イスタンブールで開催されていたとしたら、それはそれで大変なことになっていただろうなと最近のニュースを見て思いました。

――トルコで何があったのですか？

これは私もまったく知らなかったニュースで、たまたま読んだものですが、ちょっと信じられないくらいひどい状況なんです。

――どういうニュースでしょう？

エルドアン大統領というわりとめちゃくちゃな右派の大統領が「イスタンブール条約」という、女性に対する暴力防止、被害者保護、加害者免責の撤廃を謳った条約の批准を撤回したというニュース[※10]なのですが、何がひどいかと言いますと、条約からの離脱直後に、わずか12時間の間で6人の女性が殺害され、そのうち4人の殺害理由は、別れ話を切り出したことだそうです。

――想像を超えるひどさですね……。

しかも大統領が、男女平等を真っ向から否定し「女性と男性の平等を信じていない。自然に反している」と公言しているそうです。

――すごいですね。森元首相が可愛く見えてきてしまいます。

仮にイスタンブールでこのような状況のなかオリンピック開催を控えていたら、それこそ各国のボイコットが必至となっていたかもしれません。あるいは似たような話として、ロシアでは政府がパンデミック下でドメスティックバイオレンスが増えている状況を否認し問題をないことにしようとしていることに対して、女性たちがさまざまなやり方で立ち上がっていることを、「TIME」が「パンデミック下の女性たち[※11]」という特集でレポートしています。

――日本の状況はまだだいぶ穏便とはいえ、問題は同じようにも思えます。

女性やマイノリティの権利主張の高まりにつれて、それに対する反動が激化し、分断がより深刻化するという意味では、たしかに遠からぬところもあるのかもしれません。男性原理的なものへの反動的な回帰という現象は世界的なも

※11

※10

のとなっているようですね。そういえば、アメリカではピックアップトラックが、この数十年で巨大化を遂げ、かつ、コロナ禍によって爆発的な売上を記録しているという記事[※12]を見かけたのですが、記事はこれを「男性性の危機」に紐づけて論じています。

——へえ。面白いですね。

ところで、今回の〈Field Guides〉のお題は「断酒の喜び」（The joy of sobriety）というものなんですね。

——唐突に本題。

私はまったくお酒を飲まないので、今回の特集は、ほぼなんの共感もなく、基本まったく面白くないものとして読んだのですが、それでも何か書かないといけませんので、お酒にまつわるあれこれを思い返してみて気づいたのは、少なくとも自分のなかでは、お酒というものと男性原理社会のイヤさとが、分かち難く結びついているということでした。

——いまの話とつながっている、と。

自分のなかでは完全にそうです。個人的な話をしますと、自分は大学時代、ほとんど友だちと呼べる人がいなかったのですが、そのひとつの理由は、当時の大学を規定していた、いわゆるコンパ・飲み会文化というものにまったく馴染めなかったからです。

——そうですか。

酒が飲めない立場からすると、そこは極めて暴力的な空間で、声はでかいしうるさいしガサツだし、シラフでいるには堪え難いものであるだけでなく、そこにタガの外れた自尊心や自意識や性欲が絡んでくるともなれば、もうロクなものじゃないんですね。加えて、大学であれば、それが一種のイニシエーションと見做されてもいますので、そこで「ちゃんとタガやハメを外せないヤツ」は、一人前と見なされないといった見えない制約が無言の同調圧力として機能している空間でもありますよね。

——うーん。たしかに。

こうした文化は、聞くところによれば、例えば電通といった企業の文化へと引き継がれていて、社員というコミュニティの一員となるためのイニシエーションとしてそれが機能するわけですね。

――それがイヤだった、と。

死ぬほどイヤでした。そうした空間には憎悪に近い反感がありましたので、基本そうしたものとできるだけ関わらないように生きてきた、というのが、いま思い返してみると自分の人生だったような気がします。

――しかも、そうした文化は、「無礼講」というような言い方で「社会にとって必要なもの」と根強く見なされてきたものでもありますしね。

といって、こちらとしては、それが楽しくてしょうがないという人をくさしたり批判したりしてみても何の益もありませんので、ただただ無関心になっていくだけなんです。勝手にどうぞ、ただし近くでやらないでもらっていいですか？という感じです。そういう文化は、自分のなかでは、いま世間で問題にされている「おっさん文化」の象徴のようなもので、そういう文化に喜んで身を浸していた人は、男女にかかわらず同じようにひたすら「鬱陶しいもの」と感じます。

――手厳しいですね。

そんなわけで、ある時期からは、酒席に呼んでも楽しくない人間とされるようになったのか、基本お声もかからなくなって、そういった煩わしさに巻き込まれることも少ないので、お気楽極まりないのはありがたい限りです。

――あははは。でも、そうやって居場所ができたのはよかったですよね。

そうですね。ですから、今回の特集が取り上げているように、新型コロナをきっかけに世間的にアルコール離れが進んでいることについても、まるで関心が湧かないんです。その文化そのものと自分をある意味完全に切り離しちゃっていますので、そういう状況になって喜ばしいという気持ちすら感じません。

――それでもどこか、面白い話はないですか？

※12

今回の特集のメイン記事「カジュアルなお酒飲みも断酒を楽しみ始めている理由[※13]」(Why even casual drinkers are embracing the pleasures of sobriety) にも紹介されていますが、アルコールフリーのバーなどが出てきている状況から、ノンアルコール飲料の分野に、目に見えて多様性が増えてきていることは楽しいなとは思っています。それこそ世界で起きているクラフトビールやクラフトジンのトレンドが、コーラやジンジャーエールといったノンアルコールの領域に広がっているのは嬉しいです。

――他にはないですか?

うーん。難しいのは、今回の特集には、それこそ断酒した人のコメントが多く寄せられ、断酒がいかにポジティブな変容を自身の生活にもたらしたかが語られているところでして、私のような酒を飲まない立場からすれば、そうしたコメントを取り上げて、飲酒がいかにひどい習慣、文化であるかを鬼の首を取ったように語ることもできるのでしょうけれど、自分の飲酒習慣をどうしようが、基本は個々人の好き勝手ですから、酒の害悪を声高に言うのも気が進まないんですね。というのも、タバコをやめた途端に原理主義的なアンチ喫煙に転じる人っているじゃないですか。ああいう感じも鬱陶しいじゃないですか。

――たしかに。とはいえ、いまの記事に記載された数字を見てみるとやっぱりお酒の「有害度」は極めて高いようですね。リソースが明示されていないのですが、2010年の調査によれば、個人と社会にもたらすお酒の有害指数は100点満点で72点というスコアだそうで、これはコカインの27点の3倍近いポイントです。

自分は喫煙者なので、その手の数字でタバコの有害性を訴える数字には敏感だったりしますが、そんな数字を見たからといってやめようとはなかなかならないんですね。それはお酒を飲む人にとってもそうだろうと思います。人には自分の健康や生命を自己選択において縮める自由もありますから、特定の個人をそうした数字でもって説得しようとしたところで、余計なお世話だというのは原則としてそうだと思うんです。という前提の上で、それに社会の問題として対応すべきかどうかは、主に飲酒する人たち、それでビジネスをしている人たちが真剣に考えるべきことだと思います。

——ですよね。

また、「飲酒と暴力」ということで言えば、厚生労働省のウェブサイトに、そのものズバリ「飲酒と暴力※14」と題されたページがありまして、そこにはこんなことが書かれています。

「日本においては、飲酒による暴言・暴力やセクハラなどの迷惑行為は『アルハラ』と呼ばれており、この『アルハラ』は家庭内だけでなく、社会や職場にも広がっています。２００３年の全国調査によると、このような『アルハラ』を受けた成人は３０００万人にも達しており、そのうち１４００万人はその後の生き方や考え方に影響があったと回答しています。このように本邦においても、飲酒による暴力の問題が様々な場面で起こっており、社会的にも大変重要な問題です」

——３０００万人！

ついで、ＤＶ問題について、こうして報告しています。

「飲酒とＤＶとの関連性には諸説ありますが、刑事処分を受けるほどのＤＶ事件例では犯行時の飲酒は67・2％に達していたという報告があり、激しい暴力においては飲酒との相関がより強いようです。とりわけ日本においては、飲酒をして暴力が発生することが男性に多いという特徴が指摘されています。またアルコール依存症者においては一般人口に比較し暴力問題が頻繁にみられ、断酒後には激減することから、依存症レベルでは飲酒と暴力との関連は明確といえます。

その一方でアルコール問題を持つ者に対する家族からの暴力もあります。特に女性のアルコール依存症者は、夫をはじめとした家族からの暴力を受けやすいようです。しかしながらＤＶの原因は飲酒だけではなく、夫婦関係や生活歴などの様々な要因が関与しており、飲酒とＤＶとの因果関係は非常に複雑で、いまだよく分かっていません」

——いずれにしても、女性が暴力

※13　※14

の被害者になっていることが多いということですよね。これは深刻です。

これと先のトルコやロシアでのニュースとを並べてみますと、先にお話ししたように、男性原理社会の強力なドライバーとしてアルコールというものがあったことは、必ずしも故なしとはできないような気もしてくるのですが、社会全体がそれを変えようと望むのか、あるいはこのままその状態を受け入れ続けるのかどうかは、私のあずかり知らぬことです。

――今回の特集のなかでは、盛んに「ウェルビーイング」ということばが使われていまして、個人だけでなく会社のウェルビーイングのために断酒することの意義が「会社が社員の断酒をサポートする9つの方法[※15]」(9 ways companies can support sober employees)という記事でも明かされていますが、いま、お酒をやめることが、少なくともアメリカで大きな流れになっているのは、社会的な問題として意識されているからなんでしょうね。

そうなんでしょうね。

――「ウェルビーイング」は個人だけで取り組んでも意味がなく、それは身の回りの環境、つまり会社やコミュニティや都市のウェルビーイングとシームレスにつながりあっているということは、折に触れてこの連載で指摘されてきたことですが、個人の飲酒習慣が会社や職場の飲酒文化に深く関わっていることを思えば、断酒の動きは、それなりに広がりのある変化を生むのかもしれません。

コロナによるリモートワークの一般化が、個人の生活文化と会社文化とを切断してしまったことで、個人起点の改変がやりやすくなったことはあるのだろうとは思います。その結果、ヘルシーにアルコールを楽しむことができるようになったのであれば、それは喜ばしいことだとは思いますが、だからといって、そうした人たちが「ウェルビーイング警察」みたいになって、タバコでやったみたいに、ありとあらゆる「害悪」を環境から追い出そうとするのは、やはりやりすぎだろうと思いますし、結局のところ、なんでもバランスが大事なんですよね。ウェルビーイングの本質は、そこだと思います。

―――たしかに。

　そういえば、私は、前内閣報道官で総務省時代の接待で職を追われた山田某[※16]という女性にとても反感をもっているんです。

―――そうでしょうね。飲み会を断らない人[※17]ですから（笑）。

　おそらくお酒が好きな方であるだけな気もしますし、そのこと自体は罪でもなんでもないと思いますが、男性原理社会のなかで女性としてそれなりのポジションにたどり着くために「どんな飲み会にも参加する」という戦略を自身に課し、かつそれを若者に向けて推奨していたという点で、典型的な「名誉男性」という感じがしてしまうんです。つまり、男性文化を完全に内面化した女性ということです。

―――ふむ。

　女性たちが、おおっぴらに酒を飲んでへべれけになるということが世間的にアリになったのがいつのことかと振り返ってみると、バブル時代だったと考えられます。

「流行語〝オヤジギャル〟を生みだした!? バブルの女王・中尊寺ゆっこの功績[※18]」という記事に目を通していましたら、バブル当時の風景がこんなふうに描写されていました。

「バブル期当時は女性の社会進出が目立ちはじめ、働くOLたちはそれまでオヤジの趣味（居酒屋飲みやギャンブルなど）と言われていたことにもどんどん手を出していった」

　そうしたなか「バブルの女王」と呼ばれた漫画家の中尊寺ゆっこさんが「オヤジギャル」ということばを漫画のなかで登場させ、大変な流行語になったのですが、女性が広く社会進出し、大きな自由を謳歌できるようになったときに、そこで目指されたのが「オヤジどもがやっていることを自分たちもやる」ということだったというのは、いまから振り返ってみると、なんと言いますか、ある種のややこしさを感じます。

―――むむ。第39話「ホームリノベーションの効能」で、森元首相の辞任騒動をめぐって以下のようなやりとりがありましたが、それに

※18　※17　※16　※15

通ずる問題ですね。こんなやり取りがありました。

「森元首相に反発している女性の側が主張しているのは、『その密室のプロセスに女性も参加させろ』ということではないはずです。むしろ、そこで主張されているのは『透明なかたちでやれ』ということなのではないかと思います。

――橋本聖子五輪担当相などは、その密室プロセスに入っていそうですが、みんながあれになりたいわけではないんですよね、きっと」

はい。女性が発言権をちゃんともつことは、「女もボーイズクラブに入れろ」ということではないはずです。

――ところが、バブル期において、女性たちが自由を謳歌した際の彼女たちの要求は「オヤジがやっていることに私たちも参加させろ」ということだった、と。

ゴルフであったり、居酒屋であったり、競馬やパチンコであったりといった、それまで男性に独占されていた空間を自分たちにも解放しろという要求・欲求は、当時においてはある種のプロテストとしての意味もあったのだろうとは思うのですが、そうした空間に身を置くために、「自分たちを『オヤジ化』しなくてはならなかった」のだとすると、「オヤジ化」した女性たちは、結局はオヤジ文化と一心同体の存在でしかないのではないかと疑うことは可能な気はします。さしたる確証はありませんが。

――たしかに、ちょっとややこしいですね。

へべれけになって正体を失っている女性を見ると昭和のおっさん文化の構成員と見てしまう癖が自分にはありますので、そうしたおっさん文化が厳しく断罪されているいまであっても、女性だからといってすべからくそうした「おっさん文化」から除外されているわけではないという感覚は抜きがたくあるんです。そうした文化がはびこるにあたっては、男女間に共犯関係がなかったわけではないはずですから。

――ふーむ。

ところで、2018年の産経新聞の「20代男性より『呑んべえ』40代女性の飲酒率1・5倍[※19]」という記事は、アルコール消費量が年々下がっているなか、唯一伸びを示している層が「40代以上の女性」であることを伝えています。

――へえ。

記事にはこうあります。

「日本のアルコール消費量がピークを迎えたのは平成8年。時代でいえば、企業の中間管理職の多くを団塊の世代が占め、昭和46年～49年生まれの団塊ジュニアと呼ばれる世代が大学を出て、社会人として働き始めたりしたころにあたる。

バブル経済は崩壊していたが、先輩や上司につれられて、長酒をともにする『ノミニケーション』の会社文化が色濃く残っていた」

――つまり、そうした文化・習慣のなかで社会人となった女性たちが、アルコール消費において伸びを示しているということですよね。

記事は明確にはその因果について触れていませんが、飲酒量のピークにあった平成8年、つまり1996年から20年を経た2016年になると、「男性全体の飲酒率は52・5%から33%に低下。40代男性63・3%から37・9%、20代男性は36・2%から10・9%にまで下がった」と報告していまして、時代のなかで変化したのは、むしろ男性側であることを明かしています。

――少なくとも若者は、男性も「飲み」を基軸とした文化から離脱しているということですね。

こうしてみると、「飲み会は断らない」と豪語していた人はバブル文化の残骸そのものかもしれず、だとすれば、それがここにきて放逐されるのは必然だったんでしょうね。

※19

Field Guidesを読む #46

The Joy of sobriety

March 28, 2021

https://qz.com/guide/sobriety/

- ◉カジュアルなお酒飲みも断酒を楽しみ始めている理由
  Why even casual drinkers are embracing the pleasures of sobriety
- ◉会社が社員の断酒をサポートする9つの方法
  9 ways companies can support sober employees
- ◉ノンアルコールドリンクは誰のため？
  Who are non-alcoholic drinks really for?
- ◉飲み過ぎが気になるあなたがすべきこと
  What to do if you're worried about drinking too much alcohol
- ◉断酒したからといって創造力が下がるわけではない
  Giving up alcohol doesn't mean sacrificing creativity

#47

Tesla takes on the world

April 4, 2021

テスラの世界制覇

イーロン・マスクのモチベーションは
最初からいまにいたるまでエネルギー問題にあって
クルマそのものにはないようにも思えます。
それはそれで徹底していてすごいことだと思いますし
であればこそ、中国との関係も「相思相愛」になるんですね。

——さて、今回は「Tesla」がお題です。今年の1月にTesla 1社の時価総額が、それ以外の自動車メーカーの時価をすべて足した額を超えたところから、「Tesla の世界制覇」(Tesla takes on the world)というタイトルがつけられています。

うーん。困りましたね。あまり興味をもったことがないんですよね。

——なんでですか?

なんでなんでしょうね。

——欲しいな、とか思いません?

実は私の従兄弟がTesla に勤めていまして。

——そうなんですか。

はい。つい先日、「テスラモデル3価格調整入ってお求めやすくなりましたよ」と突然メッセージが来ました。「おいくら万円?」と返しましたところ、「いちばん安いので450万くらい。ロングレンジは650が499まで価格調整されたよ」とのことでした。

——おお。結構下がっていますね。

——買ったらいいじゃないですか。

ありうるとすれば社用車として、ですかね。

——必要あります?

ないですね。

——意味ないじゃないですか。

そうなんです。

——ハードウェアってものにほんとに興味ないですよね。

ないんですよね。とはいえ「モノ」はキライじゃない[※1]んです。先日家の片付けをしたら骨董市で買った額縁が大量に出てきて「これどうすんだ?」となりまして。

——廃棄したんですか？

いや取ってありますよ。

——どうするんですか、それ？ただの額なんですよね？

　そうです。ほとんど戦後のものだと思いますが、ただの額です。骨董市に行きますと、どこの誰が書いたのかわからないような絵が売っているんですね。いい額だなと思って「額だけください」って言うと、大概「絵ごともってけ」って言われることになりまして、仕方ないから絵ごと買って、絵は破棄したりします。

——ものすごい本末転倒感。

そうは思っていないいんですが、どこの誰のものかわからないとはいえ、人が描いた絵を捨てるのは、ちょっと心が痛むところはあります。額を捨てるほうがきっとやましさは少ないのだろうと思うのですが、なんでなんでしょうね。

——フレームとコンテンツ、みたいな話ですね。

　後付けでは、そういうことも言えるのかもしれません。ハードにそこまで興味がないというのは、本当にその通りで、明らかに「ソフト」「コンテンツ」のほうにしか興味ないタイプなのですが、とはいえ、コンテンツはフレームがないと成立しないので、コンテンツを考える一環としてフレームについて考えることは多いと言えば多いんです。

——ハードウェアがコンテンツのフレームを決定していく、その部分には興味があるということですよね。

　今回の〈Field Guides〉でも、ちょっと面白いなと思ったのは、イーロン・マスクが「工場」というものにある種のオブセッションをもっているところでした。工場のイノベーションというところを熱心にやっているんですね。

——「Teslaの未来を描くイーロン・マスクのビジョンボード※2」(Elon Musk's vision board for Tesla's future）という記事に、「マシンをつくるマシンを磨き上げる」という項がありますね。

　2016年にイーロン・マスク

※1

※2

は、未来の工場は「エイリアン・ドレッドノート」（宇宙戦艦＝Alien dreadnought）みたいになる※3と豪語し、高速自動製造を行う工場をつくるために巨額の投資をして、会社を破産寸前にまで追い込んだことがあるそうですが、その「エイリアン戦艦」を発表した際に、「工場がこういう状態になったら、勝ちということだ」と語った、その視点は面白いですよね。

――あるプロダクトが成立する上で、それを成り立たせている外側のシステムをどうつくるか、ということですよね。

　製造業であれば、事業のキモが生産工場のありようにあるといったことは、おそらく当然のことと考えられていると思いますが、それでも、ぼんやりしていると、うっかり見逃してしまうところなんだろうと思います。

――そうですか。

　誰だったか忘れてしまったのですが、「飛行機が飛ぶためには滑走路がいる」といったことを言っていまして、「たしかにな」と思ったことがあるのですが、飛行機は飛行機がそれとして飛べるだけでは飛べないんですよね。

――誰かが滑走路をつくらないといけない。

　言われてみれば当たり前ですよね。そういえば、つい先日、会社でこんな話をしていたんです。

――はい。

　ほら、いわゆる町の蕎麦屋さんや中華料理屋さんってあるじゃないですか。

――ありますね。取り立てておいしいわけでもないけれど、近くにあると便利っていうヤツですね。

　はい。ああいう店って、おそらく結構高齢化が進んでいてコロナをきっかけに相当の数が閉店したりすることになるのではないかと想像するのですが、よくよく考えてみると、ああいうお店があらゆる商店街やあらゆる駅前にあるのって、ちょっと不思議な感じがしませんか？

――というのは？

こう言っては申し訳ないんですが、町の中華屋さんやお蕎麦屋さんって、必ずしも「料理一筋」みたいな人がやっているわけでもないじゃないですか。

——メニューも味も、わりかし適当な感じですもんね。

こういう言い方は大変失礼にはあたりますが、そういう、ある意味とても中途半端なものが、全国津々浦々に存在しているのって、考えてみたらなんだか結構奇妙な感じがするんです。

——いま例えば蕎麦屋を始めようという若い人がいたとしたら、おそらくああいう形態の、ああいう位置付けのものには、たしかにならないような気はします。

もうちょっと気張るでしょうし、自分の店の「意味」みたいなものを考えるような気もしますので、ああいう適当な感じには、しようと思ってもなかなかならないんじゃないかという気がとてもするんです。

——たしかに。

つまり、ああいうお店って、どこかインフラを整備するようなやり方でつくられていったんじゃないか、という気がしなくもないんです。

——自由市場っぽい原理でつくられていったというよりは、公共主導で整備されていったというような？

それを公共が後押ししたという感じもしませんが、少なくともなんらかのテンプレートみたいなものがなかったら、あれだけ似たような形式とモチベーションの店が、全国に整備されることは考えにくいと思うんです。

——飲食店の始め方についてはまるで素人ですが、ぼんやりと想像してみるに、厨房の道具を一式揃えて、仕入先を確保して、といったことをスクラッチでやろうとしたら、途方に暮れる感じはしますよね。

もちろん一定期間業界で働いていれば、基本的なシステムや取引相手に関する知識は入手できると思うのですが、それなりの初期投資も必要な業態だとは思いますし、

※3

それなりの覚悟が必要なものだと想像したとすると、逆に、町の蕎麦屋さんや中華料理屋さんの、いい具合のやる気のなさってあんまり説明がつかないようにも思うんです。つまり、ある時期において、かなり参入のハードルが低かったかなり可能性があるなと思ったんです。

——なるほど。妙なことを考えますね。

想像するに、初期費用を融資してくれる地元の銀行や信用組合や商店街といったものが、資金面から食材の調達といったところまで、ぐるりと、一定の面倒を見てくれるサブシステムのようなものが、かなり強固に作動していたんじゃないかと思うんです。

——どうなっていたんでしょうね、実際のところ。

かつてあった強固なサブシステムの握力が、どこかの時点で弱まって、その代わりに大きな資本をもったチェーンが出てきて、そうした事業者をフランチャイズ化していったような流れなのかな、と想像するのですが、いずれにせよ、津々浦々まで同じような形式の業態の何かを行き渡らせるためには、テンプレートのようなものが間違いなく必要だろうとは思うんです。

——「今日から誰でも始められますよ」と、事業がパッケージ化されていたということですよね。よく見かける町のケバブ屋さんなんか完全にそんな感じしますもんね。

まさに、そうなんです。といったことをつらつら考えると、問題は、さっきからお話ししている、私たちが日々重宝してやまない「適当なお蕎麦屋さん」「適当な中華屋さん」みたいなものが、今後絶滅する可能性はかなり高いというところです。

——ああ、たしかに。それを再生産するためのサブシステムが、存在しないということですね。

そうなんです。仮に、そうした事業者の高齢化が進んでいるのだとしたら、ある時期から、そこにはすでに新規参入者がいなくなっているということにもなりますよね。それが何を意味しているかといえば、おそらくサブシステムであるOSのアップデートがとっくに終わってしまっていて、アプリケーションだけがなんとか作動している状態である可能性が高いということです。

――そう言われると妙にしっくりきますね。

だからどうという話でもないんですが、そうやって考えると、当たり前の話ですが、世の中はそれなりに複雑にできていて、表に現れてきている問題だけを見てそれを批判したりしてみても、どこか的外れになってしまうようなところはあるのかな、と思ったりします。

――たしかに。

いつまで古いＯＳでやってるんだと批判するのは簡単ですが、かつてのＯＳがどういうものだったのか、という検証がないところで強引にＯＳの入れ替えをやったら、当然そこで息絶えるアプリケーションもあるはずで、「そういうアプリを根絶やしにするのだ」という主旨でアップデートをやるのであれば、それはそれでいいんでしょうけれど、まあ、なかなかそういうわけにも行かないですよね。

――Tesla の話に戻すなら、イーロン・マスクがやろうとしていることは、製造のためのＯＳをアップデートしようということなのだとは思いますが、結構行ったり来たりしていますよね。２０１８年には、「オートメーション化にしゃかりきになりすぎて、いらんところまでやりすぎた」ことを認め、その後も自身のツイートで、「過剰なオートメーション化は私の過ち。人間は過小評価されている」[※4]と語ってもいます。

そこにはいろんな教訓があるのだとは思いますが、それこそ「製造工場のあり方」というもの自体が、長い時間をかけてイノベートされてきたものでしょうから、それを一足飛びに未来に着地させるというのは、やっぱり難しいんだと思います。

――第35話「ムービーシアターの絶滅」でも似たような話があったかと思いますが、いくら「これからはストリーミングの時代！」と叫んでみたところで、「劇場どうするの？」というところでどうしてもスローダウンさせられたり、

※4

進路変更を迫られたりすることがある、ということですよね。

まさにそうだと思います。映画館なんてまさに、いまお話ししたお蕎麦屋さんと似たようなものですよね。みんなが映画を楽しむためには映画館が全国津々浦々に必要だった、ということを、なぜかうっかり私たちは見過ごしてしまうんですね。いま、ネットでいくつかの資料にあたってみたのですが、戦前の1939年に全国の映画館数が2000以上もあった[※5]そうです。いまから見ても、それってすごい数じゃないですか。

――たしかに。それを、いきなり根こそぎアップデートしよう、というのは無理がありますね。

結局のところ「リープフロッグ」というのは、そうした「古いOS」が存在しない、あるいは未整備の地域で起きるわけです。ナイジェリアで映画のSVODが広まったのはそもそも映画館チェーンがなかったからですし、電子マネーの「M-Pesa[※6]」が広まったのは銀行システムにそもそもインクルードされていない人たちがいっぱいいたからですし、アフリカでドローン宅配が先行するのは基本的に「道路」が整備されていないからなんです。

――そう考えると、日本は、整備され尽くしちゃったという意味で、「リープフロッグ」には不利なところがありますね。一方で、中国はその意味でもいいポジションにいます。

中国と言えば、実は、上海の Tesla のショールームに行ったことがあるんです。

――へえ。

それこそ銀座のような一等地に、テスラのほか「NIO」や「BYTON」といった中国の国産メーカーが立派なショールームを構えていまして、それぞれ見学に行ったんです。

――どうでした?

2019年の5月に弊社で企画したツアー[※7]で訪ねて、本当はなんらかの冊子にでもまとめようと思って旅行記のようなものを途中まで書いたのですが、立ち消えになってしまいました。せっかくですので、一部ここに掲載しておきますね。Teslaを訪ねたくだりです。

『アメリカは中国を見習うべきだ』

アメリカ民主党のバーニー・サンダースは、そう言って集中砲火を浴びた。貿易戦争のさなかであれば炎上は容易に想像できたはずだ。とすれば炎上上等の発言だったにちがいない。サンダースは、そうまでしてアメリカ国民に喚起したい話題があったのだ。

『グリーンテックに対する投資を政府がもっと行うべきだ』

それが彼の趣旨だった。中国のグリーンテックへの投資額は、米国、欧州、インドを合わせた額よりも多い。このままでは米国はグリーンテックの分野においても中国に後れを取る。サンダースはそんな危機感を表明した。もっとも中国の国内エネルギーは、いまだその60%以上を石炭に負っている。何をかいわんやという意見もありそうだが、逆に言えば、そうであればこその巨額投資でもある。次期大統領選で『グリーン・ニューディール』を大きなアジェンダとして掲げる民主党としてみれば、中国への競争心を煽るのは、自分たちの政策に国民の目を向けさせるにはもってこいの戦略だ。

訪ねたのは、高級ブランドのブティックが立ち並ぶ上海でも際立って静かなエリアだ。地元の人なのか観光客なのかで賑わう巨大なスターバックスロースタリーの並びに、ＥＶメーカーのショールームが3つ並んでいる。おなじみTesla、そして中国産の『BYTON』と『NIO』のショールームだ。それぞれ冷やかしに覗いてみる。結論から言わせていただくと、Teslaの賞味期限切れ感がハンパない。

BYTONが、フロントパネル一面を曲面の液晶パネルで覆い、NIOの車両がボイスインターフェイスに軸足を置いていたりするのを見るにつけ、iPadのようなデバイスをギアの前にただ設置しただけと見えるTeslaのユーザーインターフェイスのがっかり感は際立つ。中国産のメーカーが自分たちを、単なる『自動車メーカー』ではなく『モビリティカンパニー』と明確に定義していることも違いを際立たせている。

NIOは市場販売をスタートさせているものの、BYTONはまだ販売してはいない。NIOのＥＶの販売価格は最低でも７００万円は下らない。一緒に旅した自動車

※7　※6　※5

メーカーのとある社員は、『電気自動車は700万円の価格でもほとんどペイしない。どういうコスト構造になっているのか』と首を捻る。バッテリーの価格が大きなボトルネックとなって、生産台数が増えればコストが下がるという論理も思うように働かないはずだが、と彼は言う。

ショールームを案内してくれた担当者に聞いてみると『バッテリーのコストは徐々に下がっているはずだ』と言うものの、『実際のコストストラクチャーは自分はよくわからない』と逃げられてしまった。イスラエル出身だというPR担当は、悪い人間ではなさそうだが、会社自体のプレゼンも正直いまひとつだった。一抹のハリボテ感が漂わなくもないのだが、それでも上海の一等地にどでかいショールームを構えるのだから資金は潤沢にあるのだろう。

グリーンテックへの投資を国策として推進してきたその一環として、中国政府がEV産業にも大きくテコ入れをしてきたことは知られている。購入者の税制優遇も手厚い。バーニー・サンダースの言葉を報じたニュースは、EV産業にもそろそろ自立を促すべく、政府が資金の投入を減らしつつあると伝えていた」

――ふむ。Tesla、ダメでしたか。

中国の国産メーカーの車両がどこまで優れているのかは、実際に運転していないのでまったく判断ができないのですが、割と明確に感じ取れたのは、中国のメーカーは、自分たちを基本的にクルマのメーカーだとは考えていないということでした。これは会社説明を受けた際にも繰り返し強調されていた点です。

――クルマのメーカーじゃないというなら、何なんですか？

クルマはあくまでも起点で、クルマを買ったあとのサービスの部分が本当のサービスなんだ、という意識が強いんですね。NIOのウェブサイト[※8]を見ていただくとわかりますが、「オーナーシップ・エクスペリエンスを再設計する」というところに非常に大きな力点が置かれています。そうした観点からクルマのショールームには「NIO HOUSE[※9]」と呼ばれるものが併設されていまして、そこは「オーナーたちが自分たちのそれぞれの夢を叶えるためのインキュベーション空間」としてデザインされていたりします。

――ユーザーというかオーナーを束ねた一種のコミュニティビジネスと考えていいんですかね。

そうですね。このときのツアーを一緒にディレクションしてくださったbeBitの藤井保文さんは著書の『アフターデジタル2：UXと自由[※10]』のなかで、NIOの担当者のTesla評をこう紹介しています。

「テスラは車の鍵を渡すまでが仕事だが、NIOは鍵を渡してからが仕事だ。我々が提供しているのはライフスタイル型高級会員サービスのようなもので、その会員チケットを買うために600万円〜700万円を払ってもらい、ギフトとして車を差し上げるようなものです」

――ははあん。でも、中国EVは、とはいえ若干の「ハリボテ」感はあるんですよね？

そうなんですよね。赤字覚悟でユーザーを獲得し、それが一定数に達したところでプラットフォーマーとしてどんどんサービスを開発していくことを目指すというところは、完全にテックサービスと同じビジネスモデルを採用しています。「クルマは走るスマホだ」という言い方は、それこそTesla以後の自動車の世界ではよく言われてきたクリシェですが、そういう意味では、NIOもBYTONも、Appleのスマホと同じような考えでビジネスを構築している点で、ある意味Teslaに先んじているとも言えるのですが、とはいえ、「クルマは走るスマホだ」と言ったはいいけれど、そこにいったいどういうアプリケーションが載るのかについては、まだ誰も答えを見いだせてはいません。

――それこそソニーのコンセプトカーは、クルマを一種のエンタメ空間と見なす[※11]ものでしたが、エンタメはアプリケーションのひとつの領域でしょうし、あるいは第38話「マインドフル・ビジネスの不安」でも語られた「ウェルビーイング」という方向性もありえますよね。

そのあたりについて、実は、

※8 ※9 ※10 ※11

Teslaはほとんど興味を示していないんです。先ほどの「Teslaの未来を描くイーロン・マスクのビジョンボード」という記事を見ても、自律走行車があまねく行き渡ると、クルマは「ロボタクシー」のようなものになるといったことぐらいしか言っておらず、それ以外となるとAI、火星という話になってしまいますので、AIや火星が実際に地球人の近未来におけるカーライフとどうつながっているのかは、正直よくわかりません。

――それこそイーロン・マスクが15年ほど前に書いた「Teslaの秘密のマスタープラン」というブログが、「TeslaはEV競争における競合優位の意味を変えた[12]」(Tesla changed what competitive advantages mean in the EV race)という記事で紹介されていますが、そこで彼が語ったプランはこういうことでした。「スポーツカーをつくる／その売上で手頃な価格のクルマをつくる／その売上でもっと手頃な価格のクルマをつくる／上記を実行する過程でゼロエミッション電力生産という選択肢を提供していく」。

これを見てみると、たしかにイーロン・マスクのモチベーションは、最初からいまにいたるまでエネルギー問題にあって、クルマそのものにはないようにも思えます。それはそれで徹底していてすごいことだと思いますし、であればこそ、Quartz Japanも翻訳記事にしていたように、中国との関係も「相思相愛」になるんですね。

――そうなんですね。「Teslaと中国：『相思相愛』の先にあるもの[13]」(Tesla needs China, but China also needs Tesla)という記事はこう解説しています。

「中国は現在、国内の自動車産業にメスを入れようとしています。EV補助金を段階的に廃止するなかで、EV製造にまつわるさまざまなプロセスのうち、グローバル競争力をもった部門が成長することを期待しているともいえます。北京のシンクタンクAnboundが、テスラの存在は中国国内の高品質な電気自動車のサプライチェーンを強化し『最終的には中国の電気自動車産業の繁栄につながる』と説明している通りです。

テスラ側も、それと同じくらい、

いや、それ以上に中国を必要としています。中国はいまや、テスラにとって米国に次ぐ第2の市場。今年、テスラは中国で記録的な台数を生産・販売する予定です。
　2020年のテスラの売上のうち中国における売上は67億ドルで、総売上の約5分の1を占めています。ロイターによると、2020年、テスラ上海工場は中国で約15万台の自動車を生産しています。2021年の生産見込みは約50万台で、その多くは欧州市場に輸出されることになります。
（中略）現在の中国は、世界最大のEV市場のひとつです。そして2020年、中国で最も売れたEVはテスラの『モデル3』でした。テック分析ファームのCanalysによると、昨年の世界のEV販売台数の実に41％を中国が占めています。さらにこの国では、現在販売されている新車のうち5％にすぎない電気自動車、燃料電池車、ハイブリッド車の割合を、2035年までに100％にすることが求められています。
　前出のAutomobility CEOのルッソは、テスラの成功を中国におけるアップルのそれに喩えます。アップルは中国で、スマートフォンを『日用品』から『中流階級が欲しがる贅沢品』に変え、市場をファーウェイ（華為）やシャオミ（小米）など国内メーカーに開放しました。いま、テスラによって同じことがEVで再現されようとしているというのです」

――2035年までに現在5％のシェアのものを100％にする、というのは、なかなか野心的な目標設定ですね。

　そうですね。その目標達成に向けて、中央政府が国内の新興EVメーカーをかなり支援していまして、そのおかげで現在、中国には450社もEVメーカーがあるそうです。

――ひえ。

　もっとも、そのうち実車を販売できているのは数社しかないのが実情だそうで、そういう意味では中国国内のメーカーがどこまで成長しうるのか、ここからが正念場と言えそうです。右記の記事はさらにこう説明しています。
「EVメーカーXpeng社長のブライアン・グー（Brian Gu）は、

※12　※13

人口13億人の中国では国民所得も向上し続けており、市場は『まだ形成されたばかり』だと説明します。しかし、プレミアムEVブランドであるNIOやXpengのほかにも、中国国有企業SAIC、五菱集団とゼネラルモーターズの合弁会社であるSGMW（上汽通用五菱汽車）をはじめとする格安自動車メーカーなど、すでに有力なプレイヤーがいくつも現れています。実際に、約4500ドルで販売されている上汽通用五菱汽車の『Hong Guang Mini EV』は、1月には『モデル3』を上回る販売台数を記録しました」

――AlibabaやTencentもそうですし、HuaweiやXiaomiといった企業が育ってきた経緯を見ても、中国政府はうまいこと競争を生み出して産業育成している感じはしますね。

これは以前にも紹介したものですが、英国の「NESTA」が中国のAIのイノベーションについて詳細に論じたレポート[※14]が2020年に公開されていまして、そのなかで強く語られているのは、中国が国家主導の完全なトップダウンで産業育成しているというのは神話で、むしろドライバーは地方政府だということです。国が地方自治体にインセンティブを与えながら、自治体間でうまいこと競争をさせている格好になっているんです。「推進は国家、実装は地方」(Promoting Nationally, Acting Locally)という記事に、その辺のことが詳しく書かれています。

――なるほど。そうやってシステマティックに産業育成が行われていくとなると、日本の自動車産業があっという間に取り残されていくようなこともあるんですかね？

どうなんでしょうね。前回もこの話になりましたが、いまでこそ日本のメーカーは中国市場をあてにしていられますが、この間中国で起きているのは、クルマのみならず、それこそアニメや映画やファッションにおいても、国内プロダクトや国内ブランドへの傾斜だそうです。つい先日、前述の藤井保文さんが、中国国内のファッションが面白いことになっている、と、「中国のファッション傾向に一石を投じるDtoCブランド『nice rice』に注目[※15]」なんていう記事を送ってきてくれました。

――へえ。

藤井さんの解説によると、2019年から「国内ブランドを使おう」「国内ブランドでいけてるブランドを見つけるほうがカッコいい」というトレンドがあるそうで、こうした流れは「国潮」と呼ばれるそうですが、結果、ファッション業界でも、欧米のファッションモデルは使われなくなっているとのことです。そこにさらに海外からのさまざまな批判への反発や、コロナ対策をうまくやったことに対する自負などが重なって、こうした傾向がいっそう加速しているとのことです。

――なるほど。産業ナショナリズムみたいなものがあらゆる産業でもち上がっているということですね。

いずれにせよ、そうした流れの先にオリンピックがある、となると相当盛り上がりそうな気配はあります。

――自国ブランドを海外にアピールする絶好の機会ですもんね。そう考えると、日本は、いったい何があるんでしょうね。それこそ振付家のMIKIKOさんによる五輪開会式のボツ案が、「かっこいい!」と褒められています[※16]が、「『AKIRA』でいいのか?」という気もしてしまいます。

日本が世界に誇るべきレガシーであるという意味では、その通りなのかもしれませんが、作品のなかで五輪は中止に追い込まれていたわけですし、それを五輪の開会式で取り上げるというのは、だいぶヒネったアイデアではありますよね。

――ですよね。週刊文春と五輪組織委員会の「全面戦争」についてはいかがですか?

文春の法務部は百戦錬磨のツワモノだと聞いていますので、100%負けない戦いだと思っているからこそ記事化[※17]したのだと思いますし、編集長の反論[※18]も余裕綽々の言いたい放題でしたよね。また、実際あの記事があったおかげで佐々木某さんが辞任されて、それを組織委も承認しちゃったわけですから、それ自体が記事の「公益性」を証明した格好になっていますよね。であればこそ、組織委は、

※14　※15　※16　※17　※18

文春に対して法的措置を講ずることは匂わせてすらいませんよね。著作権の侵害、営業妨害といったことばは出していますが、提訴するといったことは一切言わずにいきなり記事の回収・削除を要求しているあたり、法的に勝てないことは、おそらく組織委もわかっているのではないかと思います。

——文春圧勝じゃないですか。

ただ、この問題について、知り合いの弁護士に聞いてみたのですが、実際に資料をリークした人物は逃げられるかどうかはわからないとおっしゃっていました。

——あれま。

ここで問題になるのは、今回のように「開会式のプラン」という機密情報を外部に流すことが「情報漏洩」にあたるのか「内部告発」にあたるのか、というところだと思うのですが、その情報によって告発された当該者、この場合は佐々木某さんが、仮に刑事罰に値するような罪を犯していたら、内部告発者／公益通報者として保護の対象になる可能性はあるそうですが、今回の場合はそうではありませんので、組織委の文書[※19]にあったように「営業秘密を不正に開示する者には、不正競争防止法違反の罪及び業務妨害罪が成立しうる」かもしれない、とのことでした。とりわけ、文春から情報と引き換えにお金を受け取っていた場合、リークした行為の「公益性」は認められない公算が高いとのことです。

——文春は「公益性」や「表現の自由」によって守られるのに、その情報をリークした人は守られないとなると、内部告発って、やっぱり割に合わない感じがしますね。

公益通報者保護法[※20]というものがあるにはあるのですが、その法律によって定義される「公益性」の範囲はかなり狭いそうなんです。という意味では、たしかに割に合わない感じはありそうです。

——なんかどんよりしちゃいました。

そうなんですよね。組織委サイドも、そこに関しては警察を動かすと鼻息荒いですから、逮捕者が出る可能性がないわけではなさそうで、そうなったときに世論が、それをどう受け止めるかが鍵になりそうですね。

――「オリンピッグ」問題の際にも、「告げ口文化」と情報のリークを批判する元マラソンランナー※21などもいましたから、実際、そのように考える人も一定数はいそうです。仮に世論が、そうやってリークした人を袋叩きにするようなことがあったら、今回のような情報漏洩／内部告発は、今後さらに難しいものになっていくのかもしれません。

そうした萎縮効果を狙うのであれば、組織委は血眼になって犯人探しをしそうですしね。

――いやな話ですね。

そうなんですよね。これは、今後の推移がとても気がかりです。このまましれっと話が終わるといいのですが。

※19　※20　※21

Field Guides を読む #47

Tesla takes on the world

April 4, 2021

https://qz.com/guide/tesla/

◉ Teslaは EV 競争における競合優位の意味を変えた
Tesla changed what competitive advantages mean in the EV race

◉図解：Teslaはいかに EV 市場を押さえたか
How Tesla captured the EV market, in charts

◉ Teslaと中国：「相思相愛」の先にあるもの
Tesla needs China, but China also needs Tesla

◉ Teslaのインド進出は生まれたばかりの EV 市場をターボチャージする
Tesla's arrival in India will turbo charge its nascent EV industry

◉ Teslaの未来を描くイーロン・マスクのビジョンボード
Elon Musk's vision board for Tesla's future

#48

Video game live streaming levels up

April 11, 2021

ゲームストリーミングの心理的安全

水平・双方向型のソーシャルコミュニケーションが
デフォルトになっていく世界にあって
その可能性を最大化しつつ
かつ、そのダウンサイドをどう制御しうるかという問題に対して
さまざまな試行錯誤がジリジリと続いているわけですが
今回の特集を読むにつけ
ゲームのライブストリーミングという空間が
目下その最前線を走っているように思えてきます。

――お疲れさまです。いかがお過ごしですか？

この1週間はわりと引きこもっている感じですね。

――そうなんですか。

はい。作業が立て込んでいる感じでして、ずっと地下にこもって原稿を書いたりテキストの整理をしたりしています。

――何の仕事ですか？

5月から3カ月立て続けに3冊ほど単行本を出すのと、それとは別に動いているリサーチのプロジェクトでテキストをまとめる作業をやっています。

――5、6、7月と続けて3冊ということですか。

まだ予定ではありますが。といっても、ずっと品切れ状態になっていた『次世代ガバメント※1』という本を、発売元を弊社に移して出版し直すのが5月の予定です。これは内容はそっくりそのままですから特に作業もないですし、7月に予定しているのはこの連載「週刊だえん問答」の2冊目ですから、これはもう粛々とこれまで配信したものをゲラに移しかえていくという作業なので、それなりに機械的にやれそうです。

――6月は？

「働くことの人類学」というポッドキャストの書籍化※2でして、メインのパートとなるところは、あらかたのテキスト整理を終えて校正に回っているというステータスでして、あとは追加する新しい企画をぼちぼちつくっているところです。

――なるほど。一番大変なのは、どれなんですか？

いま一番時間がかかっているのが、リサーチのプロジェクトのまとめでして、当初はさっくりしたものにしたいと思っていたのですが、やり始めたら面白くなってきてしまいまして、調べたことを、ひと通り、この「だえん問答」でも採用している仮装対談方式で全部吐き出してやろうと、猛然と書き下ろしているところです。

――なるほど。お題はどんなものですか？

「行政府のDX[※3]」がお題ですが、行政府に限らず、「DX」というものは基本民間企業でも考え方は同じだと思いますので、お題は端的に「DX」です。

――面白そうです。

面白いですよ。「DXとは何か？」というのは、もういろんな人が、侃々諤々さまざまなことをおっしゃっていると思いますが、このリサーチをするにあたって4カ国の海外行政府の「DX推進部門」の方々にお話をお伺いしたところ、何に驚いたかと言いますと、「DXとは何か？」ということについては、もうかなり明確に答えが出ていることなんです。

――あ、そうなんですか。

そうなんです。こっちも当初は不必要に小難しく考えてしまっていたので、かなり慎重に「DXって何ですか？」って聞いて回ったんですが、答えはだいたい「即答」で、しかも「一言」なんですよ。

――あれま。

本当に「あれま」なんです。で、結論だけ言ってしまうと「ユーザー中心」の一言なんです。

――そうなんだ。一言すぎて、ウケますね。

ウケますよね。要はこれまで「提供者中心」だったサービスを、すべて「ユーザー中心」のものに置きかえようというのが「DX」というものなんです。

――報道はじめデジタル庁をめぐる話で、そんなことば聞いたことないですけどね。

言われてはいるのかもしれませんが、それが根本にして絶対に揺るがない理念である、と考えられているかどうかは、よくわかりま

※3 ※2 ※1

せん。

——それくらい厳格な理念なんですね。

そうですね。ただ、これは、ことばの簡単さとは裏腹に、いざ実行しようと思うとてつもない労力がかかる転換でして、少なく見積もっても10年はかかると思っておいたほうがよさそうです。

——新しいイカしたシステムを導入すれば、すぐに変わるというものでもない。

「ユーザー中心」は、すでにしてよく使われていることばですが、これが意味しているのは、仕事のあらゆる局面においてそれが発動しているということです。これは、言うのは簡単ですが、そんなふうな仕事のやり方は実際にはほとんどの人がやったことがないものです。おそらく「ケア」という領域に分類される仕事以外、この世のほとんどの仕事は、基本「つくり手側」の視点で行われてきましたから。

——そうなりますか。

ここでは、これ以上の深入りはしませんが、そうやって「つくり手の論理」で回っていた社会のありようを180度転換させるというのが「DX」というものの本質だと言われていまして、これが困難なのは、それが大きくマインドセットの転換に関わるからですし、それだけでなく「仕事の仕方」、つまりは「体の動かし方」そのものを大きく変えないといけないからです。野球部を突然サッカー部に変えるみたいなものです。

——そりゃ厄介ですね。

しかも、さらに厄介なのは、サッカー部につくり変えたとしても、数年後にはそれを水泳部や将棋部に変えないといけないかもしれない、ということを想定しておかなくてはならないところです。

——なるほど。不確実性にどれだけ耐えられるようにするかということですね。

レジリエンスって、そういうことなんですね。もちろん、これからの社会においては「デジタルデフォルト」のゲームに即した体づくりが必須の要件にはなりますが、本質的には、なんらかの拍子でデジタルシステムがクラッシュしたときに、変な例ですが、モールス信号を使うことができるような対応力をつけることのほうが大事なんですね。

――伝書鳩とか（笑）。

そういえば、つい先日非常に面白い記事を見つけまして、「DXってこういうことなんだよな」と思ったんです。

――いいですね。

毎日新聞に掲載された「自治体ワクチン担当、嘆きの投稿　ツイッター開設次々、情報交換※4」という記事でして、出だしはこうなっています。

「『この大規模な事業でぜひ全国の同じ立場の方と情報共有できたら』

10万人規模の市の接種担当を名乗るツイッターは2月に開設された。フォロー先には、厚労省の公式ツイッターやワクチン接種を所管する河野太郎行政改革担当相、全国の同じ境遇の自治体のワクチン担当者らが並ぶ。余裕がないのか、アイコンの写真もない。

こうしたアカウントは、プロフィル欄などで確認できるだけで80件近くに上る。多くは目的を『情報収集用』と明記。国からの情報提供を待つのではなく、インターネット上で自ら、他の自治体の関係者と作業内容や進捗を共有しようとする現代型の業務スタイルだ」

――面白い。

突然降って湧いた「ワクチン接種」という全国規模の事業を実行するためフロントラインにいる人たちが、自発的に情報共有フォーラムを立ち上げて、そこに河野大臣も参加してアドバイスを授けたりもしていると記事はレポートしていますが、こうした動きは、特にそれ自体は取り立てて新しいものではないとはいえ、改めて、人が「新しいゲーム」に参入していかないとならない状況のなかで、どういう情報が、どういうふうにやり取りされるのが最も効率がよく、かつ現場のワーカーに役立つのかを端的に教えてくれているような気がします。

――ネットワークのなかで、コレ

※4

クティブとして「答え」を探り当てていくことを、SNSが可能にしているということですよね。

はい。つまり「DX」というものが目指さなくてはいけないのは、ワーカーたちに、このようなやり方で支援できるプラットフォームやインフラを提供していくことなんですね。

――日本の自治体職員が全員で参加できるプラットフォームを、例えばデジタル庁が整備する、とかそういうことが必要になると。

この例で言いますと、ソーシャルメディアが、新しいゲームをプレイするための「武器」を調達するためのソースとして機能しているということですが、ここで重要なのは、これが、この場合のユーザーであるところの「自治体職員」をエンパワーするツールになっているということだと思うんです。

――ああ、なるほど。「ユーザー中心」って、そういうことなんですね。

はい。この場合のツールの「ユーザー」は行政府の組織内のワーカーですが、案件によっては、ここに市民が参加することもできるわけでして、そうやって完全に透明な状態のなかで、あるソリューションがロールアウトするまでの過程が詳らかになっていれば、それがロールアウトした際の市民への説明コストも、ぐっと下がりうるわけです。

――なるほど。

だいぶ端折った説明になってしまいましたので、わかりにくいところもあるかもしれませんが、なんにせよ、そうやって「ユーザー」の困難をいかに素早く察知し、その困難をどうやったら取り除けるのかを素早く特定し、いかに素早くその困難の除去に向けて介入できるか、というのが、「DX」担当者には求められるスキルで、しかも、そうしたマインドセットと体の動かし方を組織全体に行き渡らせることがミッションとなるわけです。

いまの事例で言いますと、ここでの「困難」は「ワクチン接種のために導入されたシステムの使い方がわからない」ということでしたが、この困難に対して、ソーシャルメディアを使うことで「わかる人が教えてあげる」というソリューションを組むことができるようになります。そうやって一番効率がよく実効性の高いスキームの設計を支援するのが、ＤＸ推進組織の役割ということになるわけです。

——大変ですね。そりゃ一朝一夕にはできなさそうです。

そうなんです。しかも、頭で「ユーザー中心ね」と理解しただけでは意味がなく、こうした新しいワークスタイルは実際体験して、自分なりの実感や手応えを積み上げていかないと身につかないものですから、およそ「近道」というものがないんですね。

——習うより慣れろ、と。

といって、私自身、ソーシャルデフォルトの環境のなかでコレクティブに働けと言われても、なかなか気乗りしないタチですから、我が身を振り返ってみても「時間かかるなあ」と思わざるを得ません。これはマインドセットの問題ですが、もっと広く言うなら「文化」に関わる問題ですから、急進的な変化を起こすことは、どうしたって難しいかと思います。

——ですね。

とはいえ、デジタルネイティブが社会のなかで一定数を占めてくれば必然的に変わってくるところもあるでしょうし、それこそ今回の〈Field Guides〉の「加速するゲームストリーミング※5」(Video game live streaming levels up) を読むと身に染みて感じますが、すでにして、そうした文化的転換は、もはや、そちらがメインストリームと言えるほどまでに進行しているわけです。

——「ゲームストリーミング」の話に、ここで突然。

自分がゲームをまったくやらない人間なので、今回の特集は、ある意味衝撃でしたが、それというのも、ゲームストリーミングの世界を形づくっている水平・双方向のソーシャルメディア型コミュニケーションが、もはや垂直・一方向のマスメディア型コミュニケーションを完全に凌駕していることが明かされているからです。

※5

――今回の特集は主に「Twitch」「YouTube」「Facebook Gaming」といったゲーム視聴プラットフォームが、どれだけの巨大勢力になっているかをレポートしたものですが、特集は「ゲームストリーミング視聴」はすでにしてエンタメのメインストリームであって、ハリウッドやテレビ業界も、そこに参入したがっているとしています。

ここで話題になっているのは、「ゲームをやること」ではなく「観ること」が巨大産業化しているということでして、「『他人のゲームプレイを観ること』はいかにして世界を制覇したか※6」(How watching other people play video games took over the world) というメイン記事は、ここで起きていることを、まずこんなふうにまとめています。長いのですが、引用させてください。

「他人がゲームをしているのを観る行為は、ニッチでも一過性のブームでもない。映画鑑賞のような旧来のエンタテインメントに匹敵するか、あるいはそれよりも巨大なメインストリーム・エンタテインメントなのだ(パンデミック前の映画のグローバルでの興行収入は400億ドルだった。ゲーム産業は2000億ドル)。いまハリウッドはゲームストリーミング業界に大量のキャッシュを注入し、ゲームストリーマーたちを、そのホームグラウンドから引き抜き、テレビ・映画プロデューサーと契約を結ばせようとしている。しかし、ゲーマーたちは自分たちのブランドを成長させるためにハリウッドを必要としてはいない。むしろ逆だ。

『Valkyrae のようなゲーマーのソーシャルでのフォロワーの数は、大物俳優、アスリート、音楽家たちのそれを凌いでいる』。Slasher の名で知られる eSports ジャーナリスト/コンサルタントのロブ・ブレスローは語る。『ゲーマーたちがハリウッドに参入したがっているというよりは、むしろエンタテインメントエリートたちのほうが、ゲームストリーミングに参入したがっている』。

あなたの子どもや孫や若い親戚の子どもたちにはこうした状況が見えている。ところがそれ以外の人たちは、ビデオゲームのライブ視聴がエンタテインメントの世界を制圧している、その恐るべきスピードとスケール――そして、いま『セレブ』が何を意味するか――に衝撃を受けるだろう。これが、この先テレビや映画に匹敵するエンタテインメントであり続けることは、よくよく承知しておくべきだ」

――ゲームをやらない人には、まったく、ちんぷんかんぷんな話ですね（笑）。

　かく言う私もそうでして、実際「人がゲームするのを観て、何がおもろいねん」と思ってしまったりするのですが、記事はその辺も的確に解説してくれています。今回は引用が増えそうです。

「ライブストリーマーの配信が、従来のビジュアルエンタテインメントと異なるのは、その基底にあるインタラクティブな要素だ。それはセレブとのリアルタイムのハングアウトセッションのようなものだ。ユーザーは他のファンとチャットできるだけでなく、何千人もの友人と親密な時間を過ごすなかで、ゲームをプレイしながらファンからコメントや寄付をチェックしているストリーマー本人ともやり取りすることができる。

『バックグラウンドにユーザーたちの会話が流れているのはとても心地いい。まるで友だちと一緒にいるみたいだから』。Valkyrae は言う。『何かの一部になれているようで、とてもいい気分。ひとりでいる時間が長いと、誰かの声が聞こえるだけでも癒される』」

――先ほどお話にあったような、非常に親密な水平・双方向のコミュニケーション空間がそこにあるということですよね。

「Amazon がゲームストリーミングの世界につくり上げた揺るぎない独占※7」（Amazon has built an unbreakable monopoly in video game streaming）という記事には、こんな一節があります。

「配信は奇妙に親密だ。まるで友だちの家の居間で友だちが遊んでいるのを見ているみたいだ」

――なるほど。

　そうした環境を数千人といった規模でつくれてしまうわけですから、たしかに魅力があるんでしょうね。ちなみに、いま紹介した記事は、Amazon が保有している「Twitch」というプラットフォームの圧倒的優位を、競合である「YouTube」「Facebook Gaming」、そして20

※7　※6

20年に撤退したMicrosoftの「Mixer」と比較しながら分析したものですが、そのなかで、Facebookがゲームのライブ配信に参入した理由が、「Twitchのソーシャル機能が、自分たちを脅かすことになるとの恐れから」であったと記しています。

――なるほど。「Twitch」がソーシャルメディアであるという認識なわけですね。

先ほどセレブがどんどんゲーム配信の世界に参入しつつあるというお話をしましたが、「Twitch」でこれまでに史上最高の視聴者数を獲得したのは、実は「AOC」の略称で知られるアメリカ民主党のアレクサンドリア・オカシオ・コルテスの配信※8で、これは昨年の大統領選挙前の10月20日に行われたものでした。ここで彼女は、同じく民主党のイルハン・オマルやTwitchのセレブプレイヤーであるPokimane、Myth、DrLupoとともに「Among Us」というゲームをプレイしたのですが、その基本的な主旨は、視聴者に投票を促すことにあったわけです。

――ですよね。

AOCが「Among Us」をプレイしたのはこのときが初めてだったそうですが「なかなかうまい」と好評だったそうで、まさに、誰かが自分の家の居間でゲームを遊んでいるようなプラットフォームの親密な雰囲気に、彼女はうまくフィットしたそうなんですね。これは彼女のキャラクターによるところも大きいのでしょうけれど、テキストや写真をただ投稿したり、お喋りを配信したりするよりも、さらに一歩踏み込んだエンゲージメントをプラットフォームがもっていることを証明することにもなりました。ちなみに、AOCがTwitchに参加する以前から、トランプ前大統領（ヘイトコンテンツを摘発され一時凍結）やバイデン大統領、バーニー・サンダースなどもTwitchのアカウントを開設し、トークなどを配信してきたそうですが、AOCが評価されたのはやはり彼女自身がゲームを実際にプレイした点でした。

――若い世代の支持が欲しいからプラットフォームに参加してみた、ではダメなんですね。

コンテンツを提供する主体がプラットフォームのダイナミクスを読みきれないと、そうした「親密さ」や「共感性」が発動しないのでしょうね。

——安倍前首相のインスタ[※9]を思い出したりします。

といって、必ずしもゲームをしなきゃダメだということでもないようで、今回の特集では「CodeMiko」という名のバーチャル・トークショーホスト[※10]が紹介されていまして、彼女こそ、ラリー・キング、デイヴィッド・レターマン、オプラ・ウィンフリーといった名だたる先達の衣鉢を継ぐ者だとされています。

——「未来のトークショーホストは3Dビデオゲームキャラである[※11]」(The talk show host of the future is a 3D video game character on Twitch)の記事ですね。

はい。CodeMikoの番組は、こんなふうに説明されています。

「番組は『ザ・トゥナイト・ショー』とビデオポッドキャストの間にあるもので、コメディアンのザック・ガリフィアナキスがホストするフェイクトーク番組『Between Two Ferns with Zach Galifianakis』を、ビデオゲームのキャラがホストしているようなものでもある。CodeMikoは視聴者の求めに応じて、インタビューの途中で突然踊り始めたりピエロに変身したりする。現在はまだTwitchのようなインタラクティブ・ライブストリーミング・プラットフォーム上にしか存在しないシュールなエンタメ体験だが、未来永劫そうであるわけではない。『Twitchには７００万人のコンテンツクリエイターがいます』とTwitchのＣＣＯ、マイケル・アラゴンは語る。『すなわち７００万のＴＶ番組のパイロットがあるということです』」

——なるほど。

解説はさらにこう続きます。

「CodeMikoの番組の核心にあって、他のメディアに移植しづらいのは、そのインタラクティビティ(双方向性)だ。ゲストと話す話題を決定し、彼女の体型をいじったり、彼女の服に表示される文字を決定したりするのは視聴者だ。そ

※11　※10　※9　※8

こにおいてCodeMikoは指揮者であり、円滑かつ楽しく番組が進行することを担保する役割だが、番組自体を作動させているのはユーザーなのである」

――ああ、面白いですね。ファシリテーターということですよね。ちょっと最初の話にもつながってきそうですが、「ユーザー中心」のコンテンツ／サービスづくりの最先端がある感じがしますね。

そうなんですよね。CodeMikoの場合は、その3Dキャラを操作しているのが、ひとりの女性なのですが、それがバーチャルキャラであれば、その背後にいるのがチームであってもいいわけで、そういう意味では、そのキャラ自体が、字義通り「メディア」なんですよね。

――と言いますと？

以前、海外で「Lil Miquela」というバーチャルモデルが話題になって、それこそ彼女が音楽フェスの「コーチェラ」のバックステージでミュージシャンにインタビューを行う動画※12などがつくられたりして、ちょっといいなと思ったんです。

――VTuberチューバーみたいなものですよね。

はい。

――何がいいんですか？

自分なりの言い方をしますと「雑誌っぽいな」と思ったんです。

――どういうことでしょう？

雑誌ってそれぞれに「キャラ」があるわけですが、それが、つくり手個人個人の趣味嗜好の直接的反映かというとまったくそうではなくて、どちらかという読者も含めた、ふんわりと束ねられた集団の、コレクティブな「キャラ」なんですよね。女性誌なんかですと、それが「読者モデル」のようなかたちでリアルな人物として表象されることもありますが、その「読者モデル」にしたって、基本的にはフィクションというかバーチャルな存在で、要は「媒介者＝メディエイター」なんですよね。

――ああ、なるほど。

そう考えると、バーチャルなモ

デルをインタビューや取材に行かせたりすることができるなら、それ自体が「雑誌」的な何かになり得るなと思ったんです。

――でも、それがバーチャルになると、さっき言ったような「親密さ」みたいなものは損なわれませんか？

　そこなんですが、そもそもオンラインで好んで観ている相手って、仮にリアルな人であっても、リアルに会ったりする人ではないわけですよね。「The Drum」というオンラインメディアに掲載された「パラソーシャル：Twitchとオンライン対人関係のニューノーマル」※13という記事がありまして、そこにこんな記載があります。

「オンラインクリエイターと強い絆を感じたことはないだろうか。誰かの映画評やYouTubeを見ながら一緒にビールでも飲めたらいいなと思ったりしたことはないだろうか。メイク指南の動画を観ながら、まるで自分が直接話しかけられているように感じて、インスタにリプライして無視されたりしたことないだろうか。

　こうしたシナリオがあてはまるなら、あなたはすでにパラソーシャルの概念に馴染みがある。この概念は1950年代にTVパーソナリティと視聴者の関係性を説明するのに用いられたものだ。煎じ詰めるなら、そのつながりは一方通行のものでしかない。あなたは相手を知っているが、相手はあなたを知りもしない。

　相手と何百時間も時を過ごせば、相手のことを理解していると信じるようになるが、本当の相手を知ったわけではない。それはあなたを含めた数百万人に向けられて配信されるソーシャルメディア上のペルソナでしかない。つながりは幻想でしかない。

　Twitchのようなサイトはこうした幻想を増幅する。プロストリーマーはライブでコンテンツを配信する。それは友人とのビデオチャットのように感じられる。（中略）プロストリーマーの成功は視聴者とのやり取りにかかっている」

――身に覚えあります。

　K-POP好きの私も決して人のことは言えない身なのですが、とはいえ、さすがに視聴者の多くはそれなりに成熟してきていると思い

※12

※13

ますので、その辺の距離感については、ある程度の慎重さが身についていると思います。

　パラソーシャルという問題の困難は、相手が生身の人間であればこそであって、例えば、Twitch上でも、女性のゲーマーに彼氏がいることが明かされるとフォロワーがどっと減ったりとか、それこそハラスメントが起きたりといったことはままあるそうで、ホストの心理的安全を考えると、特にその機能が「ファシリテーション」にある場合、それがバーチャルな存在であるのは合理性が高いようにも思うんです。

——なるほど。面白いです。黒柳徹子さんがあれだけ長きにわたって番組を維持できたのは、言われてみれば、彼女があの番組でしか存在しないバーチャルな存在のように感じられていたからなのかもしれませんね。私生活とかまったく謎ですし。国連の親善大使だということ以外何も知らない（笑）。

　そういえば、つい先日非常に面白い記事を読んだのですが、いまの話に少し関係があるかもしれません。「優秀すぎる人事社員は、実はこの世に存在しない人物だった……フルリモートワーク企業のある実話[※14]」という「Business Insider」の記事です。

　ネタバレになりますが、勤めていた会社の人事部にいる「仕事の速い若手女性社員『遠藤ひかり』さん」がずっと実在の人物だと思っていたら、実はバーチャルなキャラで、「業務委託4名・従業員1名の計5名の社員で運用」されていたという内容です。

——へえ。面白い。

　記事は、こうしたキャラを運用することのメリットをこう解説しています。

「目的は業務の属人化防止だ。一つの共有アカウントを作ることで、各担当者に問い合わせが散逸することなく、情報を集約することができる。

　デメリットはないとのことだが、運用上、対応を標準化するためのマニュアル化とトレーニングは必須となるそうだ。

　一方、運用が軌道に乗れば、業務委託者の数を増やすだけで、上下する業務量に柔軟に対応することが可能となる。人材確保が難しい状況でも、時短勤務やスポット勤務などを組み合わせて運用できることは、大きなメリットだという」

——ふむ。

一方で、ユーザーから見たメリットを、記事の筆者はこう説明しています。

「いち社員として遠藤氏と交流して感じたのは、人格があることで相談のハードルが格段に下がるということだった。仮に彼女が『人事部・共有アカウント』という名前だとしたら、人事部に相談すべきかどうかわからない曖昧な事柄について、まずは知人に相談したように思える。結果的に問い合わせが散逸し、情報の一元化は困難になっていただろう。『見知った人』という属性に対する心理的な安全性は、想像しているよりもはるかに大きいようだ。たとえそれが架空のものであろうとも」

——ここにも「心理的安全性」ということばが出てきました。

はい。ここでいきなり最初の話に戻るのですが、「ユーザー中心」のサービス設計というのは、基本「参加型」という形式になっていくわけですが、そこにおいて極めて重要なのは、参加者の自由を阻害せず、それでも話を一定方向に円滑に進めていくことのできるファシリテーションの技術ということになるのだと思います。

——はい。

ただ、それってかなり膨大なエネルギーを要しますし、どうしても、ファシリテーター個人の属人性に依拠する部分が多くなったりもします。特にオンライン上では、そこがたとえ「家の居間」のように思える空間であっても、参加する人数は数百、数千、あるいは数万ということになったりするわけですから、そこで求められるファシリテーション能力は、相当高度なもので、実際Twitch上のスターは、レブロン・ジェームズかセリーナ・ウィリアムズ級の才能を要するとも、指摘されています。そうしたときに、「遠藤ひかりさん」のようなありようは、非常に有用にも思えるんです。

——たしかに。

※14

水平・双方向型のソーシャルコミュニケーションがデフォルトになっていく世界にあって、その可能性を最大化しつつ、かつ、そのダウンサイドをどう制御しうるかという問題に対して、さまざまな試行錯誤がジリジリと続いているわけですが、今回の特集を読むにつけ、ゲームのライブストリーミングという空間が、目下その最前線を走っているように思えてきます。

——雑にまとめるなら、日本のコロナ対策も、こうしたゲームストリーミングの世界から学ぶことがありうるということですね。

ちなみに言い忘れてしまいましたが、ゲームストリーミングの最大のプレイヤーはグローバルで見ると、実は「Twitch」ではなく、中国の「DouYu」（闘魚）だそうでして、月間のアクティブユーザーはTwitchの1億4000万に対して、1億6500万だそうです。さらに「Huya」（虎牙）がそれを追いかけていまして、ふたつのプラットフォームを合わせると3億を優に超えます。

つい昨年、この二大巨頭が合併を発表しTencentの支配下に入る[※15]との報道があったのですが、規制当局の介入があり「企業結合（事業者集中）法に基づいて審査している[※16]」とのことです。昨年の12月の話ですので、その後どうなったのか定かではないのですが。

——今回は中国の話がないな、と安心していたんですが（笑）。

結局ここでも覇権に一番近いのは中国だったりします。

——そりゃアメリカも強くは出られませんね。

ほんとにそうですね。

※15 ※16

Field Guides を読む #48

Video game live streaming levels up

April 11, 2021

https://qz.com/guide/game-streaming/

- ◉「他人のゲームプレイを観ること」はいかにして世界を制覇したか
  How watching other people play video games took over the world
- ◉未来のトークショーホストは３Ｄビデオゲームキャラである
  The talk show host of the future is a 3D video game character on Twitch
- ◉Amazonがゲームストリーミングの世界につくり上げた揺るぎない独占
  Amazon has built an unbreakable monopoly in video game streaming
- ◉スター・オンラインストリーマーの共通点
  What do the best online streamers have in common?

#49

What a year of Covid has done to work

April 18, 2021

リモートワークの是非・上篇

ただでさえ日本国内の企業間ですでに
デジタル・ディバイドが起きているところに
ドイツでコロナを機に中小企業のデジタル化が
一気に進んだなんていう話を聞くと
国外における競争力という観点からも
日本は取り残されつつあるのではないかという危惧は募ります。
つまり、国家間においても
デジタル・ディバイドが起きているのであれば
日本は完全に「遅れている側」ではないのか、ということです。

——バイデン大統領と菅首相の会談がありましたね。

ライブで観ていたわけではありませんが、SNSなどで見たところ、ハンバーガーを出されてました[※1]ね。

——そこですか（笑）。

菅首相は手をつけなかったそうですが、ホワイトハウスのハンバーガーはちょっと気になります。おいしいんでしょうか。

——それを知るためにも、総理には食べてもらいたかったところですが、あれは、ああいうものなんですかね。低く見られているということなのか、フランクさの演出なのか、よくわかりませんでした。

どうなんでしょうね。ちなみに「White house hamburger」で検索しますと、トランプ前大統領がハンバーガー１０００個を用意してパーティを開いたという記事が、ドッとでてきます。

——あはは。まあ、あんまり気にするところでもないのでしょうね。

あと気になったのはマスクですよね。日本ではしないようなガッチリしたマスクを、しかも二重でしていました。

——黒いのもしていました。

はい。あれがホワイトハウスで支給されたものなのか、日本からもって行ったものなのかわかりませんが、いざああやってちゃんとマスクをすると、いかに日本では適当だったかが改めてわかって面白いものですね。どこまで行っても「お願いベース」の施策しか打たないのであれば、せめて範を垂れる意味でも、閣僚くらいはビシッとマスクしたらいいのに、と思ったりもしました。

——バイデン・ハリス組は、わりといつも黒ですね。

そういうブランディングなんですかね。黒いマスクは締まって見えますし、悪そうにも見えるしヒーローっぽくも見えたりします。そういうカッコよさはありますよね。

――ブランディングって観点は、しかし日本の政治家は不思議とないですね。前回にもチラと話に出たＡＯＣ（アレクサンドリア・オカシオ＝コルテス）さんが「Twitch」で配信をするといったこともブランディングの観点からの動きだったと思いますが。

ＡＯＣのブランディングについては、彼女の選挙キャンペーンにおけるデザイン／ブランディングがいかに優れていて、それが世界中でどのようにコピーされたかを「Fast Company」が記事にしていました[※2]が、このデザインを担当したのは「Tandem[※3]」という会社だそうです。

――へえ。

ＡＯＣが主導した「Green New Deal」のキャンペーンや、ジョージア州の上院補欠選挙で投票を呼びかけるポスターなどもつくっています。いい意味で「意識の高い」、アクティビズム＆デザイン・ファームという感じでしょうか。

――カッコいいですよね。

２００８年のオバマ元大統領のキャンペーンで「HOPE」の文字が記されたポスターをつくって一躍大ブレークしたシェパード・フェアリー[※4]は、どちらかというとポスターアーティストですが、現在も非常に人気のある方でして、もともとストリートアーティストとして活動していた人を思い切ってフックアップするところも含めて、ブランディングとしてうまいですよね。

――ロシア革命のころのプロパガンダ・ポスターのデザインみたいなテイストのアーティストですよね。

はい。DEVOのポスターやトム・ペティのアルバムのアートワークなんかもやっています。

――DEVO（笑）。

社会主義っぽいテイストをあえて入れてみたという感じなんでし

※1　※2　※3　※4

ょうね。AOCのキャンペーンにも、その雰囲気は、引き継がれています。

――日本ですと、そうした戦略は広告代理店が一手に引き受けているという印象です。

そういえば先日、さる広告代理店の若い方とお話しする機会がありまして、その方は、いまちょっとした農業ベンチャーのブランディングを手伝われていまして、それがいかに大変かを語っていたのですが、彼がしみじみと言うには、広告とブランディングは「実は真逆のもの」なのだそうです。

――あ、そうなんですね。

私も、あまり明確に意識はしていなかったのですが、彼が言うには、ブランディングの仕事って結局は「会社そのもの」をデザインすることなんですね。つまり、販売サイトや商品のパッケージはもちろんですが、日々スタッフがインスタに投稿する写真から、着る制服から、外のお客さんが来たときに会社をどう説明するか、そうしたあらゆるディテールを、会社が体現しようとしているビジョンなりに紐づけなくてはならないそうで、ブランディングの対象は「商品をどう売るか」ということではなく、「日々の仕事」をいかにデザインするかということになってくるのだと言います。

――ははあ。

例えば「サステイナビリティ」といったことを謳おうとしている会社ですと、商品パッケージはもとより、普段スタッフが身につけるものから使うものまで、すべてに気を配らないといけませんから、これはもう大変な労力です。

――うっかり「新疆綿」を使っていたりしたら、即炎上しますしね。

すでにしていまは、商品そのものではなく「会社」や「組織」といった、かつてならその背後にいたはずの主体がむしろ「売り物」ですから、その転換を読み間違えると、もうダメなんですね。

――その辺は、特におじさん経営層は、なかなか理解しきれていないところかもしれません。

そうやって見てみると、例えば福島原発の処理水の安全性をプロモートするためのキャンペーン※5がいかに、転換以前の「広告」モデルのやり口であるかがよくわかります。

――東電という会社は、ブランディング的な観点で言えば、もう最悪ですもんね。

なのかどうかはわかりませんが、少なくとも信頼性が高い企業とは思われていないわけですから、その時点で、どんな広告的なキャンペーンをやろうが当然批判が出ますよね。

――その手前の段階でやるべきことがあると。

はい。そもそも「こいつ、胡散臭いな」と思われている人が、いくら「私を信じてください」とチラシを配って歩いたところで、より胡散臭いだけじゃないですか。

――そりゃそうだ。オリンピックについても池江璃花子選手を使ったメディアの猛攻も、だいぶ似たような感じがします。

池江選手がすごい人らしいのは、うっすらとしか知りませんが、少なからぬ人たちが「オリンピック、やめちまえ」と思っているのは、それを主導している主体が、どうにも胡散臭いものとしてしか見えていないからでして、そっちが前景にあって人のコミットメントを削いでいるということを、池江さんのキャンペーンを主導している人たちはよくわかっていないんじゃないかという気がします。

――そうした声を、マスメディア攻勢で覆い隠そうとしている感じです。

むしろ、焼け石に水だと思いますが。

――って、どうしたらいいんですかね。東電や五輪組織委のブランディング（笑）。頼まれても誰もやりたがらないとは思いますが（笑）。

結論から言えば「透明性」を高めていくことしかないと思います。

――ははあ。

欠けているのが「信頼」である

※5

なら、それを取り戻すために必要なのは「親しみやすさの演出」ではないはずです。そこを、日本の行政や企業はだいたい間違えるんです。「信頼」は「好き／嫌い」や「親しみやすい／近づきがたい」とは別軸にあるものなのですが、これが「テレビ／広告」的に変換されると「好感度」という価値軸にすり替わってしまうことの問題については、この連載の第22話「テレビコマーシャルの瀬戸際」でお話ししました。

——そうでした。

「信頼されていないのは、親しみやすさが足りていないからだ、好かれていないからだ」と考えてしまう上司がベタベタし始めたところでただ「気持ち悪い」という評価にしかならないことは、想像しやすいと思うんですけどね。

——ほんとですね。そうだとすると「信頼に足る上司」って、何が必要なんでしょうか。

「言動が一致している」とか「嘘をつかない」とか「逃げない」とか、そんなことじゃないですか？

——「信頼」ってキーワードで考えていくと、見通しや評価がスッキリしますね。それにしても、いまチラとお話に出た池江選手を使った、この間のメディア攻勢はすごいですね。

これは非常に興味深いところでして、いわゆる電通的なマスメディアを大量動員した「広告プロパガンダ」の手法がこのご時世にまだ通用するのか、それとも、やはり失効しているのか、それが明らかになる非常に大きな分水嶺のように見えます。

——どうなりますかね。

池江選手は、元電通の「オリンピッグ」の佐々木某さんが重用したことからもわかるように、広告代理店的にはおいしいキャラクターなのだと思いますし、週刊誌の報道※[6]によれば、池江選手のマネジメント会社※[7]が電通の系列であるだけでなく、実兄は電通社員なんていう話もありますからハナからズブズブだったとも言えそうですが、その上で実力もあるとなれば、代理店的には鬼に金棒なはずです。とはいえ、五輪をめぐるグダグダと池江選手は何の関係もありませんから、「池江選手がすごい」ということと「オリンピックをやるのか」あるいは「本当にやれるのか」という話がまったく別の話であることは、視聴者には広く察知されていますよね。

――面白いせめぎ合いですよね。「信頼」のなさを「好感度」で押し切ろうと。

とはいえ、これは両方必要なものでもあるはずです。本来であれば、池江選手を起用するのと同時に、「着々と準備進んでます！」ということを、透明性高くアピールすればいいだけのことだと思うのですが、不思議とそちらの情報が出てこないんですね。聖火リレーも含め、「好感度アップ」に向けた目くらましばかりで、安全性をめぐる「実体」が明かされないので、信頼性がいつまでも高まりません。

――実際どうなんでしょうね。

ちょうど先週あたりに、北京五輪のテスト大会が行われたというニュース※8が日本でも報じられたのですが、なんでこういうニュースが日本ではほとんど聞かれないのかが、実に不思議です。実体があるなら、ちゃんとアピールすればいいじゃないですか。一応、北京でのテスト大会がどういうものであったか引用しておきます。

「中国が来年2月に始まる北京冬季五輪・パラリンピックに向け、新型コロナウイルス対策を10日間にわたって試行するテスト大会を開いた。最新技術を活用して会場スタッフの体温を常時監視。観客の誘導や報道陣による選手のリモート取材も試した。（中略）

アイスホッケー会場では約千人のスタッフの脇の下などにチップ状の無線式体温計を貼った。各自のスマートフォンを通じて管理センターに体温データを送り、発熱者を即座に発見する。スタッフは全員、ワクチンも接種したという」

――スタッフ全員ワクチン接種済み、1000人を常時モニタリング、リモート取材の実験、ですか。たしかに、こうした情報を知ると「オリンピック、やるんだな」「やれるんだな」という気持ちになってきます。「北京五輪の開催は堅いな」と思ってしまいますね（笑）。

※6 ※7 ※8

一方の「東京五輪」については、バイデン・菅会談でもたいした言及がなかったですね。

会談の結果を見て思ったのは、外交カードとしての「オリンピック」は、そこまでカードとして強いものでもないのだろうなということでした。

――というと？

「CNBC」が掲載した面白い記事※9がありまして、北京五輪を西側諸国がボイコットする可能性を、あるシンクタンクが分析したレポートを紹介したものです。レポートは、ボイコットをめぐっては3つのシナリオがありうるとしています。一番可能性が高いのは「ディプロマティック・ボイコット」と呼ばれるもので、選手たちは参加しますが、国家元首はじめ政府高官は一切コミットしないというものです。これは2014年のソチ五輪で、ロシアの反LGBTQ法に反発してオバマ大統領が現地に行かなかったのと同じ手法です。

――そんなことありましたっけ？

あったんです。オバマ大統領はボイコットをチラつかせながら、最終的には「選手たちのために」と言ってボイコットを回避し、代わりにホワイトハウスからの代表団として、ともにレズビアンとして知られる元テニス選手のビリー・ジーン・キングと、元ホッケー選手のケイトリン・カホウを送りました。そうやってロシア側と世界にメッセージは伝えながらも、自分は「選手たちの邪魔になるから」と参加を辞退したんです。

――そんな経緯でしたか。したたかなものですね。

こうした外交手段は色々とありそうですし、いまであれば「コロナのさなか国を離れるわけにはいかない」といった方便もいくらでもあり得ますから、北京五輪についても、「中国に配慮をしながらも政府としての立ち位置は明確にする」戦略が取られるだろうと記事は予測しておりまして、このシナリオで進む確率を60％としています。ちなみにこのシナリオを欧米諸国が採用した場合でも、日本、インド、韓国は、五輪には参加するだろうと予測しています。

——日本、韓国、インドは、言ってもご近所さんですからね。にしても欧米諸国がそこまでの配慮をしなくてはならないのは、どうした理由からなんですか？

結局は経済ですよね。もちろん政府レベルでの「制裁」も怖いところですが、それと同時に、現在中国国内では非常に強く「国産志向」が進行していると言いますから、下手に全面的にボイコットなどをすると、「H&M」や「NIKE」が受けたようなバックラッシュ※10を、企業などが中国国民から浴びせられることになることが懸念されています。

——北京政府からではなく、中国国民から制裁を受けると。

はい。で、第2のシナリオですが、これは選手団をボイコットさせる「アスレティック・ボイコット」でして、さらにここに観客やスポンサー企業、報道機関のボイコットを促す「エコノミック・ボイコット」が加わったものが想定されていますが、これが起きる可能性はひとつ目の「外交ボイコット」の半分の30％とされています。というのも、これをすると、より強いバックラッシュに遭うことが懸念されるからです。

——なるほど。

さらに第3のシナリオは「何かの拍子に中国と西側の緊張関係が緩む」ことだとしていますが、これは10％くらいの可能性しかないので、外れ値のシナリオとされています。

——ふむ。複雑ですね。

そうやって考えてみると、西側諸国が北京五輪を全面的にボイコットすることに、大きなメリットも実際はないようにも思えてきますし、それ以外のところでの打ち手とセットで考えたときに「必要とあらば切る」という感じなのが、オリンピックというカードの実際の効力なのだろうと感じます。

——「それ以外の打ち手」と言いますと？

バイデン大統領は、われらがガースーさんをホワイトハウスに迎えているさなかに、気候変動問題担当の特使としてジョン・ケリー

※9

※10

さんを北京に送りこんで副首相と会談[※11]をさせていますし、それとほぼ同時に、習近平さんは、オンラインでフランスのマクロン大統領とドイツのメルケル首相と気候変動問題をめぐって三者会談[※12]を行っています。これらは、どちらの会合も結果として「関係強化」という線で話が進んだとされていますから、このあたりの話も踏まえて考えてみますと、全体としては西側と中国の緊張関係はもちろんあるとしても、白か黒かで敵味方に分かれるようなことは、周到に避けられているようにも見えます。

——話がこんがらがってきます。

気候変動というイシューについて言えば、バイデンさんの仕切りで4月22、23日に開催される「気候変動サミット」がありますので、「気候変動」をめぐる主導権争いが熾烈化しているということでもあるのだろうと思います。

——そこではいったい何が争われているんでしょう？

エネルギー覇権ということではないでしょうか。化石燃料からの脱却が加速し、世界的なエネルギーシフトが起きれば、その際のインフラ整備は非常に大きなマーケットになるでしょうし、その意味での広義のグリーンテック、クリーンテックをめぐる競争は、さらに熾烈になってくることが予測できます。この辺は、実は、菅・バイデン会談の共同声明でも言及されています。日本は争いにすでにコミットしているんですよね。

——そうなんですか。

NHKの全文翻訳[※13]から引用しておきますと、こうです。

「日米両国のパートナーシップは、持続可能な、包摂的で、健康で、グリーンな世界経済の復興を日米両国が主導していくことを確実にする。

それはまた、開かれた民主的な原則にのっとり、透明な貿易ルール及び規則並びに高い労働・環境基準によって支えられ、低炭素の未来と整合的な経済成長を生み出すだろう。

これらの目標を達成するため、このパートナーシップは、1競争力及びイノベーション、2新型コロナウイルス感染症対策、国際保健、健康安全保障（ヘルス・セキュリティ）、3気候変動、クリーンエネルギー、グリーン成長・復興に焦点を当てる」

——クリーンエネルギーといった分野でも、優勢なのは実際は中国だと言われていますしね。

　ソーラーパネルの製造に必要なポリシリコンという素材は、世界の供給の半分が新疆ウイグル地区に依存しているという記事※14が「Wall Street Journal」にありましたが、アメリカが「気候変動」を先導するのはいいとしても、ソーラーシステムの製造においても新疆ウイグルの問題が出てくるとなりますと、これは相当慎重な舵取りが必要となりそうです。アメリカですら、真正面から殴りかかるわけにはいかなそうです。

——ややこしいなあ。

　一方、「POLITICO」というメディアは、中国が主にアフリカで展開してきた「負債外交」がヨーロッパに及んでいて、モンテネグロが高速道路の整備のための資金を中国から借り入れして首が回らなくなっていることをレポート※15しています。

——借金漬けにして言うことを聞かせるやり口ですね。それがひたひたとバルカン半島を侵食し始めている、と。やばいですね。

　記事によれば、モンテネグロがヨーロピアン・コミッションに支援を求めたそうですが、ある高官が直ちに拒絶しました。ところがフランス政府が支援してもいいと言っているそうで、EUとしては足並みが揃わずにいます。

——複雑ですね。

　さらに、もうひとつだけ、この間あった注目すべき動きをお話ししておくと、アメリカが、中国IT企業の製品をアメリカ企業が使うことを規制するとした4月16日のニュースです。日経新聞が「米、中国IT利用を許可制に　企業に規制、450万社に影響※16」と記事にしていますが、中身を見てみますと、これも相当大変そうです。

——450万社に影響、って。

※11　※12　※13　※14　※15　※16

記事はこう説明しています。

「影響が広がるのは、米国内で事業を展開する民間企業だ。トランプ前政権と議会は2020年8月から、連邦政府と取引のある米国企業に中国5社の製品を使うのを禁じた。新たな規制は政府取引の有無にかかわらず、米国内で活動する企業に対して中国製品の使用を制限する。

日本企業の米国法人も規制対象だ。商務省によると、米企業の総数約600万社のうち、外国製のIT機器・サービスを一定の規模で導入している企業は最大450万社に上る。

米国内で事業を行う企業は、使用している機器やサービスの提供元、利用内容などを当局に申請し、許可を得る必要がある。詳しい手続きは明らかではないが、企業には自発的な申請が求められ、規制に抵触しないか当局が調査を実施する方針だ。『過度もしくは許容できないリスク』があると判断されれば利用が禁止される。

企業には反論したりリスクの軽減策を示したりする権利がある。しかし、政府が決めた利用禁止の最終決定やリスク軽減策に従わない企業は民事・刑事罰の対象となる」

——ひえー。

大問題ですよね。さらに、今回の規制は、これまでよりも対象領域が広がっているそうで、それも厄介そうです。

「今回は通信網や重要なインフラに使う機器、ソフトウエアなどにも対象を広げた。例示されたものとしては個人情報を扱うサービスのほか、監視カメラやセンサー、ドローン（無人機）といった監視システムも含めた。人工知能（AI）や量子コンピューターなどの新興技術も対象だ。

例えば、社内ネットワークに中国製ルーターなどの通信機器を設けたり、工場内に中国製の監視カメラを取り付けたりすれば、『待った』がかかる事態があり得る。顧客情報を扱う目的で中国企業のクラウドサービスを使うのを止めるよう求められる可能性もある。（中略）

日系企業の米国法人の担当者は『規則がどう運用されるか注視する』と話す。現地の弁護士事務所やコンサルティング会社などに相談する企業も多い。専門家は『各企業は中国製品・ソフトの利用実態など、中国リスクの度合いを算定すべきだ』（米法律事務所）と指摘する」

——どれくらいの厳格さで運用されるのかにもよりそうですが、アメリカに支社を置いている企業であれば、日本の本社にまで影響が出てきそうですね。

それこそ、この間LINEのサーバーや楽天／Tencentの問題などもありましたが、日本中の大企業がシステム全体を根こそぎ検討し直す必要さえ出てくるのかもしれませんし、それこそ菅・バイデンの共同声明にあった「第5世代無線ネットワーク（5G）の安全性及び開放性へのコミットメントを確認し、信頼に足る事業者に依拠することの重要性につき一致した」といった文面にも、深く関わってきそうです。

——「信頼に足る事業者」って、要は「中国ではない」ということですよね。

と、いったあたりで今回の〈Field Guides〉の「コロナは『働く』をどう変えたか」というお題にもようやく関わってくるのですが、リモート環境が今後もどんどん一般化していくとなると、前記のような規制が及ぶ範囲も当然これまでとは変わってくるでしょうから、状況はどんどん複雑になってきそうです。

——たしかに。リモートワークしている従業員のインターネットプロバイダが「楽天モバイル」なのは大丈夫なのか？とかそういった問題が出てくるということですよね。

それは極端な話かもしれませんが、会社のデジタルシステム全体のガバナンスを強化していく方向が強まっていきますと、ただでさえ企業側の負荷も増大しているなか、さらなる負荷が課せられることが予想されます。

——ふむ。

「東洋経済オンライン」の「ドイツと日本『テレワーク格差』が拡大したワケ[※17]」という記事には、コロナを機に一躍テレワーク先進国の仲間入りをしたドイツの事例が紹介されていますが、ドイツ企

※17

業の奮闘ぶりがこんなふうに描かれています。

「ドイツ企業も、2020年3月にコロナ禍が起きるまでは、社員の大部分を自宅で働かせたことはなかった。企業経営者たちは、業務が滞るのを防ぐために、極めて短期間にITに関するキャパシティー（容量）を拡充しなくてはならなかった。多数の社員がZoomやSkype、Webex、Teamsなどを使ってオンライン会議を行うと、行き来するデータ量が飛躍的に増え、ITシステムへの負荷が増加するからだ。

　さらに社員は自宅から会社のITシステムにログインして、オフィスにいるときと同じように、クラウド内のファイルに保管されている文書を直したり、計算作業を行ったりする必要がある。この際には、ハッカーのITシステムへの侵入やデータの盗難などのサイバー攻撃を防ぐために、ヴァーチャル・プライベート・ネットワーク（VPN）などの技術によって、データが行き来する回線を守る『防護トンネル』を設置しなくてはならない。

　しかもハッカーが次々に繰り出す新しい攻撃手段に備えるために、VPNをつねに強化する必要がある。コロナ禍が勃発して以降、世界中で企業・市民に対するサイバー攻撃の件数が増加していることを考えると、防護措置は極めて重要だ。

　また社員たちが自宅から契約書などに電子的に署名したり会社のスタンプを押したりできる態勢を整えることも重要だ。

　ドイツでは多くの企業のIT担当者たちが2020年3～4月に突貫作業を行って、大半の社員がテレワークをできる態勢を短期間で作り上げることに成功した。大企業を中心に、デジタル署名や電子スタンプも浸透した。IT部門によるインフラ拡充・増強の努力がなかったら、大規模なテレワークの実施は、絵に描いた餅に終わってしまっただろう」

――ふむ。

　一方の日本の状況と言えば、こんなところです。

「パーソル総合研究所の同年11月の調査（社員10人以上の企業で働く2万人を対象）によると、全国でテレワークを行っていた社員の比率は、わずか24・7%にとどまった。テレワークに適しているとされる金融サービス業でも実施率は30・2%だった」

――とほほ。とはいえ、ただでさえデジタル化が進んでいないところに、今度は「脱中国」の規制がかかってくるとなると、ますますしんどいことになりそうですね。それとも、逆に大して進んでいないのがもっけの幸い、となるのでしょうか。

どうなんでしょうね。ちなみに日本におけるリモートワークで特徴的なのは、従業員が1万人を超えるような大企業のほうが「リモート化」が進行していて、規模が小さくなればなるほど、実施率が低いということです。前記の記事はこう伝えています。

「社員数1万人以上の企業の45%がテレワークを行ったのに対し、１００～１０００人未満の企業での実施率は22・5%、１００人未満の企業では13・1%と大幅に低かった」

また「ITメディアビジネス」の「2万人調査、コロナ禍で拡大する『テレワーク格差』――継続希望者は増加するも……※18」という記事は、同じ調査をこう分析しています。

「テレワークの普及は制度整備や実施コストのため、特に中小企業に不利とされてきたが、コロナ禍が拡大する今も企業規模でこの格差が拡大している結果となった。

同様の差は正社員と非正規の間でも現れている。正社員のテレワーク実施率が24・7%だったのに対し、非正規雇用の人では15・8%となった。前回調査よりこの格差はわずかだが拡大している。『テレワークできない業務のしわ寄せが非正規に』といった指摘は以前からあったが、こうした就業形態の違いによるテレワーク格差も依然として大きいようだ」

――テレワーク格差ですか。

先の日米共同声明によれば、「日米両国は、デジタル経済及び新興技術が社会を変革し、とてつもない経済的機会をもたらす可能性を有していることを認識」しているとのことですが、ただでさえ日本国内の企業間でデジタル・ディバ

※18

イドが起きているところに、ドイツでコロナを機に中小企業のデジタル化が一気に進んだなんていう話を聞くと、国外における競争力という観点からも、日本は取り残されつつあるのではないかという危惧は募ります。つまり、国家間においてもデジタル・ディバイドが起きているのであれば、日本は完全に「遅れている側」ではないのか、ということです。

——困りましたね。そうやってこの共同声明を改めて読んでみますと、「日本は黙ってアメリカのサービスを使っていればいいのだ」というふうにしか読めなくなってきます。

もちろん日本にも大手ＩＴ企業はそれなりにありますから「国産回帰」は望ましいシナリオなのかもしれませんが、問題はこれらの企業がMicrosoft、Amazon、Salesforce あたりを筆頭とするアメリカの事業者に対して、どこまで競争力があるのかというところですよね。

——どうなんでしょうね。

ちなみにですが、日米共同声明は、さらにこんなことも語っています。

「日米両国は、生命科学及びバイオテクノロジー、人工知能（ＡＩ）、量子科学、民生宇宙分野の研究及び技術開発における協力を深化することによって、両国が個別に、あるいは共同で競争力を強化するため連携する。（中略）

日米両国は、活発なデジタル経済を促進するために、投資を促進し、訓練及び能力構築を行うため、両国の強化されたグローバル・デジタル連結性パートナーシップを通じて、他のパートナーとも連携する」

——どの分野も、日本が必ずしもトップでしのぎを削っているとは言い難い分野に見えますが、そうだとすると、これはパートナーシップというよりは「中国ではなく、とにかくアメリカに協力しろ」としか読めなくなってきますね。そういえば、以前にも、第14話「チャイナの新世界秩序」で、5Gの開発をめぐって、ＮＴＴさんとＮＥＣさんがホワイトハウスから呼び出しを受けたというエピソードがありましたが、今後ますますそういう感じの「使いパシリ」が増えることになるんでしょうか？

どうでしょうね。

——本題に行く前に紙幅が尽きてしまいましたが、今回取り上げる〈Field Guides〉の本来のお題は、「仕事：コロナで変わってよかったこと・悪かったこと」です。

はい。すみません。今回の特集で面白かったのは、「都市から移住したリモートワーカーの賃金を削るのはアリなのか[※19]」（The case against cutting remote workers' big-city salaries）という記事で、これはかなり面白い論点だと思います。

——「地方に移住したら家賃が下がるんだから、給料を下げてもいいだろ?」ということですか？

はい。まさにそういう事例がアメリカで出てきているそうで、その是非が論じられています。これは、案外大きな話でして、もしかしたら資本主義の根幹に関わる話かもしれません。

——楽しみです。

来週はそこから行きます。

——はい。

よろしくお願いします。

※19

#50

What a year of Covid has done to work

April 25, 2021

リモートワークの是非・下篇

リモートワークによる分散化は
いろんなレベルで仕事の効率化を促進させるものとして作用します。
業務を集中して遂行するには、会社にいるよりも家のほうがいい
という人は少なからずいます。
ということは、きっちりとタスクが分業化された
単独業務の遂行にあたってはリモートのほうが
業務効率は高い可能性があるということですから
リモートワークは、業務の断片化を促進させる方向に
作用する効果がありうるということにもなりますし
それは業務の官僚化・管理化をより進行させうるものともなりえます。

――それにしても、毎日毎日いろんなことが起きますね。

今週はずっと騒然としていましたね。

――緊急事態宣言の発令の問題が通奏低音のようにあって、それに絡んでファイザー社のワクチンをめぐる話題[※1]や、IOCバッハ会長の発言[※2]などもありました。

あと面白かったのは、突然もち上がって猛反発にあい、すぐさま収束したサッカーの「欧州スーパーリーグ構想[※3]」をめぐる騒動でしょうか。

――2日ほどで帰趨が決したという、あれはダイナミックな動きでした。

ちょうど前回、オリンピックに絡んで「いまが分水嶺かもしれない」といったことを申し上げましたが、これも似たようなせめぎ合いに見えました。

――「電通的なマスメディアを大量動員した『広告プロパガンダ』の手法がこのご時世にまだ通用するのか、それとも、やはり失効しているのか、それが明らかになる非常に大きな分水嶺」とおっしゃっていました。

もう少し広い視点から言えば、それこそナチスドイツがその有用性を世界に知らしめた一方向型のマスメディアを用いた統治と、その対抗軸としての双方型のソーシャルメディアを通じたアクティビズムのせめぎ合いということなのではないかと思います。

――ふむ。

マスメディア型の統治モデルは、かつてであれば主に国家がツールとして有用化していたものですが、いまはもっぱらグローバル経済のビッグプレイヤーたちのツールとなっていまして、国家はすでにして、金融資本をはじめとするそうしたビッグプレイヤーたちの使いパシリのようなものでしかないというのは、われらが総理大臣が、オリンピックに関して「決定権はIOC[※4]」と明かしたことからも明らかです。「欧州スーパーリーグ構想」につきましても裏で大手金融機関やファンドなどが動いていたそうですから、結局のところ、オリンピックも欧州スーパーリーグ構想も巨大なマネーゲームでしかないのですが、それを「エンタテインメント」と名付けることで、さも「大衆」の欲望やニーズへの応答であるかのように見せかけることにおいて、広告業界およびマスメディアは非常に有効かつ有能な道具と考えられてきたわけですね。

――はい。

従来の状況であれば、おそらくオリンピックも欧州スーパーリーグ構想も、マスメディアを捻りあげて言うことを聞かせていれば、批判があったとしても黙殺して、密室で決められた取り決めをゴリ押しできたに違いありません。おそらく森喜朗さんなんかは、完全にそういう前提で動いていたのだろうと思います。スポーツというのは、そういう意味では非常に危険な道具で、たしかに選手たちのプレイを実際に見てしまうとほろりとしてしまうところもありますから、それによって、その背後に動いている「お金」や「政治的な思惑」といったものをうやむやに覆い隠してしまうことができるわけです。極端な言い方をすれば、20世紀中葉から後半におけるスポーツというものは、そういう機能として利用されてきましたし、逆に言えば、そうであればこそ、ここまで大きいものになったとも言えるわけです。ナチスドイツの慧眼は、スポーツとメディアを掛け合わせてそれを極大に政治化させる道筋を拓いたところで、それは発明といってもいい、卓抜なアイデアなんですよね。

――国家や経済の支配層に便利なツールとして、スポーツを用いるやり方を発明したと。

ところが、そうしたやり口は、それ自体もはや秘密ですらなく、巨大スポーツイベントなんていうものが国家やスポンサー企業や主催者であるところの欧州のエリートの慰みものでしかないことは、ことあるごとに暴露され、オリン

※1 ※2 ※3 ※4

ピックについて言えば、事ここに至って「オリンピックそのものを廃止してしまえ」という意見すら珍しくなくなっているわけです。

――それこそ「The New York Times」が掲載したコラムに「オリンピックそのものを見直すときだ※5」というものもありました。

せっかくですから、少し引用しておきましょうか。

――ぜひ。

「リオはオリンピックを賄いきれなかった。想定の2倍の110億ドルがかかった2004年のアテネは、国家を財政破綻に陥らせる前触れとなった。こうした都市は特例ではない。オリンピックという事業に大きな疑問を呈するときが来ている。『利益はコストに見合っているのか』『これだけの被害をもたらし続けるオリンピックは存在し続けるべきなのか』。

アイデアはある。まず人権侵害をするような全体主義国家に開催権を渡さないこと。オリンピックという運動における対等なパートナーとしてアスリートに大きな権限を与えること。世界中を動き回るのではなく、固定されたベニューで開催すること。それによってコストは下がり、環境破壊も止められるし、腐敗した誘致合戦を終わらせることができるだろう。

あるいは分散化。競技ごとに世界中の会場で同時に開催するのだ。当然、選手が一堂に介した開閉会式や選手村での選手同士の交歓は失われるが、すでにこれだけつながっている世界において、それは本当に必要だろうか。

これという解決になっていないのは認めよう。だが、未来に向けて、いい加減前に進むべきだ」

――いまのままのオリンピックには、その存在を正当化できる根拠が何ひとつないということですよね。

この「The New York Times」の指摘は、基本的にその通りだと思いますし、よい主張だと思うのですが、ここには、実は落とし穴があるんです。というのも、よくよく考えてみれば、オリンピックで指摘されていたような問題をどう解消しうるかということの、ひとつの解決策が「欧州スーパーリーグ構想」のようなアイデアだったりするからなんですね。

――ん？　えーと……。

「The New York Times」の主張は、言ってみれば一種の合理化の提案ですが、「欧州スーパーリーグ構想」も、まさに合理化の提案だったんですね。

――ふむ。

ただしこれは、主催者側の利益を減らすことなく、むしろ現状の環境のなかでそれをさらに最大化するにはどうするかという観点から主張された合理化ですから、結果として「The New York Times」のコラムの提案とは真逆のものとなりましたが、ここで重要なのは、誰の欲望を満たすための「合理化」や「分散化」なのかによって、一口に合理化といっても、その向かう先は変わってしまうということです。

――そうか。

これも過去にこの連載で触れましたが、スポーツや音楽の事業がサーカス型の巡業モデルを採用しているのは、ことデジタルデバイスが広く行き渡った世界においては、もはや合理性が高いとは言えなくなっているはずなんです。音楽でも、一部のビッグアーティストは一度の配信ライブだけでツアーをやるのに匹敵しうる利益を生むことができるようになってきていますので、スポーツでもビッグプレイヤーだけを集めてクローズドな環境のなかにファンを囲い込んでビジネスをするほうが明らかに効率的になっていくのは、間違いないのではないかと思います。それこそ5G通信の広がりとともに、スポーツ事業は完全にモバイルを主軸としたグローバルビジネスに移行していきますから、そうした環境に適応しようと思えば、無駄なプレイヤーは排除するに限る、となるのも一定の合理性はあるように思います。

――先の「The New York Times」のコラムが提案している内容をIOCが採用したとしても、提案とまったく逆のことが起きるとも考えられるわけですね。

そうだと思います。これは、今回のお題にも関わってくることですが、デジタルデフォルトな環境

※5

のなかで、フィジカルな「舞台」の意味がどんどん失われていくようになると、次に何が起きるかと言いますと、実は、主催する主体が置かれている「場所」の権限がどんどん高まっていくということだったりするんです。

——どういうことでしょう。

先日そういう体験をしたのですが、あるグローバルカンファレンスが日本で開催されることになり、当初はフィジカルな会場が日本に置かれることになっていまして、そうであればこそ日本側が主体的に「おもてなし」をし、そのなかで自分たちなりのアジェンダを埋め込んでいくことができると踏んでいたのですが、それが完全デジタルでの開催となってしまったことで、「主催国」であるはずの日本の立場は名ばかりのものとなってしまい、あらゆる主導権を「本国」の主催者に奪われることになってしまったんです。

——デジタル会議における「主催国」なんて、そもそも意味のない概念ですもんね。

そうなんです。ただそれによって「主催者」という中心点が消えてなくなるのかというとそうではなく、むしろありとあらゆる権限を、その中心において管理することができるようになりますので、その「中心点」の存在感は、より際立つことになるんです。

——なるほど。

要は、これまでの興行モデルにおいては「各ローカルのプロモーター・興行主」という人たちの存在は非常に重要で、主催者が気を使わねばならない相手だったわけですが、「オンライン興行」に移行すれば、その存在は不要になりますし、それによって主催側は中抜きをされなくて済みますから、より多くの利益を得ることができるようになります。

——そうか。オリンピックの開催地を固定化して配信前提のビジネスに組み替えてしまえば、コストも大幅に削減できて、コンテンツ収益も増大化できると。

グローバルスポーツは明らかに、そうした転回に向けた端境期にありまして、「欧州スーパーリーグ構想」は半ば勇み足のようなかたちでそこに突っ込んでいったもののように見えます。一方のオリンピックは旧型モデルを転換できぬまま、昔ながらのシステムと急激に変転する社会環境のなかで事業が破綻しかかっているということになろうかと思いますが、このふたつの象徴的事例がともに見誤っているのは、双方ともにこれまでのコミュニケーションガバナンスのモデルのまま、事態をゴリ押しできると考えていたところです。

――そうですか。

先にお話しした通り、これが仮に90年代であれば、国民やファンの側に「ゴリ押しされた」と感じさせることなくゴリ押しできたんです。反対意見があったとしても、メディアと警察を使ってうまいこと封じ込められたんだと思うんです。現在も日本政府は、コロナをアリバイにして国民に抑圧をかけながら、メディアを利用してなんとか「機運」をもち上げようと必死ですが、それをやればやるだけ隘路に陥っているのは、「ソーシャルメディアに代表される双方向型メディアによるコミュニケーションは従来のやり方ではガバナンスすることができない」という現実を過小評価しているからです。

――「欧州スーパーリーグ構想」がわずか2日ほどでポシャったのも、結局のところファンのみならず選手や関係者などが自由に発信できて、しかもそれがあらゆる人たちに可視化され広まっていったからですよね。

ソーシャルメディアを通じて、反対の声が一瞬の間にアクティビズムとして編成されて、反論や説明する間もないままに参加を予定していたクラブチームが謝罪・離脱に追い込まれたことは、いかに双方向メディアを通じた運動が力をもっているかを端的に示した例として、あらゆる企業や組織・団体は強く心に刻んでおくべきかと思います。

――バッハ会長も、その辺はほんとにうまくないですね。

とはいえ、ここで留意しておくべきは、それが一概に「民衆の勝利」とも言えないところです。

――あれ？　そうですか。

重要なのは、双方向メディアは「誰もコントロールができない」という点なんです。これは、TikTokを扱った第44話でも触れましたが、ソーシャルメディアでバズを戦略的に生み出すというのは極めて難しいもので、そのやり方は現状まったく定式化されていません。お金を積んでリーチを稼ぐのがせいぜいで、いくら積めばどれだけの人の目に触れられるかが定式化されているにすぎません。

——そうですね。

「ジョージ・フロイド事件が#BLMの運動に火をつけた」と事後的に説明することは可能なのですが、「#BLMの運動にどう火をつけるのか」を戦略的に実行するのはとても難しいということでして、要は、今回の「欧州スーパーリーグ構想」の反対運動についても、結果論としてうまくいっただけで、声は上がったとしても思ったほど火がつかない、といったことが起こる可能性はあったわけです。

——たまたまうまくいった、と。

あとから見れば、成功するにいたった理由や必然性を説明することは可能ですが、大事なのは、少なくともある特定の主体が全体を見渡して戦略的に計画を立てて成功に導くようなやり方で成功にいたったものではない、という点です。そこに秩序立ったように見える構造があったとしても、それは後付けで見いだされるものでしかなく、自生的に発生したものが、あくまでも結果として秩序化しただけで、誰かが計画してそうなったわけではないはずです。

——上から命令したり指示したりしても「バズ」は生まれないし、そのバズを生み出すにいたった本人にとっても、それがなぜバズを生むにいたったのかは謎のままということですよね。不思議なものです。

であるがゆえに、非常に危険なものでもあるんですね。それは予測ができないかたちで、突然噴出してくるものですから。

——誰もがその予測不能性を甘く見ているということですね。

はい。

――とすると、それに対してはどういう振る舞いがあり得るんでしょうね。

これも何度も触れてきていますが、結局は透明化するほかないという結論にしかいたらないのではないかと思います。双方向メディアにおいては、相手も自分も対等なプレイヤーにさせられてしまいますので、自分たちの特権性を維持したまま人を動員させようとしても、これは無理なんです。無限のフィードバックループのなかに自分が置かれているという認識のもと、隠し立てせずに持ち札をちゃんと開示しながら合意形成を図るほかないということになるかと思います。

――それは大変な手間ですね。

そうなんです。ただ、手間だからといって旧来のブルドーザー型で押し切ろうとしても、これはもう無理なんです。ですから基本的に諦めるほかないのですが、その際重要なのは、「決定権はもはや誰にもない」と考えることで、先の「The New York Times」の提案で最も重要なのは、まさにその部分なんです。

――「オリンピックという運動における対等なパートナーとしてアスリートに大きな権限を与えること」。ここですね。

はい。これは第48話で「Twitch」のお話をした際にも触れたものですが、こうしたいわば「参加型」のモデルにおいては、コンテンツの送り手はもはや一元的な「情報発信者」ではなく、どちらかというと「ファンダム」と呼ばれるファンコミュニティをリアルタイムでファシリテートするような存在へと変わっていくことになります。

――『ユーザー中心』のサービス設計というのは、基本『参加型』という形式になっていくわけですが、そこにおいて極めて重要なのは、参加者の自由を阻害せず、それでも話を一定方向に円滑に進めていくことのできるファシリテーションの技術ということになる」とおっしゃっています。

こうしたモデルを最大限に活用している事例としては、Twitch上のゲームコミュニティやK-POPが筆頭に挙げられますが、これとまったく同様の動きを取り込んだのは

QアノンでQAnon (QAnon) でして、QAnonの「Q」と呼ばれる謎の人物／集団は、そういう意味では非常に有能なファシリテーターだったと言えます。

――オリンピックという運動を、アスリートたちの主権性を最大限に生かしたやり方で運営しようと思えば、IOCという組織は、一種のファシリテーター、もしくはコミュニティマネージャーのような存在として合意形成をつくっていく存在にならなくてはいけないということですね。

はい。これは、例えば「ステークホルダーキャピタリズム」と呼ばれるものが指し示している組織運営のあり方で、要は、ワーカーからサプライチェーンに連なる企業を含むステークホルダーを、事業のパートナーと見なして協働しようというモデルですが、これは何も「ソーシャルグッド」というコンテクストからのみ語られるべきものではなく、むしろ不確実性がデフォルトの環境のなかで、いかにリスクを最小化するかという観点から必要となる考え方なのだと理解しています。

――なるほど。ここまでの話、実はずっと今回の〈Field Guides〉のお題である「コロナの1年が仕事にもたらしたもの[※6]」（What a year of Covid has done to work）につながる話題ですよね。

長い前置きになってしまいましたが、その通りなんです。オリンピックの問題や「欧州スーパーリーグ構想」をめぐって起きたことは、実は、いま現在、会社というものにおいて起きていることと相似形を成しているところがありまして、私たちは、いまここで起きていることを、相当注意深く見ておく必要があります。

――どの辺に注意しておくべきでしょう。

まずは、先にお話しした合理化のところですね。「分散化」はあたかもいいことのように語られることがもっぱらですが、これが「企業側から見た合理化」という目的にだけ向けて発動されますと、先ほどの国際会議の事例で見たように「中心」の権限がより強まるということが間違いなく起きます。これは先日ある方が教えてくださったのですが、リモート化によって、会社内において出社組とリモート組の情報格差が明確に生まれ始めているそうです。

――リモート組が取りこぼされている、ということですか？

その通りです。これが進行していくと、これまで以上に「本社」の決定がブラックボックス化していく懸念があります。

――ふむ。それは日本企業での話ですよね。

そうです。今回の〈Field Guides〉には、Qualtricsという雇用環境の分析を専門とするリサーチ会社が行ったサーベイの結果がクイズ形式で掲載※7されていますが、ひとまずここで、そのクイズを出しておきましょうか。面白いものですので。

――はい。

全部で10個の質問がありますが、注目すべき6つを紹介します。

第1問「世界各地の4000人に対する調査のうち〈住む場所を自由に決められることが大事〉と答えた人は何%?」「①31% ②51% ③79% ④90%」

第2問「第1問と同じ調査において、〈居住の自由と仕事の選択の自由の両方が大事〉と答えたアメリカ人は何%」「①27% ②55% ③82% ④95%」

第3問「Microsoft『Teams』で世界31カ国3万人のワーカーを対象に行った調査において、大半の人が〈チームメンバーと対面で会う必要はない〉と答えた」「①本当 ②間違い」

第4問「リモートで効率的に働くために何が最も必要とされているか」「①社外のクライアントや顧客と対面で会うこと ②先の予定がもっと明確に決まること ③必要なときにオフィス空間を使えること ④必要なときに同僚と会えること ⑤オフィスにある物理的な機器などを使えること」

第5問「リモートワークのメリットとして一番多くの答えが上がったのは〈時間をフレキシブ

※6 ※7

ルに使えること〉。2番目に多かった答えは？」「①仕事を中断されなくて済むこと　②集中できる環境で働けること　③より多くの時間を家族と一緒に過ごせること」

第6問「オフィスで働くことのメリットについて、最も多い答えは〈私生活と仕事を切り離せる〉ことである」「①本当　②間違い」

——えーと。私がここで答えてもしょうがないですから、正解を教えてもらってよいですか？

はい。これもざっと。

第1問「③79％」
第2問「③82％」
第3問「②間違い」
第4問「③必要なときにオフィス空間を使えること」
第5問「②集中できる環境で働けること」
第6問「②間違い」

——なるほど。面白いですね。

はい。例えば、第3問で明かされているのは、人はできるだけ自由に住む場所を選びたいと思ってはいながらも同僚やチームのメンバーと会うことは重要だと考えているということでして、こうした声は60％に上るとされています。また、第6問での「オフィスのメリット」として挙げられた最も多い答えは「同僚とたやすく協働できること」だとされています。全体として見ると「自由」という観点からリモートワークは望ましいことと考えられてはいるのですが、リモートによってすべてがバラ色になるかといえばそうでもなく、問題も少なからずあるという結論でして、実際のところ、エグゼクティブ層も若年層も同様に、リモート環境への適応に苦労しているとレポートされています。

——ふむ。

この調査結果は、リモートワークは、自分なりに業務をマネージして集中して遂行するのにはいいのだけれども、同僚やチームメンバーとのコミュニケーション不足という問題があることを明らかにしています。これは、「社内の各部門が社員のメンタルヘルスのためにできること[※8]」(How to support employee mental health from every level of the firm）という記事でもレポートされているワーカーのメンタルヘルスという問題にも直結していますが、こうしたメンタルの問題は、先にお話ししたような「情報格差」に対する不安の現れとして理解することも可能だろうと思います。

――そうですか。

　先ほどからお話ししている通り、リモートワークによる分散化は、いろんなレベルで仕事の効率化を促進させるものとして作用します。先の調査の第5問が明かしているように、業務を集中して遂行するには、会社にいるよりも家のほうがいいという人は少なからずいます。ということは、きっちりとタスクが分業化された単独業務の遂行にあたってはリモートのほうが業務効率は高い可能性があるということですから、リモートワークは、業務の断片化を促進させる方向に作用する効果がありうるということにもなりますし、それは業務の官僚化・管理化をより進行させうるものともなりえます。

――そうなると当然、業務量に対する評価がワーカーの評価に直結していくでしょうから、業務時間は増えてもいきそうですね。

　それはまさに「パンデミックから1年を経て仕事はいかに変わったか※9」（How work has changed a year into the pandemic）という記事が問題にしていることでして、実際に増えているんです。「Bloomberg」の記事※10によれば、イギリス、アメリカ、オーストラリアといった国では、1日の業務時間が平均2・5時間増えているとされています。

――そうなってくると、その増加分が残業と見なされるのかといった問題も出てきますね。

　はい。この辺は、経営層がそうした変化をどう考えるかによって運用のルールは大きく変わってくることになりますが、「分散」を、それ自体がいいことのようにぼんやり考えてしまうと、経営側から変な言い分が出てくることにもなりまして、それを問題にしたのが、「都市から移住したリモートワーカーの賃金を削るのはアリなのか※11」（The case against cutting remote workers' big-city salaries）という記事

※8　※9　※10　※11

です。

――それまで都会に住んでいたワーカーたちが、リモート化を機に郊外のより家賃の安いエリアに引っ越した場合、家賃が安くなった分、賃金をカットするということですよね。

これは特にシリコンバレーで起きている現象だそうですが、記事によれば Facebook、Twitter、Microsoft や VMware といった企業がそうした施策を行っており、Stripe は永続的にリモートワークを選択したワーカーに対して2万ドルの引越手当の支給と引き換えに10%の賃金カットを命じたそうです。

――むむむ。これはどう考えたものか、難しいところですね。

記事は、これらの企業は、この判断を後悔することになるだろうと予測していますが、たしかにこれは、どう考えるべきなのか難しい問題です。ワーカーが居住している場所の生活コストに応じて給料が設定されるということそれ自体は、多くの人がなんとなく当たり前のこととして受け入れているると思いますし、実際「Bloomberg」の記事によれば、Blind というソーシャルメディアが行った5900人を対象にした調査では、こうした減俸に対して、反対の人は49%で、受け入れる人は44%だったそうです。

――だいたい半々、と。

記事内で、ワシントン大学で社会学を研究しているジェイク・ローゼンフェルド教授は、居住エリアと給与を連動させるアイデアは「20世紀中葉のモデル」であり、それが有効だったのは「終身雇用が制度として機能しているときだけだ」と指摘し、現在のワーカーは、自らがいつでも取り替え可能なフリーエージェントでしかないことを多かれ少なかれ認識しているので、こうした過去の給与体系を受け入れることはないだろうと語っています。

たしかに、ワーカーがフリーエージェント化していく環境下では「同一労働同一賃金」の原則はますます強まっていくでしょうし、男女間や人種間などの賃金差も今後、より厳しく監査されることになれば、この傾向は必然的に強まりますよね。

——とすると、賃金と生活費が紐づいた給与システムは、今後是正されていくことになりますか。

こうした流れを受けてSpotify※12やReddit※13などの企業が「どこで働いても給与水準はサンフランシスコやニューヨークに暮らすワーカーと同じ」という原則を打ち出していますし、記事は「Help Scout」というカスタマーサポートソフトをつくっている１００人強の会社の事例を紹介しています。

——ほお。

この会社は10年前の創業以来１００%リモートで経営されていまして、４割がアメリカ国外のワーカーだそうです。２０１８年まではタイのエンジニアとサンフランシスコのエンジニアでは、それぞれの国の生活・給与水準にしたがって異なる賃金を払っていたそうですが、創業者兼ＣＥＯのニック・フランシスさんは、それがどうにも腹落ちしかなったと言います。そこで２０１８年以降、ニューヨーク、シアトル、ボストンといった「２級都市」（１級はサンフランシスコ）の水準に揃えるようにしたそうなんです。

——へえ。

フランシスさんは「自分たちのことをボーダーレス企業だと謳っているのに、なんで給与水準に国境があるんだ？」という問いを投げかけつつ、一方で、給与水準の一律化は「世界中の都市の生活コストや為替レートに合わせて、各人の給与計算をする面倒から解放してくれた」とも語っています。

——これは、しかし面白い問い掛けになっていますね。

そうなんです。これまでのグローバル企業が、地域ごとの生活コストの水準の差分を利益に変えてきたことを考えると、この考え方は、それなりにラジカルなものと言えるのかもしれません。

世界の大都市にオフィスを構えるような企業が、ホワイトカラーのワーカーの給与水準を揃えることはさほど難しいことでもないのかもしれませんが、これを工場のワーカーなどにまで適用しようと考えたら、製造業などはビジネスモ

※12

※13

デルが一気に崩壊しそうです。

——ほんとですね。「低開発国」の安い労働力を「食いつぶしていく」のが、これまでの製造業のありようでしたからね。

そう考えると、この「賃金」の問題は、これまでの資本主義のあり方を、面白いやり方で揺さぶることにもなるのかもしれません。それこそ「ステークホルダーキャピタリズム」のようなことを言い出してしまうと、ワーカー、サプライチェーンを同等のパートナーとして扱うことが要件となっていきますが、それを実行しようとすれば、程なく、こうした「平等性」の問題に突き当たることにもなりそうです。

——そんなこと言い出すと、すわ「社会主義か」といった批判も出てきそうですが。

これは決してワーカー全員が同じ給与になるということではもちろんなく、きちんと平等にみなを取り扱おうということなのですが、これを理解する上では、「Equality」ということばと「Equity」ということばの違いを理解しておく必要があるかもしれません。いまとあるプロジェクトに関連して読んでいる『The B Corp Handbook※14』という本では、こう説明されています。

「Equality はすべての人が同じように扱われること。Equity はすべての人が個々人の状況やニーズにしたがって扱われること」

——ふむ。

いま例として挙げた給与水準の一律化の話は、どこにいても、どこで暮らしていても、どんな働き方をしていても差別されないという意味で「equity」が考慮され、その equity に則って誰にもみな等しく同水準が適用されるという意味で「equality」が考慮されているということになるのではないかと思います。この違いを説明した有名なイラスト※15がありますので、これを併せてご覧いただけるとわかりやすいかと思います。

——そうしたことが重要だというのは考え方としてはわかるのですが、先ほど指摘された通り、これまでの経済が「格差」をドライバーとしてきたものであるのだとすれば、それを均していこうという動きは、企業にとっては死活問題ともなりますよね。

そうだろうと思います。それこそ新疆ウイグルの問題などで企業がやり玉に挙げられているのも、「低コストの旨味」と引き換えに人権抑圧によって生じた格差に目をつぶってきたことに対する批判であるわけですが、その批判を素直に受け入れてしまえば、コスト構造が壊れて、現状のビジネスモデルが成り立たなくなります。だからこそ、なんとなくうやむやにしようという方向で全体が動いているように見えるわけですが、そう考えていくと、冒頭で話題にしたオリンピックや欧州スーパーリーグ構想といったものは、経済そのものが岐路に立たされているところを、強引に突破しようとしているようにしか見えないんですね。

——これまでであれば、なんとなく大義名分をもち出してうまく懐柔できていたことができなくなって、なんだか開き直っているような感じですもんね。

「格差や人権なんか知ったことか」と、隠し立てもせず露骨に語られるようになっている状況を、コロナが後押ししているところがあるのだと感じます。経済が沈んでいけばいくほど、そうした声はどんどん露骨になっていくと思いますが、そのやり方ではおそらく突破できないのは冒頭にお話しした通りで、その意味では、20世紀型の企業経済と21世紀型の市民運動とのせめぎ合いは、さらに熾烈化していくのではないかと思います。

——厳しいですね。

そうした泥沼のせめぎ合いを抜け出す可能性のヒントとして、個人的には、市民参加型の経済圏というものをもう少し詳細に検討する必要があるのではないかと思っていまして、そのひとつのヒントとして、K-POPとゲームのコミュニティの動きは注視すべきだと思っています。そうした観点からも田中絵里菜さんの『K-POPはなぜ世界を熱くするのか[※16]』は必読だと思いますので、最後に激しく推奨しておきます。

——冗談抜きで、ですよね。

もちろんです。ちなみに、この

※14 ※15 ※16

本で描かれた経済モデルをC-POPが爆速で取り込んで巨大な経済圏を形成しているということを、つい昨日知人に教わったのですが、このあたりも気にかけておいたほうがよさそうで、これはいままで私たちが知っていたような、企業がメインプレイヤーである経済とはまったく違う様相を呈しています。

Field Guidesを読む #49/50

What a year of Covid has done to work

April 18/25, 2021

https://qz.com/guide/covid-work/

◉パンデミックから1年を経て仕事はいかに変わったか
How work has changed a year into the pandemic

◉クイズ：従業員がいま望んでいること、どれくらいわかってる？
Quiz: How much do you know about what employees want now?

◉都市から移住したリモートワーカーの賃金を削るのはアリなのか
The case against cutting remote workers' big-city salaries

◉HBCUはいかに企業のダイバーシティ・イニシアチブをさばいているか
How HBCUs are responding to the flood of corporate diversity initiatives

◉社内の各部門が社員のメンタルヘルスのためにできること
How to support employee mental health from every level of the firm

HOTEL
LIVEMAX

#51

The air you breathe

May 2, 2021

室内のサステイナビリティ

100年経ってル・コルビュジェが語っていたのと同じ地点に戻ってきているということなのであれば、これこそ遠大な堂々めぐりとも言えそうですが、それはそれとして、「オイルショック」における対処がひとつの大きな展開点になっていたことは、改めて検討しておく必要があるような気がします。

——今日から5月です。

そうですよね。あっという間ですね。今年に入っていったい何をしたのか、思い出そうとしても何も思い出せない感じです。

——なんだかずっとふわふわしてますよね。

地面を失っている感じです。

——はい。

と言いながら、そう言ったときの「地面」って、そもそも何だったのかが、もはやよくわからないのですが。

——現実感ってことだと思いますが。

そうですよね。でも、現実感が失われているって、具体的には何が失われているということなんですかね。

——「現実」じゃないですか?(笑)

(笑)。「じゃあ、その現実って何ですか」ということになりますが、現実というのは基本「そこにあるもの」をそう呼ぶはずのものであるような気もしますので、それが失われるって、どういうことなのかわからないですよね。

——そう言われるとたしかにそうですね。なんでしょうね。「安定」みたいなものが損なわれているということなんですかね。

そこがよくわからないんです。私なんかはコロナになったからといって、特に生活が大きく変わったわけでもないですし、ビジネスもパンデミックや緊急事態宣言によって大きく打撃を受ける類のものでもありませんから、変わらないと言えば変わらないのですが、それでも、なんだかふわっとしちゃっています。と言って、以前がよほどビシッとしていたかというと、もちろんそんなこともないので、そこも、大して変わらないといえば大して変わらない気もします。

――煮え切らないですね。

そこなんです。今年に入ってからも、毎週こうやって「だえん問答」を続けていますが、こんなことを言うのもなんですが、今年に入ってから、実はずっとなんだか焦点が定まらない感じなんです。

――あれ。そうなんですか？

はい。とはいえ、これは私自身だけの問題でもないのだろうと思うところもありまして、昨年中は「パンデミックだ！」「大変だ！」というなかで、さまざまな社会的な問題がもち上がって騒然となって、考えなくてはならないこともたくさん噴出して、そうやって噴出した問題を、さまざまな角度から検証したり、つなぎ合わせたりしながら「論点」を整理していくことにおいて、メディアは大きな力を発揮したと思いますし、毎回題材とさせていただいている「Quartz」も非常にシャープな動きをしていたのですが、今年に入ってからなぜか焦点が一気にぼやけた感じがします。

――そうですか。

といって、これもまた「Quartz」だけの問題ということでもないような気がしていまして、「いま、私たちは何を見て、何を議論すべきなのか」というところの「論点」が世の中全体としてふわっとしちゃっているからのように感じます。

もちろん、昨年一気に浮き彫りになったたくさんのこと、例えば「システミック・レイシズム」や「格差」の問題、あるいは「メンタルヘルス」の問題、「民主主義の危機」「資本主義の限界」等々なんでもいいのですが、そうした問題は問題化されたからといってすぐさま解決するものではありませんし、むしろこれからさらなるアクションが必要になるものだとは思うので、せっかちに変化を求めたところで仕方ないのですが、とはいえ、そうやっていったん問題化してしまうと、もうだいたいのことが「構造的な差別」や「格差」や「資本主義の限界」といったことばで説明できてしまって、全部わかったような気になれてしまうようなところもあるように感じます。

——何が起きても同じ議論にたどり着いてしまう感じは、たしかにありますね。

何が起きても、同じところで議論が堂々めぐりしてしまっているといいますか。

——例えばですが、何かについて誰かが「差別だ」と言うと「じゃあ中国を問題にしろ」みたいな堂々めぐりを何度も見てます。

先日のアカデミー賞の短編実写部門でオスカーを獲得したのが『Two Distant Strangers[※1]』（隔たる世界の2人）という作品で、たまたまオスカーの発表前に観たのですが、これはいわゆる「タイムループもの」と呼ばれるジャンルの映画です。

——タイムループものの名作といえば、『恋はデジャ・ブ[※2]』ですよね。

はい。まさに、本作は「恋はデジャ・ブ×BLM」というキャッチフレーズで語られたりもしていまして、内容はといいますと、ある黒人青年が、ガールフレンドの家で目が覚めて家に帰ろうと外に出ると警官に呼び止められ殺されてしまうという朝を、何度も何度も繰り返し生きなくてはならないという痛烈なものです。

——怖いですね。

はい。それこそ、BLMの運動を通じて可視化された構造的な不条理を鋭く描いた作品だと思いますし、希望があるのかないのかわからないエンディングも含めて秀逸なのでぜひご覧いただきたいと思うのですが、ここで注目したいのは、内容上のメッセージというよりも「タイムループ」という形式なんです。というのも、これはまだ観ていないのですが、同じNetflixのドラマシリーズで『ロシアン・ドール：謎のタイムループ[※3]』という作品がありまして、この作品もタイトルでお察しの通りタイムループものなんです。

——へえ。流行ってるんでしょうかね。

といって、あと思いつくのは、トム・クルーズが主演した『オール・ユー・ニード・イズ・キル[※4]』くらいですから、流行っているというのもおそらく語弊があると思うのですが、いまこの形式が妙に引っかかるのは、たしかにそうなんです。もっとも、これは自分がそう感じているだけかもしれませんので、とりたててその一般性を主張したいわけでもないのですが、なぜかいまの心持ちと符号するところがあるように感じます。

——同じ日が毎日続いていて、どうにも抜け出せない感じ。

毎週こうやって「だえん問答」を続けていて、それこそ毎回違うことを書いているはずなのですが、なんだか同じループのなかで、同じことを書き続けているだけなんじゃないかという気がしてきてしまうんです。

——同じ人間がやっていれば、どうしたって言うことは同じになってきてしまうということはありますよね。

それはもちろんその通りでして、自分の視点や視野みたいなものは、歳とともにどうしたって固定されていって、そこから離れることがどんどん難しくなりますし、そもそも自分の思考自体に飽きているというのもとりたてて新しい発見ではないのですが、いまある状況は、それとはちょっと違っている気もします。

——不思議ですね。

そうなんです。といって、それでメンタルをおかしくするほどのことでもないですし、仕事もそれなりに充実している感覚もあるので、ものすごく困っているわけでもないのですが、このことは今年に入ってから実はずっと引っかかってはいまして、そのぼんやりとした状況の正体が何なのかと向き合うために、この連載を毎週繰り返しているような気もしています。逆に言うと、この連載があるせいで、毎週毎週、振り出しに戻されているということもあるのかもしれません。

——あはは。苦行じゃないですか。

苦行は苦行みたいなものですが、とはいえ、作業自体が苦しいわけでもないですし、楽しいといえば楽しいんです。ほとんど儀式みたいなもので、土曜の夕方に事務所に来て、執筆しながらかけておくためのプレイリストをつくって、

※4 ※3 ※2 ※1

「えいや」で取り掛かって、だいたい5～6時間没頭し続けるという作業ですが、ひとりきりの自由な時間でもありますので、それなりの解放感もあります。ちなみに執筆中にかけているプレイリストは、今週から公開しようと思っています。

――あ、いいですね。

本当に毎回出会い頭で思いついたことから書き始めるので、今回も実はこんな内容になるはずじゃなかったんです。

――あ、そうなんですか。

事務所に来る途中に考えていたのは、こういう出だしです。ちょっと書いてみましょうか。

――はい（笑）。

行きますよ。

「――今日から5月です。

そうですね。5月1日といえばメーデーですよね。

――そうですね。

本当はこんなところで仕事していたらまずいですよね。

――あ、それ気にされるんですね。

ものすごく気にするというわけでもないのですが、先日たまたまあるニュースを読みまして、それは、『NPR』というアメリカの公共メディアのテックワーカーたちが新しい組合を結成したというものでした」

という感じです。

――面白そうじゃないですか（笑）。これ、どう続くんですか？

続けてみます？ 自分でもそれがどこにどうつながるのか、まったくわかりませんが。

――ぜひ。

このNPRのニュースはとあるツイートで見かけた※5もので、詳細はあまりわかっていないのですが、「NPR」のテックワーカーが組合を結成したほんの数週間前に、「The New York Times」のテックワーカーたちも組合を結成した[※6]そうなんです。この投稿によれば、この間、デジタルメディアのジャーナリストたちが組合を結成したことを受けて、メディア企業内のテックワーカーたちが連帯する動きが高まっているそうなんです。

——へえ。

　パンデミックに入って1年以上が経過したなかで、巨大な経済プレイヤーたちが、自分たちの権益を、災害をテコにより強固なものにしようという欲望を隠し立てしなくなっている状況について、前話でオリンピックや欧州スーパーリーグ構想に寄せて触れました。これは作家／アクティビストのナオミ・クラインが『ショック・ドクトリン[※7]』という本で主題とした「惨事便乗型資本主義」の典型とも言えそうなものです。これは、災害で市民が茫然自失になっているどさくさに紛れて、極端な市場原理主義の導入を行うやり口でして、「火事場泥棒資本主義」とも言われています。

——「コロナのどさくさ」ということで言えば、看護師の派遣法の改正[※8]もありましたし、人材派遣会社がワクチン接種を担当する医師を日当10万円で募集[※9]しているなんていうニュースもありました。

　いまおっしゃった施策は、政権に近い経済学者が大手人材派遣企業の会長を務めていることから、小学生でも裏を勘ぐれてしまうようなものですが、これ以外にも、例えばワクチン接種の予約システムの構築を、この経済学者が顧問を務める企業と日本旅行が請け負っている[※10]といった情報もあります。ちなみに日本旅行は、Ｇｏ Ｔｏ事業の運営委託先であった「ツーリズム産業共同提案体[※11]」の一翼を担った企業です。

——火事場泥棒感、ハンパないですよね。

　先の組合結成の話に戻りますと、こうしたなりふり構わない火事場泥棒が、おそらく世界的にも横行していることから、ワーカーたちは新たに自衛策を講じる必要が出てきているということなのだと推察できます。

　これはあくまでも余談ですが、さるグローバルメディアコングロマリットでは、コロナ禍での業績

※11 ※10 ※9 ※8 ※7 ※6 ※5

不振を受けて、中央集権化をどんどん強め、各国のローカルの編集部がヘッドクォーターの直轄下に置かれるような組織体制の変更が行われていたりするそうです。これを火事場泥棒と呼ぶべき動きかどうかは判断が難しいところですが、こうした動きを通じて実際のところ何が守られようとしているのか、どうしたって裏を勘ぐりたくはなります。

――現場のワーカーではないことはたしかですよね。

ここで今回の〈Field Guides〉のお題の「私たちの空気」（The air you breathe）に移るのですが、今回の特集で面白いのは、「COVID-19は〈きれいな室内空気〉の時代をもたらすか[※12]」（Could Covid-19 usher in the age of clean indoor air?）と題された記事でして、19世紀から現在にいたる「室内環境」の変遷が綴られているのですが、これは非常に興味深い内容です。

――へえ。

現在の病院において、病院内の衛生状態が患者の病状を左右する非常に大きな要素となっていることは、みなさん当たり前のことだと思われていると思いますが、それはある時期まで必ずしも当たり前ではなかったんですね。

病室の換気や日当たりを良くし、病床の間隔をあけ、清潔に保つことで、死亡者を劇的に減らすことができることを突き止め、それを実施し広めたのは、みなさまご存じのフローレンス・ナイチンゲールでして、記事では、まずそのことが明かされます。

――ナイチンゲールは、すごい人なんですね。

はい。そこから「人間の健康にとって室内環境は重要なファクターである」という知見がもたらされ、その知見は、20世紀初頭のモダニズム建築に受け継がれると記事は書きます。ここで引用されるのが、これまたみなさまご存じのル・コルビュジェのことばです。記事からの直訳で申し訳ないのですが、こういうものです。

「光と空気がふんだんにあって、壁と床が清らかであってこそ、家は住めるものとなる」

――はあ。

コルビュジェは換気についてもとても重視していたそうで、キッチンの匂いが家に充満することがないよう注意すべきだとも語っていたそうです。

――へえ。

つまり、換気、外光、床や壁の衛生といったものを重視する考えは決して新しいものではないということですね。しかしながら19 50年代になるとこれが間違った方角へ向かうことになると記事は指摘しています。

経済効率を重視する観点から、屋内に化学的な有害物質が使用されるようになり、さらに蛍光灯とエアコンの発明が、室内というものを、コルビュジェが語ったような開放的なものではなく、より密閉的なものへと変えていったとしています。

――エネルギー効率の観点から、密閉度を高めたほうがいいということになるわけですね。

まさにその通りです。そして記事は、その傾向にいっそう拍車がかかった契機として、1973年のオイルショックを挙げています。外光を巧みに生かし、窓を用いてより良く空気の循環を行うことのできる建築デザインの手法「パッシブ・デザイン」が、オイルショックを契機に、建築家やエンジニアから一気に失われていったと記事は指摘していまして、これが80年代になると、もはや建築デザインは「エクステリアが大事で、なかで何が起きようがどうでもいい」といった感じになってしまったと批判しています。

――手厳しいですね。

90年代になりますと、ようやくそうした状況に対する反省が出てくるのですが、それを強く後押ししたのは、必ずしも室内環境が人間にもたらす影響という観点ではなく、「気候変動」という文脈から「建物のエネルギー消費」が問題になり、そこからさらに「サステイナビリティ」という論点を通じて「なかにいる人間の健康」がようやく考慮の対象になり、それが今回のパンデミックを経て、より包括的な観点から「グリーンな建物」のありようが検討されなく

※12

てはならなくなってきたということでして、これがまさに今回の〈Field Guides〉の論点となっているわけです。

——面白いですね。

　１００年経ってル・コルビュジエが語っていたのと同じ地点に戻ってきているということなのであれば、これこそ遠大な堂々めぐりだったとも言えそうですが、それはそれとして、「オイルショック」という危機における対処がひとつの大きな展開点になったことは、改めて検討しておく必要があるように思います。

——ほお。

　先の記事は、オイルショックによってもたらされた「エネルギーはもはや安価ではない」という危機感が、建物の「効率化」を大々的に後押ししたとしていますが、結果から見ると、そこで行われた「効率化」が、かえって建物というもの全体の環境負荷を高める方向へと進めてしまったわけですね。

　面白いのは、オイルショックという危機がもたらしたのは、本来であれば「これからは好き勝手に思う存分エネルギーを浪費することはできないぞ」という警鐘であったはずで、実際、時代背景的にもこの時代から「エコロジー」といった概念が広く提唱されるようになりましたし、公害という問題に苛まれてきた日本でも、60年代から続いてきた四日市ぜんそくの訴訟が決着するのが１９７２年であることを考えれば、オイルショックの時点で「環境」という論点は社会的に大きく重たいものになっていたにもかかわらず、なぜか、その反省が、逆の結果をもたらす方向に進んだように見えるところです。

——たしかに。なんでそんなことになったんでしょうね。

　野口悠紀雄先生が書かれた『１９４０年体制：さらば戦時経済』※13という本がありまして、これは日本の経済体制がいまもなお戦時中に敷かれた「１９４０年体制」から脱却していないことを指摘した非常に面白い本で、私はこの本を、元ほぼ日・現株式会社エールの篠田真貴子さんに教えていただいたのですが、この本のなかに、オイルショックのことがチラッと出てきます。

「一九七〇年代を計画期間とする『経済社会基本計画』をみると、『福祉の推進』が主要目標として登場する。これを反映して、一般会計の支出面でも、社会保障関係費、なかでも社会保険費が顕著な増加を示した。とくに、一九七三年度は『福祉元年』といわれたほど、さまざまな社会保障制度が拡充された。

　このような状況がそのまま推移すれば、日本経済は四〇年体制から脱却していた可能性がある。

　しかし、ここで、予想外の大きな外的ショックが生じた。それは、一九七三年の石油危機である。これによって日本経済は深刻な打撃を受け、再び全国民が一丸となった総力戦を戦わざるを得なくなった。生産者第一主義、会社中心主義、労使協調路線などは、むしろ強化されてしまったのである。

　実際、日本経済が石油ショックへの対応において他の先進諸国に比べてすぐれたパフォーマンスを示したのは、労働組合が賃金引き上げを強く求めず、企業の合理化に協力的だったことにある。政府が強制しなくとも、ある種の所得政策が実施された」

――「政府が強制しなくとも」という引用の最後の一文は、この間のコロナ対策を想起させるところがあって、ちょっとギョッとしますね。

　ここで野口先生が指摘されていることはとても重要でして、私たちは、「生産者第一主義」や「会社中心主義」といったものが、何やら日本文化に根ざした伝統的なものと考えがちですが、実際は違っていて、戦後社会のなかで徐々に解消しつつあったのが、オイルショックを機に逆に強化され、それが80年代以降も「デフォルト」の状態として慣習化したものだったわけですね。

――面白い。

　このことは、経済学者の大沢真理先生が『企業中心社会を超えて：現代日本を〈ジェンダー〉で読む[※14]』という非常に面白い本で指摘されていることでもありまして、このように書かれています。

「高度成長末期には、『成長よりも福祉を』、『生産よりも生活を』

※13

※14

といった世論が高まり、一九七三年の田中角栄内閣による『福祉元年』を生み落とした。この時期、民間大企業の正社員たちは、『公害隠し』をひきおこしたようなみずからの会社人間的なあり方を、修正するよう迫られていたといってよい。すくなくとも企業主義が全社会を制圧したなどとは、とてもいえない状況であった。

だが、事態はここでドンデン返しとなる。石油危機による不況と低成長のもとで、『成長よりも福祉を』の世論はあっけなくしぼんだ。賃上げ自粛、『我慢』、『減量合理化』、『福祉見直し』などのあいことばが広く受容されていった。『日本的経営』は、日本経済が諸外国にくらべていち早く危機を克服したことの原動力として称賛を集めていく。合理化の渦中での生き残りをかけて競争と効率への一辺倒、会社優先が、社会のすみずみまで及んでいったのはこの時期だった。実際、高度経済成長期には減少し続けていた労働時間が一転してやや増加、そして横ばいのパターンに転じるのは一九七五年である。

このように、今日欧米諸国との対比で問題になる日本の長時間労働、『過労死』問題そのものが、すぐれて石油危機以降のものであることに注意しなければならない。極力人員を抑えつつ、残業増加・休日出勤・年休返上、はてはサービス残業でノルマをこなす『会社人間化』が、民間大企業でいっそう強まるとともに、下請化・系列化を通じて中小企業の労働者に過酷なまでに押しつけられた。そして一九七四年なかばから、所定外労働の削減、新規採用の停止、一時帰休などの『雇用調整』が進行して、労働条件は低下するにもかかわらず、離職率は顕著に減少する。（中略）

ついで企業主義の矛先は、巨額の財政赤字をかかえながら『ぬるま湯』の労使関係にひたり続ける公共部門に向かった。つまり福祉国家の減量合理化である」

——「会社社会」がデフォルトになるのは、オイルショックのときなんですね。オイルショックを諸外国よりもうまく抜け出たことが自負となって、福祉よりも成長を優先する社会を国民が「自らの手で」選びとっていくようになるというのは、強固なロックダウンをせず、あくまでも「自粛」で乗り切ったことを「日本モデル」と自画自賛しようとした成り行きをも思わせます。本当にますますぞっとしてしまいます。

　先にご紹介した篠田真貴子さんは、以前、ハリウッドでコンセプトアーティストとして活躍する田島光二さんに私も交えた3人で行った鼎談[※15]のなかで、以下のように語っています。これはコロナ前の２０１９年に行ったものです。

「篠田　供給力が上がればすべてが回るっていうのは、典型的な戦後復興時のマインドセットですよね。二次大戦後の復興においては、どの国でも概ねそういった政策が取られたんですけど、多くの国は、オイルショックでひどい目に遭い供給側の視点だけではダメだなって方針転換をするんですね。ところが日本は労使一体となって乗り切っちゃったんですね。

田島　根性すね（笑）。

篠田　そうなんです。その『根性』が変な成功体験になって、そのままバブルに向かってしまうので、変わるタイミングを失しちゃった。

若林　オイルショックが起きた時代は、消費者運動や人権運動、環境運動などが大きな影響力を持つようになっていった時代とも重なっていますから、そこで起きた転換は、本当は大きいはずですよね。

篠田　だと思います。経済においては需要が大事、政治で言えば人権が大事っていうのが当たり前のことになっていくわけですからね」

――コロナ以後の世界でとりわけ大きくクローズアップされてきた論点は「人権」であったり「環境」であったり、あるいは「消費者」だったりしたわけですが、これを読むと、日本政府も経済界もピントがズレたことしかできていないことの由来がなんだか見えてくるような気がします。

　70年代初頭に起きたオイルショックが、日本の社会を１９４０年体制のなかに固定化させたというのが本当であるなら、私たちはいま一度、ここで起きたことによほど注意を払っておくべきだと思うんです。つまり、そこで、私たち国民・ワーカーたちが「国難だから」という理由から、自ら進んで戦時体制に逆戻りをしたということで、より重大だろうと思うのは、

※15

その選択をした際に、おそらくみんなが「良かれ」と思って、その選択をしたのだろうと想像できるところです。

——国難のなか、自分ひとりだけ賃上げ要求をするのは、なんというか「公共の福祉」に反するだろうという抑制が働いちゃったわけですよね、きっと。

そのこと自体は、そんなに責められたものではないと思いますし、それが日本人の美徳なのかどうかは知りませんが、気持ちはわからなくもありません。ただ、そうやって「お人好し」であったがために、そしてそうであることが短期的な成果をもたらし、かつそれがプライドになってしまったがために、自ら変化を起こすタイミングを失し、結果、長期的に甚大な損失を被ることになったのだとすると、お人好しであることにも、やはり問題はあると思わざるを得ません。

——うーむ。

加えて、コロナ対策にしても、オリンピックの問題にしても、やはり私たちはどこかで問題の中心に「経済」を据えてしまうわけですよね。これは、先に見た「建物の進化史」でも同様で、そのなかで働く人・暮らす人の福祉よりも、建物自体の「経済合理性」を真っ先に優先させたことに問題の根幹があったわけですが、先の大沢先生の引用にもあったように、「成長か」「福祉か」と二者択一を迫られると、多くの人が「やっぱり成長が先だな」となってしまうわけですね。

——まあ、それを一概にも責められませんしね。

でも、そうやって二者択一を迫るやり方そのものが本当にそれでいいのかと問うことは可能なはずで、要は「成長」と「福祉」は、そもそも対立し合う概念なのかを問う必要があります。コロナ禍のなかで起きている議論というのは、本来はそれなんじゃないかとも思えます。

——たしかに。「持続的成長」といったことばは、成長と福祉を同時に向上させようということですもんね。

そもそも、どんな経済行為であっても、それが他者というものと関わるものである以上、どこかには必ず福祉的な側面があるはずですし、どんなに福祉的に見える仕事でも、そこには経済的側面もあって、それを二者択一で、どちらかに決めろというのは無理だったりするところもありますよね。それを日本の場合、1973年を契機にして「競争と効率への一辺倒」のほうへと寄せたまま、それ以外のやり方がわからなくなってしまうほどまでに、社会全体として、それを当たり前としちゃったわけですね。

——うーん。残念な話です。

いずれにせよ、私たちはいま改めて1973年の状況に近い岐路にさしかかっているのかもしれないと思えば、少しは考えられることもあるのかもしれません。今回の〈Field Guides〉に即して、例えば建築について言うならば、やはり、もう一度、建物のなかの「空気」というものについて真剣に考えをめぐらせるべきなんですね。

——それも、「より性能のいい空調を実装する」という、過去に過ちを犯した方向ではないやり方で考えるのが大事ですよね。

はい。これについては、建築家の妹島和世さんが、とても面白いことをおっしゃっています※16。これは私が取材に立ち会ったものなのですが、非常に感銘を受けたものです。長いのですが引用させてください。

「最近、日本の建築の中でよく使われるようになった言葉は『換気』です。日本は昔から湿気が多い国ですから、障子や引き戸によって簡単に開け閉めができるようにするなど、空間を密閉しないのが特徴です。なので、隙間風があったりもしますし、『換気』は何か自然に行われていたように思います。

一方、おそらく北ヨーロッパから持ち込まれて、近年、日本でも多く見られるようになった、高気密・高断熱という考え方は、完全に空間を切り取って、外側と内側を分けるやり方です。この考え方は、パンデミックによって否定的に捉えられる前から、個人的にはなかなか理解しづらかったんです。空間の内側と外側を完全に分けることで、エネルギーをセーブしているのですが、それはあくまで空

※16

間の内部での話で、外側を合わせた全体としてどのような状態かというのは内側にいる限り、どうしても見えにくいですよね。

つまり、たとえ空間を密閉して自分がいる場所だけを最適化したとしても、その状態を成立させるために、外側の状態が悪くなってしまえば、全体としていい状態だとは言えません。周りの環境も含めた全体の中でいい状態を目指すべきだと思いますし、世の中でよく言われる『サステイナブル』というのはそういった状態のことを指すのではないかと個人的には考えています。(中略)

内から外に広がっていくのが、日本の建築なんです。縁側や庇《ひさし》、庭などがあって、外側の自然に対しても〝ぶくぶく〟と、自由に広がっていきます。扉を開けても、どこまでが内側で、どこまでが外側なのかという区別が曖昧ですよね。それに対してヨーロッパの建築は、決められた枠組みの中で、〝ビシッ〟と1つひとつの機能を規定して、作っていきます。日本の建築は〝ぶくぶく〟と外に手を伸ばしていきたがるからこそ、建築がどこかに入り込んだり、出てきたりと、インタラクティブに自然の中に入っていくので、形的にも柔らかくなるのが特徴なんだと思います。(中略)

私がヨーロッパのコンペに呼ばれ始めた24~25年ほど前は、空間の外と中が自然につながったほうがいいといった考え方はあまり理解されていなかったかもしれません。当時は、空間がつながっていく場所を作りたいと思い、『オープン』という言葉を使っていたのですが、その考えがあまりうまく伝わらず、『開く』という言葉をそのように翻訳した自分が間違っているのかな、と思っていました。10年ほどたつと、多くの人が『オープン』という言葉を使い始めまして、『ああ、そうか』と思いましたが(笑)。(中略)

境界がなく、空間がつながっていくということはつまり、人間同士、もっと関係を持ちましょうよ、ということなのですが、いまでは、その考え方もごく一般的なものになったと感じます」

――面白いですね。

妹島さんはこれを建築の話とし

て語られていますが、「オープン」ということばは、いまでは建築だけでなく、むしろ組織・社会モデルのありようとして語られるものですから、このお話も、そういうものとして聞くのが正しいと思いますし、「日本古来の『換気』を見直すべき」といった言説は、放っておくとくだらない「日本礼賛」になりかねないものですから注意も必要です。このインタビューの最後で、妹島さんはこうも語っています。

「自分のキャリアを振り返ってみると、空間の内側と外側がつながっていったほうがいいなと、建築を始めた当初に思っていたことを、さまざまなプロジェクトを通してやり続けてきた30年間なんです。ただ、以前と変わったことと言えば、何か1つのものを単体で作り上げるというよりは、手がける対象が周辺の関係性を含めた領域にまで広がっていることだと思います。（中略）

犬島の集落で、空き家をアートギャラリーに改修するプロジェクトを行ったときも、最初はただ、ギャラリーを作ってほしいとお願いをされたのですが、そのギャラリーを作りながらもっとこういうことをやったほうがいいんじゃないかという気持ちが湧いてきて、その周辺の環境も含めていろいろなことにトライし始めました。

以前であれば、最初に決められたフレームの中で物事を考えて、作ってプロジェクトの完成としていましたが、犬島での仕事を通じて、プロジェクトの過程で作る対象が広がっていくことを経験し、決められたフレームの中で完成とするやり方はどこか違うんだなと感じ始めました」

――「決められたフレームのなかで完成とするやり方」ではなく、そのフレーム自体もオープンにしておくということですよね。

はい。オープンという概念をどこまでオープンにしておくことができるのか、という問いなのかもしれません。書きながら聴いていたBGM※17が、いまちょうどCANの「Out of reach」というアルバムにさしかかったところなのですが、たしかキーボードのイルミン・シュミットさんが「CANの曲には終わりがない」ということを語っていたような気がします。これは、まさに「音楽はどこまで

※17

オープンでありうるか」をめぐる問いだったと理解しています。

――あはは。いいですね。

最近ストリーミングサービスにCANの全アルバムが揃ったので繰り返し聴いているのですが、タイムループ的な感覚に陥っているのは、そのせいもあるかもしれません。ずっとオープンであるということは、そこから抜け出ることができない、ということでもありますからね。

――あはは。それはそれで困ったものですね。

はい。困ったものです。

Field Guides を読む #51

The air you breathe

May 2, 2021

https://qz.com/guide/indoor-air/

- ◉COVID-19は〈きれいな室内空気〉の時代をもたらすか
  Could Covid-19 usher in the age of clean indoor air?
- ◉空気のきれいな家に引っ越すのは健康にいいのか？
  Does moving somewhere with clean air improve your health?
- ◉きれいな空気は基本的人権？
  Do we have a right to clean air?
- ◉家の空気の質を向上させる５つの方法
  Five ways to improve the quality of the air in your home
- ◉空気汚染が最も深刻な国々
  The countries with the highest concentrations of air pollution

#52

How small business bounces back

May 9, 2021

スモールビジネスの希望・上篇

「ファンダム・モデル」は必ずしも新しいものではなく
実はずっとあったもので、それこそがもしかしたら
「スモールビジネス」というものの
本質だったのかもしれないとも思えてきます。
というのも「スモールビジネス」は
はなからエンゲージメントの深い数十人から数百人のお客さんで成り立つ
一種の「ファンダム・ビジネス」であったわけですから。

――今日は、なんだか元気そうですね。

そうですか？ そんなこともないのですが、今回はお題が「スモールビジネス」でして、好きな話題ですので、のびのびやれるといいなと思っています。

――この話題、好きですよね。

はい。

――なんですか？

なんでしょうね。自分がやっているのが、そもそもスモールビジネスなのが大きいのかもしれません。当事者といえばそうですから。

――そうか。出版の世界はスモールビジネスの世界ですもんね。

今回の特集のメイン記事「パンデミックが露わにしたスモールビジネスの脆弱さをいかに克服するか[※1]」(The pandemic exposed small businesses' vulnerabilities—and how to fix them) のなかに、「スモールビジネス」の一応の定義が書かれていまして「統計上は従業員500人以下の企業」とされていますが、とはいえ「スモールビジネスと言ってイメージされるのは10人くらいの企業のことだろう」とも書いています。今回の特集で取り上げられているのも、どちらかというと後者のイメージに即した「スモールビジネス」で、日本語で言うなら「小商い」です。

――飲食店なども含まれていますよね。

そうですね。

――パンデミックで一番影響を受けたのは、そうした事業体ですよね。

はい。個人的には「スモールビジネス」って言い方がとても好きでして、これを日本で分類すると「中小企業」となりますが、この言い方をされると、なんだかちょっと残念な気持ちがしてしまうんです。

——どう違うんですか？

「スモールビジネス」ということばに込められた重要なニュアンスは「選択的にスモールである」というところだと思うんです。それは、別の言い方をすると「インディペンデントである」ということでもあるのかなと思います。

——たしかに「中小企業」ということばは、ひどくのっぺりしていて、なんというか、何の価値も宿していないことばですよね。

そうなんです。昨日、あるシャンパンブランドがグローバルで展開している女性起業家のアワードについて調べていましたら、受賞者のひとりが創業した「Young Foodies[※2]」というスタートアップのことが出てきたんです。この会社は、スモールビジネスのスタートアップを支援するプラットフォームなのですが、ここで言う「スモールビジネス」は、いわゆるテック企業ではなく、食料品のスタートアップなんです。

——いいですね。インディ系のチョコとかポテチとか。

面白いと思ったのは、Young Foodiesでは、そうした新興のブランドのことを「チャレンジャー・ブランド」という名称で呼んでいることなんです。

——「挑戦者のブランド」ということですね。

はい。Young Foodiesに参画しているようなフード・スタートアップは、オーガニックやビーガン、フェアトレード、環境配慮といった価値軸を強く打ち出すようなものがほとんどですので、Young Foodiesが支援しているのが、メインストリームのそれとは異なる「オルタナティブな食料ビジネス」であることが価値観としてあることは明白ですが、それをただ「新興の中小の食品メーカーを支援します」と言ってしまったら、焦点がボヤけてしまい、まったく魅力を感じませんよね。

——ただの金貸しです（笑）。

ですから、自分たちが支援しよ

※1

※2

うとしているスタートアップ群を「中小企業」ではなく「チャレンジャー・ブランド」と呼ぶのは、Young Foodies のビジネス戦略上も非常に重要なんですね。ちなみにこの「チャレンジャー」ということばは、英国のフィンテック界隈では新興のデジタル銀行のことを「チャレンジャー・バンク」と呼ぶなど、それなりに使われているものでして、ことば自体が目新しいわけではないのですが、それを「デジタルバンク」と呼ばないのは、そこに旧来の「バンク」との明確な差異が意識されているからなんですね。

——たしかに。

そう考えると、「新しい何か」には、やはり「新しい名前」が必要なんだなと思わされます。

——それをどういう名で呼ぶかでメッセージが明確に浮かび上がってくる、と。

こうした「名付け」はとても大事で、アメリカは、ビジネスセクターもメディアも、それに非常に長けているんですね。「フィルターバブル」でも「ビンジウォッチング」でも「ギグエコノミー」でも「ソーシャルディスタンス」でも何でもいいのですが、ある状況や行動に「新しい名前」が付けられることで、そこに「新しい現実」が実体として立ち上がってくることになるわけです。

——なるほど。

もちろん、こうした「名付け」は諸刃の剣でもありまして、名前が実体をつくり出してしまうのであれば、実体がなくても名前を付けてしまえば、なんとなく実体があるように思えてきてしまいますので、それを悪用することもできてしまいます。

——「復興五輪」とか。

まさにそうです。ですから、「名付け」というものがもつ力にはよほど注意を払わなくてはいけないのですが、このことをまさに問題にしたエッセイ集が、レベッカ・ソルニットの『それを、真の名で呼ぶならば：危機の時代と言葉の力[※3]』でして、そのまえがきで著者はこう書いています。

「現時点での危機のひとつは言語的なものなのだ。言葉は曖昧な意味のぬかるみへと退廃する。シリコンバレーは『シェアリングエコノミー』、『ディスラプション』、『コネクティビティ』、『オープンネス』といったフレーズの数々に飛びついて上辺を飾り、自分たちのアジエンダを押し付ける。それらを『監視資本主義《サーヴェイランス・キャピタリズム》』といった用語が押し返す。
（中略）本書に収めたエッセイのひとつに、わたしは、『そのものを真の名で呼ぶことにより、わたしたちはようやく優先すべきことや価値について本当の対話を始めることができる。なぜなら、蛮行に抵抗する革命は、蛮行を隠す言葉に抵抗する革命から始まるのだから』と書いた」

——そういえば、つい先日、IOCのバッハ会長のことを「The Washington Post」のベテランスポーツ記者が「Baron Von Ripper-off※4」と呼び、それに共同通信だったかと思いますが「ぼったくり男爵※5」という名訳をあてて話題をさらいましたが、それが、いまソルニット先生が書いたようなことに該当するのかは定かではありませんが、IOCや日本側の主催者が度々発してきた、何かを「覆い隠すことば」の背後にあるもやもやを、きれいに暴いた感じはありました。

日本が対峙しなくてはならない相手が、なにやらご大層な国際機関のおえらいさんではなく「ぼったくり男爵」なのだと理解することで、それこそ、「ようやく優先すべきことや価値について本当の対話を始めることができる」ようになったと感じます。

面白いものですよね。それこそ水泳の池江選手に「五輪を辞退しろ」とDMを送りつけた人たちに対して、池江選手が応答したツイート※6をめぐる応酬も、そうやってことばの問題として考えると非常に面白いですよね。

——あれは、全体としてとてももやもやしてしまいましたが、どう見たらいいですかね。

わたしも非常にもやもやしましたので、池江選手のことばをめぐって投下された膨大なツイートを見てまわったのですが、そのなかに、元マラソンランナーの有森裕子さんの投稿※7があったので、そ

※3　※4　※5　※6　※7

れをご紹介しましょうか。あまり話題にならなかったようですが、こんなことをおっしゃっています。

「組織が『意固地』とも感じる発信をし続けている現状が、このような理不尽な矛先の向けられ方を生んでます！」

「公にコミットしている職を選び生きる一人の社会人として『なんらか』の思いの言葉をきちんと発信する、出来る事は大切であり、問われれば『答える』義務が生まれる内容もあるでしょう」

——えーと。

意味を取るのに若干手間取るかもしれない投稿ですが、まずは組織——五輪組織委員会やJOCのことだと思いますが——が、ちゃんと発信をしないから批判の矛先が選手に向かっていて、それ自体はとても理不尽なことである、と表明されています。

大事なのはここからで、とはいえ、スポーツ選手は「公」にコミットする職業なので、説明責任や応答責任が義務として問われる局面もあるとしていまして、ここからがさらに大事なのですが、それをきちんと発信することだけでなく、それが「出来る」ことが大切だとしています。つまり、有森さんは、池江選手にある種の攻撃の矛先が向かっていることを理不尽とはしながらも、「私は何も変えることができない」という応答では応答責任を果たしたことにはならないと明確に批判しているわけですね。

——投稿にぶら下がったコメントを読む限り、それを「池江批判」と読んだ人たちが有森さんに雑言を浴びせているところを見ると、まあ、かなり明白に批判したということにはなるんでしょうね。

有森さんは、ここで「義務」ということばを使っていますが、このことばを支えているのは、職としてスポーツを選んだということは「公」にコミットすることを意味し、そうである以上、五輪という大会において池江選手のみならず、選手すべてが「ステークホルダー」であるという考えだと思うんです。

——当事者であればこそ、義務や責任が発生すると。

はい。で、おそらく、池江選手の発言をめぐる対立の分断線は、ここにあると思うんです。つまり、「選手は五輪におけるステークホルダーなのか？」という問いです。

――ふむ。

池江選手を擁護し、同情する側のコメントを見てみますと、「池江選手には責任はない」といった主旨の発言がかなりあるんですね。あるいは、「責任はスポーツをすることで果たすのがスポーツ選手がすべきことだ」といった言い方もよく見られます。先の有森さんの投稿にぶら下がったコメントから、わかりやすい例を拾わせていただきますと、こんな感じです。「アスリートは競技に全力を尽くすのが『答える』事でしょう。政治的なことにコミットする必要などないですよ」

――これはよく見る応答ですね。きゃりーぱみゅぱみゅさん※8や大坂なおみさん※9が「政治的発言」をした際にもよく見た気がします。

はい。それらとまったく同じ論法ですよね。こうした投稿が暗に語っているのは、「選手（あるいは音楽家）の仕事は、与えられた舞台のなかで、それまでの努力を100％発揮することであって、その舞台のありように関する『政治』に関わる義務も責任もない」ということだと思いますが、これは現実論としてはたしかにそうだろうとは思うんです。つまり、選手が何か言ったところで舞台のありようをめぐる政治は、少なくとも短期的な現状において変わらないのは、たしかにそうだろうとは思います。

――会社とかでもありそうですよね。「現場は与えられた仕事をまっとうするしかない」というのは、たしかに、一番現実的な身の処し方ではありますね。

そうなんです。ところが、オリンピックの問題に限らず、この間、会社というものをめぐってもち上がっている議論は、「本当にそれしかやりようないんだっけ？」ということを問うものであったはずです。会社というものをめぐる新しい動きについては、第34話「働き手たちのアクティビズム」でも触れましたが、簡単に言いますと、

※8　※9

これからの企業は、株主だけでなく、すべてのワーカーやサプライチェーンの取引先、地元コミュニティなどを、単に「金銭的な契約でつながった取引相手」ではなく「ステークホルダー」、つまり「ビジネスを共につくっていくパートナー」と見なす方向に進むべきだという議論になっているんですね。

——昨今流行りの「ステークホルダー・キャピタリズム」ですね。

はい。もちろんこうしたことばが何を含意しているのかは、先のソルニット先生にならって吟味しなくてはならないところではありますが、企業が、自分自身を持続していくにあたって不可欠なステークホルダーは誰なのかをいま一度再考すべきという圧は、「ESG」や「SDGs」といったお題目へのコンプライアンスがより厳格になっているなか、いっそう強まっているのは間違いないはずです。

——オリンピックも構造的には、まったく同じですね。前々回でしたか「The New York Times」のオリンピック批判を取り上げたところでも、似た指摘がありました。「オリンピックそのものを見直すときだ」と題されたコラムのなかで、「これからのオリンピック」に向けて、こんな提案がなされていました。

「オリンピックという運動における対等なパートナーとしてアスリートに大きな権限を与えること」

はい。

——このコラムが提案するオリンピックの未来においては、選手は「ステークホルダー」として見なされるべきだと言っているわけですね。逆に言えば、現状において選手は「ステークホルダー」とは見なされておらず、悪い言い方をしてしまえば、ただの「駒」でしかないわけです。

有森裕子さんが、先の投稿で、単に「発信することが大切」というだけでなく「発信出来る事は大切」だと語ったことの含意は、ここにあるのだと思います。つまり、有森さんは選手が「ステークホルダーとして声を上げることができる状況」を求めているように思うんです。であればこそ、池江選手に何らかの発信を求めたのだと思いますが、それはとりもなおさず、そうやって声を上げていくことでしか「ステークホルダー」としての位置を獲得することができないと考えられているからではないかと思います。

――池江選手のコメントについて、選手が決まったことに従うだけなら、「誰の、何のための五輪なのかいよいよわからなくなってしまう」といった投稿も見かけましたが、本当だなと思いました。選手がただの駒でしかないなら、何のためのオリンピックなのか、さっぱりわかりません。

これについて、ひとつの大きな落とし穴になっているのは「アスリート・ファースト」ということばなのかもしれません。

――そうですか。

「アスリート・ファースト」って、それこそ「レディーズ・ファースト」みたいなこととして理解されている可能性があるなと思ったのですが、「アスリート・ファースト」は「マナーとしてアスリートを先に通してあげる」といったことを指しているわけではないはずです。というのも、「レディーズ・ファースト」の場合は、たしかに女性が先にドアを通るわけですが、「誰を先に通すかという決定権」は相変わらず男性の側にあるわけですよね。「アスリート・ファースト」ということばが問題にしようとしているのは、まさにそのことだと思うんです。つまり、「お膳立てはどこの誰だか知らないおじさま方が全部してくれて、そのなかで気持ちよく競技ができればそれでいい」ということではなく、「そもそものお膳立てについての決定権をアスリートがもてるようにする」ことを求めるのが「アスリート・ファースト」ということばの本意のはずなのですが、どうもそうした本来の主旨が空洞化しているように思えます。

――要は「主権」を誰がもつのか、ということですね。

はい。ここで唐突にまたスモールビジネスの話に戻るのですが、スモールビジネスのいいところは、何においても、その「主権性」を存分に味わえるところだと思うんです。

――オーナーシップっていうことですよね。

そうです。池江選手の「私は何も変えることができない」ということばと、それに寄せられた賛同・同情のコメントを見ていてツラくなるのは、それが極めてサラリーマン的な日常に重ね合わせられるかたちで表出されているところです。実際、「池江選手に五輪を辞退しろというのは、会社員にコロナで満員電車に乗りたくないから会社には行かないと言え、というようなものだ」といったようにあからさまに会社員の日常に重ねたコメントも散見されるのですが、自分の人生を自分の手で操縦するということの可能性が、そうやって放棄されているコメントをたくさん見るにつけ、人の幸不幸はあずかり知らぬこととはいえ、おそるべき虚無だなと感じずにはいられません。

――「働くことの人類学[※10]」というポッドキャストのなかで、アフリカのカラハリ砂漠のブッシュマンを研究されている丸山淳子先生が、「嫌になったらやめられる自由[※11]」というお話をされていて、そのことに非常に大きな感銘を受けたのですが、そこで先生は、たしか、嫌になったときにやめるということができないと、「何のために働くのか」という問いの答えが必要になって、「お金のために」とか「家族のために」といった「答え」が、オブセッションとしてのしかかってきてしまう、とおっしゃっていました。いまのお話を聞くと、よくよく考えれば「やめる」という選択肢がありうるかもしれないのに、それが「ない」と思い込んでしまっている人が多いのだろうと思ってしまいます。

企業に所属していないと生きていけないと多くの人が感じているということなのだと思うのですが、これについては、私のなかで大きく印象に残っている話がありまして、あるとき、とあるアルメニア人の起業家に、こんなことを言われたんです。

――はあ。

「経済というものの主要なドライバーは、かつては国だった。つまり『ガバメント・エコノミー』だ。それが20世紀終盤に、今度は主要なドライバーが企業へと移行する。

『コーポレート・エコノミー』の時代だ。ガバメント・エコノミーがコーポレート・エコノミーに変わったことで経済の規模は飛躍的に伸びた。だがコーポレート・エコノミーも未来永劫続くわけではない。そのあとに来るのは、市民が経済のドライバーになる『シビック・エコノミー』だ。市民主導の経済というと一般には、低成長で定常的な経済モデルを想像するかもしれないが、必ずしもそうとばかりは言えないと自分は思っている。ガバメント経済がコーポレート経済に移行したことで、飛躍的に経済規模が大きくなったように、コーポレート経済が市民経済に移行することで、経済規模がさらに大きくなることはありえると思う。自分はそう信じている」

と、まあ、ざっとこんな感じなのですが。

——面白いですね。定常経済というと、欲をかかないで身の丈にあった生き方を選び取っていくイメージしかもてずにいましたが、それは違うとおっしゃるわけですね。

　そうなんです。アフターインターネットの世界では、経済や社会の「主権」が、企業から個人へと移っていくといったことはずっと言われていて、それこそ、いまから10年近く前に「メーカーズ・ムーブメント※12」なんていうものがありました。

　3Dプリンターが普及すれば工業製品すら企業ではなく個人がつくって販売できるようになる、「新たな産業革命だ」と盛り上がったのですが、現実にはそこまでのことは起きませんでしたし、そうなったとしてどういうふうに経済が回るのか、あまりイメージもできなかったんですね。

　ですから、自分も「個人」への経済主権の移行は、それが起きたとしても、結果として定常的なちんまりしたものにしかならないのだろうと、ぼんやり思っていたんです。ところが、そのアルメニア人起業家は、小さな個人がネットワーク化されて、みんながビジネスをできるようになれば、経済規模はコーポレート経済よりもさらに大きくなると言うので非常に驚いたのですが、それを「んな、まさか」と一蹴する気もしなかったんです。

——そうですか。

※10　※11　※12

むしろ、「そういうふうに未来を信じることができるのか」と思っちゃったんですね。というのもそっちのほうが意外性があって面白いですし、そうはならないと言い切れる根拠があったとしても、その根拠にしたって、あくまでもいまの経済の回り方を想定してのことでしかないわけですから。

――たしかに。

前々話の最後に、田中絵里菜さんが書かれた『K-POPはなぜ世界を熱くするのか』という本を紹介しましたが、この本に書かれていることになぜ衝撃を受けたかといいますと、K-POPファンの動きが、まさに、アルメニア人起業家の方が言ったような「シビック・エコノミー」のひとつの大規模の例なのかもしれないと思ったからなんです。

――ん。どういうことですか。

自分もK-POPがそんなことになっているのを恥ずかしながらまったく知らなかったのですが、K-POPファンの間では、例えば自分の〝推し〟の誕生日などの記念日に広告を出すという文化が、2017年を契機にして劇的に広まったそうです。

その広告というのも当初は韓国国内の駅の広告だったのが、いまではニューヨークのタイムズスクエアにまで進出しているそうで、田中さんによれば「そのタイムズスクエアですらK-POPファンにとってはお決まりの広告スポットになってきている」そうです。ちなみに広告費は、1週間で3000万円相当なのだそうです。

――すごいですね。

引用しますね。

「EXOのメンバー・セフンの中国ファン連合は25歳の誕生日をお祝いして2018年に、ドバイのブルジュ・ハリファ、上海のグローバルハーバー、バンコクのスワンナプーム国際空港をはじめとして世界25か国の地下鉄、バス、カフェ、映画館、空港に広告を出し、誕生日当日のニューヨーク・タイムズ紙にお祝いの全面カラー広告を掲載した[※13]（これだけでも約2400万円）。2019年の誕生日にはさらにT'Way航空の機体から機内テーブルまでセフンの写真でラッピングし、飛行機一機をまるごとジャックした初のK-POPアイドル※14として話題になった」

——どひゃー、凄まじいですね。

広告というものは、これまでは明らかに「コーポレート・エコノミー」をドライブするためのツールで、広告業界がここまで大きくなったのはコーポレートをクライアントとしていたからですよね。でも、いま、その空間が「市民」にジャックされつつあるわけです。

いま引用したようなものと同等のキャンペーンを、仮にレコード会社や芸能事務所が世界25カ国で実施しようと思ってもおそらく無理だろうことを思うと、企業はすでに広告という領域における「主権」を、市民／ユーザー／カスタマーに明け渡してしまっていると言ってもおかしくはないのではないかと思います。

ちなみに、こうした広告で使用される画像や映像は、これも主にファンが撮影したものだそうで、これは著作権法上は問題がありますが、企業側にとってのメリットも少なくありませんから、現状は黙認するしか手立てがないとされています。

——そうなってくると、アイドルは事務所やレコード会社の資産であるというよりは、ファンとの共有財産のようなものになってくるわけですよね。それはつまるところ、必然的にファンを「ステークホルダー」と見なさざるを得なくなっていくということでもありますよね。

面白いのは、このK-POPの事例が、かのアルメニア人起業家が「シビック・エコノミー」と言ったとき、あるいは「メーカーズ・ムーブメント」などが叫ばれたときにおそらく想像されていたものとはまったく違う、想定外のものだということです。

先ほどから「主権性」ということを言っていますが、ここで起きていることは、ビジネスの主権が、ステークホルダーたちの真ん中に置かれているような格好になっている、もしくはビジネスの事業主体をハブのようなものとして、そこをステークホルダーたちがある意味ランダムに入り混じるようなかたちになって、主権性がどこか特定の主体に帰属しているのではなく、「主権性」そのものが融解してしまっているところなのかも

※13　※14

しれません。

しかもK-POPの場合は、国というステークホルダーもそこに関与していますから、「誰が真のドライバーなのか」という問いが失効してしまうほどに「主体」が融解してしまっているんですね。

――よい言い方をするなら、みんなでビジネスがつくられていくという感じでしょうか。みんなが主権をもって、みんなが主体になってしまうといいますか。

ここでは明らかに「提供者／消費者」の区分けが壊れているわけでして、そうやってビジネスの主客のようなものが不分明なところで形成されていく経済が生まれているのだとすると、それを経営理論や経済理論によってどう説明しうるのかは、ぜひビジネススクールあたりで真剣に検討していただきたいところです。

――ほんとですね。

ちなみに、ちょっと前に、中国の音楽ストリーミングサービスのUXを解説した非常に面白い記事[※15]をいくつか読んだのですが、そこで書かれているのはすべて、「西洋のストリーミングアプリはもっと中国アプリのUXを学ぶべき」ということでした。そして、そこでキーワードになっているのは「ファンダム」ということばでして、かつての「消費者」と呼ばれていた存在は、ファンダムというものに置き換えられていくとされています。

――企業がコントロールし管理することのできた、これまでのような「消費者」ではなく、「ファン」がビジネスの基盤になるということですね。

はい。なかでも「音楽産業の5つの次なるドライバー」[※16]（The Music Industry's Next Five Growth Drivers）という記事は、今後の音楽産業を加速させる5つの要素を挙げていますが、これは必ずしも音楽業界に限らず、今後あらゆるビジネスにおいて重視されていくことではないかと思います。

1. コンテクスト化された体験
2. クリエイターのためのツール
3. バーチャルイベント
4. ファンダム
5. ソーシャル

——ふむ。

ここで重要なのは、「ファンダム」を、従来の「消費者」がそのままスライドしたものとして理解してはいけないということです。

——どこが決定的に違うんでしょうか。

先のEXOの事例でもあった通り、もはや「ファンダム」は「ただ売られている商品を買う」だけの存在ではなく、事業者が担っていたはずの「広報」「宣伝」といった業務をいわば勝手に遂行し始めていることからもわかる通り、事業主体の外側で、自発的に経済圏をつくり出してしまっています。

つまり「ファンダム」が勝手にサードパーティのサプライヤーになっているような図式でして、従来であれば、すべて事業者の管理下にあったコストや収益が、そこからはみ出していって、事業の外側にオーガニックな「事業圏」とでも呼ぶべきエコシステムが自生的に生まれています。これまでの考え方であれば、これは頭を抱えてしまうような事態ですが、K-POPではそれがなぜかすくすくと育ってしまい、それはいまや中国や日本にも伝播しています。

——わけがわからないですね。

そうなんです。こうしたことを踏まえていま一度「スモールビジネス」という本題に無理やり戻ってみますと、いまお話ししたような「ファンダム・モデル」は必ずしも新しいものではなく、実はずっとあったもので、それこそがもしかしたら「スモールビジネス」というものの本質だったのかもしれないとも思えてきます。というのも、「スモールビジネス」は、はなからエンゲージメントの深い数十人から数百人のお客さんで成り立つ一種の「ファンダム・ビジネス」であったわけですから。

——おお。面白い。

実際、冒頭でお話ししたような「チャレンジャー・ブランド」の多くは、おそらく、そういうものなんですね。「コンテクスト化された体験」に魅力を感じた人々が集う、ソーシャルなファンダム・ビジネスなんです。

——シビック・エコノミーという

※15

※16

ものがあるとしたら、それはスモールビジネス／ファンダムビジネスが大きく拡張していった先にある何かなのかもしれないということですよね。しかも、それは、現在のコーポレート経済を凌駕する規模のものになるかもしれない。

そこまで言い切れるものなのか正直まだわかりませんが、もしかしたら、その萌芽が育ちつつはあるのかもしれないという気は少ししています。

——いいですね。

今回は遠回りをしてしまいましたので、特集記事を読み解くところまで辿り着きませんでしたが、スモールビジネスが、なぜこれからの経済において重要なのかは、次回、改めて考えられたらと思います。

——オリンピックなんていうものも、それを自分たちでわざわざ「ムーブメント」と呼んでいたりするわけですから、本来であれば、事業者とファンとが一体になったK-POPの経済運動に倣って、一般市民を含めたステークホルダーたちをエンゲージさせながら機運を高めていくような戦術が必要だったのかもしれませんね。

K-POPの戦術が、アイドル以外のプロダクトに対してどこまで有効なのかは未知数ですし、どこまでモデル化できるものなのかもわかりませんが、いずれにせよ、コーポレート主導のやり方はもうすでに限界ですし、スポーツはアイドルビジネスと重なる部分も少なからずありそうですから、オリンピックもそうした方向性を検討すべきだったのかもしれません。

——オリンピックは、それこそナチスのオリンピックに代表される国家主導だったものが、1984年のロサンゼルス大会を契機にコーポレート主導に移行した[※17]わけですから、先のアルメニア人の方の話の流れに沿ってはいますよね。

そうなんです。そういう意味では、今回のオリンピックは、開催されようがされまいが、大きな転機を象徴的に表しているのは間違いないと思います。

——池江選手が、やがて葬り去られる旧時代の象徴的産物なのだとすると、それはとても残念なことですね。

有森さんは、そのことを危惧して苦言を呈されたのではないでしょうか。

※17

金瓶梅
天国
トレビ

#53

How small business bounces back

May 16, 2021

スモールビジネスの希望・下篇

「スタティックな消費者」に求められたのが
「リテラシー」であったとすると
「ファンダム」に必要なのは、行動を可能にする
「コンピテンシー＝やりたいことをやれる力」である
というふうに対比することもできそうです。

——今回は前回に続いて「スモールビジネス」がお題です。早速本題に行きたいところではあるのですが、とはいえ今回もやはりオリンピックの話題に触れないわけにもいかなそうです。

そうですか。

——というのも、ＩＯＣが開催に向けて強硬な姿勢を強めていまして、ここのところの発言は、何と言いますか、いよいよ隠し立てすることなく、その本性をむき出しにしてきたように見えます。

幹部が「世論に動かされることはない※1」と言ったとする一連の報道についてですよね。

——さすがに頭に来ちゃいましたね。というか、あからさますぎませんか。

そうですね。はなからそこまで配慮する気がなかったことを明かしたようなものですからね。

——改めてオリンピックって何のためのものなのか、考え込んでしまいますね。

それこそ『週刊文春』の最新号において、沢木耕太郎さんが、「今回のオリンピックには開催の『大義』がない※2」と書かれていましたが、それは本当にそうですよね。

沢木さんは、クリント・イーストウッド監督による映画『リチャード・ジュエル※3』に触れ、アトランタ五輪開催中に起きたテロ事件と、その重要参考人に仕立てあげられ世間から誹謗中傷の総攻撃にあった会場警備員に起きたことを振り返りつつ、アトランタ五輪が、そもそもアメリカのテレビネットワークが半ば強奪するように開催権を得たものであることなどを紹介しています。それを読んで思い返したのは、１９６８年のメキシコ五輪の開催直前に起きた「トラテロルコの虐殺※4」という事件です。

——そんなのがあるんですね。

私は山本敦久さんの『ポスト・スポーツの時代※5』という本で知ったのですが、これはメキシコ五輪の開催10日前に起きた事件でして、オリンピックの開催反対をスローガンとした、反独裁、反官僚主義、民主化を謳った1万人ほどのデモ隊を突然警官と軍隊が包囲して彼らに向けて発砲し、約2000人が投獄され、300人に上る死者が出たとされる事件です。

——ひどいものですね。

『ポスト・スポーツの時代』は、ジョン・カーロスというアメリカ人陸上選手の回顧録から、当時の状況を語ったこんな一節を紹介しています。

「メキシコ市は、大きな緊張とトラウマのなかにあった。一触即発の状態が続いていた。アメリカチームがオリンピックに行く直前、メキシコでは大虐殺が行われたのです。数百人の学生や若いアクティヴィストが殺されました。メキシコには貧困にあえぐ人たちがあまりにも多いという事実に我慢できなくなった人々は、オリンピックで得た収益がどう使われるのか、貧しい者たちの援助にそうした資金があてられるのかどうかを問題にしていたのです。当局は、オリンピック開催の場所を確保するために、貧しい者たちを立ち退かせようとしていました。多くの若者が瞬時に命を落としたのです。……あらゆる手段を使って排除の命令がくだったのです。……大勢の若者が殺されました。遺体を炉に投げ込み、灰にしました。そこに入りきらない遺体は海に投棄されたのです」

——日本国民も、「オリンピック開催の場所を確保するために」「立ち退かせようと」されている側なのだな、という気持ちになってきます。つまり、私たちは、どこかで自分たちの「安心安全」をオリンピックが脅かしている、オリンピックが隔離の対象なんだという理解のなかにいますが、主催する側からすると、むしろ私たちが排除の対象であり、隔離の対象なんだと思わされます。

ちなみに、この引用に意味があるのは、これがジョン・カーロスという人物の回想だからなのですが、ジョン・カーロスは、まさに、このメキシコ五輪の表彰台で黒い

※5 ※4 ※3 ※2 ※1

手袋をして拳を突き上げる※6という五輪における大きなモメンタムを刻んだ出来事の主役であった人物なんです。

——ああ、そうか。

ですから、このときの「拳」には、母国における人種差別に対するプロテストだけではなく、より広範なプロテストの意が込められていまして、そこには当然、トラテロルコ広場で「排除」された人びとへの連帯の意も含まれていました。

——オリンピックのありようそのものに対する批判でもあった。

であればこそ、このとき拳を掲げたカーロスとスミスのふたりの黒人選手は即刻選手村から「排除」されましたし、同じ表彰台に銀メダリストとして上り、拳こそあげなかったものの「人権を求めるオリンピックプロジェクト」（OPHR）という組織のバッジをつけてカーロスとスミスへの連帯を表明したオーストラリア代表のピーター・ノーマンは、以後IOCのブラックリスト入りし、二度とオリンピックに関わることが許されませんでした。

——50年以上も前の出来事ですが、構造的には、このときから何も変わっていないという感じなんですかね。

この話が、2021年のいままた重要なのは、IOCが、この4月に五輪憲章の「第50条」という条項の運用の厳格化を表明した※7からなんです。

——へえ。それはどういうものなのでしょう。

これは競技内や表彰式において「あらゆる種類の政治的、宗教的、人種的プロパガンダをデモンストレーションすること」を禁止する内容ですが、4月の発表において、IOCは具体的に「Black Lives Matter」を明示しながら、このような「政治的な」文言が描かれたものを着用することを禁じ、代わりに「平和」(peace)、「敬意」(respect)、「連帯」(solidarity)、「包摂」(inclusion)、「平等」(equality) といった文言の使用を認めるとしています。さらに、この禁を犯したものには制裁を加えるともしています。

――五輪担当大臣が「絆」なんてことばを持ち出していましたが、「絆」も、まさにこの一群に連なるキーワードですね。

日本ではあまり報道されなかったかもしれませんが、アメリカのオリンピック・パラリンピック委員会（USOPC）は、実は、2020年12月に選手による平和的なデモンストレーションに対する制裁をやめることを発表※8し、さらに昨年8月に組織された「チームUSA人種と社会正義に関する評議会」（Team USA Council on Racial and Social Justice）は、選手たちの言論の自由、表現の自由を侵害しているとの見解から、先の第50条の見直しをIOCに提起しています。

――それこそジョージ・フロイド事件を受けて、アメリカではスポーツ選手のアクティビズムが盛り上がり、プロスポーツにおける「政治的表現」をめぐる態度が大きく変化しましたよね。

NFLのコリン・キャパニック、アメリカ女子サッカー選手のミーガン・ラピノー、女子ハンマー投げのグウェン・ベリーらによって継承されてきた活動が、大坂なおみ選手に引き継がれ、さらに昨年のBLMの運動を大きな転回点としてスポーツ界のアップデートが促され、そうした流れのなかでUSOPCの方針転換が起きたわけですが、IOCが今年4月に行った発表は、そうした流れを真っ向から否定したものとなるわけですね。当然アメリカでは、選手たちの間から猛然と批判が上がっています。

――ですよね。

『women's Running』という陸上競技を扱うメディアの「オリンピアンたちはデモを禁じられた：でもそれを止めることはできない？※9」（Olympians Are Not Allowed to Demonstrate, But Will They Anyway?）という記事のなかで、2019年のパンアメリカン競技大会の金メダルの表彰台で拳を突き上げ、以降12カ月間に同様の行為を行った場合には厳重処分を受ける可能性があるという「注意」を受けたグウェン・ベリー選手は、表彰台やフィールドにおける表現の自由は「基本的人権の問題だ」と語っています。さらに走り幅跳びと400mリレーの五輪金メダリストで、先に紹介した「チームUSA評議会」のメンバーでもあるティアナ・

※9　※8　※7　※6

バートレッタ選手は、IOCの声明にこう反発しています。

「評議会はIOCに対してデモを行うための『許可』を求めたのではありません。私たちが伝えたのは『あなた方には私たちのことが見えている？　競技をするのは私たちで、私たちがいるからこそイベントが成り立っているのに、本当に私たちのことが見えている？』ということでした。そして、その答えは『いいえ、見えません』だったのです」

——全面対決という様相ですね。

IOCのアスリート・コミッションは「言論および表現の自由は普遍的に認められた基本的人権ではあるが、無制限ではない」としていますので、かなりの頑さがうかがわれます。先のベリー選手は、そんな姿勢に対して、さらにこんなことばをぶつけています。

「私のことばを、私が自分が信じることのためにどのように使って戦うかを、あなた方はコントロールすることはできません。なぜならあなた方は私の人生を生きていないからです。それがどんな人生であるか想像もつかないのです。私のナラティブをコントロールすることも、それをコントロールすることで自分たちの都合のいいように資本化することもできません」

——激しいですね。五輪が開催されるとなると、間違いなく悶着が起きそうな雲行きですね。

アメリカのオリンピックパラリンピック委員会がアメリカ選手団をバックアップすることになれば、かなり大規模な鍔迫り合いが起こりそうですよね。さらに、こうした事態が起きたとすると、昨年BLM運動への連帯を示したスポンサー企業も、困った立場に立たされるだろうとも指摘されています。

——たしかに。一度、BLMへの連帯を表明したのであれば、オリンピックでも支持しないわけにはいきませんよね。

「Color of Change[※10]」という組織は、「スポンサー企業が黒人への連帯を表明している以上、IOCの抑圧的なステートメントは意味をなさない。スポンサー企業はブラックコミュニティとの約束をいまこそ果たすべきだ」というツイートを投稿[※11]し、Coca-Cola、VISA、Hershey's、トヨタ、Procter & Gamble、Ralph Lauren、Samsungといった企業を名指ししています。

――開催されたらされたで、やっぱり五輪は騒然としそうですね。

ただ、2004年の400m×4リレーの金メダリストであるムーシャウミ・ロビンソン[※12]は、カーロス／スミスにはじまる沈黙のプロテストは、実は「プロテスト」ではないのだとも語っています。彼女はこう言います。

「それは畏敬の念なのです。『私たちの前にいた人たちが多くをくぐり抜けてきたからこそ、私たちはこんな遠くまで来ることができたのだ』。そうやって、先達たちの栄誉を称え、感謝するための時間なのです」

――いまオリンピックが、世界中のアスリートが人種や宗教を問わず参加ができる「平和の祭典」と威張っていられるのも、実際は、過去のアスリートたちが、そうやって権利を主張し、拡張を勝ち取ってきたからだというわけですね。

はい。今回のIOCの決定を扱ったどの記事でも、カーロス／スミスの残したレガシーは盛んに語られていまして、「彼らの行動があったからこそ自分たちはここにいる」という感覚は極めて強く、先のロビンソン選手は、そうやってレガシーを観客も含めて確認しあうことは五輪憲章の趣旨にも適うものだと語っています。

――ほんとですね。

冒頭に紹介した『ポスト・スポーツの時代』は、カーロス／スミスがもたらした功績をこんなふうに解説しています。

「ボイコットせずに、参加することで何ができるか。オリンピックを外部から批判するのではなく、その内側から批判することは可能か。カーロスたちの闘争の方向は、ボイコットから参加へとシフトした。支配的なものの内部で、支配に対抗するという政治のスタイルは、現在のキャパニックたちの動向とも共通するものであるし、近年のオリンピックのなかにも同様の動きが散見される」

※10 ※11 ※12

――2022年の北京五輪のボイコット運動について、IOCは「ボイコットは何も解決しない」といった言い方でボイコット論を一蹴[※13]しましたが、カーロス／スミスから大坂なおみ選手にまでいたる運動の様式は、そのIOCのスタンスを逆手に取ったようなところがあるんですね。

山本敦久さんは、そうした運動の大きなうねりが「スポーツ界、さらには社会における人種差別、性差別、同性愛嫌悪に抗議する多様な人々を結びつけ、新たな抗議の方法を創案するネットワーク型のプラットフォームを作り出している」と解説しています。

――オリンピックというそれ自体が巨大な運動でありプラットフォームであるものを、ある意味、逆用するかたちで主催者の意図をハックし、そこに別のネットワーク型プラットフォームを形成していくということですね。

ここで面白いのは「プラットフォーム」というものがもつ両義的な側面ですよね。つまり、運営者がいくらそれを管理的に運用したいと思っても、それがプラットフォームである以上多様な人びとが集まってこないことには意味がないわけですから、そのなかで起きる想定外の動きを管理しきることは、とても困難でもあるわけです。それを嫌がって抑圧的に動けば反発が高まって自壊を招くことにもなりかねないのは、おそらくテックプラットフォームにおいて起きている問題と同じで、それはちょうど、今回の〈Field Guides〉で取り上げられているスモールビジネスとテックサービスの関係性とも相似形であるようにも思います。

――お。いきなり話をつなげた（笑）。

若干飛躍があるかもしれませんが、オリンピック選手たちの戦いと、例えばテイラー・スウィフトのようなミュージシャンがSpotifyに対して仕掛けた戦い[※14]などは、実は相似形であるような気がしなくもありません。それは、経済がワーカーをどんどん個人事業主化させながら、テックプラットフォーム内で仕事を管理し、最悪「農奴化」していく状況に対抗する意味でも、とても重要な参照点になるのではないかと思います。

――そうですか。

前回と今回の〈Field Guides〉のタイトルは「スモールビジネスはいかに復興するか」(How small businesses bounce back) でして、記事のひとつに、「テック企業はスモールビジネスから得た分を返しているか?[※15]」(Do tech companies give back to small business as much as they take?) というものがあります。ここでは、スモールビジネスにとってテックプラットホームが不可欠な状況を、次のように言い表しています。

「オーディエンスにリーチするために Facebook、Google、Amazon にお金を払うことなく事業を転がしていくことは難しい」

――そうですよね。

そして、それがもたらしている事態をこう簡潔に整理しています。

「スモールビジネスはテック企業にとってビッグビジネスである」

――前回お話しされた、コーポレート・エコノミーからシビック・エコノミーへの転換を促していくのがデジタル・ネットワークであるとして、そこにどうしたって企業プラットフォーマーが関与してくるのであれば、スモールビジネスは格好の餌食として、より過酷な状態のなかで搾取される可能性があるということですよね。実際それがAmazonやUberのような問題を生み出しているわけですし。

Uberのような個々のサービスであれば、まだ「嫌なら他のサービスに乗り換える」こともできるかもしれませんが、例えばAWSのようなクラウドサービスに行政組織までもが依存してしまう状況下では、公共空間さえ、最終的にはテック巨人の管理下に置かれることも発生しうるわけです。

これはとても危険なことで、日本でもつい最近Salesforceのシステムがダウンしてしまったことで、ワクチン接種の予約システムが不通[※16]となる事態が起きましたが、こうしたことが起こるのを見るにつけ、プラットフォーム上においてサービス提供者は「まな板の鯉」にすぎないことを実感させられます。そういう意味でも行政府のLINE依存は、やはり注意すべきなんです。

※16　※15　※14　※13

——とはいえ、そうした環境は、どうせこれからよりいっそう強化されていくのでしょうから、逃げ道はどんどんなくなっていくことになりませんか。

前回、シビックエコノミーというものについてお話ししたなかで、「消費者が消えて、ファンダムだけが残る」ような状況がネット空間において進行していることに触れましたが、これは、ある意味プラットフォーム内で「消費者」という存在が質的な変化を遂げていることを意味していまして、そこには、もしかしたら、そもそもの対立の基軸となっている「生産者／消費者」「サービス提供者／ユーザー」という区分けと、そこに介在する収奪の構造を無効化してしまう可能性があるのかもしれません。

——そうですか。

前回きちんと紹介できなかったのですが、中国の「Xiami Music」という音楽ストリーミング・アプリのUXを解説した「中国の音楽アプリを拝見：Xiami Music[※17]」（A look at a Chinese music app: Xiami Music）という記事に触れました。Xiami MusicはAlibabaが買収したあと今年になってサービスを終了してしまったのですが、記事に書かれている内容は、それこそ「消費者はいなくなってファンダムだけがある」世界においてビジネスやサービスがどういうものになっていくのか、そのベーシックな視点を授けてくれるものですので、解説させてください。

——ぜひお願いします。

記事は、まず、SpotifyやApple Musicといった配信サービスがいかに「Passive」（受動的）なものであるかを指摘するところから始めています。もちろん能動的に音楽を「探す」ことはできるのですが、そこから先は、基本的には、ただ「聴く」ことだけしかできないんですね。

——そうですね。せいぜい、気に入ったものをソーシャルメディアに投稿したりするくらいです。

それが、このXiami Musicのサービス内では、ユーザー側が「いろんなことができる」ようになっていることに筆者は非常に感銘を受けることになります。

——例えばどういうことですか？

　ひとつひとつはつまらないことなんです。お気に入りの歌詞の一節を引用して「ポスター」をつくることができる機能だったり、好きな画像に文字を乗せて曲やアルバムを誰かにプレゼントする機能、あるいはあるアーティストやアルバムが好きな人たちが集まって「パーティ」ができたり、といったことです。
　もちろんこうした機能が作動するためのそもそもの前提としてソーシャル機能がありまして、ユーザー間でフォローし合うことで、フォローした相手がいま何を聴いているのか知ることができたりします。さらに、サービス内でトークンを用いた投げ銭などもできるようになっています。とにかく、ユーザー側がアプリ内で「いろんなことができる」ように、「これ必要？」と思うような機能までもが、てんこ盛りに盛られています。

——目新しいものではないといえばそうなのかもしれませんが、とはいえ、そうした機能がほとんどないようなサービスを使っている身からすれば、とても楽しそうです。

　この記事の筆者もまったく同様の感想を漏らしておりまして、こんなふうに概括しています。
「Spotifyは言ってみれば個人主義的なアプリで、その体験はかなりスタティックだ。消費は一方通行で、ソーシャルの要素は友だちのアクティビティを知ることができるくらいだ。対照的に、私が見たところXiami Musicは、音楽を中心とした、活気に満ちてアクティブで共生的（symbiotic）なコミュニティをつくりあげている」

——なるほど。

　榎本幹朗さんが『音楽が未来を連れてくる※18』という本のなかで、中国のアプリに見られる、こうしたサービス設計の考え方を「ソーシャルミュージック」と呼んでいますが、この考え方のキモは、ファンの心理を読み解きながら、ファンが求める「あんなことをしたい」「こんなことをしたい」といった願望を、ひとつずつサービスに置き換えていくところにあります。

——ファンダムの「行動」を促すということですよね。

　まさにそうです。記事の筆者が

※17　※18

Spotifyを「スタティック」(静的)と呼んだのは、人びとの「アクション」を誘発する機能が、そこにはないことを指しているわけです。

——面白いです。「消費者」は「ただ消費するだけの静的な存在」であるのに対して、「ファンダム」は「自分の『推し』をめぐってさまざまなアクションを発動する存在」という切り分けができそうです。

台湾のIT担当大臣のオードリー・タンさんは、デジタル社会においては「リテラシー」ではなく「コンピテンシー」が大事なんだ※19と、よくおっしゃっていますが、「スタティックな消費者」に求められたのが「リテラシー」であったとすると、「何か行動をしたいファンダム」に必要なのは、行動を可能にするための「コンピテンシー=やりたいことをやれる力」である、というふうに対比することもできそうです。

——そうか。先のアプリに搭載された機能は、別の言い方をすると、ユーザーの「あれがしたい、これがしたい」という欲求を行動に変えるための「コンピテンシー」を授けているということになりますね。

この間何度も引用させていただいて恐縮なのですが、田中絵里菜さんの『K-POPはなぜ世界を熱くするのか』が、その「熱狂」の理由を、「音楽でも、パフォーマンスでもなく、5つの〝バリアフリー〟にあった」としているのは、こうした意味でも非常に鋭い指摘なんです。以下が、その5つです。

お金:ライブに行くまではすべて無料
時間:いつからでも後追い可能
距離:どんなに遠くからでもリアルタイムで参加
言語:どんな言語にも翻訳されるコンテンツ
制約:ファンがどんどんシェアして広めていく

ここで問題にしている「バリア」というのは、端的に言えば「スタティックな消費者」が「アクションするファン」へと変わることを阻んでいた障壁なんです。ですから、その障壁をサービス面や制度面において壊したり下げていくことが、ファンが主体的に「アクション」を起こすための「コンピテンシー」の獲得につながっていくことになるわけです。

――面白い。

こうやっていわば「参加型」のネットワークが形づくられていきますと、そこには生産・労働と消費という二項によって支えられた経済とは異なる経済圏が見えてくることになるわけですが、こうした経済モデルが、どこかにすでに存在しているのではないかと漠然と考えていましたら、いま仕事でご一緒しているロフトワーク※20の黒沼雄太さんという、かつて文化人類学を学んでいた面白い方に「コミケとアレッポのスークがそれですよ」と言われて、「ん？ 何それ」となったんです。これは、つい昨日のことだったんですが。

――いいタイミングでいい話が出てきますね（笑）。で、アレッポのスーク？

あまりに面白い話だったので録音させていただきました。こんな話です。

「コミックマーケットでは、シリアのアレッポという都市で行われていた経済と近い経済行動が行われていて、そこでは生産者と消費者は存在せず、商人と商人だけが存在します。コミックマーケットには『売り手』と『買い手』は存在せず、そこでは売り手も買い手も等しく『参加者』と呼ばれます。また、売り手は『売る』ということばを使うことを禁じていまして、『頒布』『頒布物』という言い方をしています。これは、頒布する者が『これは価値があると思っているものを発表する運動』を指していまして、頒布を受け取る側は、『それに価値があると認める運動』を行っている人たちと考えます。ですから、『これは価値があると思って頒布する人』と『それに価値を見いだす人』が出会うことが最も重要な原理として保護されている空間で、そこで最も重視されるのは『どれだけ頒布できたか』ではなく、『どれだけそこで価値が認められたか』なんです。そこで『価値が生じる』ということに作用しているのは、発見した人の『発見する』という労働と、頒布した人の『発表した』という労働でして、それによって価値が生まれているんです」

――はあ。面白いですね。これは「推し」という概念が「経済行動」としてどういうものなのか、

※19　※20

ということの説明にもなりそうですね。

黒沼さんは、こうした経済原理はシリアの商人の世界にあったものだと語っていまして、参考書として中東現代史、イスラーム文化・社会論の黒田美代子先生の『商人たちの共和国：世界最古のスーク、アレッポ』[※21]、イスラム研究の第一人者であられる黒田壽郎先生の『イスラームの構造：タウヒード・シャリーア・ウンマ』[※22]、そして中沢新一さんの『緑の資本論』[※23]を薦めてくださったのですが、その場で購入したものの残念ながらまだ届いていませんので、これから楽しみに読みたいと思っています。

――どれも勉強になりそうですが、その黒沼さんの語るところによれば、参加型の経済圏においては、全員が「商人」としてそこに参加することになるのだと思いますが、そう言われるとスモールビジネスの面白さや楽しさは、「商人世界」といってイメージする猥雑さやダイナミズムがそこに感じられるからなのだなと改めて思わされます。

かつて何かの本で「経済学の歴史は『商人』を経済から排除していく歴史だ」といったことが書かれているのを読んで、なるほどと思ったことがあるのですが、それが仮に本当だとするなら、私たちの経済が、生産と消費しかない極度に痩せ細ったものになってしまったことの理由も、なんとなく腑に落ちます。

――たしかに。

これも何度も引用していて恐縮なのですが、「働くことの人類学」というポッドキャストのなかで、南フランスでズッキーニ農家をやっているモンの人びとの調査をされている文化人類学者の中川理先生が、マーケットというものの重要性についてこんなふうに語っています[※24]。

「モンの人たちだけでなく、南フランスの農民一般にとって、市場というものは基本的にすごくいいものなんです。『市場は小さな者たちの自由を保障してくれる制度である』『だから守らないといけない』と彼らは言います。それに対して独占は悪いものと考えられています。

私たちは、市場万能主義イコール資本主義のように思ってしまいがちですけれども、彼らの頭のなかでは市場と資本主義のあいだには、かなりきっちりと線が引かれていて、市場は私たちのもの、資本主義は彼らのもの、と明確に分けています。ですからいま起きているのは、市場という『私たちの自由空間』に資本が入ってきて、自由を奪っている現象だと認識されているわけです」

――「私たちの自由空間」っていいですね。オリンピックの話に戻ってしまい恐縮ですが、築地市場もなんだか閉鎖的な感じの場所に移転してしまいましたよね。

それを移転させることによって、IOCや都や国が、何を排除し何を守ろうとしているのかが、ちょっと見えてきそうな感じもしますね。

――遠大な話でしたね。

結局、〈Field Guides〉の個別の記事については触れられませんでしたが、今回の〈Field Guides〉は、スモールビジネスは「地域やコミュニティ」を守る社会的に大事なものだから大事なのだ、というのが基本的な論調で、それはその通りだと思うのですが、それだけではその価値を支えきれないような気もして、あれやこれや考えてみたのですが、個人的には、ちょっと面白い道行きをたどれて新たな発見もありました。

――相当あちこちに話が飛びました。

この1週間ずっと、セネガル生まれのクウェート人で現在はニューヨークで活動するFatima Al Qadiri[※25]という電子音楽家の作品を聴いていまして、彼女の最新作[※26]が、アラブの中世の女性詩人の詩をモチーフにした作品なのですが、電子音楽で奏でられた中世のアラブ世界のイメージが思わぬかたちでテキストの内容と重なり合ったのも、嬉しい興奮でした。

――それは聴かないとですね。

素晴らしいので、ぜひ聴いてみてください。

※26 ※25 ※24 ※23 ※22 ※21

Field Guides を読む #52/53

How small business bounces back

May 9/16, 2021

https://qz.com/guide/small-biz/

- ◉パンデミックが露わにしたスモールビジネスの脆弱さをいかに克服するか
  The pandemic exposed small businesses' vulnerabilities—and how to fix them
- ◉なぜスモールビジネスは重要か
  Why small businesses really matter
- ◉テック企業はスモールビジネスから得た分を返しているか？
  Do tech companies give back to small business as much as they take?
- ◉パンデミックからの復興においてスモールビジネスをサポートする方法
  How to support local small businesses during pandemic reopening

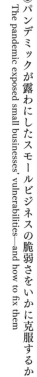

#54

The end of third party cookies

May 23, 2021

デジタル広告のオルタナティブ

「私たちは広告モデルから身を引き
オンライン体験に正気を取り戻す必要があります。
いま昔を振り返ると、ウェブが量ではなく質を価値化できるよう
マイクロペイメントやサブスクリプション型コンテンツの開発に
もっと時間を割いていたなら、少しはマシな世界に
なっていたのかもしれないと感じずにはいられません」

――お元気ですか。

そうでもないですね。

――またですか。機嫌がいいときがほんとに少ないですね。

そんなこともないはずですが。

――だいたい機嫌悪いですよ。で、今日はどうされました？

６月１日から無料で配布する、行政府のＤＸに関する冊子※1の校了作業を、つい先日していたのですが、その最中にある知人がメッセージを送ってきまして。それが例の、デジタル庁のロゴの公募※2に関するものでした。

――荒木飛呂彦さんや鳥山明さんなどがリストに挙がっていたヤツですね。

はい。ここに名前の挙がった個別の方々にはなんの罪もないのですが、いやしくも行政府のＤＸを使命とする組織が、こんなバカげたことをやっているのかと暗然としてしまいまして、すっかりやる気をなくしたわけです。

――気持ちはなんとなくわかりますが、具体的には、どの辺がどんよりしたポイントになりますか？

雑な言い方をしますと、要はテレビ／広告的なんですよね。人気投票をやって、有名人をキャスティングして、認知度を上げようという魂胆が悪い意味でとてもテレビ的で、しかも、そこに中央官庁に勤めている人間のセンスの欠如やポピュラリティをめぐるコンプレックスが垣間見える感じも最悪ですし、そのコンプレックスを広告代理店的発想によって埋め合わそうとする手つきもみっともないものにしか見えない。という感じでしょうか。

――手厳しいですね。

校了の現場では、もっと口汚く

罵っていたのですが、一言で言いますと、ダサいんです。ちなみにこの情報を送ってきた知人は、「こういう一見派手な取り組みは議員も含め、官僚もやる気出すんですよ」とコメントしていますが、それが本当だとするなら、いまだにテレビに出て喜んじゃうようなセンスしかない相当イタい集団が国のDX推進を管轄していることになりますので、わりと普通に考えて、その人たちが、何か本質的な変換・転換を、この国にもたらしうると期待するのは、それ自体が妄想に近い気がしてきます。

——クソミソじゃないですか。もう一歩でヘイトスピーチですよ。

これでもだいぶセーブしています。

——とはいえ、ちょうど、こんなニュースもありました。「10〜20代の約半数、ほぼテレビ見ず『衝撃的データ』※3」という朝日新聞のニュースで、「NHK放送文化研究所が20日に発表した国民生活時間調査で『テレビ離れ』が加速している実態が浮かび上がった」というものです。タイトルそのままの内容ですが、記事には「衝撃的なデータ。若年層にとってテレビは毎日見る『日常メディア』ではなくなってしまった」と、このリサーチを担当した研究員のことばが引かれていますが、面白かったのはソーシャルメディアの反応でして、「これを『衝撃的』と言っているほうが衝撃」といったコメントが多く見られました。

日本は言うまでもなく高齢化社会で、国民的メディアとしてテレビに親しんだ世代がマジョリティを占めていますから、相変わらずテレビ的価値観が優勢を占めているのは数字的な実態としてはそうだろうと思いますが、とはいえ、いまだにそこに積極的な意味を見いだしている人は、もはやそこまで多くないような気がしますし、そもそもある時点から、テレビはハナから「くだらねえなあ」と言いながら見るものでしかなくなっていたものですよね。それでもなんとなく人がとりあえずテレビをつけ続けてきたのは、単にオルタナティブに気づかない人が多かったからにすぎないんじゃないんですかね。

——そういう人たちが「YouTubeという新たなオルタナティブを発

※3 ※2 ※1

見して、そこから陰謀論のラビットホールへと落ちていったという事例もわりと報道されるようになりました。

テレビの間の抜けたコンテンツ密度と比べたら、YouTubeは個人チャンネルであればあるほどインテンスで、いい意味でも悪い意味でも毒性は強いものですからね。テレビのコンテンツを浴び続けて、コンテンツへの耐性が極度に下がってしまった人たちに、それがより強く作用するのは当然と言えますが、そういうものが世の中において大きな位置を占めるようになってから、いったいどれほどの年数が経っているのかを考えたら、いくらなんでも適応が遅すぎるだろうと思うところもなくはありません。

――インターネットが登場して、もう30年近くなるわけですからね。

ちょうど今日、知人とランチをしながら、Nirvanaのカート・コベインの話をしていたのですが、Nirvanaの『Nevermind[※4]』というアルバムがリリースされたのが、ちょうどいまから30年前なんですね。

――あ、そうですか。

そうなんです。で、何の話をしていたかといいますと、90年代ってどういう時代だったんだっけ? という話をしていたんです。

――はあ。

だいぶ遠回りな話になってしまいますが、まず私自身は90年代の音楽が本当に心底嫌いだったんです。

――へえ。そうなんですね。

というのも、自分の場合、音楽を盛んに聴き始めた中高生時代が80年代だったものですから、80年代の音楽が好きすぎて、端的に言いますとまったく乗り切れなかったんです。個人的には、そこには非常に大きな断層があったと感じていまして、さっきたまたま使いましたが「オルタナティブ」ということばがメインストリームに躍り出てきたのが、まさにNirvanaを筆頭とするグランジミュージックの台頭とセットだったという感覚があります。

――そうなんですね。

この「オルタナティブ」ということばに込められていたのは、単にそれまでの音楽コンテンツの中身の否定ではなく、それを支えていたビジネスはもとよりミュージシャンのモチベーションやエトスまで、その構造全体を含めて、「まったく違うあり方がある」という表明だったと思うんです。

――ふむ。

チャック・クロスターマン※5という私が個人的に非常に尊敬している音楽ジャーナリスト／クリティックがいまして、この人が「カート・コベインのライバルは誰だったのか」という議論をしています。一般にそれはPearl Jamのエディ・ヴェダーだと言われたりするのですが、彼は、それは違うと語っています。

――誰なんですか？

それは「アクセル・ローズだ」と言うんですね。

――Guns N' Rosesの。

はい。クロスターマンは、Nirvanaの『Nevermind』と、ガンズの『Use Your Illusion』が実は発売日が1週違いだった※6ことを指摘していまして、実際ガンズの発売日が1991年9月17日、Nirvanaの発売日が1991年9月24日なんです。初週の売上は、桁違いにガンズの方が多かったとクロスターマンは書いていますが、ここは時代の大きな転換点として記憶されるもので、この瞬間においてガンズのアクセル・ローズとカート・コベインは、コインの裏表をなしていたとクロスターマンは指摘しています。

――面白いですね。

そうやって見ると、Guns N' Rosesというのは、「ロック」というものが体現してきたバッドボーイ的世界観の最後の打ち上げ花火というか総括のようなもので、一方のカート・コベインは、それを葬り去る存在として、その裏に張り付いていたという図式になるんですね。

――ふむ。

私個人の体験からすると、当時カート・コベインが本当にわからなかったんです。そのわからなさ、

※4 ※5 ※6

あるいは当時は明確に嫌悪していたのでその嫌悪が、いったい何に起因していたのかをいま改めて思い起こしてみると、やっぱり、その「生っぽさ」にあったような気がするんです。

——生っぽさ。

ほら、カーディガンとか着て出てくるあの感じですね。

——ああ、なるほど。

それを「生っぽい」と感じたというのはどういうことかと言いますと、それまで聴いていたものが逆に、いかにアーティフィシャルな、人工的なものであったかということです。80年代のメインストリームの音楽とMTVに代表される音楽文化は、ひたすら「つくりもの感」があったわけです。いわばちゃんと漂白されたもので、どんなにぶっ飛んだものに見えても、リスナーはちゃんと安全圏にいられる、そういう「プロダクト」としてあったわけです。

——ちゃんと「エンタメ」の領分に収まっていたという感じですよね。

もちろん、そこからはみ出していく「リアル」なものは、いつの時代もありましたし、80年代においてもそうしたものはあったわけですが、まだ音楽を聴き始めたばかりの中学生には、そこまで踏み込むことができずにいましたし、お子さまとしては、ロックなりが体現していた「ヒリヒリ感」を、安全な距離感からほどよく体感するのには、80年代は、本当にちょうどよかったんです。

——ロックの神話世界をある種のファンタジーとして楽しむ感じですよね。

まさにそんな感じです。ところが、そこにいきなり「ティーンのリアリティ」みたいなものを、Nirvanaといったバンドが挿しこんでくるわけですから、それ自体が正直興醒めというか、「いや、そういうのいらんよ」という感じがあったんです。

それは、おそらくヒップホップが台頭してきたときも同じで、こちらはある意味「漂白された」ブラックミュージックを聴いて楽しく過ごしていたところに、いきなり「ストリートのリアリティ」みたいなものが挿しこまれてきますと「うっ」となるわけですね。

――なるほど。

というわけで私は本当に90年代という時代にまったく乗れず、その当時はジャズやワールドミュージックといった方面に避難していたのですが、この時代に起きた「オルタナティブなもの」の台頭というのは、インターネットの登場も含めて、やはり大きな断層だったと改めて思うんです。つまり、これは何の話をしているかと言いますと、それまでテレビをずっと見てきた高齢者に急にYouTubeが差し出されたときに「うっ」となる感覚は、もしかしたら、自分がNirvanaに感じた「うっ」に近いのではないかということなのですが。

――そうですか。

以上のような経緯で自分は、以後もほとんどカート・コベインに興味をもつことなく過ごしてきたのですが、数年前に、Mediumに掲載されたあるエッセイを読んで、「あれ？　これどういうことだ？」と思ったことがあるんです。2016年にポストされた「Nirvana と Pearl Jam がフェミニズムのために立ち上がったとき※7」(When Nirvana and Pearl Jam Stood Up for Feminism) という記事なのですが、ここで書かれていることはかなり重要なことのように思えます。

――へえ。

ここで語られるのは、カート・コベインとエディ・ヴェダーが、彼らの登場以前に全盛を極めたヘアメタルを葬り去ったことは知られているものの、ただ単にアンチを表明しただけでなく、実はかなり明確に「オルタナティブな価値観」を表明していたということで、その主題のひとつがフェミニズムだったというんですね。

――そうなんですか。

記事は、2014年にNirvanaがロックの殿堂入りをした際の記念パフォーマンス※8に言及することから始めています。ここでカート・コベインの代わりに4人のボーカリストが登場したのですが、その4人がすべて女性だったんです。ジョーン・ジェット、キム・ゴードン、セイント・ヴィンセント、ロードの4人ですが、こうやって

※7　※8

女性にカートのポジションを務めてもらうというアイデアを、メンバーのクリスト・ノヴォセリックは、「バンドが何と戦っていたかに敬意を払うのにふさわしい」もので「バンドの精神を呼び起こさせる[※9]」とブログに記したとされています。もちろんデイヴ・グロールも、大賛成だったそうです。

——アツいですね。知らなかったです。

そこから記事は、Nirvanaが、ライオット・ガール・ムーブメントの代表格であるBikini Kill[※10]のメンバーと非常に近い関係があり、カートはBikini Killのドラマーとパートナーだった時期もあり、かつ、かの有名な「Smells like teen spirit」のタイトルはBikini Killのキャスリーン・ハンナがつけたものだと書いています。

——へえ。

そうした影響関係のなかからカートがよく女装をしていたことなどが語られ、かつ、「Been a Son」「Sappy」がジェンダーロールについて、「Polly」「Rape Me」がレイプの問題について歌ったものであること、あるいは、カートがアクセル・ローズの歌詞におけるホモフォビアとセクシズムを強烈に批判していたことなどが明かされています。

——なるほど。

カート・コベインが、自分が有名人であることを心底嫌っていたことは知られていますが、記事は、単に有名であることを嫌っていたのではないと分析していまして、むしろカートは、有名になったことで、自分たちの価値観と相入れない「asshole」が、ファンになっていることを嫌ったのだと語っています。カートは1992年の「Spin」誌のインタビュー[※11]でこう語ったそうです。

「オーディエンスのなかにいる反同性愛主義者、セクシスト、レイシストたちと縁を切りたいと思っている。いるのはわかっているんだ。それが本当にイヤなんだ」

で、実際、彼はそうした人たちに向けて「自分たちのことをほっといてくれ」というメッセージを発しています。これはコンピレーションアルバム『Incesticide』にカート本人が寄せた文章[※12]です。

「ファンのみんなにお願いがある。ホモセクシャルや肌の色が違う人間や女性が、どんな程度であれ嫌いだという人がいるなら、このお願いを聞いてほしい。俺らのことはほっといてくれ！　ライブに来ないでくれ[※13]。レコードも買わないでくれ。ふたりの生まれ損ないが『Polly』の歌詞を歌いながら女の子をレイプするということが昨年起きた。オーディエンスのなかにそうしたヤツらがいることを知りながらバンドを続けていくことはとても困難だ」

――いまですら滅多に見ることのないような激越なメッセージですね。

ここではPearl Jamの話は割愛させてもらいましたが、記事は、これほど有名な男性バンドが、これだけ率直にフェミニズムとの連帯を明らかにした例は、その後にも例がないと語っていまして、かつ、それがいまだに、Nirvanaというバンドのレガシーにおけるほんの小さな脚注でしかないことを問題視しています。

――ほんとですね。さらに言えば、カート・コベインが何に絶望をし、何が彼を自死にまで追い込んだのかを改めて考えさせられもします。

カート・コベインがテーマにした問題は、いまでこそようやく社会の前景に置かれるようになりましたし、いまであれば、バンドのメッセージも喝采を浴びるのかもしれませんが、考えさせられてしまうのは、それがメッセージとして提出されてから実に30年近く経って、ようやくカート・コベインがいたスタート地点に立ったとしか感じられないことで、そう考えると、この30年近い時間はいったい何だったのか、と感じざるを得ません。

――その時間の間に、むしろ時代は退行していたようにすら感じてしまいます。

そうなんです。数年前のSXSWで「カントリー音楽における女性[※14]」というパネルセッションを聴いたことがあるのですが、そこで問題にされていたのは、実際、それだったんです。つまり、90年代のほうがはるかにカントリー・

※9　※10　※11　※12　※13　※14

チャートには女性シンガーが多かったのが、この20年強の間にそれが徐々に減っていき、同時に歌詞において描かれる女性のステレオタイプもどんどん強化されていったということが語られていまして、たしかにそうかも、と思ったんです。

――何が原因なんですかね。

そこでは言及されはしませんでしたが、個人的には「9・11」が大きかったのではないかと思ったりはします。そのセッションでハッとさせられたのは、いままさにおっしゃったように、この20年で起きていたのは、まさに「退行」とでも呼べるような現象で、しかも、大方は、それが退行であると認識されることなく、音もなく進行していたことです。

――怖いですね。

怖いんですよね。日本で言えば平成の30年を、そのスタート地点に戻しただけの30年ということにもなるわけですし、その間にいったい何を得たのかと考えると、考えれば考えるほど何もないという感じがしてきてしまいます。

――そう言われると、なんだか不機嫌にもならざるを得ないですね。

というのは、別に誰かを批判するわけでなく、自分事として「どこまでぼんやりしてたんだ」と、反省するどころか腹立たしさすら感じるわけですが、実は今回の〈Field Guides〉のお題も話としては、同じ構造なんです。

――あ、そうなんですか。今回は「サードパーティ・クッキーの死」(The end of third-party cookies) というお題ですが。

今回の特集は、この30年弱の間、ウェブ上のユーザーの行動を追跡することを可能にし、デジタル空間を広告空間としてつくりかえ、結果としてGoogleとFacebookというテックジャイアントを肥大化させるにいたった「サードパーティ・クッキー」というものが、ついにネット空間から締め出されることを受けたものです。

これによって、デジタル広告の世界は激甚な転換に見舞われることが予測されていますが、今回の特集に収録されている、ふたつの記事のうちのひとつは「クッキー」そのものを発明した人物のインタビューでして、これはかなり面白いものです。

——「デジタルクッキーの発明者のいくつかの後悔[※15]」(The inventor of the digital cookie has some regrets) という記事ですね。

はい。出だしはこんな感じです。

「ルー・モントゥリが１９９４年にクッキーを発明したとき、彼は23歳で、インターネット初期における人気ブラウザを生み出した『Netscape』のエンジニアだった。当時、彼は初期のウェブサイトが抱える大きな問題の解決に取り組んでいた。ウェブサイトは記憶力が悪すぎたのだ。ユーザーが新たなページを読み込むたびに、ウェブサイトはまるで初めて訪ねてきた見知らぬ他人のようにユーザーを扱う。この問題がある限り、私たちは、例えばＥコマースサイトを動き回ってもカートのなかに入れたものが保存されたままになるといった、いまでは当たり前の基本的な機能をつくり上げることはできなかった。
　モントゥリはこれを解決するためにいくつもの解決策を用意していたと、のちにブログに書いている。最もシンプルな解決策はユーザーにＩＤ番号を与えるというものだったが、モントゥリとNetscapeのチームは第三者が人の行動を閲覧できてしまう可能性を考慮して不採用とした。代わりに彼らはクッキーを使うことにした。ユーザーのコンピュータとウェブサイトの間でやり取りされる短いテキストファイルによって、ウェブサイトは来訪者を記憶することができ、一方のユーザーは追跡されることがないはずだった。
　しかし、わずか2年のうちに、広告主たちはクッキーをハックすることで、まさにモントゥリたちが阻止しようとしていたことを可能にした。つまり人をインターネット中追い回すということだ。それが、私たちがいま目にしているクッキー・ベースの追跡広告システムへの道を開いた。27年後、モントゥリは、自分の発明の使われ方への不安を語ると同時に、それに代わるオルタナティブが、果たしてそれよりマシなのかどうか疑念を抱いてもいる」

——面白そうな出だしです。

※15

このインタビューの基本的なバックグラウンドをお話ししておきますと、EUでのGDPRの施行以降、個人データ保護をめぐる規制が強まったことで、ブラウザの運営者や広告主ではない「第三者」がクッキーを取得してユーザーを追い回すアドビジネスへの締め付けが厳しくなり、Firefoxなどがまずサードパーティ・クッキーを禁止し、それに追随するかたちでSafari、そして最終的にGoogle Chromeがその流れに乗ったことで、全体の潮流として全面的に禁止になりつつあります。

　これによって、追跡広告でビジネスをしていたデジタル広告企業は、かなりの苦境に立たされることとなります。といってデジタル広告が完全になくなるかというともちろんそんなことはなく、グーグルは「FLoC[※16]」(Federated Learning of Cohorts)という新たな追跡機能をすでにヨーロッパ以外で実験中ですし、かつてあった統一IDを復活させる動きも出てきています。

　その一方で、広告が収益の重要な柱であるメディア企業は、自社サイトにやってきたユーザーの「ファーストパーティ・クッキー」のみを用いて広告を運用するための新たな戦略を立て始めています。IDについてはローカルメディアを束ねるコンソーシアムが導入を検討[※17]していますし、ファーストパーティ・クッキーについては「VICE」の戦略の概要が「DIGIDAY」の「プロセスを再設計する：VICEはサードパーティ・クッキー後の世界にどう備えているか[※18]」という記事でレポートされています。

——なるほど。

で、先のモントゥリさんのインタビューなのですが、まず彼は、Netscapeを含めた初期のインターネット企業は、極めてプライバシーに敏感だったと語っています。というのも、当時構想されていた「自由なインターネット」はユーザーの主権性というものを非常に重く考えていたからです。ところが、数年もすると、その理念を広告というものが侵食し始め、Netscape社内でも問題となり、当時ブラウザ市場を牛耳っていたMicrosoftを相手に戦っていたと語っています。そうしたなかモントゥリさんは、クッキーについては3つの選択肢があった、と回想しています。

「第一の選択肢は『何もしない』

でした。何もなかったフリをして、広告主たちに好きにサードパーティ・クッキーを使わせておくということです。第二の選択肢はサードパーティ・クッキーを完全にブロックすることです。そして第三は、より精緻なソリューションを考案し、クッキーのコントロールをユーザーに戻すということです。私たちが選び取ったのは第三の選択肢でした」

——その時点で、完全にブロックすることもできたわけですね。

それをしなかったのは、当時のウェブサイトには広告しか収入源がなかったからだとモントゥリさんは語っていますが、記者は、「いま、その判断は正しかったと思いますか？」とやや意地悪な質問を投げかけています。

——答えが気になりますね。

その質問に対するモントゥリさんの答えは非常に優れたもので、「それは広告というものをどう見るかによって変わる」と答えています。

——ほお。

「広告と引き換えに無料でコンテンツにアクセスできることを、社会的意義のある理にかなったことだと考え、そのとき広告がトラッキングという方法に依存せざるを得ないのであれば、クッキーを用いた追跡は意義あるものだと言うことができるでしょう」

——なるほど。

「一方で、別の見方もありまして、これは最近思うようになったことですが、ウェブがその収入源として広告に依存してきたことは、社会にとって極めて有毒であったということです。広告はユーザー体験を倒錯させます。それはクオリティではなく、インタラクションの増大を優先化させます。そうしたインタラクション優先のビジネスモデルは人を非理性的な行動に走らせ、公共の善を損います。私たちは広告モデルから身を引き、オンライン体験に正気を取り戻す必要があります。ウェブがこうなってしまったことの責任の一端は私にありますが、年を経たいま昔を振り返ると、ウェブが量ではなく質を価値化できるようマイクロ

※16

※17

※18

ペイメントやサブスクリプション型コンテンツの開発にもっと時間を割いていたなら、少しはマシな世界になっていたのかもしれないと感じずにはいられません」

——悲痛な告白ですね。

はい。この告白を受けて、サードパーティ・クッキーの消滅以降提案されているソリューションについては、こんな見解を述べています。

「【ＦＬｏＣ】これはユーザーのプリファレンスを、トラッキングという手法を用いずに特定する新しいやり方で、技術的には非常に興味深いものですが、どういう仕組みなのかがわかりにくいものですから、ユーザーにとっては最初は相当気味の悪いものと受け止められるのではないかと思います。

【統一ＩＤ ２・０】これは基本的にはクッキーと同じことですから、ほとんどのユーザーが使わないと思います。

【ファーストパーティ・データ】トップ１００のウェブサイトにとっては有用でしょうが、小規模ウェブサイトには役に立たないでしょう。トラフィックが少ないサイトでデータを取ったところで、広告サービスには役に立ちませんよね」

——なるほど。どうもGoogleの「ＦＬｏＣ」のひとり勝ちになる感じしかしませんね。

そうなんです。そう考えると先にモントゥリさんが語ったことはやはり重要な意味をもってきます。

——つまり「別の広告のやり方」を考えるのではなく、「広告ではないやり方」を考えるということですよね。

はい。Nirvanaの話に戻ると、「オルタナティブ」とは何かということなんですよね。広告というもののなかで選択肢を考えるのではなく、広告の外に、別のやり方を探るということでして、カート・コベインのオルタナティブ性の意義は、ロックというものを成立させてきた、すごく大きな枠の外に身を置いたことにあるのだと思います。

——ふむ。

先に引用した彼のことばのなか

で、個人的に胸に刺さるのは、敢然と「ライブに来ないでくれ。レコードも買わないでくれ」と語ったところです。つまり「チケットやレコードを買ってくれる客なら誰でもいい」という考えを取らなかったことです。それは、いくら反体制を謳い、反社会的な身振りをしようと、ロックミュージックが巨大ビジネスである以上は、決して超えることのできない一線だったはずです。でも、彼は、数を取れさえすれば客の質は問わないというビジネスのあり方を、真っ向から否定したんですね。

――たしかに。

それは、コーポレートの原理に守られた「エンタメ」のプロトコルを否定しつつ、その人工空間に生身の人間として入っていった行為と言えるもので、その後ソーシャルメディアが浸透していくことで、ミュージシャンが剥き身の人間として社会や世間と向き合わなくてはならなくなった状況の先駆けだったとも見えます。

――カート・コベインの自殺は、近年に起きたミュージシャンや俳優の自殺につながっている、と。

というふうに見るのであれば、世の中はこの30年どこにも行かなかったということになりませんか。

――30年を経て、振り出しに戻っただけという。

悲しくなってきませんか。

Field Guides を読む #54

The end of third party cookies

May 23, 2021

https://qz.com/guide/the-end-of-third-party-cookies/

◉インターネットの中心でデジタルＡＤ業界がビジネスを書き換える
The digital ad industry is rewriting the bargain at the center of the internet

◉デジタルクッキーの発明者のいくつかの後悔
The inventor of the digital cookie has some regrets

#55

What stores are for now

May 30, 2021

フィジカルリテールの進化

「パーソナライゼーション」や「カスタマイゼーション」は
プロダクトではなく、むしろオペレーションに関わる部分がほとんどでして
逆の言い方をすると、いまやオペレーションも含めた事業の総体が
「プロダクト」だということなのだと思います。
「これからのビジネスはＵＸ＝顧客体験がすべて」というのは
そういう意味においてなんですね。

——こんにちは。ごきげんいかがですか？

いま、ちょうどあるオンラインイベントに参加し、行政府のＤＸについて話をしていたところでした。

——お忙しいですね。

知人からの依頼でしたので、なんとなく引き受けてしまったのでした。

——いかがでしたか？

基本、しゃべっているとだんだんムキになってしまうタイプですので、話しているうちにアドレナリンが出てきてしまい、あれも話さなきゃ、これも話さなきゃとなって、結局尻切れトンボのうちにタイムアウトとなっていつも消化不良。だいたいそういうパターンですね。

——ちゃんと整理して話さないからですよ。

それができるなら、ハナからこの連載もこんなまわりくどい体裁になっていませんよね。

——そうでした（苦笑）。

加えて、整理された話を仮にできたとしても、「はい、これが今日のお土産です」と情報を手渡すようなやり方はあまり意味がないとも思ってしまいます。というのも、特にデジタル化以降の社会の話は、さまざまな問題や領域が数珠つながりになっていまして、領域をセグメントして考えるやり方そのものから脱却しないと現実そのものを語れないのではないかと思うところもあります。というのは、あくまでもカッコつけた自己正当化でして、実際は、自分がそのようにしか物事を把握することができないだけですが。

——ほんとにセミナーとかレクチャーには向いてないですよね。

向いてません。「40分でプレゼンしてください」と言われるのが一番困ってしまいます。そもそも何かの専門であるわけでもないですし、「行政のＤＸ」なんてお題となりますと当事者ですらないわけですから、いったいどういう立場から物を言っていいのか自分でもよくわからなくなります。

――何をえらそうに、と（笑）。

本当にそうなんです。あり合わせの知識や情報を適当にマッシュアップしていまの社会の断面を切り取るみたいなことが、自分のような雑誌編集者が仕事としてやってきたことなのですが、そういうことをやってきた人間にやれることがあるとしたら、せいぜい、自分が取材などを通して学んだことを披露することくらいでして、そこでどんなことを考えたかを語ることはできても、それを分析したり、理論化するようなことはできませんし、それは自分の仕事じゃないと思ってもいます。

――そうなんですか？

はい。ですから、自分の話は、あくまでも粗々の「仮説」くらいのものでしかないと思っていますし、編集の仕事の現場では、理屈の厳密さや精緻さよりも話の「面白さ」のほうが優先されることが重要だと思っていたりもします。

――面白さって、どういうことですが？　話芸としてギャグを言う、みたいなことではないですよね。

自分の感覚では、「論点が複雑に錯綜していて、善悪の判断や、賛成・反対を一元的に決定することが困難で、でもなんだかとても考えさせられてしまうような話」のことでして、面白い話というのは、逆に言いますと、「面白い」としかコメントができないようなものであることが、とても重要なんじゃないかと思います。

――そういえば前回の記事は、さまざまな方が「面白い」とコメントをしてくださっていました。

それは大変光栄なことなのですが、雑誌編集者の観点から言いますと、記事というものは、新聞の記事のように起きた出来事を可能なかぎり客観的にスキャンするようなものではありませんし、まして、ものの見方を提起する論説や批評のようなものでもなく、そうしたところでは掬いあげられないような、ちょっと気になる事象や人を取り上げて、「こんな話あるよ！」と放りこむようなことなんです。

――「ちょっと気になる」というところが大事そうですね。

おっしゃる通りでして、「ちょっと気になる」が大事なのは、そこに人と社会との接触点があるからじゃないかと思います。「ちょっと気になる」のは、そのときの社会の姿をつかむための大事なとっかかりが、もしかしたらそこに隠されていると感じるからこそ「ちょっと気になる」わけでして、そんな感じで、何かが見え隠れするようなあわいのところに、面白さというものはきっと隠れているんですね。

――「これは面白い話だなあ」ということって、さまざまな情報を取られているなかで、すぐに特定できるものですか？

できますよ。

――どうやったらそれができるようになるんでしょうね。

まず大前提として、何かを「ものすごく面白い！」と思った経験があるかどうかは大事ですよね。それが、自分にとっての基準値になりますから。何かを「面白い！」と思うときって大きな興奮を感じると思うのですが、そのときっておそらく脳みそだけが昂揚しているのではなく、感情も同時に昂揚しているはずでして、そこに何らかの情動も動いているのだとすると、「それが面白いものかどうか」を把握するためには、そうした情動の上がり下がりなどを自分なりにモニタリングする必要もありそうです。

――ふむ。

「知的興奮」といったことばがありますが、自分の体験でいいますと、知的な興奮のなかには感情的な興奮も必ずあるように思いますし、逆に感情的な興奮のなかには少なからず知的な興奮もあるはずで、おそらく知性というものは、それらの複合体なんだと思うんです。

——ちなみにですが、ご自身の「面白い」の基準点となるものって、何ですか？ 明確に何かありますか？

うーん。何でしょうね。さっきのような知的な興奮と感情的な興奮がないまぜになったような「面白いものの面白さ」を教えてくれたということでいえば、もしかすると尾辻克彦／赤瀬川原平さんの本が大きかったかもしれませんね。尾辻克彦名義の『東京路上探検記※1』と赤瀬川原平名義の『超芸術トマソン※2』は、面白すぎて死ぬかと思った記憶があります。

——トマソン！ マジ面白いですよね。それならわかります（笑）。

よかったです。あと、「ほんとにおもしれえなあ」と身震いしたのは、やはり橋本治さんの本ですね。自分が最初にハマったのは、たまたま１００円で旅先の古本屋さんで買った『恋愛論※3』という本でして、これは数年前に文庫ぎんが堂というシリーズから復刊されています。

——赤瀬川原平さんも、橋本治さんも、いい意味で雑誌的なところのある方たちでしたし、ああいういわく言いがたい非常に知的でありながらエモい面白さって、たしかになんだかずいぶん減ってしまいましたね。

それこそ、この間の日本の体たらくを、ナンシー関さん※4がいらしたらどう腐しただろうかなんて、先日社内で話していたのですが、ナンシーさんの喪失には計り知れないものがあるといまにして強く思います。

——菅総理のゴムはん、見たかったですね。「安心・安全」とか言ってるような。

みんなが真正面からいきなりグーで殴るしかないような社会になっていればなおさら、「面白いこと」って大事なんだなと最近とみに思います。それは笑ってしまうようなことでなくてもよくて、誤解を生むような言い方になってしまいますが、非常に痛ましい話であっても面白いものというのはあり得るんですね。単に覗き趣味を刺激するものとしてではなく、そういった面白いものをちゃんと提出できるような場所も、技法も、

※1 ※2 ※3 ※4

どんどん失われているのは、なかなかしんどいですね。

面白さというものは、すぐに何らかの判断やポジショニングが迫られるご時世にあって、一種の余白とか保留をもたらしてくれるものなんじゃないかと思います。というか、そういうものを「面白いもの」と呼びたいというのが、正確かもしれません。

――最近、そういう意味で面白いものってありました?

いっぱいありますよ。音楽はいつだって、面白いものがいっぱいあります。今週でいえば、Scotch Rolexさんの『Tewari[※5]』というアルバムなんか、もう最高に面白いですよ。

――音楽でもいいのか。

少なくとも自分はそういう面白さを求めて聴いています。あと、説明すると長くなってしまうのでやめておきますが、最近読んだ記事で最高に面白かったのは、エリザベス・ロフタスという心理学者に関するストーリー[※6]でして、自身がやられている記憶の研究を縦軸として紹介しながら、そこに母親の自殺や自身が若い頃に受けた性的暴行といったヘビーな体験が横軸として織り込まれためちゃくちゃ複雑な話で、読み終えるとどっと疲れてしまうような面白さでした。さすがは「The New Yorker」と感服してしまいました。

――その説明だけで、すでに面白そうです。

あと、2020年の記事ですが、「The New York Times」が掲載した「レイプキットを発明した女性[※7]」(The Woman Who Pioneered the Rape Kit) という記事も最高に面白いルポルタージュでした。書き手の熱量もものすごくて引き込まれてしまいました。こういうものが、日本語でももっと幅広く読めるようになるといいのですが。

――いいですね。Quartz はいかがですか。

最近はややトーンダウンしている印象ですが、いつも頑張って「面白い話」を探してこようという気概は感じます。後発の小さいメディアですから、大手のメインストリームメディアとは違った視点や論点のズラし方などに、いつも工夫があります。過度に分析的になりすぎないのも好感がもてます。

——今回の特集は「店舗は何のために」(What stores are for now)というものですが、いかがでした？

今回のは面白かったですよ。いまお話ししたような意味での面白さというよりは、もう少しきちんと整理された、いわゆる「役立つ」ものですが、とてもいい内容でした。結論から言ってしまいますと、特集全体が、実は、ここまで話してきた「面白さ」をめぐる話なのかもしれないと、個人的には思いました。

——へえ。そうですか。

特集が何をレポートしているかをまず簡単にまとめておきますと、コロナ禍によってEコマースが急増したわけですが、それを受けていわゆるリアル店舗が意味を失ったかというと、実はまったく逆で、コロナ禍によって、その価値が再び積極的に見いだされつつあるのがアメリカのリテールの現況なのだそうです。

実際、アメリカでも欧州でも、消費全体におけるオンライン消費の割合は、20%に満たないんですね。オンラインショッピング天国の中国ですら40%には届いていないそうですから「リアル店舗がそのうちなくなる」という見通しは、それ自体、あまり現実味がないんですね。

——それがコロナによって、より明確になったということなのだと思いますが、とすれば、リアル店舗の価値は、いったいどこにあるんでしょうか。

「Eコマースの飛躍によって店舗が進化を遂げる5つの道筋[※8]」(Five ways stores are evolving as e-commerce takes off)という記事は、まず、店舗はEコマースにおける「フルフィルメントセンター」としてその価値が見いだされているとしています。

——フルフィルメント？

Eコマースにおける受注から配送までの段取りにおいて重要な役割を果たすということでして、多くの場合は在庫の管理と配送を行うためのハブとして、コロナ下で有用化されるようになったと説明

※5 ※6 ※7 ※8

されています。「なんだ、配送センターか」と思われるかもしれませんが、街中にある店舗でしたら、そこでECサイトで購入した商品を受け取ることもできますから、店舗があることで、ユーザーの選択肢は広がるわけです。店舗で選んだ商品を、あとで自宅まで配送してもらうということも可能になります。これはUXにおける「カスタマイゼーション」ということだと思いますが、新型コロナによるロックダウンという試練のなかでビジネスを継続させるために、あれもこれもトライしなくてはならなくなった結果として、店舗活用のこうしたノウハウが蓄積されたんですね。

——なるほど。

また、店舗を通じて商品を手渡すのは、配送倉庫から商品を送るのと比べるとコストが90％も安いということが記事には書かれています。「決済はデジタル／受け渡しは店舗」というハイブリッドモデルは、これからますます優勢になるだろうと記事は予測しています。

また、大手スーパーマーケットチェーン「Target」のリアル店舗の売上がコロナ下に激増したことをレポートした「Target は未来のEコマースは店舗にあると考える[※9]」(Target thinks the future of e-commerce is its stores) という記事でも、オンライン／オフラインのハイブリッドが、いかに有用であるかが明かされています。

——リアル店舗は「あってもいい」ではなく「あったほうがいい」になりつつある、と。

はい。また、このハイブリッドモデルは、オンライン購入で発生する「返品」を効率よくさばく上でも有益だとしています。商用不動産投資の大手「CBRE」は、店舗への返品を促すことで、返品作業にかかるコストを半減することができるとしています。

CBREは、オムニチャンネル時代の不動産は、リテールとロジスティックとが融合したものになるという未来を予測するレポート[※10]を発表していまして、そのなかで、これから商用不動産における重要な動きは4つあると分析しています。

——それはぜひ知りたいです。

1. 新しいモデルの台頭：パンデミックが引き起こしたリテールサプライチェーンとそのオペレーションの破壊は、リテールとロジスティックが融合した新しいストア・モデルの道筋を開いた。

2. フルフィルメントの需要の増大：いくつかのリテーラーは、オンライン注文のラストマイルにおけるフルフィルメントセンターとして店舗を利用し始めている。

3. 新しい資産クラスの創出：リテールと産業不動産の融合は、不動産の資産分類に新たな領域を生み出す。それは、購買の際のフィジカルな配送サービスや店舗での受け渡しを可能にする「ダーク・ストア」の機能をもったものである。

4. 不動産価格の評価の進化：オンラインチャンネルを積極的に活用しているリテーラーが構える店舗の不動産価値や家賃の算定にあたっては、より洗練された新しい価格評価のメカニズムが不可欠となる。

――面白いです。特に3と4は興味深いですね。

そうなんです。不動産価値の評価については、「店舗の価値とは？[※11]」（What is a store worth?）という記事で詳細に検討されていることですが、これまでのフィジカル店舗の価値、あるいはその費用対効果の算出は、売上を不動産面積で割ることで、だいたい算出されていたそうなんですね。

ところが、ここまで見たように、決済はデジタルだけれども発送が店舗から行われるような、先のレポートにあった「ダーク・ストア」としての機能が拡充していきますと、どこからどこまでがECの売上で、どこからが店舗の売上であるかといった区分はどんどん曖昧になっていきます。そうなってくると、店舗の価値を単純に「その店の売上」をもって算出することが難しくなっていきます。

――ほんとですね。

さらに記事は、ロジスティックの観点だけでなく、マーケットへ

※9 ※10 ※11

の影響力という観点から店舗の価値を見る必要があるとも語っています。つまり店舗が、Eコマースをブーストしたり、ブランドの認知や顧客のエンゲージメント向上につながるものであるならば、店舗の価値算定においてそれらを加味する必要があるということです。

――とはいえ、そうした「効果」は、具体的にどのように算出されるのでしょう。

店舗がECにもたらすこうした効果は、「ヘイロー（後光）効果」(Halo effect)と呼ばれるそうですが、コンサル企業のMcKinseyは、店舗のヘイロー効果を、リアル店舗を通じて得られたメールアドレスの数をひとつの指標に算定している[※12]そうです。店舗で得られたメールアドレスは、その後のダイレクトマーケティングにおいて、非常に強い効果があるとされているわけですね。

――なるほど。

さらに記事は、コロナ禍にもかかわらず、これまでオンラインのみで販売していたブランドが、新たに店舗をオープンする事例が増えていることを指摘していまして、そこでは、店舗をその「メディア価値」において評価する視点が導入されていることに注目しています。リテール専門のフューチャリストのダグ・スティーブンスは、こう語っています。

「YouTubeでの30秒の広告と、店舗における顧客との30分の対面接待とどちらの効果が高いのか。これからはフィジカルのリテールをただメディアチャンネルとして見るのではなく、そのメディア価値をきちんと検証することで、フィジカル店舗の生産性を測定しなくてはならない」

――ふむ。

スティーブンスは、その著書『小売の未来：新しい時代を生き残る10の「リテールタイプと消費者の問いかけ」』[※13]のなかで、これからのリテーラーは、ウェブメディアが用いている「インプレッション」という指標をフィジカル店舗においても導入すべきだとしています。

例えばFacebook広告における1インプレッションあたりの価値が0・8ドルだとして、店舗での1

インプレッションの価値をその5倍だと設定するのであれば、年間10万人の来店による、その店舗のメディア価値は40万ドルになる、と。

——なるほど。

これはあくまでも例でして、店舗のメディア価値の基準はいまのところありませんから、適正な価格設定がわからないところではありますが、論点自体は非常に面白いものだと思いますし、不動産への投資を行う上でも、その辺のロジックがきちんと整備されないと、店舗は多元的な価値が価値化されず、ただの負債としか見なされなくなってしまいます。

——たしかに。

さらに面白いのは、売上と店舗面積の割り算という計算式から解放されるようになっていきますと、店舗サイズと価値が正比例しなくなりますから、ロケーションごとの価値に応じて、そのサイズや形式を変える必要も出てくるところです。

「Eコマースの飛躍によって店舗が進化を遂げる5つの道筋」の記事は、McKinseyのパートナーで、アメリカ国内のリテールオペレーションのリードを務めるプラヴィーン・アディさんのこんな言葉を紹介しています。

「リテーラーは今後、新しいマーケットに進出していくにあたって、さまざまなフォーマットを用意しておく必要があります。大規模店舗、小規模店舗やローカライズされた商品構成の店舗など、多様な異なるフォーマットが必要となり、これまでのように、どこにでも巨大な箱を置いておけばいいという考え方は通用しなくなります」

——いいですね。

実際、「Macy's」「Nordstrom」「Walmart」「Target」といったリテーラーは、郊外型のモールを離れ、都市部での小規模店舗の運用も始めているそうですし、こうした流れの一環として、ポップアップストアの一般化、もしくはショップの「フードトラック化」は、さらに進行すると見られています。

「(オンライン販売から始まったブランドは)お客さんがいる場所に店を出したいと考えてはいますが、

※13

※12

10年の長期リースをしたいとも、モールに店を構えたいとも思っていません。彼らはオーガニックなやり方でブランドを広げていくことに非常に長けています。彼らにとって店とは、いい感じの見た目で人がアクセスしやすいものであればいいのです。それはまさにフィジカルリテールのフードトラック化と言えます」

――飲食やリテールのフードトラック化、ポップアップ化がこれからどんどん進む、ということは以前からおっしゃっていましたよね。

また、その一方でそれとは逆に、巨大な体験型の店舗を展開する事例も増えているそうで、Nike はその最も先鋭的な先行事例[※14]ですが、それを追うように、巨大な運動場やボルダリングの設備を完備したスポーツショップなどが出てきているといいます。記事はこうした店舗のありようを「体験型」と呼んでいますが、それは単にコーヒーが飲めて暇つぶしができるということではなく、その体験自体がさらに一歩踏み込んだサービスであることが重要だと語っていまして、ペット用プロダクトを販売する店にグルーミングや獣医さんの診断が受けられるサービスが付随している「Petco[※15]」というリテーラーを、その一例として紹介しています。

――「意味ある体験」になっていないと意味がないということですね。

そうだと思います。今回の特集には「カスタマイズ」「パーソナライズ」ということばが何度か出てきていまして、それが重要であることの根拠として、McKinsey のレポートが紹介されていますが、このレポートの表題が「顧客体験をパーソナライズする：違いを生み出すリテール[※16]」(Personalizing the customer experience: Driving differentiation in retail) となっていることからもわかる通り、大事なのは、商品がカスタマイズ／パーソナライズされていることではなく、「体験」がそうであることなんです。つまり、その商品と出会うための回路・経路、ブランドとの関わり方、接触の仕方がカスタマイズされていることがキモでして、それもサービスやプロダクトを提供する側が「カスタマイズできるサービスをつくります」というやり方で提供するのではなく、ユーザーが自分の都合のいいかたちで、そのアクセス経路を選べるように、さまざまな選択の余地を確保しておくというやり方であることが大事なんです。

――前回は店に商品を取りに行ったけど、今回は配達をお願いね、みたいなことですか？

はい。そういう意味で「パーソナライゼーション」や「カスタマイゼーション」はプロダクトではなく、むしろオペレーションに関わる部分がほとんどでして、逆の言い方をすると、いまやオペレーションも含めた事業の総体が「プロダクト」だということなのだと思います。「これからのビジネスはUX＝顧客体験がすべて」というのは、そういう意味においてなんですね。

――UXの話もそうですが、先のインプレッションの話で見たような、もともとはデジタルの世界で用いられてきた概念が、どんどんフィジカル空間のあり方や定義、それを測定するための物差しなどを変えていってしまっているのが、本当に面白いですね。

ほんとですね。デジタルデフォルトということばが意味するところの面白さを感じます。つまり、デジタルの世界で起きていたことを前提にフィジカルの世界を見回してみると、先の不動産価値の算定の話で見たように、これまでの価値算出の方法が、ひどくキメの粗い、解像度の低いものだったことが見えてきます。「ショップはメディアだ」といったことは、これまでもよく言われてきましたが、じゃあそれを「メディア価値を算出する指標でちゃんと定式化してみよう」とは、これまでなかなかならなかったわけですね。

――「目から鱗」な感じあります。

こうした視点がいいなと思うのは、ブランドというものを、その複合的な価値として見ようという点だと思うんです。長年メディアブランドに関わってきた身からすると、ブランド価値を複合的に検証する手立ては、やっぱりほとんどなく、結局数値の取りやすいウェブの数字だけに依存してしまうことになります。ウェブ以外に、リアルイベントを開催したり、フィジカルの雑誌や本を出版しても、

※14 ※15 ※16

それがいったいどういった効果をもたらしているのかは、いくら肌感覚で効果を感じていても実体的なものとして把握することはとても困難だったわけです。もちろん、じゃあ、インプレッションという指標をフィジカルの雑誌にもち込めばいいのかというと、もちろんそれだけではまったく不十分だと思いますが、少なくとも、その費用対効果を販売部数やPV数だけで測られるよりは、はるかにましなはずです。

――そうですね。

最初の話に戻りますと、「面白いもの」っていうのは、それ自体が非常に複雑なものですし、それを通してこちらが味わう体験も、同じくらい複雑なものなんですね。そこには、もちろん「便利だ」とか「役に立つ」といった数値化しやすいファクターも含まれますが、そこからはみ出していくものが実際はたくさんあるはずです。端的に言えば「いいお店」って「面白い」としか言えないものだったりすると思うんです。それは、記事や本や音楽が面白いのとまったく同じように「面白い」ものでして、今回の特集を、自分は「フィジカルな店が、その面白さを再発見していくストーリー」として読みました。

――面白い店、最近ありました？

恥ずかしながら初めて東中野駅前にある「パオ・キャラヴァンサライ[※17]」というアフガニスタン料理屋さんに連れていっていただいたのですが、やや大げさかもしれませんが個人的には「超芸術トマソン」並みに面白かったです。こんな店が東京にあるんだ、東京も捨てたもんじゃないな、と思ったほどです。

――おいしいんですか？

めちゃくちゃおいしいですよ。でも、おいしさはお店の面白さのほんのひとつの側面でしかなくて、それが重要にして不可欠な側面であるのは間違いないのですが、でも、本質はそこじゃないんです。総体としてまるっと面白いんです。

――そういうものが増えると、世の中面白くなりますよね。

今回の特集を読むと、アメリカ

は、コロナをテコにしてリテールの世界に新しい価値体系をもち込み、商業をこれまで以上に面白くしていこうというポジティブな機運に溢れているそうですから、羨ましい限りです。

――日本も本当は、そういう意味で面白い店がいっぱいあるはずなんですけどね。

その面白さを、デジタルデフォルトの視点からさらにブーストすることにおいて、コロナ禍はひとつのチャンスだったことをこうやって見せつけられてしまうと、なんだか改めて暗然とした気持ちになります。

――もったいない話です。これでまた周回遅れになってしまう、と。

でも、面白いお店はいっぱいあるんだと思います。弊社で制作をお手伝いした行政府のDXをテーマにした冊子を配布していただける書店さんを全国から募ったところ、大都市から小さな町までの、主に独立系の本屋さんが手を挙げてくださいまして、それらの本屋さんをGoogle Mapに置いてその写真入りの一覧を眺めてみる※18と、どこもユニークで素敵な佇まいで、そのリストを見ているだけでとてもいい気分になりました。

――いいですね。

勇気をもらった感じしますよ。

――希望ありますね。

ありますよ。

※17　※18

Field Guidesを読む #55

What stores are for now

May 30, 2021

https://qz.com/guide/what-stores-are-for-now/

◉Eコマースの飛躍によって店舗が進化を遂げる5つの道筋
Five ways stores are evolving as e-commerce takes off

◉店舗の価値とは？
What is a store worth?

◉対面ショッピングに賭ける企業の共通点
What companies counting on in-person shopping have in common

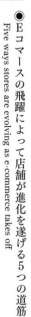

#56

The age of genetic medicine
June 6, 2021

バイオテックの革新

「バイオテックの勃興は、新しいビジネスプランとイノベーションの新しいモデルの台頭を表していた。これによって産業は、ひとつの主体が閉鎖した内部で行うリサーチから、多数の開かれたリサーチ、もしくはオープンソースへとシフトした。このモデルのなかで、アカデミック・アントレプレナー、商業化された大学、グローバルなリサーチ機関、そして数知れない小さなスタートアップが基礎科学やIPを提供し、大手企業はその製品化・商用化を担うようになった」

——もう6月です。6月3日で、オリンピックまであと50日を切ったとのことです。

どうなるんでしょうね。この連載をまとめた第2巻を7月下旬には刊行したいと思っていまして、タイトルをどうしようか、いま迷っています。

——前作が『週刊だえん問答 コロナの迷宮』でした。

当初、第2巻は『週刊だえん問答 消えたオリンピック』としたかったのですが、なかなか消えませんのでどうしたものかずっと考えていたのですが、制作進行の都合からもそろそろ結論を出さないとでして、まだ変わるかもしれませんが、ひとまず「伝説のオリンピック」にしようかと思っています。

——開催前からすでに「伝説」ではありますからね（笑）。かつ、フレディ・マーキュリーへのオマージュ、ということでいいですか？

そうですね。

——オリンピック、ほんとにやるんでしょうかね。

つい昨日あたりはスポンサー企業が組織委員会に「延期」を進言・提案した※1、というニュースもありましたが、数カ月延ばしたところで、という気もしますね。ほとんどの人が感じていることだと思うのですが、現状の苛立ちというのは、オリンピック開催そのこと自体ではなく、オリンピックがあるせいで、政府なり自治体の意思決定やコミュニケーションが捻じ曲げられているのではないか、という点にあると思うんです。しかも、「オリンピックがあるから他国よりもよほどちゃんとやらないと」という方向で準備に邁進してきたようにはとても見えず、むしろ「オリンピックが問題なく開催できるように〝見えるよう〟に取り繕おう」という方向でしか考えていないように見えるので、多くの人が苛立っているわけですね。

——そうですね。

国内のメディアを操作して、うまくやっているように見えるようにすることは、これまでの体制でできると踏んでいたとしても、ここに来て海外メディアによる非難もかなり高まっているように、そんなはりぼての「やってる感」がすぐに見透かされることは、最初からわかっていたじゃないですか。つまり、海外ではＰＣＲ検査の拡充が、コロナ対策の一丁目一番地とされていて、それをもって「コロナ対策」としているわけですよね。その実効性を疑って違うやり方をするのは、それはそれで特に悪いことだとは思わないのですが、それをもってして諸外国に対して日本がいかに安全なのかを説得するのは、相当の成果とエビデンスがない限り、よほど手間がかかるとしか思えません。

だったら、海外に足並みを揃えて、これだけＰＣＲ検査やって、これだけの感染者数に抑えていますよ、とやったほうが、普通に考えて説明コストも低いはずです。

——それをしてこなかった結果として、慌てて選手の検査拡充をするはめになっているわけですしね。

そもそも国際イベントなのですから、正体のよくわからない「日本モデル※2」をもって「安心安全」を確保すると言ったところで、それが、参加する外国の方々が考える「安心安全」と合致していないのであれば、安心安全を確保したことになりませんよね。

私自身は、科学的にみてＰＣＲ検査が何よりも大事なのかどうかという点については、正直よくわからないところがあるのですが、オリンピックをそこまでどうしてもやりたい立場であったなら、どれだけ結果が出せるものだとしても、日本独自のやり方にこだわるような道は取らない気もするんですけどね。というのも、有り体に言ってしまえば、「ちゃんとやってる感」を出そうと思うなら、そっちのほうが、ずっと説得的に見えるはずだからです。日和った考えではありますが、世界的なイベントが控えている以上、世界的なスタンダードに合わせないで物事を進めても、無駄に労力がかかるだけとしか思えません。

——なるほど。

※1　※2

日本は国際社会において、なんとか独自性を出そうと、やたらとコンセプトだけ出すんですよね。みんなが「スマートシティ」というお題を議論しているところ、自分たちだけ「ソサエティ5・0」と言ってみたりするわけです。で、その中身が何なのかというと、特に何かがあるわけでもなくて、普通にみんなが議論しているところで同じことばを使って議論したらいいじゃん、という程度のことなんです。

——なんとなくわかります。

とはいえ、スマートシティについて言えば、日本は欧州型とも中国型ともアメリカ型とも違うコンセプトを打ち出せる可能性のある、非常に面白いポジションにあるのは、そうだと思うんです。さりながら、国際的な規格やルールづくりという場面において、なかなか自分たちのアイデアをそのなかに押し込むことができず、結局自分たちにとって必ずしも有利ではないルールメイクをされてしまう、というところに苦慮してきた焦りがあるのもわかるはわかります。

——国際柔道などでも、いつも日本に不利なかたちでルール変更が行われる、といったボヤキは聞きますね。

同じことですよね。こうした焦りのなかで、独自のコンセプトを打ち出して、自分たちがルールメイクにおけるイニシアティブを取りたいという気持ちはわからなくもないのですが、さりとて国際機関が決めたルールに抗って、自分たちだけで「新しい柔道をつくるんだ」と新しい連盟なりを立ち上げたところで、それはそれでイバラの道でしょうから、なかなかツライところです。

——プロレスならそういう道もありえそうですが（笑）。

そうやって見ると、中国はやはり周到でして、国際的なルールメイキングにおいて声を大きくしていきたいという野心に従って、どんどん影響力を強めているようです。中国問題の専門家である遠藤誉先生が書かれた記事「トランプ『WHO拠出金停止』、習近平『高笑い』：アフターコロナの世界新秩序を狙う中国[※3]」に、こんな記載があります。

「現在、国連には15の専門組織（国連憲章第57条、第63条に基づき国連との間に連携協定を有し、国連と緊密な連携を保っている国際機関）があるが、その内の4つの専門機関の長は『中国人』が占めている。その4つの機関名と職位、中国人の名前および就任時期を書くと以下のようになる。

ＵＮＩＤＯ（国際連合工業開発機関）事務局長：李勇（２０１３年6月～）

ＩＴＵ（国際電気通信連合）事務総局長：趙厚麟（２０１４年10月～）

ＩＣＡＯ（国際民間航空機関）事務局長：柳芳（２０１５年3月～）

ＦＡＯ（国際連合食糧農業機関）事務局長：屈冬玉（２０１９年８月～）」

——なるほど。決定権のあるポジションに自国の人員をどんどん配置していっているわけですね。

はい。で、すごいのは、ここからなんです。

——ほお。

「それだけではない。

国連専門機関のトップ以外の要職や、国連傘下の関連国際組織あるいはその周辺組織にも、以下のような中国人が着任している。

ＷＩＰＯ（世界知的所有権機関）事務次長：王彬頴（２００８年12月～）

ＩＭＦ（国際通貨基金）事務局長：林建海（２０１２年3月～２０２０年4月）

ＷＴＯ（世界貿易機関）事務局次長：易小準（２０１３年8月～）

ＷＢ（世界銀行）常務副総裁兼最高総務責任者（ＣＡＯ）：楊少林（２０１６年1月～）

ＷＨＯ（世界保健機関）事務局長補佐：任明輝（２０１６年1月～）

ＡＩＩＢ（アジアインフラ投資銀行）行長（総裁）：金立群（２０１６年1月～）

ＩＯＣ（国際オリンピック委員会）副会長：于再清（２０１６年8月～）

ＩＭＦ（国際通貨基金）副専務理事：張涛（２０１６年8月～）

ＷＭＯ（世界気象機関）事務次長：張文建（２０１６年9月～）

ＵＮ（国際連合 国際連合経済社会局）事務次長：劉振民（２０１７年6月～）

ＡＤＢ（アジア開発銀行）副総裁：陳詩新（２０１８年12月～）

※３

UN（国際連合＝国連 事務次長補佐）：徐浩良（2019年9月〜）

こんなに圧倒的な数の中国人が、国際組織の要職を占拠している。

これはチャイナ・マネーで買収された（という言葉が悪ければ『心を奪われた』）人々によって『選挙で公平に』選ばれているメンバーたちだ。戦略的な中国は、着々と水面下で『仕事』をしてきた。

特に注目すべきは、今般問題になっているWHOは事務局長のテドロスだけではなく『WHO（世界保健機関）事務局長補佐：任明輝（2016年1月〜）』にあるように、事務局長補佐の一人は中国人自身なのだ。WHOは中国によって牛耳られていると言っても過言ではない」

——うげげ。IOCの副会長まで。「着々と水面下で『仕事』してきた」感、ハンパないです。

昨年はパンデミックの対応において、WHOが中国に日和っているとしてトランプ大統領が盛んに非難をし、日本でも「テドロス事務局長は親中」の批判も上がりましたが、遠藤先生の指摘によれば、まったく同じことがIOCとの関係でも起きているわけです。遠藤先生は、別のコラム「バッハ会長らの日本侮辱発言の裏に習近平との緊密さ※4」で、こう断言しています。

「IOCの裏には中国があり、IOCにとっては日本国民の命などはどうでもいいことなのである。金が入り、権威を保つことができればそれでいい」

——とほほ。困ったものですね。

そういえば、IOCが、オリンピックの開催都市を決める選考において、候補都市にどういった条件を課しているのかを明らかにした腹を抱えて笑ってしまうほどに面白いニュースを、つい先日を見ましたので、それ紹介させていただいていいですか？

——あ、ぜひ。

これは「Slate」というメディアに2014年に掲載されたものですが、タイトルは「ノルウェーを冬季五輪から辞退させた、噴飯もののIOCの要求※5」(The IOC Demands That Helped Push Norway Out of Winter Olympic Bidding Are Hilarious) です。

――面白そう。

オスロは、２０２２年の冬季五輪の開催地に、北京とカザフスタンのアルマティと並んで立候補していたのですが、ＩＯＣがローカルの組織員会や開催都市に対して要求していた「開催条件」が、ノルウェーのメディアにすっぱ抜かれ、それがあまりにもくだらなくひどいものだったので、国民が爆笑＆激怒し、結局誘致から降りたそうです。「Slate」はこの記事で、ＩＯＣを「詐欺師と天性の官僚が運営する悪名高きおバカ組織」(notoriously ridiculous organization)とこき下ろしています。

――わはは。

で、そのＩＯＣの要求ですが、こちらとなります。

「・開会式前に国王との面会を要求。開会式後にはカクテルパーティ。飲食代は王室か地元の組織委員会がもつこと」

――え、マジすか？　それを書面で要求しているんですか？

らしいですよ。続けてこうです。

「・すべての道路にＩＯＣメンバーが移動するための専用レーンを用意すること。このレーンは市民や公共交通の利用は不可」

――ひ、ひどい……。

さらに列記しますね。

「・ＩＯＣメンバーが到着する際には地元組織委員会のボスとホテルの代表が部屋で歓迎をすること。部屋には季節のフルーツとケーキを用意
・ホテルのバーは『超深夜』(extra late) まで営業時間を延長し、ミニバーにはコカ・コーラ社製品がストックされていること
・ＩＯＣ会長の到着時には式典をもって出迎えること
・ＩＯＣメンバーの空港の出入りにあたっては特別な出入り口を用意すること
・ＩＯＣメンバーのホテル到着の際には笑顔で迎え入れること
・開会式・閉会式中には、酒が完全に補充されたバーが用意されていること。競技中のスタジアムラウンジはビールと

※5　※4

ワインで大丈夫
・会議室の温度は常に摂氏20度に保たれていること
・ラウンジや競技会場で提供される温かい料理を一定の時間で入れ替えること。なぜならIOCメンバーは同じラウンジで何度も食事をしなくてはならないリスクがあるから」

——ほんとに呆れ果ててしまいますが、オスロ市民はきっと五輪辞退を心から喜んでいるでしょうね。これを読むと、IOC幹部の宿泊先と言われているホテルオークラさんも気の毒になってきます。

せっかくの「おもてなし」の相手がこれだとすると、滝川クリステルさんにすら同情したくなってきます。

——ほんとに。ところで今回の特集は「遺伝子創薬の時代」(The age of genetic medicine)というものですが、関係ある話ですか?

IOCのぼったくりたちの話は、関係なさそうですね(笑)。あまりに面白いので、公共の益のために一応載せておきましたが、その前のルールメイキングの話はもしかしたら関係しているかもしれません。

——今回の特集は、特集といってもストーリーは2本で、ひとつは「COVID-19がもたらした創薬の新時代[※6]」(Covid-19 vaccines have triggered the next wave of pharmaceuticals)、もうひとつが「遺伝子創薬を変える20社[※7]」(20 companies changing genetic medicine)です。

記事2本とはいえ、この「遺伝子創薬の時代」はもちろん興味深いお題でして、今後の医療・創薬のあり方を変えていく潮流となるのだと思いますが、技術的なところは私はさっぱりですので、どうしても文化的な話になってしまいそうです。

そうした観点から見ると「COVID-19がもたらした創薬の新時代」の記事にある「創薬の歴史」をめぐる年譜はとても面白いものです。ここで触れられていますが、コロナ禍によって一気に加速した「メッセンジャーRNA」を用いたワクチンは、創薬の歴史に照らして言いますと「第4波」(fourth wave)ということになっていまして、そうだとすると、つい最近までの時代は「第3波」つまり「サードウェーブ」のなかにあったということになります。

――コーヒーみたいです（笑）。

はい。ひとまず全体の歴史を簡単にご紹介しますと、創薬における「ファーストウェーブ」はいつかといいますと、18〜19世紀にヨーロッパで製薬会社が誕生し始めた頃を指していると記事は言います。GlaxoSmithKline の親会社に当たる Plough Court Pharmacy が1715年創業、おなじみの Pfizer が1849年、Bristol Myers が1887年だそうでして、このころの創薬は、植物から成分を取り出して薬にするという、いまから見ますと非常に素朴なものだったそうです。

――ふむ。

その後、Bayer がアスピリンを1900年代に発売開始し、1929年にはペニシリンの発見などがあるのですが、第2波、つまり「セカンドウェーブ」が来るのは1970年代まで待たなくてはなりません。1970年代になると、いわゆる「ブロックバスタードラッグ」というものの開発に製薬会社が注力しだすようになります。バリウムや避妊薬といったものがこの時期生まれ、化学療法が広まります。記事は、この時代に生まれた薬は「低分子（小分子）化合物」を用いたものなのだと解説しています。このあたりは、私にはよくわかりませんが。

――同じくです。

この「第2波」とほぼ時を同じくして、70年代に、新しい創薬の考え方が生まれていまして、これが抗生物質を用いたものです。この嚆矢として、1971年にカリフォルニア州バークレーに初のバイオテック企業 Cetus が生まれています。この会社は、のちに大手の Novartis に買収されますが、この Cetus の創業を皮切りに、76年に Genentech、80年に Amgen、81年に Genzyme といったバイオテック企業が生まれています。これが「サードウェーブ」にあたるのですが、こうした企業が、いまやってきている第4波の礎を築いたとされています。

――言ってみればスタートアップですよね。

※6

※7

そうなんです。今回の新型コロナウイルスに対するワクチンをめぐる情報のなかでPfizerやJohnson & Johnsonといった企業名は、すでにみなさんが見聞きしていたものだったと思いますが、Modernaなんていう会社は、ほとんどの人が、これまで聞いたこともなかった企業だったわけですよね。

——ですよね！ なんだか、みんなさも知っているような感じで「モデルナ、モデルナ」と言っているので、「その会社、有名なん？」って訊くのが憚られる感じでしたが（笑）、普通知らないですよね？

知らないと思います。私も去年初めて知ったのですが、調べてみたら2010年創業の会社ですから、ほんとうにまだ若い会社なんですね。「TIME」が、Pfizerとともにワクチンの開発を行ったBioNTechとModernaのワクチン開発のバックストーリー※8を紹介した面白い記事を掲載していますが、それによれば、2020年1月の段階でModernaは、20ものワクチンのプロジェクトを動かしていたものの、その時点で最終テストにいたっているものはひとつもなかったそうです。

——そうなんですね。

Modernaは、フランスの富豪ビジネスマン、ステファン・バンセルと、ベイルート生まれのアルメニア人の起業家・発明家ヌーバー・アフェヤンのふたりが中心となって経営する会社で、2020年1月に武漢で起きている状況を耳にしたバンセルがアフェヤンに「ワクチン開発をやろう」と言って、プロジェクトに乗り出したことが記事で明かされています。そこからアメリカのCDCのアンソニー・ファウチに掛け合って経済的な支援を取り付けたそうです。

——めちゃアジャイルですね。

これはBioNTechとPfizerの場合も同じでして、2020年1月に中国の新型ウイルスに関する論文を読んだBioNTechのファウンダーの指示で、社内で「クラッシュプロジェクト」（突貫計画）を立て、そこで一定の成果が見えたところでPfizerの担当者に電話をし、一緒にワクチン開発をやらないかともち掛けたそうです。

――素早い。

その電話で、Pfizer の担当者は「まさに同じ提案をするため電話をかけようと思っていたところ」と答えたそうで、3月には両者間で契約が結ばれたそうです。

――面白いストーリーですね。ワクワクします。

つまり、コロナワクチンの開発の物語は、バイオテック・スタートアップの物語でもあるということなんですね。加えて、BioNTech の創業者は、ウール・シャヒンとオズレム・ティレチというドイツのトルコ系移民の家系の夫婦ですので、Moderna と BioNTech の物語は、ともに移民とイノベーションをめぐる物語でもあるんです。

――いいですね。

今回の特集で個人的に注目したのは実はこのあたりのことでして、いまさらな話ではありますが、要は大企業ドリブンな「開発」は、すでにしてかたちが変わってしまっているということです。これは、いま見たように創薬の世界でも同様で、第3波の登場から、これまでの産業構造が変容し始め、第4波をもって、それがもはやメインストリームになったということです。この潮目の変化について、今回の特集はそこまで深くは突っ込んでいませんが、こんな言い方で、その転換が語られてはいます。

「(サードウェーブの新たな企業は)既存の製薬大手と比べると、規模ははるかに小さくアジャイルで、ブロックバスタードラッグを生み出すことではなく、さまざまな治療薬を開発することに注力している」

――Moderna や BioNTech は、まさにそうした企業ですね。

はい。この記事には、2019年に「Nature」に掲載された非常に面白い記事へのリンクが貼られていまして、そこに、いまお話しした変化の推移が詳しく説明されています。記事は「市場化された科学は信用できるのか?※9」(Can marketplace science be trusted?) というタイトルで、ポール・ルシエという歴史家が書いたものです。主に科学の信憑性とビジネスの危うい関係性にフォーカスしていますが、科学の進展と、その資金の出どころを、時代ごとに概観してい

※8 ※9

て勉強になります。

――へえ。

論考は、1873年に起きたある事件から始まっています。これは、ある科学者が企業からお金をもらっていたことが判明し、「米国科学アカデミー」（NAS／US National Academy of Sciences）内部で、その科学者を除名すべきか否かで論争がもち上がったという事件です。

――へえ。当時は、科学者は企業からお金をもらってはいけなかったんですね。つまり、アマチュアじゃないといけないというコンセンサスだったんですね。

はい。ところが、問題とされたその科学者は「企業にこそ科学が必要だ」と猛然と反論し、その結果除名を逃れます。当時においてすでに「NAS」は企業のファンディングなしでは生き残れない状況にあったことが大きな理由だったそうで、このことをきっかけに、ビジネスセクターと科学の関係性は、どんどん深まっていくこととなります。

――なるほど。

記事によりますと、最初に一般化した関わり方は「コンサルタント」モデルでして、これは企業に対して科学者が助言者やアドバイザーの立場として関わるというもので、19世紀には一般的なかたちだったそうです。それが20世紀に入りますと、企業による「インダストリアル・ラボ」というモデルが生まれ、そこでお給料をもらいながら研究にあたる新しいタイプの科学者が生まれるようになります。

これらの「R&Dラボ」の嚆矢となったのは、言わずと知れたエジソンのラボでして、このラボがもたらした研究成果がGeneral Electric（GE）に電球市場における独占に近い優位をもたらしたことから、他の企業も、これをマネするようになります。エジソン／GEにインスパイアされて、以下のような企業が、R&Dラボを設立しています。

・DuPont（1903年設立）
・Westinghouse Electric（1904年設立）
・American Telephone and Telegraph（AT&T／1909年設立）

・Eastman Kodak（1912年設立）

——面白い。

こうした企業ラボは、やがて科学ドリブンなコンシューマープロダクトを生み出すようになり、同時にノーベル賞受賞者も生み出すようになっていきます。企業科学者、もしくは産業研究者で初めてノーベル賞を受賞したのは、カール・ボッシュとフリードリッヒ・ベルギウスのふたりのドイツ人で、1931年に化学賞を手にしています。

——ふむ。

そこから時代は第二次大戦へと突入していくことになるのですが、大戦を大きな契機として、科学のドライバーは、今度は「軍＝ミリタリー」に移行していくと記事は書いています。第二次大戦中にヴァネヴァー・ブッシュが主導した「Office of Scientific Research and Development[※10]」という政府の部門は、戦時中に2300件もの研究を民間企業に発注していまして、その受注先のうち140がアカデミックな機関であったのに対し、企業は320あったとされています。

——まさに戦時体制ですね。

さらにヴァネヴァー・ブッシュは、こうした体制は戦争後も維持されるべきだと考え、第二次大戦後の冷戦下における科学研究と企業R&Dをめぐる政策をルーズベルト大統領に提出します。それが「Science, The Endless Frontier[※11]」というレポートなのですが、このレポートの根底にあったのは、基礎科学がイノベーションの根本にあって、それがベルトコンベアのようなかたちで発明・開発、生産へといたるという考え方でして、これは俗に「リニア・モデル[※12]」と呼ばれるものです。

——なるほど。基礎科学があらゆる発明の源だと考えるわけですね。

はい。こうした考えのなか、企業ラボは、応用科学ではなく、基礎研究にどんどん携わるようになっていったと記事は解説しています。財政的なバックについていた軍の意向を強く反映した「基礎研究ラボ」の代表格として、ベル研究所（Bell Laboratories）、IBM、

※12　※11　※10

ウェスティングハウス、デュポン、RCA、ゼロックスパロアルト研究所（Xerox Palo Alto Research Center / Xerox PARC）などが挙げられています。

——ベル研究所[※13]にパロアルト研究所[※14]といえば、のちのITの先駆となった研究所ですね。

はい。こうしたラボは、「第2次産業革命」とまで謳われ大きな成果を挙げはしたのですが、70年代のオイルショックから80年代の経済のグローバル化にいたる流れのなかで、これらのラボを支えてきたアメリカ企業が世界的な経済競争から後れを取るようになってしまい、80年代以降、基礎研究に重きを置いたラボは、次々に縮小させられたり売却されたりしています。ありていに言いますと、ビジネスのお荷物になってしまったということです。

——基礎研究ばっかりやっていても儲からん、と。

そうした状況のもと、先の「リニア・モデル」も用済みとみなされ、代わりに注目を集めたのが、自前のR&Dラボをもたずにビジネスのメインストリームに躍り出てきたIntelやMicrosoft、Apple、Sun Microsystems、Cisco Systemsといった企業でした。このうちMicrosoftはのちに、この世代の企業としては最大のリサーチラボ[※15]を設立しますが、そのミッションは「基礎研究」ではなく「イノベーション」となっています。

もちろんこれらの企業が「科学」を軽視しているわけではありませんが、基礎研究が必要だったとしても、そのリサーチ組織を社内に置くのではなく、むしろ社外にあるほうが望ましいと考えられるようになっていきます。そうした流れを、当時「新興」であったIT企業がつくったんですね。

——そうか。「イノベーション」の対義語は「基礎研究」だったんですね。

ここで起きた転換は非常に大きいものでして、この転換がもたらした最も目覚ましい成果が、実は「バイオテック」だったんです。記事はこう書いています。

「バイオテックの勃興は、新しいビジネスプラン（アントレプレナー科学者とベンチャーキャピタリストがパートナーとなって研究成果を販売する）とイノベーションの新しいモデルの台頭を表していた。これによって産業は、ひとつの主体が内部で行う閉じたリサーチから、多数の開かれたリサーチ、もしくはオープンソースへとシフトした。このモデルのなかで、アカデミック・アントレプレナー、商業化された大学、グローバルなリサーチ機関、そして数知れない小さなスタートアップが基礎科学やＩＰを提供し、大手企業はその製品化・商用化を担うようになった」

——面白いですね。BioNTechやModernaの事例というのは、まさにこのモデルが花開いたものだと言えるわけですね。

ちなみに、こうしたモデルが基本的には「第3次産業革命」と呼ばれるものだそうでして、記事は、このモデルは19世紀のコンサルタントモデルへの先祖返りとも言えるとしていますが、とはいえ、このモデルがこの論考の主旨であった「お金と科学の問題」を解決しうるものではない、と釘をさしています。

——基礎研究やＩＰをサードパーティからどんどん買おう、というモデルですもんね。商業化がより進んだモデルとも言えそうです。

この先にいったいどういった問題が待っているのかは、目を凝らしていないといけないのかもしれません。

——とはいえ、こうやって解説されると、日本がなぜ「ワクチン敗戦」[※16]と呼ばれる事態に陥ったのか、ちょっと見えてくるような気もします。

日本の創薬・製薬が、現在どんな状況で、どういう取り組みをしているのかよくわかりませんが、メーカー企業のR&D部門の所在なさを見るにつけ、企業として基礎研究部門をどうしたものか、考えあぐねているのが見て取れます。自分は製薬会社の内情はまったく知りませんが、他の産業と同じ問題を抱えている可能性はありそうです。

——無理やり話をこじつけるわけでもないのですが、科学者とビジネスセクターとの関わりという話

※13 ※14 ※15 ※16

は、スポーツ選手とビジネスセクターとの関わりとも重なり合う部分があるようにも感じました。

面白い指摘です。先ほど「科学者はアマチュアだったんですね」というコメントがありましたが、言われてみればスポーツ選手も同じですよね。特に「オリンピアン」と呼ばれる人たちはアマチュアであることが、ある時期までとても重視されていたわけですが、それが84年のロス、88年のソウル五輪を境に産業化・プロ化へと進んだ流れは、他の産業に近いのかもしれません。

そのアナロジーを現在の状況に当てはめるのであれば、スポーツ選手は、科学者同様に「アントレプレナー化」して、自分のＩＰをそれこそ大会主催者や企業に売っていく「スポーツアントレプレナー」へとビジネスモデルがシフトしているということになるのかもしれません。フレンチオープンの出場を辞退した大坂なおみ選手※17とテニス連盟、スポンサーとの関係とそこで起きた騒動をそうやって見直してみると、製薬の歴史に見たような新旧のビジネスモデルの間で起きた軋轢と言えるのかもしれません。

――旧来のテニスビジネスが第２波のモデルでやっているなか、大坂なおみ選手あたりは第３〜４波のビジネスモデルに突入している、と。そう考えると、これは面白い綱引きですね。

大手が、もはや自社ではＲ＆Ｄができず、アカデミック・アントレプレナーのイノベーションをあてにするしかない状況において、サービスやプロダクトの主導権はいったいどちらにあるんだという綱引きですよね。

テニスにおいても、かつてであれば、連盟側が「いったい誰のおかげでメシが食えてると思ってるんだ」と凄んでみせれば選手たちは黙らざるを得なかったのでしょうけれど、いまの状況のなかでは、選手サイドのほうがむしろ「いったい誰のおかげでメシ食えてると思ってる？」と思っているでしょうし、実際そうした声は具体的に選手の側から上がってくるようにもなっています。かつ、オーディエンスとしてどちらの声により共感するかを考えますと、テニス連盟やＩＯＣのような旧ビジネス側のほうが圧倒的に分は悪いのではないかと思わざるを得ませんよね。

——そうですか。

と、思いますよ。だって「誰のおかげでメシ食ってんだ」と言ってふんぞり返っている旧ビジネス側の人たちは、自分が泊まるホテルのバーの営業時間とか部屋の温度とかフルーツにしか興味ないいんですよ（笑）。

——あ、ちゃんとつながりました（笑）。

おあとがよろしいようで。

※17

Field Guides を読む #56

The age of genetic medicine

June 6, 2021

https://qz.com/guide/the-age-of-genetic-medicine/

◉COVID-19がもたらした創薬の新時代
Covid-19 vaccines have triggered the next wave of pharmaceuticals

◉遺伝子創薬を変える20社
20 companies changing genetic medicine

#57

The future of the IPO

June 13, 2021

IPOの黒魔術

「ゾンビ映画はただの寓話ではない。
それは政治的寓話、道徳的寓話のようにも見えながら
その本質において経済の寓話なのだ。
そして、わたしたちはいま、データ資本主義の生み出す
『新しい奴隷制』をめぐるゾンビ物語を生きていて
その重大な分岐点にさしかかっている」

——お疲れさまです。めちゃくちゃ機嫌が悪いらしいじゃないですか。

そうですね。

——どうしたんですか？

うーん。よくわからないです。

——昨日はインスタライブをやって6時間近くずっとしゃべっていたそうじゃないですか。無茶しますね。

無茶したつもりはないですが、よくしゃべるなと自分でも呆れます。ストレス発散というかセラピーみたいな感じです。

——視聴者はいい迷惑ですね（笑）。

そうだと思います。

——で、機嫌は治ったんですか？

そこそこよかったんですけどね、ついいましがた頭に来ることがありまして。

——どうしたんです？

6月頭から弊社が制作をお手伝いした行政府のDXをテーマとした『GDX』という冊子[※1]を、エントランスの軒先で無料配布しているのですが、「おひとりさま一部」と書いてあるのに、3冊くらいカバンにこそこそ入れてるヤツがいまして、注意しようと外に出たら、そいつどうしたと思います？

——どうしたんですか？

走って逃げたんですよ。

——（笑）。万引きしたわけでもないのに（笑）。

無料配布しているものですからね。これまで友だちや知人にあげたいと複数冊もっていく人はいましたし、まあ、別にそれはいいんです。なぜ走って逃げるのかですよね。何がそんなにやましいのか。

走って逃げるって、久しぶりに見たみっともなさだなと思いまして。途中まで追いかけてやりました。

――（笑）。それで、そいつどうしてました？

慌てて逃げてましたよ。

――行政府のこれからに興味をもってる人なんですかね、そやつ。

読むつもりなら、そんなみっともない感じでこそこそしなくてもよさそうですが。メルカリにでも売りに出すんじゃないですか。

――（笑）。いくら値段がつくんですかね。

値段なんてつきませんよ、そんなもの。

――いくつくらいの人ですか？

どうでしょう。30前後くらいの男です。こちらとしては、地方などで入手したいと思いながら入手できていない人たちの声も届いていて申し訳ないなと思っているところ、こういう輩が出てきますと、なんというか、まあ、不機嫌にもなります。

――それはお察しします。

うちでつくるものを一切触ってほしくもないです。

――そこまで、ですか。

そんなみっともないヤツに手にしてもらうためにつくっているわけではないですから。限られた部数しかないわけですから、つくる側としては、そんなの手に渡るくらいなら他の人の手に渡ってほしいと当然思いますよね。

――なんらかの事情があるのかもしれませんよ。

だったら言えばいいじゃないですか。自分、すぐそこにいたんですよ（笑）。

――たしかに（笑）。

基本、つくったものについて読み手は選べないので、別に誰が手にとってもいいんですけどね、目の前でこういう哀れな輩を見ると、さすがにげんなりしてしまいます。

※1

——そいつ、真面目に「DX」について考えたいんですかね？

この間何にうんざりしちゃっているかと言いますと、そこなんです。この冊子は、行政情報システム研究所という行政系のシンクタンクが発行したものなので、基本は霞が関、それから地方自治体など役人に配布されるものでして、研究所の方が熱心に配ってくださっていまして、また、近しい官僚の方がＩＴ大臣に渡しに行ってくれたかくれるらしいのですけれど、そういう話を聞くと、走って逃げた輩に対するのと同じ感じで萎えるんですね。

——なんとなくわかります（笑）。恫喝大臣[※2]の手に渡ったところで、と（笑）。

まさにそうです。内容を理解もしないだろう、みたいなことじゃないんです。触ってほしくもないって感じなんです。

——あはは。それってどういう感じなんですか？

ずいぶん前のことになりますが、ゲームクリエイターの水口哲也さん[※3]に初めてお会いしたときのことを思い出します。水口さんは、背が高くシュッとした見た目も素敵なのですが、とにかく優しい方でいまも勝手に慕っていますが、赤坂の喫茶店で打ち合わせをして、そこに「WIRED」の見本誌をおもちしたんです。水口さんはだいたい打ち合わせには手ぶらでいらっしゃるので、帰り際に、お渡しした雑誌をくるっと巻いて、颯爽と歩み去っていったんです。たしかお渡しした号は派手な蛍光ピンクと銀の特色を使った表紙[※4]で、水口さんは上下黒一色だったのですが、それがほんとにかっこよくて、やたらとときめいたんです。

——いいですね。

こういう人のためにつくってるんだな、と手応えを感じたんですよね。

——なるほど。

そのときの水口さんは雑誌に出演していただく立場で、純粋な読者ではないのですが、こちらとしては当然水口さんに対して尊敬や共感があればこそご登場をお願いしているわけですから、そうした水口さんの素敵さや思考や視点の面白さに見合った誌面を用意することになりますよね。

——そりゃそうですよね。

　ということはつまり、誌面のクオリティは、登場している水口さんのクオリティの水準に合致していなくてはならないということでして、かつまた、その記事を読んで共感する読者がいたとしたら、その方のクオリティの基準が、そこに合致するからこそ共感するわけですから、そこにおいてもクオリティの基準値は揃っているはずなんです。

——なるほどなるほど。つくり手の基準値と、そこで扱うコンテンツの中身の基準値と、読者の基準値とが揃うことによって、そこにある種の共感性が発動するということですね。

　ですから、先の「IT大臣に手に取ってほしくない」というのは、自分としては、自分がつくるものには登場してほしくないということと同義でして、少なくとも雑誌のような商業メディアにおけるつくり手と読み手の関係性というのは、そういうものなんですね。メディアでどういう人を取り上げて、どういうふうに見せたいか。それをどういう人にどう読んでもらいたいか。自分たちがどういう人たちでありたいか、どういう人たちとして見られたいか。この3つは、ほぼイコールなんですよ。

——面白いですね。

　もっとも今回の「GDX」という冊子の発行元は行政府につながる組織で、商業誌とはまったく異なる機能と意義をもっていますから、その観点から言えば所轄大臣の手に渡ることはもちろん重要なので、私がここまで言ってきたことは、基本、つくり手のエゴでしかないのですが、少なくとも商業空間においては、そういうエゴの発露であるからこそ特に雑誌のようなメディアは意味があるのだと思います。

——そういうエゴに立脚していないメディアは意味ないぞ、と。

　商業空間というのはそういうものだから面白くダイナミックなものになるわけじゃないですか。

※2　※3　※4

——そりゃそうですね。

って、ここまで書いたところでですね、この『GDX』という冊子を取りにきた人がいまして。

——また持ち逃げですか？（笑）。

いえ、今度は知り合いの20代のウェブ編集者でして、「最近どうしてる？」と聞いたところ、「どうしたらいいかわからなくなってきまして」と、もう非常に浮かぬ顔をしておりまして。

——さすが「福祉センター[※5]」を名乗っているだけある。駆け込み寺ですね（笑）。で、どうしちゃったんですか？

これはまあ、もうおなじみの「ウェブ編集者あるある」でして、要はバズらせてなんぼに立脚せざるを得なくなったウェブメディアで、せっかく面白い仕事ができそうだと思って入っていった編集者が、「PV＝数字」と「面白いこと」の間で、モチベーションをすりつぶされているということです。

——編集の世界に限らず、どこの世界でもあるあるな話って感じですが。

それが「あるある」だということも、訪ねてきたご本人も百も承知なのですが、そういう状況のなかでいくら歯を食いしばって自分が面白いと思える記事をつくっても、何の反応もなく、何の評価にもつながらないともなれば、だんだんそこから抜け出そうという意欲も削がれていきますよね。

——しんどいですね。

しんどいです。

——で、どうしたんですか？

といって私にできることもありませんから、ウーバーイーツでバーガーキングのワッパーを頼んで、ふたりで食べましたけど、しんどいのはそうやって話し相手になることではなく、そうやって若い人のやる気を削いでいっている環境そのものですよね。

——ほんとですね。

もちろん経営的な観点から見ればバズに頼らざるを得ないことは

現実的には致し方ないことなのですが、それに依存していけばいくほど、ワーカーのモチベーションが下がっていくのは目に見えているわけですから、そこになんの配慮もせぬまま「PVを稼げ」と言えば現場のモチベーションが下がりますし、それにつれてメディアのクオリティは下がりますし、それは同時にお客さんのクオリティの低下を招きますから、結局経営者自身が自分で自分の首を締めるだけのことになります。
　経営者がメディアというものの投資効果の低さに、あとから気づいて後悔するのは勝手ですが、その浅はかさが若いワーカーの貴重な時間を奪っているわけですから、その浅はかさは浅はかの一言では済みません。

——ほんとですね。

　最近、津野海太郎さんという偉大な編集の先達が「編集」について書いた文章をまとめて読む機会があったのですが、津野さんは「雑誌はつくるほうがいい※6」とおっしゃっていまして、それはけだし名言だと思います。津野さんはこう書いていています。

「いきのいい雑誌をみたときは、『なんのなんの、おれたち読者よりも、本当はあんたがいちばんたのしんでるんだよ』と、腹の底で未知の編集者にむかって呟やいている。本はつくるよりも読むほうがよく、雑誌は読むよりもつくるほうがいい。すくなくとも私の場合はそうである。つくる側にまわったほうが、はるかにおもしろい」

　そして、こう書きます。

「私たちのまわりにある雑誌のおおくはプロではなくアマチュアの仕事として、すなわち、読む側からつくる側にまわりたいと願う昨日までの読者たちの手によってはじめられた」

——面白いですね。

　そして、ここからが面白いのですが、津野さんは、「つくる側にまわりたい」と読者に思わせるには、なんらかの「魔術」が必要で、それは一種の「演技」に宿るというんです。

——演技？

　津野さんは、こう言います。

※5　※6

「それでも雑誌にはなんらかのかたちで、そこにしか存在しないなにかが必要なのだ。（中略）そのないかのまぼろしをつくりだすのが雑誌の演技である」

――ふむ。

津野さんは編集の仕事を、舞台制作における「演出家」になぞらえて語るのですが、それに従えば、雑誌の編集者の仕事は、掲載されるコンテンツに演出を加えることで、個々のテキストや写真になんらかのイリュージョンをかけて、「自分もそっち側にいきたい」と読者に思わせるような「まぼろし」をつくり上げることとなります。

個人的には、それを「演技」ということばで捉えたことはないのですが、それでも体感的にわかるところはありまして、常々感じていたことで言いますと、雑誌メディアの影響力って、実際の部数よりもはるかに大きいものだったりするんです。つまり、なぜか実態よりも大きく見えるものだったりしますし、編集部というものも、実態としては、非常に散文的でつまらない仕事を日々行っているだけにもかかわらず、外からは、やたらとクリエイティブなものに見えたりするんです。

――たしかに。

ただし、そうやって実態よりも大きく見えたり、生き生きしているように見えたりするのは、そのメディアプロダクト自体が「いきのいい」ものに見えるという前提があるからで、編集の「演技」は、その「いきのよさ」を、誌面の振る舞いにおいてどう生み出すかということになります。もっとも、ここも難しいところで、やっぱり舞台上の役者もそれなりのモチベーションやクオリティ感をもっていないと、いくら演出だけを気張ったところで変に鼻につくものにしかならないと、津野さんは書いていらっしゃいます。

――なるほど。結局のところ、舞台上の役者、つまりコンテンツと演出家が、同じ目線やレベル感で共感、信頼し合っていないといけないということになりそうですね。

はい。で、津野さんのこのお話は、先に問題にしたメディアビジネスの浅はかさにつながるところがありそうでして、結局よく考えもせずメディアビジネスに参入する企業や経営層というのは、この「演技」のところだけを欲しがって、そこに手を出すわけですが、それがウェブメディアであった場合、そもそもウェブメディアには「演技」の余地がほとんどないということや、アマチュアが簡単に参入できたプリントの世界と違って、ウェブメディアは莫大な運用コストがかかるということを、愚かにも見落とすんですね。

――あはは。

演技の余地がありませんから、「まぼろし」は生まれませんし、「まぼろし」が生まれなければ、そこに「つくる側にまわりたい」という欲求も生まれず、それは広告主が見つからないということにも直結しますから、結局、つまらない数字を積むべくネットワーク広告に依存するハメになるんです。

――自らダウンスパイラルに入っていく、と。たしかに愚かですね。

そんな愚かさに、やる気のある人間を濫費しないでほしいんですね。という意味で、これはほぼほぼ意思決定権者の責任です。で、自分としては、そういうことに自分で気づけもしないような人たちに付き合うようなことはしたくないんです。というのも、それ自体が濫費に付き合うことでしかありませんから。

――なるほど。

といって、自分ももう50歳なので、どちらかといえば、そっち側の立場でもあるので、責任を感じる部分もあります。であればこそ、行政府のこれからを扱った『GDX』という冊子なんかも、最初から、「霞が関のしょーもないおっさんのためにつくるつもりはないですが、いいですか？」というところは、クライアントの行政情報システム研究所※7の方とも握っていたんです。むしろ、先の悩める若い編集者と同じように、ほんとに現場でいやな思いをしながら、それでも「きっとどこかに意味ある仕事があるはずだ」と思っている人たちに、「間違っているのは君らじゃないからな」とせめて思ってもらえるようにしましょう、ということで制作したんです。

――なるほど。

※7

でも、それも意味ないんですよ。

――なんでですか？

そうやって仮に誰かが鼓舞されたところで、結局、得するのは濫費する側でしかないわけで、結果としてやる気のある人を、そのままある種の煉獄にとどめおくことにもなりかねないわけですから。

――希望が苦しみのもとにもなるということですね。

最近Netflixで公開されたザック・スナイダー監督の『アーミー・オブ・ザ・デッド[※8]』という映画がありまして、公務員や行政府のこれからを考えようとすると、なぜかゾンビ映画を参照したくなる[※9]のですが、このゾンビ映画も非常に示唆に富んだものでした。

――面白かったですよね。

はい。これはあくまでも私の理解ですが、ゾンビ映画のゾンビって、怖いというよりも、実際は、悲哀に満ちた存在ですよね。つまり、なんらかの理由で、生きるでもなく死ぬでもない状態に置かれ、人の生き血を吸うことしかできない気の毒な存在で、それが襲ってくるともなれば当然打倒しなくてはなりませんが、それは「敵」ではなく、本質的には「明日の自分」なんですね。

――たしかに。最近のゾンビ映画には、その愛嬌の部分を取り上げるものが多いです。

つまり、ゾンビとそれと戦うハメになった市民は、あくまでも等価の存在なんです。ゾンビ化は、誰にでも平等に起きるわけですから。これは言うまでもなく、パンデミックに近い状況で、それを意識したのかどうかわかりませんが、『アーミー・オブ・ザ・デッド』では、「隔離キャンプ」が設置されていまして、そこでは隔離された人たちが、ゾンビになっていないかどうかを検査するために検温させられていたりします。この辺を、コロナがもたらした状況を重ね合わせて考えても面白いところですが、本作において考えておきたいのは、腕力もスピードも強化された「アルファ・ゾンビ」というものの存在で、これがどこからもたらされたのか、という点です。

――ほほう。映画の冒頭、軍の輸送車がコンテナを運んでいるシーンがありましたね。

はい。詳しくお話ししてしまうとスポイラーになってしまいますし、このあたりは続編のモチーフになるところだと思いますのでいまのところ詳しく話せる内容もないのですが、少なくとも今作で示唆されているのは、ゾンビを「兵器」として利用したがっている勢力がいる、ということです。強化されたスーパーゾンビを、人間に対して差し向けようという意思が、どこかから発動しているんですね。

――そうでした。ゾンビの血液サンプルを採取するといって、首ごと切り取ってもち帰ろうとしている輩がいました。

はい。意思のない気の毒なゾンビたちが「私たち自身」にほかならないという建て付けは、それらのゾンビが、誰かの意思をもって放たれたということになると崩れていきます。そうなると、ゾンビは、私と置換可能な対等な存在ではなく、明確に敵になるんですね。ゾンビに意思はなくとも、その無意思を誰かが人間に対して差し向けようとしているわけですから。

――なるほど。なんでですかね、お話を聞きながら、ずっと「パソナ」という社名と、その会長のヘラヘラした薄笑いを思い浮かべてしまいましたが。

実際にこの間のオリンピックのボランティアをめぐるありようなどを見ていると「戦略的ゾンビ化」とでも呼ぶべきものが作動している感はありますよね。つまり、人を無思考、無気力に追い込み、実態のないクリシェだけを旗印に人を動員し、同時に反発をも無効化するといいますか。オリンピックの話題などはすでに呆れ尽くして、もはやどうでもよくなってきている人も多いとは思いますが、そうしたなかで無批判の善意だけが作動している感じを、自分は非常にゾンビ的と感じます。

――って見た目だけでいえば、首相から、五輪担当大臣、五輪組織委員会会長、JOC会長といった面々のほうが、よほどゾンビ感ありますけどね。

ゾンビ映画は、言ってみればずっと、人が奴隷化させられてきた

※9

※8

社会状況を、時代ごとに風刺してきたものと言えますが、それが扱ってきた問題は、政治や社会ではなく、実は一貫して「経済」の問題だったというところはかなり重要なポイントです。このことは、アートフィルムのＳＶＯＤチャンネル「MUBI」に映画批評家ブライアン・エーレンプライスが寄せた「ジョージ・ロメロ論[※10]」が指摘しています。

「ゾンビは資本の論理を極限まで推し進めた果ての過剰の産物だ。終わりなき消費は必要や空腹によって要請されたものではない。ゾンビ神話は、労働と支配というテーマと切っても切れないものとされてきたが、それは永遠に続く苦痛をめぐるものでもある。（中略）ゾンビのコンセプトは、それが生まれた17世紀のハイチの砂糖プランテーションから現代の中産階級向けショッピングモールへと一直線でつながっており、『ドーン・オブ・ザ・デッド[※11]』においてロメロは、それを新しい時代の奴隷制として描き出した」

――おお、すごい。『アーミー・オブ・ザ・デッド』のザック・スナイダーは、それこそロメロ監督の『ドーン・オブ・ザ・デッド』のリメイク[※12]でデビューしたんでしたよね。

そうですね。実は、それはまだ観られていないのですが。ちなみに、出すタイミングを失ったまま公開していない、ゾンビを題材にしたテキストがありますので、長いですが貼っておきましょうか。

――それはありがたいのですが、それを貼っちゃうと〈Field Guides〉に触れられないまま終わっちゃいません？

そうでした。ざっと記事を見ておきましょう。今回の〈Field Guides〉は「ＩＰＯ」をテーマにしたもので、記事は1本しか収録されていません。「ＩＰＯの未来を完全ガイド[※13]」（A complete guide to the future of the IPO）という記事ですが、記事はPayPalの創業者のひとり、マックス・レフチンのことばを紹介しながら、こんな文章で始まっています。

「シェアを誰がいくらで得るのかの決定プロセスの問題がある。少なからぬエグゼクティブたちが、そのプロセスを、ウォール街とクライアント企業に利益をもたらすために投資銀行が構築した『ブラックボックス』と呼んでいる。『シェアの分配と価格の決定は、頭のいい人たちの小難しい会話による黒魔術の世界だ』とマックス・レフチンは言う。『それは決して変わらないだろう』」

——黒魔術（笑）。ゾンビといえばヴードゥーですが。

　そうした冒頭から、記事は、それでも少しずつであるとはいえIPOのかたちも変わっていると語っていまして、その変化のドライバーとして以下を挙げています。「SPAC」（特別買収目的会社）や「ダイレクト・リスティング」（直接上場）といったオルタナティブな方法を選ぶことができるようになったこと。ニューヨーク市場を頂点に一元化しつつあった世界の株式市場が、ローカルな個性を打ち出すようになってきたこと。女性や有色人種、あるいは両方の人たちを含めた、これまで見過ごされてきた起業家たちの台頭。「Robinhood」などのリテールアプリの勃興によってもたらされた「投資の民主化」。です。

——なるほど。

　記事の最後には、Goldman Sachs International のファディ・アブアリCEOの「投資の民主化は、今後さらに進むでしょう」ということばが紹介されています。

——希望もありそうな感じですが、どうなんでしょうね。

　私はよくわかりませんが、アプリを通じた投資の民主化は、私の勘では、ソーシャルメディアの普及と同じ道をたどるような気もしますので、いい面はありつつも、ダウンサイドも大きいのではないかと予測します。

——インフォデミックによる汚染に似たことが起きるようなイメージですか？

　はい、その通りです。株の売買というのも、本質的には情報の取引であるように思えますので。

——なるほど。

　というわけで、今回は若干手抜きにはなりますが、以下の原稿と対照しながら〈Field Guides〉を

※10　※11　※12　※13

読んでいただけたらと思います。

――投げやりな（笑）。

不機嫌だと言ったじゃないですか。

――はい（笑）。タイトルは何ですか？

「ゾンビがいるから世界がまわる：資本主義の不都合な真実」です。

――面白そう。

はい。結構気に入っているテキストです。では、どうぞ。

ゾンビは経済の産物である

ゾンビというのはハイチ生まれの代物だそうで、プランテーションで働く奴隷の数をちょろまかすために農園主が考案したものなのだとテレビのバラエティ番組で観たことがある。

農民を仮死状態にして、生き埋めにし、葬式を執り行い、死んだことにしたあとで掘り起こして叩き起こす。するとほらびっくり、公式には存在しない幽霊奴隷が一丁上がりというわけだ。うまいこと仮死状態にするために用いられるのがヴードゥーの秘術ということになっているあたりにおとぎ話めいた面白さも宿るが、ゾンビというものを考える上では、それが資本家が考え出した「戸籍ロンダリング」というスーパーブラックな労務管理の産物であるところはまず押さえておきたい。

ゾンビは、政治的であるよりも、まずもって経済的、資本主義的な主体だ。カール・マルクスという人は、資本主義というものは奴隷の存在がなくては作動しないことを明らかにし、資本主義と奴隷制の抜き差しならぬ関係性の淵源をカリブ海における砂糖プランテーションに求めていたというから、ゾンビの発生が、奴隷制と資本主義の発生と分かち難く結びついていると考えることは、さほどトンチンカンなことではない（はずだ）。

ロメロの慧眼

ゾンビ映画というジャンルを確固たるものにしたアメリカの映画監督ジョージ・A・ロメロは、傑作『ナイト・オブ・ザ・リビングデッド[※14]』の編集を終え、完成したばかりのマスターフィルムを配給会社に届ける車のなかで、マーチン・ルーサー・キングが銃撃されたニュースを聞いたのだという。そのエピソードが重要な意味をもつのは、ゾンビホラーの最重要作と目される本作が、ただの娯楽映画ではなく1968年という時代を色濃く反映した極めてクリティカルなものだったからだ。

まずもって、本作はゾンビ退治に明け暮れるヒーローたるべき主人公が黒人であるという点においてラジカルだ。そして、その主人公のベンは、ともに戦うはずの白人たちとの微妙な緊張関係のなかに絶えず置かれる。『ナイト・オブ・ザ・リビングデッド』の気持ち悪さは、殺しても殺しても生き返るゾンビたちの怖さにではなく（彼らはある意味可愛い）、ゾンビたちの反乱／氾濫にパニックに陥り、何をしでかすかわからない錯乱状態のなかにいる白人たちの挙動に宿る。ただひとり冷静に事態に対処しようとするベンは、前面から襲ってくるゾンビと、背後できな臭い動きをする白人たちとの二面闘争を強いられる。映画は、ベンが画面に登場した瞬間から、彼が決してこの夜を生きてはサバイブできないだろうという悪い予感とともに推移し、案の定ベンは救援部隊にゾンビと間違えられて射殺され、ゾンビとともに処分されるという、とことん後味の悪い結末を迎える。

公民権運動が吹き荒れる時代のコンテクストのなかにおけば、本作は「人種」という深刻な政治課題を扱った政治的な作品に見える。ワッツやデトロイトで起きた暴動とゾンビの襲来は時代のなかで完全にシンクロしている。建国の原風景としての奴隷制は、忘れたくとも忘れることのできない悪夢として、ゾンビの姿を借りていまなおアメリカに取り憑いている。しかし、それは決して国家や国民をめぐる道徳的・倫理的命題ではない。奴隷制が問題となるとき、そこで問題となっているのは、「資本主義」なのだ。

※14

ロメロ監督の慧眼は、このことを的確に見抜いていた。ゾンビはあくまでも経済主体だ。かつてゾンビは第1、第2次産業をドライブさせる資源として使役される「奴隷」だったが、経済のあり方が変わるにつれて「奴隷」の姿も変わる。そしてロメロ監督は、1978年の『ドーン・オブ・ザ・デッド』において消費の奴隷と化した市民のありようを、ショッピングモールに殺到するゾンビたちの姿を通して描くこととなる。アートフィルムのSVODチャンネル「MUBI」に掲載された、映画批評家ブライアン・エーレンプライスによるロメロ論はこう書いている。

「ゾンビは資本の論理を極限まで推し進めた果ての過剰の産物だ。終わりなき消費は必要や空腹によって要請されたものではない。ゾンビ神話は、労働と支配というテーマと切っても切れないものとされてきたが、それは永遠に続く苦痛をめぐるものでもある。（中略）ゾンビのコンセプトは、それが生まれた17世紀のハイチの砂糖プランテーションから現代の中産階級向けショッピングモールへと一直線でつながっており、『ドーン・オブ・ザ・デッド』においてロメロは、それを新しい時代の奴隷制として描き出した」

またの名を「負債」

ゾンビは、ハイチのプランテーションから産業資本主義へ、さらに消費資本主義へと取り憑く先を次々と変えていく。返済能力のない人びとへと融資を重ねることで成立していたサブプライムローンなどは、その先にあるべき金融資本主義の格好のゾンビ空間であった。ゾンビは、資本主義の移ろいに合わせてすみやかにその出没場所を転移していく。そして、リーマンショックをもたらした金融資本主義のさらに先を見れば、そこには無料で便利ツールを提供され、それを使っているうちに個人データをごっそりと抜き取られたあげく超強力な監視・管理システムに支配されるデータ資本主義の悪夢が待ち受けている。

文化人類学者のデヴィッド・グレーバーは「債務者」こそが資本主義というもののドライバーであり、それを生み出し続けるためにさまざまなプロダクトがつくられるのだと倒錯したそのシステムのありよう※15を説明したが、その線で行けばゾンビは、常に「負債」を負わされてきた者であるとも言える。かつては「労働者」として。ついで「消費者」として。その後、文字通りの「負債者」として。そしていまここで「データ商材」として、人はゾンビ化され続ける。

マルクスが、資本主義を動かしている見えないサブシステムとして「奴隷制」が作動していることを指摘したのは『資本論』のなかでだったそうだ。社会学者の植村邦彦は、マルクスがそこで述べた「隠された奴隷制」がいかに執拗に社会のなかで温存され引き継がれているかを、その名も『隠された奴隷制』※16という本のなかで述べているが、植村は、同書のなかで、そこから逃れるための希望のよすがのひとつを、グレーバーが語る「コミュニズム」という概念に求めている。

グレーバーが「コミュニズム」の語を通して語るのは、例えば水道工事をしている配管工が仲間の配管工に、「そこのスパナを取ってくれない?」とお願いした際に、相手が「その代わりに何くれる?」と聞くことなく取ってくれる、そうしたやり取りのことだ。グレーバーは、そうした「コミュニズム」が資本主義の底流に隠れて流れてきたことを、奴隷制の温存とならぶ「不都合な真実=スキャンダル」と語っている。世界中の「奴隷=負債者=ゾンビ」が、それでもなんとか生きているのは、そうした隠れた扶助システムが常に存在してきたからだと彼は指摘する。そして、そこにはたしかに一縷の望みがある。

GAFAを強奪する?

ゾンビ映画の面白さは、明確には敵が存在しないところにある。ゾンビはそもそも敵ではない。彼らは悲しき被害者であって、明日の我が身でしかない。ゾンビ映画に悪は存在しない。強いていえば、悪はゾンビを生み出すシステムであって、『バイオハザード』シリーズであれば、なんらかの意図をもって人をゾンビ化し続けるアンブレラ社がそれに該当する。しかしそうやって悪を設定してそれを打倒するという道筋が新たにゾン

※15

※16

ビを再生産していくだけであることは、いまなお数多くのゾンビ映画がつくられ続けていることが証立てている。

むしろ私たちは悪の存在を介在させることなく、ゾンビと向き合わなくてはいけない。ゾンビが私たち自身であるのなら、ゾンビ世界のなかに、グレーバーが語ったような扶助の仕組み、すなわちコミュニズムのネットワークを張り巡らせるようなことを想像すべきなのかもしれない。そして、積極的にそこにデジタルテクノロジーを関与させるべきなのかもしれない。Ｐ２Ｐのコミュニケーションを実現するツールは、先に言ったような「スパナ取って」「あいよ」というようなやり取りを拡張すべきものとして本来あったのではなかったか。

いま、仮に巨大ＩＴ企業にゾンビの一群が襲いかかるようなゾンビ映画をつくったとしたらどんなエンディングが想定されるだろうか。ハッピーな結末があったとしたら、それはどんなものか。巨大ＩＴ企業がガバナンスを奪還して終わるような結末は、よもやハッピーエンドとは言えまい。

ゾンビ映画はただの寓話ではない。それは政治的寓話、道徳的寓話のようにも見えながら、その本質において経済の寓話なのだ。そして、私たちはいま、データ資本主義の生み出す「新しい奴隷制」をめぐるゾンビ物語を生きていて、その重大な分岐点にさしかかっている。にもかかわらずゾンビはどうしたって知能も意思もないので、いいようにおもちゃにされても、悲しいかな気づきもしないのだ。

Field Guidesを読む
#57

The future of the IPO

June 13, 2021

https://qz.com/guide/the-future-of-the-ipo/

◉ＩＰＯの未来を完全ガイド
A complete guide to the future of the IPO

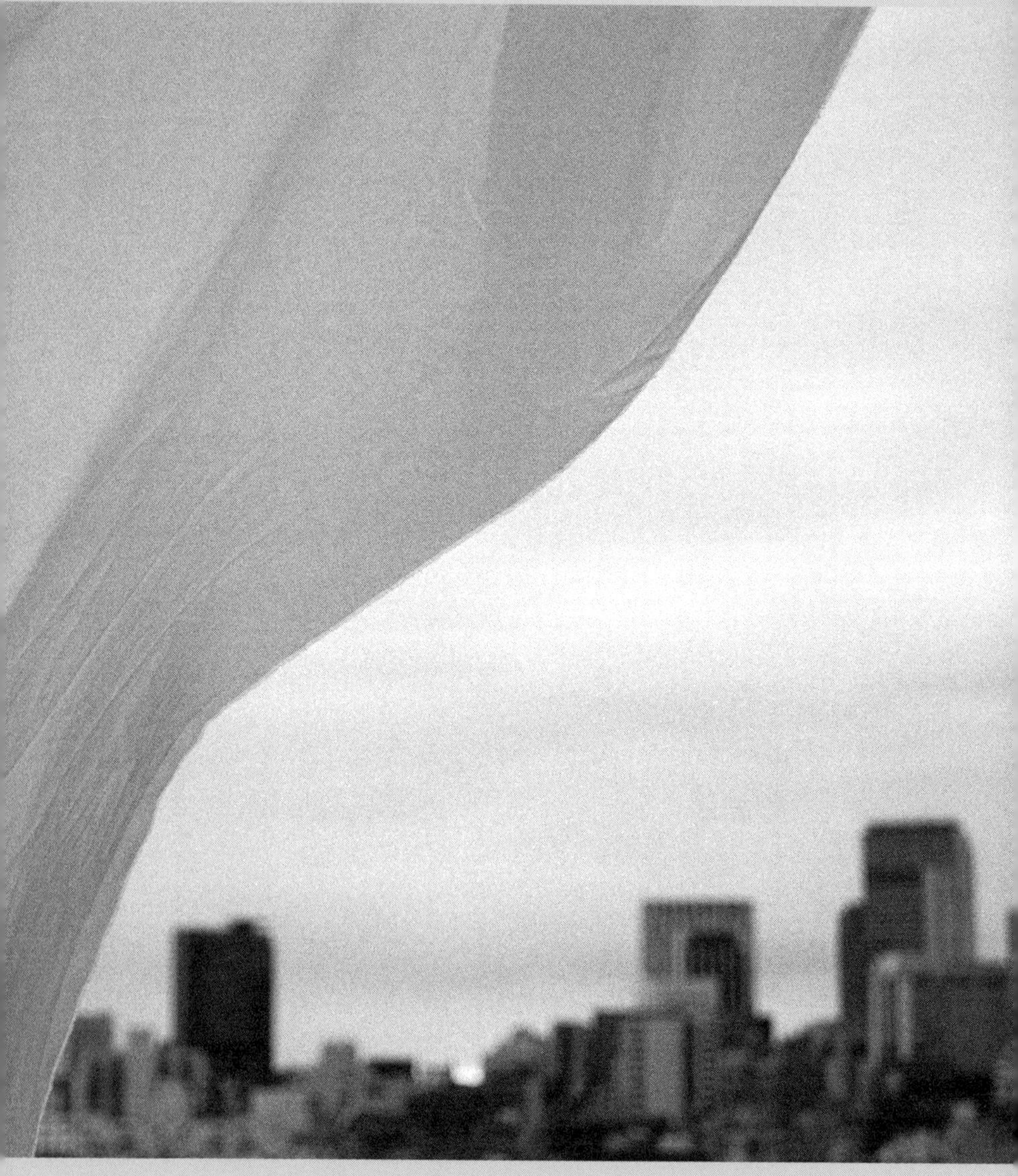

#58

The ascent of African entertainment

June 20, 2021

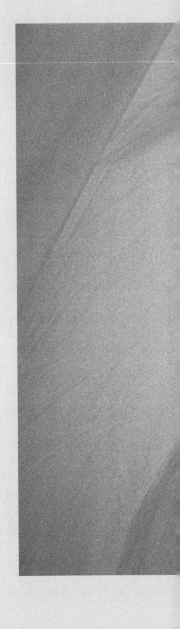

アフロポップの優美

アフロポップの面白さは、
そのサウンドの独自性のみならず、そこにえもいわれぬ
世界性・普遍性があることでして
それを聴いていると、自分たちはなんて
ゴテゴテしたダサい音楽を聴いているんだろう
アフリカの耳は自分たちのそれより
どれだけ先に行っているんだろうと憧れを覚えます。

——どうもです。ご機嫌いかがですか？

まあ、普通です。

——今回が、『週刊だえん問答』第2集に収録される最後のエピソードになるとのことですので、まあ、いわばこの半年の総決算的な意味がありそうですが、何かお伝えしておきたいことなどあれば、ぜひ。

そうですね。日本で起きているのは、ニュースを見ることすらうんざりするほどにくだらないことばかりですから、もういいんじゃないですか。相手にするから図に乗るということなのでしょうし、違う話をするのがいいのではないでしょうか。

——真面目にやってる人には気の毒にもなりますけどね。

むしろ、みんなが真面目にやっていることが、もはや問題なのではないかという気もしてきます。「よかれと思って」も、いい加減ほどほどにしないといけないのではないかと思います。「真面目にやってる人もいるんだ」という言説は、当たり前の前提条件を言っているだけですから、自戒も込めて、それを口実に人の善意を動員するのも動員されるのも、やめたほうがいいように思います。

——いいニュース、ないですね。

昨日、河井某という議員が実刑判決[※1]を受けたのは久しぶりにいいニュースでした。

——そうですね。

毎日新聞の速報記事を読んで呆れ果てたのは、河井某側が、「議員辞職したことや、逮捕後に支払われた歳費の一部700万円を児童福祉関連の財団法人に寄付したことなどを挙げ、執行猶予付きの判決を求めていた」という点です。「児童福祉に寄付したんだから、減刑できる」と考えるそのマインドは、まさに善意の悪用でしかなく、まあ、そういう輩はこの世に事欠かないのだとは思いますけれど、それを受け取る側も、どうかしてますよね。自らの組織が体よくロンダリングに使われているわけですから、事業側は怒ったほうがいいと思うのですが。

――お金が欲しいのは、現実としてはそうなんでしょうけれどね。

それはもちろんそうです。でも、なんらかの理念があったとして、それを経営や財務と天秤にかけて簡単に理念をねじ曲げていいなら、経営なんてよほど簡単ですよね。理念と財務が対立しないための方策を考えるというのは、実際とても難しいチャレンジだとは思いますが、そのチャレンジをしないなら「頭のいい人」は何のためにこの世にいるんですか。

――でも、やっぱり難しいんですよね、きっと。

だからこそ、それが実現できている企業や組織は尊敬されるわけですよね。多くの人が「ミッション」や「ビジョン」の大切さを簡単に言いますが、それを実践することは、とてつもなく難しいわけで、その難しさをどう解消しうるのかを必死になって考えるのが経営というものでしょうし、そのために行動するのが事業というものの本質じゃないですか。でも、それは難しいことで、それを達成できるのはほんの一握りで、とても希少な存在です。だからこそ尊いわけです。

――その尊さが社会の希望にもなると。

逆に、言い訳まみれの事業をいったい誰が応援したり敬意をもったり信頼したり憧れたりするんでしょうか。

――昨日（6月18日）開催された「DX」をテーマにしたイベントに北國銀行の杖村頭取という方が出演[※2]されていましたが、まさに、何かそうした本質を見た感じがしました。北國銀行では、これまで自社のDXや構造改革をレポートした3冊の本を出しているそうですが、北國銀行さんは、それを書店に卸さず、自分たちが経営に関わるECサイトだけで地道に売っている[※3]とおっしゃっていました。あのスタンスはすごかったです。

※1 ※2 ※3

「世の中の本は中身がないじゃないですか」という言い方をされていたと思いますが、その指摘は本当に正しいものだと思います。自分も含めて反省すべきは、何かを出版してそれでお金を回収することがあまりにも産業化され自動化されてしまったことで、いったい何のために、誰のためにそれをつくって届けようとしているのかを問うことを、決定的に怠ってしまっていることです。

私の理解では北國銀行さんには、そうした自動化されたルートに何の考えももたずに乗ることは、「何のために、誰のためにそれをつくって届けようとしているのか」を問わずにそれをやっている人たちと同じ土俵に上がることを意味している、という認識があったのではないかと思います。だから、あえてそこに乗らない選択をしたのだろうと思います。

——「一緒にすんな」と。

はい。オルタナティブであるというのはそういうことだと思うんです。どなたのことばだったか忘れてしまいましたが、「人のキャリアは、何をしたか、ではなく、何をしなかったかで測られる」ということばがいまだに強く記憶に残っています。人の行動において「何をやらなかったか」「何を拒絶し否定したか」というところを、人はもっと見るべきですし、そこを評価すべきです。

——面白い。

これはミュージシャンの仕事を見るときなどでもとても重要な視点で、例えば、あるアルバムを出したときに、そのアルバムが完成にいたるまでには、実際にはいくつもの選択肢がありえたわけで、それをひとつひとつ選び取っていく過程で排除された道が無数にあるわけですね。

——こっちに進むべき道筋もありえたのに、それを選ばなかった、ということですね。

ある判断や選択を行うにあたっては、「それ以外の可能性」を捨て去る必要があるわけですから、そこにこそ勇気というものは必要になります。ある道を通るためには、それ以外の道を捨てなくてはならない。そこにこそ判断や選択というものの重みは宿るのだと自分は思うのですが。

――最近そういう事例ありました？

自分が感心したのは、ペク・イェリン※4という元K-POPアイドルだったミュージシャンです。

――昨年末に出たアルバムは、ほんとうに傑作でした。

はい。2020年末にリリースされた「tellusboutyourself※5」で自身の音楽的なキャパシティを十全に披露し、スタイルやスタンスを確固たるものにしたように見せながら、今年の5月には、インディロックバンド「The Volunteers※6」の一員として作品を投下して、あっさりと、それを裏切ってみせたんです。

――あれは、ちょっと驚きました。そこまでガラッとやっちゃうんだ、という感じで。

そこに、彼女が何かに思い切り中指を立てた感じが見て取れて爽快感がありました。自分のレーベルをつくって、自分がやりたいことを自由にやる、というメッセージを自分は受け取ったのですが、こちらからすると「おお、もっと好きにやってくれ！」とさらに応援したくなりました。

彼女のキャリアを考えれば※7、おそらく過去には、自分としては排除したい選択肢を無理矢理選ばされてきたこともあったんじゃないかと思うんです。そうした選択をせずに済むよう、自分のレーベル※8をつくったのでしょうから、そこにもやはり強い決意と勇気を感じますし、いまのところ彼女は、そこで得た自由を、ダイナミックに行使しているように感じますので、これは見ていて非常に胸がすくものです。

――いいですね。

彼女には一度話を聞いてみたいです。いま一番インタビューしたい人ですが、仮にインタビューしたとしても、おそらくまともには答えてくれないんだろうなと想像できそうなところも、いいなと思います。不機嫌な感じで応対されたりしたら、ますますファンになります。

――今回の〈Field Guides〉は実は、

※8　※7　※6　※5　※4

ほぼほぼ音楽の話なのですが、つながりそうな話でしょうか。

どうでしょう。つながるかどうか、やってみましょう。

――アフリカ音楽が世界化しつつある状況についてです。昨今のアフロポップと呼ばれているムーブメント、お好きですよね。

大好きです。面白いんですよね。

――何が面白いんですか。

自分がいわゆる最近のアフロポップの動きを気にし始めたのは、たぶん3年くらい前のことだと思うのですが、そこで何に惹かれたかと言えば、その驚くほどの優美さでした。そのとき聴いていたのは、ナイジェリアのラゴスやガーナのアクラから出てきた音楽で、それこそそのちにシーンを代表するグローバルスターとなったバーナ・ボーイ※9がデビューしたあたりだったと思います。

――優美さ、ですか。

現在のアフロポップは、レゲトンやトラップといったグローバルで採用されている音楽様式が、ある意味先祖返りを果たし、アフリカ流に咀嚼されたものと言っていいと思いますが、自分が驚くのは、そうやって世界のあらゆるトレンドがアフリカに還流し、アフリカというフィルターで濾過されて世界に再び放たれたときに、それがひどくシンプルかつミニマムなものになっていることです。世界の音楽のエッセンスを極限にまで煎じ詰めて取り出したような感じがあって、しかもそれが、ただ簡素になっているのではなく、様式のなかに眠っていたエレガンスだけを取り出したような感じなんです。

――すごいですね。

自分が、それらの音楽を聴いて真っ先に思い浮かべたのは80~90年代に活躍したSadeというイギリスのグループ※10のことでして、彼女たちのつくる音楽は、ポップでありながらも高い抽象性をもっていて、それでいてめちゃくちゃセクシーでもある、というものでした。で、「そうか」と、はたと気づいたのですが、Sadeのボーカルのシャーデー・アデュは、ナイジェリアにオリジンをもつ人だったんですね。

——ああ、彼女自身が30年以上も前からアフロポップをやっていた、と。そう言われると、ちょっとわかる気もします。

Sade の音楽は、あらゆる都市やリゾート地などでかかっていたりするもので、自分が覚えている限りでは、カリブのリゾートや英国の海辺、ケニアのナイロビ、エジプトのカイロの街中などで、その音楽を聴いた記憶があるのですが、どこで聴いても、同じように景色になじんで、同じように気持ちいいんですね。Sade の音楽のある種のユニバーサル性[※11]というのは、もうこれはものすごいものなんです。普遍性の高さがすごいんです。

——想像するだに、どんな景色にでもハマりそうです。

しかも、それは、欧米ポップスがもつ帝国主義的画一化とは明確に異なる感覚で、そこで見いだされたユニバーサル性というのは、自分にとっては、西洋的な「普遍」とは違う、オルタナティブな「ユニバーサル」を夢見させてくれるものなんです。

——いいですね。

もうひとつ自分にとって大きな発見だったのは、ナイジェリアなど西アフリカを中心としたアフロポップとは音楽的には異なるものですが、南アフリカのハウスミュージックでして、なかでも Black Coffee というアーティストには驚かされました。

——へえ。

南アフリカは、どういう経緯なのかわからないのですが、ハウスミュージックがポップスとして広く一般に聴かれている不思議な土地でして、Resident Advisor が、Black Coffee が自身の故郷ダーバンのある小学校を訪ねるというドキュメンタリー[※12]を公開しています。これを見ると、Black Coffee が本当に大スターであることがわかります。子どもたちが彼の登場に狂気乱舞するんです。

——すごい（笑）。

聴いていてみていただくとわかるのですが、Black Coffee の音楽は、

※9　※10　※11　※12

めちゃくちゃストイックなハウスミュージックなんです。ポップス的な味付けなんて、ほとんどなくて、もう淡々とエレガントで、そのミニマムさがただひたすら気持ちいいといったものなんです。

――へえ。

Black Coffeeさんには一度インタビューさせていただいた※13ことがありまして、そこで彼は、「南アのポップスは、ハウスなんだよ」と語っていたのですが、「んなわけないだろ」とこちらは思うわけです。日本で彼の音楽は「アフリカン・ディープハウス」なんて呼ばれていますから、とても一般的なポピュラリティを得ることができる音楽とは思えないわけです。それが国民的ポップスになっているなんて完全に想像の埒外なのですが、ところが最近、Apple Musicで世界の都市ごとのチャートが見られるようになったので、ダーバンのチャート※14を見てみたのですが、ほんとに彼が言っていた通りで、南アのハウスアーティストの曲がずらりと並んでいまして、それがまた、もう、腰を抜かすほどストイックな楽曲ばかりなんです。

――「ハウスがポップス」はほんとだった、と（笑）。

　この都市ごとのチャートというのは、見ていると案外面白いものでして、結局世界のほとんどの大都市は、なんだかんだ言っても結局アリアナ・グランデやザ・ウィークエンドやBTSといったグローバルスターがチャートの上位に来てしまうものでして、それはApple Musicのユーザーの質を考えれば当然そうだろうと思いますが、とはいえ、そうした傾向がまるで適用されない都市がいくつかはあります。さらにそうした都市のなかで、ローカルの音楽がグローバルスタンダードのポップスよりもはるかに面白いところがありまして、自分のなかでは、その筆頭がダーバン、ラゴス※15やアクラ※16なんです。また、アメリカのなかでもアトランタ※17は独自性が強く出ていたりします。

――面白いですね。

　もちろん地域的な独自色が強いチャートは世界中にいくつもあるのですが、ほとんどの場合、グローバルトレンドをローカライズし

※20

た音楽という印象でして、かの音楽大国ブラジルでもローカルなチャートはそこまで面白くないんです。そうしたなかで、まったく違う音楽的価値観を示しているのがアフリカでして、とくにダーバンは気持ちいいほどの異世界です。

――行ってみたいですね。

　ダーバンやラゴスの面白さは、そのサウンドの独自性のみならず、そこに先にお伝えしたような、えもいわれぬ世界性・普遍性があることでして、それを聴いていると、自分たちはなんてゴテゴテしたダサい音楽を聴いているんだろう、アフリカの耳は自分たちのそれよりどれだけ先に行っているんだろうと憧れを覚えます。

――なるほど。Apple MusicやSpotifyといったプラットフォームが、これから開拓すべきフロンティアとしてアフリカ大陸を目指すようになり、その結果として、アフリカの新しい音楽がグローバルマーケットに逆流し始め、それを例えばドレイク※18やビヨンセ※19といった人たちがエンドースしたことで、もはやアフロポップはただの「ワールドミュージック」ではなく、グローバルポップのひとつの基軸として立つようになってきているわけですね。

　そうですね。これはもちろんビジネス的観点からも、グローバルプレイヤーにとっては見過ごせない動きになっていまして「アフリカン・エンタメが自立し始める※20」(African entertainment comes into its own)という記事には、こんな状況がレポートされています。

「アフリカと中東の録音源の収益は、2019年から2020年で8・4%伸びている。ストリーミングの収益について言えば、前年比36・4%の伸長を記録しており、これが音楽産業のメインの収益源となっている。Warner Music Groupのサイモン・ロブソンはあるレポートでこう語っている。『K-POPはもちろん継続して好調だが、今年最もエキサイティングな伸びを見せたのは、アフリカ音楽で、アフリカのアーティストはいまや世界中のファンに聴かれている』」

――K-POPと並ぶグローバル勢力になっている、と。

※19　※18　※17　※16　※15　※14　※13

おそらくいま世界のポップスの勢力図でいいますと、目立って巨大勢力を形成しているのは、K-POP、アフロポップ、そしてラテンアメリカ発のレゲトンということになるのではないかと思います。

――レゲトンといえば、2020年にSpotifyで一番聴かれたアーティストはプエルトリコ出身のBad Bunny[※21]でしたね。

そうなんです。レゲトンは、そもそもアメリカのラテンアメリカ人口が非常に多いことから、早くにグローバル化したものといえますが、アフリカ、アジア、ラテンアメリカに由来する3つの波が、これだけ大きな影響力をもつにいたっているのは、単にそれぞれの地域が大きな人口を抱えているからだけでなく、それらの地域にオリジンをもつ人たちが、世界中にディアスポラとして拡散しているからでもありまして、例えばナイジェリアの若者の間でカルト的な人気を誇るナイラ・マーリー[※22]は、ロンドンのペッカム育ちだったりします。

――なるほど。

かつてであれば、そうやってグローバル経済のなかで流動する人たちは散り散りになったままであったかもしれませんが、インターネットとグローバルアプリが、そうした人たちが縦横無尽にコンタクトし合える環境をもたらしています。アフリカ国内のアーティストのみならず、世界に点在するアーティストが手を取り合える状況を「アフリカのエンタテインメント・ビジネスはDMで起きている[※23]」(Africa's entertainment deals are going down in the DMs)という記事で語られています。

――個人同士が、どんどんつながっちゃうわけですね。

ちょうど今週、アフリカ音楽の重鎮でベナン出身の歌姫アンジェリーク・キジョーさまが新譜『Mother Nature[※24]』をリリースしましたが、アルバムにSampa the Great[※25]というアーティストをゲストとして迎えています。Sampa the Greatは、ザンビア生まれボツワナ育ちで、サンフランシスコとLAで視覚メディアを学んだのち、シドニーの大学で音響工学を学び現在はメルボルンを拠点に活動しています。彼女の音楽をキジョーさまはNPR Musicの「Tiny Desk Concerts※26」で見て、即、彼女にDMを送ったそうです。

――いいですね。

　また、南アでは2010年頃からローカルなハウスの派生系として「Amapiano」というジャンルがメインストリーム化していますが、このシーンでは、「WhatsApp」を使って音源をコアファンにシェアしてフィードバックをもらいながら制作を行うスタイルが一般化しているとも記事は書いています。

――ユーザー参加型のアジャイル開発じゃないですか（笑）。

　Universal Musicのアフリカ担当デジタルディレクターは、「ミックスやマスタリングに高い費用を払うことなくアーティストとそのチームは十分にそれができる能力をもっていて、レコードが完成する前にテストすることもできる」と語っています。

――面白いですね。アーティストたちが、どんどん先に走っていっていく感じが、ほんとうにダイナミックです。そうなっていくと、レコード会社とか、実際なんの意味があるのかという感じになってきますね。

　これは、44話の「ティックトックの訓戒」でお話ししたことですが、ひとつの大きな問題は、ミュージシャン側の制作面における自由やコンピテンシーが上がっているにもかかわらず、結局のところ、それを「換金」するところの仕組みにまだ大きな不自由がある点です。

　レーベルやレコード会社には、そこにおける戦略の策定や実際のツールを、よりフェアなかたちでアーティストにシェアしながら、自分たちのビジネスをも構築していくようなモデルに変わっていくことが求められていますし、デジタルプラットフォームも同様に、その機能面においてもこうした観点はさらに考慮されていくはずです。

――まさに第53話「スモールビジネスの希望・下篇」でお話しされていたことですね。

　はい。このあたりの話は、アメ

※26　※25　※24　※23　※22　※21

リカでも議論されるようになってきていまして、つい先日、ブランディングやファンダム戦略を手がけるある企業のファウンダーが、「クリエイターの収入を再想像する[※27]」(Reimagining Creator Compensation)と題したブログで、中国のエンタテインメントビジネスについて書いているのを見つけました。2020年の記事です。

——ほお。

彼女はこう書いています。

「中国のエンタメ空間において実験されている収入源の多角化は、大きなインスピレーションとなるものだが、これまで何年ものあいだ成功を収めてきたにもかかわらず、私たちは注意を払ってこなかった。

こうした実験のなかで生まれてきたのは、ただ単に新しい収益源を生み出すことではない。なかにはプロダクト、サービス、エコシステムを全面的に再創造したものもある。それらはカスタマーの行動をよく見て、そこから学んだ結果として生まれたもので、新しいマネタイズ手法によってドライブされてきた」

——レベニューストリームを変えることで、プロダクトの考え方や、それを取り巻いていたエコシステムのあり方が一気に変わるということが起きるわけですね。

とはいえ、ここで検証されているのは、そこまでドラスティックなアイデアでもないんです。紹介されているのは、エリカ・バドゥが自分でライブストリーミングの会社を設立[※28]した事例、アーティストにチップを支払って応援できる機能やサブスクリプション機能、マイクロトランザクションの強化、対面コーチングビジネスの拡充などです。また、こうしたサービスの先行事例として、Twitchのようなゲーミングプラットフォームが紹介されていますが、今後、まだまだ新たなサービスや機能は生み出されていくものと思いますし、それが一般化していくにしたがって、以前にお話ししたようにアーティストとオーディエンスの関係性を含めた、産業の「エコシステム」そのものが変化していくことになるのだと思います。

——これから大きく変わってきそ

うですね。

はい。さらに、これはまったく別の観点からの議論ですが、「Harvard Business Review」に、「ステークホルダーキャピタリズムのナイジェリアモデル※29」(A Nigerian Model for Stakeholder Capitalism) という記事が掲載されていまして、ここで紹介されているナイジェリアのコミュニティ経済は、いま学ぶべきひとつの経済モデルとして興味深いものです。

――へえ。

これは、ナイジェリア東部のイボの人たちのコミュニティで何百年と受け継がれてきたシステムで、ある事業で成功した人は、必ず新しいビジネスをやる人を育て、資金も与えて独立させないといけないという一種の徒弟制度です。「Igbo Apprentice System※30」と呼ばれるこの仕組みは、実は世界最大のビジネスインキュベーターとさえ言われているそうで、毎年何千もの「ベンチャー」を生み出しているとされています。

――面白いですね。

こうした仕組みがどのように作動し、結果として、いかに独占企業を生むことなくコミュニティの経済を底上げし、かつ市場のダイナミズムを活性化し続けているかは、直接記事にあたっていただけたらと思うのですが、この話が重要かもしれないのは、実は、今回の〈Field Guides〉のなかでも引き合いに出されているナイジェリア／ガーナの音楽シーンの重要人物であるMr Eazi※31が、まさにそのような動きをしているからです。

彼は「emPawa Africa※32」というイニシアティブを展開しているそうで、「Baby」という曲で一躍スターとなったJoeboy は、エド・シーランのカバー動画※33がMr Eazi の目に止まり、Mr Eazi からいきなりDMをもらうところからスターへの道を歩むことになったそうですが、こうした動きを先の仕組みに重ね合わせてみますと、そこに、循環的であらゆるステークホルダーにとってフェアな新しい音楽経済のあり方がもち上がってくる可能性を見いだすことができるのかもしれません。

――ワクワクしますね。

※27 ※28 ※29 ※30 ※31 ※32 ※33

とはいえ、その一方で、音楽の産業化は、どうしたって音楽そのものの画一化をもたらす方向性をもっています。市場が大きくなると似たようなアーティストで溢れかえることになることは避けられないのですが、アフロポップのマーケットが今後どのようにそうした隘路を回避しながら活気あるエコシステムを生み出せるのか、とても興味のあるところです。

　また、そうした観点からいきますと、いわゆるポップマーケットを対象としていないアンダーグラウンドミュージックの豊かさはどんな文化産業においても不可欠です。例えばウガンダのカンパラを拠点とするレーベル「Nyege Nyege Tapes※34」のような活動は、ナイジェリアのアフロポップシーンとは直接関係がないとは思いますが、同じように注目しておくべきだろうと思います。

——日本人電子音楽家のDJ Scotch Eggさんが、それこそNyege Nyege Tapesの姉妹レーベル「Hakuna Kulala※35」が主催するレジデンスプログラムを通じて制作されたScotch Rolex名義の『Tewari』は凄まじいアルバムでした。

　最高でしたよね。いずれにせよ、音楽における話が大事なのは、それがいずれ社会が向かっていく方向を指しているからですし、私たちがいま音楽というものを大事にすべきなのは、いくら産業化しようとも、結局のところ、それは個人が生み出す「価値」に立脚していて、かつ、それぞれ違った個性をもった個人がいればいるほど豊かな市場を生み出すものだからです。そうした経済が現実として存在していて、それがさらに豊かになっていく可能性を、アフロポップを通じていま私たちが目の当たりにしているのだとすれば、それは楽しいことです。

——しかも世界最高峰の優美さをもって、それが体現されていたりするわけですもんね。

　ナイジェリアは、それこそ警察による暴力もひどく、現実はまったく優美とは言えないものだと思いますが、そこから生まれてくるものが、あれだけの優しさと柔らかさを湛えているのは、それ自体が驚くべきことだと思うんです。その優美さは決して現実逃避ではないと思います。その優美さをもって過酷な現実に応えるのが、彼ら／彼女らの闘争のスタイルなんじゃないかと思うんです。

——なるほど。

シャーデー・アデュの高貴さは、そこにあるんです。彼女の美しさは、現実の醜さによって音楽の優美さが汚されることをきっぱりと拒絶したところにあって、そういう最も困難で勇気ある闘い方を貫いた彼女を、自分はずっと崇めています。

※34 ※35

Field Guides を読む #58

The ascent of African entertainment

June 20, 2021

https://qz.com/guide/african-entertainment/

◉アフリカン・エンタメが自立し始める
African entertainment comes into its own

◉アフリカのエンタテインメント・ビジネスはＤＭで起きている
Africa's entertainment deals are going down in the DMs

◉アフリカをグローバル地図に載せたサウンド
The sounds putting Africa on the global music map

リック・ルービン、ありがとう

　校了直前の7月4日の段階で、2021年夏のオリンピックは、開催を前提に選手団が続々と来日を果たしている。東京都の感染者数は右肩上がりで、警戒レベルは4。有観客か無観客か、あるいは会場での飲酒の可否については、継続して「調整」が続く。母親でもある選手が我が子を帯同できるかについてもひと悶着があり、運営側はあっさりと譲歩。メディア関係者の行動規制は五輪憲章違反との声が海外ジャーナリストからも上がっている。「水際対策」も「バブル」も水漏れを起こし、すでに有名無実化しているが、とにかく「やった事実」だけが欲しい政権は、その場しのぎの応対でやり過ごす方針を堅持することを固く心に誓ったものと見える。

　というなか熱海では大規模な土砂災害が起き、カナダは未曾有の猛暑に苛まれている。予測不能性がこれからの社会におけるデフォルトの条件であることはこれまで散々言われてきたが、開催3週間前にあってまだ何が起きるのか予断を許さない状況を見るにつけ、いよいよそのことがリアリティをもって迫ってくる。そんななかで、それなりに時事に寄り添った冊子をつくるのは難しい。出版された瞬間古びてしまったり、書いたことの一切合財が無効化してしまう事態が起きないとも言えない。それでも様子見をしておこうという気にもならないのは、たとえオリンピックが終わったとて予測不能性が消えるわけでもないからだ。どこまで行っても次に何が起きるのかわからない状況は変わらない。いずれ安定期が訪れたら、ここに書かれたものを安心してどこかに置くことができるかもしれないと考えるのは、オリンピック運営にあたっている人たちの楽観的予測とさして変わらない。とすれば、意義や効果を考えることなく、半ばやけくそ気味に世に放り出しておくしかない。世の中にとって何ほどの意味をもたなかったとしても、少なくとも自分にとってはなんらかの意味が、そのうちきっと見いだされるだろう。そういえばつい昨日だかに、アメリカの大物音楽プロデューサー、リック・ルービンの投稿をTwitterのジャック・ドーシーがリツイートしているのを見かけた。

「一歩踏み出してどこに向かうか見てみよう。方角はまだ気にしなくていい」
Take a first step and see where it leads. The direction isn't important yet.

いいこと言うな、リック・ルービン。ありがとう。

本誌のデザインを担当してくれた藤田裕美さん、表紙周りのイラストを、無理を押して4点も描いてくださった宮崎夏次系さん、エモーショナルな揺らぎに満ちた写真を文章に合わせて選び、提供してくださった写真家の濵本奏さん、連載の編集担当のQuartz Japan編集長の年吉聡太さん、膨大な量のテキストの校正を担当してくださった「校正集団・ハムと斧」、さらに膨大な赤字の修正に黙々と邁進してくださったオペレーターの勝矢国弘さん、中村智子さん、そして黒鳥社の面々に心よりの感謝を。

2021年の末か2022年の年明けには、第3集の刊行を予定している。北京五輪を直前に控えて世界はさらに騒然としているかもしれない。では、また会う日まで。生きて夜明けを見んことを。

2021年7月4日　若林恵

若林恵

Kei Wakabayashi

1971年生まれ。編集者。ロンドン、ニューヨークで幼少期を過ごす。早稲田大学第一文学部フランス文学科卒業後、平凡社入社、「月刊太陽」編集部所属。2000年にフリー編集者として独立。以後、雑誌、書籍、展覧会の図録などの編集を多数手がける。音楽ジャーナリストとしても活動。2012年に「WIRED」日本版編集長就任、2017年退任。2018年、黒鳥社（blkswn publishers）設立。主著に『さよなら未来』（岩波書店）、『次世代ガバメント 小さくて大きい政府のつくり方』（黒鳥社）、『こんにちは未来』（佐久間裕美子との共著・黒鳥社）、『週刊だえん問答 コロナの迷宮』（黒鳥社）など。

Quartz Japanの連載「週刊だえん問答」は毎週日曜配信。
登録は以下から。

https://qz.com/japan/subscribe/email/

週刊だえん問答 第2集　はりぼて王国年代記
2021年7月27日　第1版1刷　発行

著　者　若林恵・Quartz Japan
発行人　土屋繼
発　行　株式会社黒鳥社
東京都港区虎ノ門 3-7-5 虎ノ門 ROOTS21ビル1階
ウェブサイト：https://blkswn.tokyo　メール：info@blkswn.tokyo

デザイン　藤田裕美
装　画　宮崎夏次系
写　真　濵本奏
DTP　勝矢国弘・中村智子
校　閲　校正集団「ハムと斧」
編　集　若林恵・原田圭
制作管理 販売営業　川村洋介
印刷製本　中央精版印刷株式会社

ISBN978-4-9911260-7-9　Printed in Japan